我在毛澤東身邊的一萬個日子

■作者／李敦白、雅瑪達·伯納　■譯者／林瑞唐

THE MAN WHO STAYED BEHIND

By Sidney Rittenberg and Amanda Bennett

智庫文化

我在毛澤東身邊的一萬個日子

目錄

地圖

序 I

第一章 木仙之死 1

第二章 饑荒 29

第三章 新四軍 51

第四章 在毛澤東的洞穴 75

第五章 秋高氣爽 109

第六章 我的長征 131

第七章 黑暗歲月 159

第八章 學著活下去 189

第九章 美麗新世界 209

第十章 比紅更紅 227
第十一章 黃金歲月 249
第十二章 冒進 275
第十三章 大饑荒 297
第十四章 核心圈內 325
第十五章 豐年 345
第十六章 喚起羣眾 379
第十七章 打砸抄燒全面破舊 397
第十八章 奪權 423
第十九章 掌權 451
第二十章 權力至上 473
第二十一章 冰屋 499
第二十二章 王朝崩潰 525
第二十三章 歸鄉 555
收場白 577
致意 587

序

我寫這本書，只因為我必須寫。

這是一個承諾——當我第二次被送進監獄時，我對自己所許下的承諾；我告訴自己，如果我終能出獄，我要讓世界知道，這些真實的故事是如何發生的。我要述說我這個出生於南卡羅萊納查爾斯頓市（Charleston）充滿理想的年輕男孩，是如何的被中國革命之火吸引。我是如何將我的全部所有奉獻給中國，並且深信在這場「夢幻革命」中，我們都能找到解救之道——不只是中國而已，最後還會擴及全世界。為了追隨這場夢想，是如何度過所有的艱困，以及長期的黑獄歲月。這些夢想最後又是如何的引導我——以及中國——走上歧途。

這個故事是要述說我以及像我這樣的人，為了創造一個更新更好世界的夢想，如何走上共產主義道路，以及在一些年歲裡，我們如何成功的將希望及改變帶給那些最需要的人，所獲致的成功有時遠超越我們原先的期盼。

但是同時，我也要清楚的道出隨之而來的邪惡。我看到這些邪惡，我活生生的與它們相處，在某些情況下——說來令我既羞愧又自責——我也和它們同流。

*　*　*

至今日我終於相信，我們當初所選擇的構築烏托邦世界的方法，一開始就已經埋藏了毀滅的種子；我們當初所設想之計畫的原罪，在於一開始就認定要創造一個十全十美的民主，就一定要利用「鎮壓」來對付「一小撮的階級敵人」。而「十全十美的民主」這樣動人的承諾，便誘使原本善良的人們加入了鎮壓的行列。所以，像這樣一個故事，就可以說是有關一個「愛得不夠聰明，但卻很深」的男人的故事。

我盡我所能、所知的將故事真相呈現出來。我沒有隱瞞任何事，沒有編造，更沒有漂白。書中所陳述的各個事件，都是依我個人所記得的經驗寫成，我也盡量不讓我的「後見之明」，來影響我陳述自己在當年是怎麼想，是個怎麼樣的人。

這本書是我和另外一位合著作者，經過數千個小時的拜訪、交談及書信往返後的產物；沒有她，這本書或許根本尚未動筆。

在剛開始計畫寫這本書時，我告訴她，「你的任務就是從我身上挖出真實的故事。」幸好我說的是真心話，因為這正是她所做的。我需要一個正直誠實、理解力強、有才能，而且不屈不撓追求事實的夥伴；這些條件她全具備。

我們兩個人逐一審閱了上千頁的草稿。這些草稿是在過去十三年中，我在不同時間寫下的，其中還包括了一份一九七九年的手稿，當時離我二次出獄才剛過一年，對於這些事件的記憶正是最清楚的時候。

拜共產黨之賜，我養成終生勤做筆記的習慣，從而也強化了我的記憶力。每天晚上，我都會把當天值得思量的事記錄下來，這些日記有一部分保存下來，主要是一九五八到一九五九年大躍進期間的紀錄，其他則不是被毀就是遺失；儘管如此，但每天寫日記的規律習慣，卻使我的記憶能夠保持相當程度的鮮明。當然了，十六年的幽囚歲月也讓我有許多空間時間思考。

另外我也參考了公共文獻。在中國報紙上，有些有關我個人，及我所參與之活動的報導，例如哈佛大學費爾班克中心所蒐集的「紅衛兵日報」中，就刊登有我在文化大革命中發表的一些演講及主持會議的實錄。

我也廣泛請教了許多此地及仍在中國的中國友人，他們認識我的歲月可以回溯到延安時期。我除了希望他們激發我的記憶外，也想藉此比較彼此對事件的回憶有何不同。在寫這本書的那三年內，我回到中國十六次，並花下了數百個小時與五十個以上的人訪談。

最後，雖然這本書的完成得之於許多人的協助，但它所敘述的卻是我的故事、我的回憶，及我的一生。

李敦白長征中國大陸路線圖

一九四六年，李敦白終於踏上延安的路途。一路經過河北、山西、陝西、綏遠及察哈爾，將近一個半月的時間他都在匆忙地趕路。

一九四七年，共產黨遭受國民黨的圍殲，不斷流竄，李敦白隨黨員撤離延安路線。

第一章 木仙之死

我從未真的想要待在中國。

我甚至從沒有想過會到中國。我並不迷戀所謂的「神祕的東方」。我夢想過要到法國、英國，甚至蘇俄，但在一九四○年代是絕對沒有人會想要到中國找樂子。我也不是個真有宗教家精神的人。雖然我可以說是個改革派、革命者，甚至是個力求改革當時社會的狂熱分子，但是中國並不是我想追求改革的目標。當時有好多美國人夢想要救中國，但我從未想過。

一九四二年，時值二次世界大戰初期，我被陸軍徵召入伍，但我並不是很熱切期盼能夠因此而遠遊千里之外；那時我二十一歲，滿腦子想的都是自己國內的社會問題。

坦白說，我當初會學中文，只是為了達成目的的一種手段。就在我入伍後不久，陸軍當局對我作了測試，決定將我調離野戰部隊，派我去學習日文。我當時嚇呆了，因為一旦日本戰敗——我那時就已確信他們一定會輸——會說流暢的日語可能就代表我得隨著美國占領政府長駐海外。

於是我設法說服陸軍總部的人讓我改學中文，心想這一來我可以淺嘗冒險滋味，而且一旦戰爭結束就能迅速回國。

我在中國一待就是三十五年。現在每當有人問我，當時為什麼不在服完兵役後，甚或後來在許多夢想幻滅、許多朋友相繼背叛我、又在一段幾乎徹底毀壞我健康的幽囚歲月後，便離開中國，我有時候也理不出真正的原因。不過每當我很真誠的想回答這個問題時，我幾乎總會想起「木仙」。

說來奇怪，因為我從未見過這個名叫做「木仙」的小女孩，她在我到達中國前的幾個月就死了。在我初抵中國那令人迷惘的第一年，我遇到過許許多多士兵、學生、報童、妓女、大官、小官、間諜、廚師及司機，但讓我不斷回想的卻是一個十二歲就夭折的女孩，她的名字叫李木仙，是個黃包車伕的女兒。我留在中國就算不全是為了她，至少部分是為了她。

在我抵達中國後沒多久，我便被分發到西南的昆明，擔任美軍軍法辦公室的中文專員。二次大戰期間，昆明是盟軍從印度搭機飛越喜馬拉雅山脈駝峯，進入中國後的第一站，街上四處可見美國大兵，而買賣美製藥品、豬肉罐頭、香菸、汽油，及衣服的黑市更是生意興隆。「酒」是到處都有，而一到晚上更是除了喝酒外便無事可做。軍法辦公室的人經常忙於調查向美國軍方請求賠償的索賠案件，也毫不令人意外。

我們共有五個人分發到昆明，全都是語文學校的同學。我的任務是查證那些索賠的案件，經常開著吉普車穿越城中的街道，找到原告，訪談他們，並且把所談得的所有資訊轉謄到美國政府

●一九四三年我在史丹福大學研習中文，原本只想到中國服役一陣子，大戰結束後就回國，但是我被中國當時的情況驚駭住，並且決定用任何可能的方式來協助這個國家及它的人民；於是我加入了中國共產黨（也是唯一獲准入黨的美國公民）。我在中國一待就是三十五年——其中十六年是被獨囚的黑牢歲月。

的官方表格上。

「黃包車伕李祿山」索賠案是我奉派調查的第一個案子。看過檔案資料後，我便開吉普車去找他。他住的那條街並不難找。那是一條位於昆明市內主要徑路——東開大路——旁，如羊腸小道般的小巷子。巷子兩旁排列著許多土磚造的房子，街旁擠滿了人，有的在漱口、有的在叫賣、有人在吹頭髮、有的洗衣、有的在剝菜、有的則看顧嬉戲的兒童。

一走進巷子，要找到李祿山的房子也不難。當我開著美國陸軍吉普車經過時，每個人都似乎早就在等著我。幾個月前的那個早上，當一輛美軍卡車疾駛而過並輾死黃包車伕李祿山的獨生女時，李的許多街坊及親朋也在街上。他們親眼目睹慘劇，並且知道李祿山的妻子——木仙的母親，在這件慘事發生後便因為過度震驚及悲傷而癡呆起來，他們也都知道李祿山正向美國政府提出賠償的控告。

索賠案的原告通常絕不會到我們的辦公室來親自提出告訴，因為路途遠得令人却步。我們的營舍離城有數哩遠，位於蔣介石的國民黨部隊的軍營內，四周圍有高牆，還有重兵守衛。但是最主要的問題是當時昆明的居民大部分是文盲。他們不會直接找我們申請，寧願先找掌管十二家的鄰長，然後再由鄰長將申訴案轉呈給管理十二個鄰長的里長。里鄰長會同討論後，將索賠案由以一筆漂亮的書法寫在宣紙上，最後再上呈縣政府，並由縣政府轉交給我們。在這個層層上轉的過程中，每個經手的中國官員都會從這個倒楣的索賠者身上分得一杯羹。

當我奉派處理木仙的案子時，肇事的駕駛已經接受過偵訊。這位空軍士官在供詞中說，他在肇事的前一天晚上借了一輛六×六的軍用卡車，開到城裡的「巴黎街」夜總會，從那些餓著肚子的瘦小舞女中叫了一個做陪。等他隔天早上醒來，發現自己已經不假外出未歸，而且還頭痛欲裂，他隨後又喝了兩杯威士忌，然後開車回營區。

在半路上，他向右急轉到一條與通往營區大道平行的小巷子內，然後他便看到一個小女孩在她的茅舍家門前踢毽子。隨後他告訴處理這件案子的憲兵官，他想，嚇嚇這個小女孩應該滿好玩的吧，他在口供中說：「於是我告訴自己，我要看看自己能開得靠那個邋遢小女孩多近。然而天殺的，我要是沒有撞上她就好了。接著我只想著自己該盡快離開現場。」於是他迅速將車開回營區。

現在我就在案發的那條小巷子。不久後我便看到黃包車伕李祿山，伴隨著他一起出現的，是一羣他的左鄰右舍。

他比我略高，五呎八吋左右。看樣子有四十多歲，因此我猜想他應該只有三十出頭。戰時在昆明，一個黃包車伕每天拉十二個鐘頭車所賺的錢，頂多只能讓自己及家人吃個半飽。看他骨瘦如柴，小鬍子委頓下垂，光著兩隻腳丫子，神情十分憔悴。

「我們的生活一無所有，」他說話平靜而直接，一口口音特重的雲南腔。「我們已經窮到只能吃『苦』。她是我們僅有的，我們原本還指望她能有好一點的未來。」

他正述說著一件極度不公平的慘事，但他的語氣卻幾乎不帶情感。他並未目睹慘劇，但是他太太卻親眼見到女兒被一個不知道停車的駕駛活活撞死，李祿山帶我走進他的小房間，掀開竹簾，他的太太沉默而毫無生氣的坐著，兩眼凝視牆壁。意外發生後她再也沒說過話，並且在幾個月後離開人間。

回到軍法辦公室後，我寫好報告，建議給予最高額的賠償。之前我已告訴李祿山，賠償金額不會太高，但結果卻遠比我想像的還要糟。

幾個星期後，助理理賠官建議賠償「二十六美元」。我當時想這其中可能有什麼錯失，於是找他談這個案子。我指出在最近的另一個案子中，我們賠了一個商人一百五十美金，因為他的小馬被一輛美軍卡車撞死。「一匹馬有牠一定的價格，買賣還有收據，」助理理賠官說，「但是人沒有價格，你想知道人命的價值，唯一方法是找出他對家庭收入有多少貢獻，以及要花多少錢來埋葬這個人。本案的受害人只是個不會賺錢的小女孩，而小孩的一副松木棺材只有成人棺材的一半價錢，而且依據我們的規定，收入愈低，該付的賠償也愈少。我堅持我原來的裁決。」

我回到那條小巷子。當我交給李祿山那個裝著二十六美元的信封時，我想為他所遭受的不公平待遇說抱歉。然而他只是收下信封，向我鞠躬，然後轉身離去。但在那個下午，就在五點之前，他卻在數哩的跋涉及通過層層守衛後，出現在我的辦公桌前。這次他帶來他自己以破紙糊成的信封，把信封交給我。我看到裡面有六元。

「這是做什麼？」我問他。

「為了謝謝你的幫忙。」

「你是不是也包錢給里長呢？」我問。

「是的。」他回答著。

「你也給了鄰長？」

「是的。」

我突然間恍然大悟。在他的心裡，我也成為他生命中眾多的沉重壓迫之一。即使遭受這種天大的寃屈之後，李祿山依然很認命的將他的賠償金分給每一個在他收到賠償金的過程中有任何幫助的人──包括一個撞死他女兒的外國軍人的同僚。中國的官僚制度依存在這樣的壓榨上，並且對那些想要逃避壓榨的人百般刁難。對李祿山而言，去討好那些即使是正在迫害他的人，也成了順理成章的事。

「我不能收，」我對他解釋，並把信封還給他。「這是違反規定的，況且你拿到的賠償金實在少得可憐，我再拿就太不應該了。」我看到他在我用中文說「規定」這兩個字時，臉上掠過一絲淡淡的笑容。我想，他應該很了解「規定」吧。不論如何，他還是鞠躬謝謝我，然後轉身離開了辦公室。

從此我再也沒見過他。

但是在往後的日子裡，即使情勢變得非常糟，我仍經常想起李祿山及他的小女兒。我想我選擇了加入中國共產黨這條路以及我堅持到底，跟其他許多後來我認識的人一樣，是因為我真誠的相信這是唯一的一條路，能夠讓我去幫助、去改變那些如李祿山及他的女兒木仙一般生活在困苦中人的悲慘命運。

因為當選擇的時刻來臨時，我看過的悲劇已經令我忍無可忍。

＊ ＊ ＊

一九四五年九月十六日的黎明，我們飛越駝峯進入中國，軍機上滿是筆直挺坐著的士兵。我們是前一晚的午夜從印度出發，在黑暗中心驚膽顫的飛越世界最高的屋脊。我們每個人身上都帶著降落傘，但我們深知如果我們必須跳入喜馬拉雅山中，降落傘根本救不了我們。

在我們抵達中國時，大部分駐紮當地的美國大兵，都迫不及待要離開那裡回美國老家。日本人已在一個月前無條件投降，而同盟國的佔領軍也正逐漸撤離。太平洋戰爭終於結束，但我們這羣在飛機上的人，卻跟那些想急於離開的人一樣的急於想進入中國。

急於想進入中國的原因之一是印度。在等待進入中國之前，我們在離加爾各答約三十哩的肯加拉帕拉（Kancharrapara）營區，汗流浹背的待了可怕的五個月。蚊蟲、塵土、酷熱，以及不得已的無所事事，使得印度就像個可怕的地獄般，我們全都得了痢疾，而我一度甚至病得必須住院治療。

因此在那個旭日初昇的九月清晨，當我們的飛機盤旋在昆明上空時，我們心想，這輩子再也沒見過像這般美麗的山河了。向窗外遠望，我便可以看到西面羣山屏障著一塊紅土盆地。山脚下，昆明古城緊傍著一個大湖。環城四周，無數方形或扇形的小塊土地拼湊成一幅極不規則的拼貼圖畫。萬物一片翠綠，欣欣向榮，連空氣中都透著一股清香。經歷過印度那段日子後，昆明給人的感覺和印象渾似天堂。

另一個促使我們想早一點進入中國的原因，便是那裡的人都講中文。在那個年代，除了傳教士、少數學者及外交人員外，沒有幾個西方人能說流利的中國官話。因此我和機上同班學習中文的同學都覺得，會說中文使我們成了精英分子。

在陸軍的監督下，我們一羣人在史丹福大學學了約一年的中文。我們不斷的練習、複誦、聽錄音帶、辨認單字卡，用手指在空中寫字，直到一筆一劃都能流暢無誤為止。現在我們終於學會說中文，而我們也想早一點到達這個能讓我們試用這種新技能的地方。

在我們這羣人當中，我的盼望最為殷切。我當初學中文的動機非常平凡，但中文的美及對中國人的綺麗幻想，卻使得我不由自主的為之著迷。當我在查爾斯頓唸私立中學時，我的法文及拉丁文是班上頂尖的；而在北卡羅萊納大學唸書時，我的德文也是佼佼者；但從沒有一種語文能像中文般的使我感到興奮。

對我而言，學中文就像是愛麗絲打開夢遊仙境的大門，進入了一個迷人的花園。由於中國文字是以象形為基礎，因此一個字不僅代表它所代表的意義，字本身的造形便是它的意義。舉例來說，「美」這個字當然有「美」的意思。但除了美之外，它也有「美麗的」、「美化」，及「美的想像」等意思。「美」這個字本身就是「美」。一個中文字可以像西洋棋上的皇后般，轉向任何方向，這是世上任何一種字母文字都無法辦到的，沒有任何形式的語尾變化或獨立造句可以抓得住它。

中文發音也與其他語言發音法大不相同。說中文就像在敲一組大小不同的鐘一樣，音調不同便會使得一個字的意義完全不同。在史丹福學中文時，我每天晚上都和我的中文老師待在舊金山中國城一棟大樓的地下室內，對著他，像敲鐘般的逐字逐句大聲唸出每個中文：

「氣。」他唸著。

「積。」我說。

「不對，是氣。」

「去。」

「好多了，氣。」

「氣。」

我們常常這樣唸到深夜。

當我們抵達中國時，所有同學中只有我被公認為能說流利中文，而我也想好好把握在中國的這段時間。在軍車將我們從機場接到營區後，我便開始放眼四周尋找我能夠讀出的字眼。從路對面的招牌上，我小心翼翼的讀出三個字：「Hei Tu Xiang」——黑土鄉。

就美國陸軍通訊兵團在中國戰區的指揮部而言，黑土鄉這個地方實在不怎麼樣。而我們在營區中的新家也不怎麼起眼。由於美軍算是蔣介石國民黨軍的客人，因此美軍住所便稱做「招待所」，而我們通訊兵團的人都住在第八招待所。雖然名為招待所，但它其實就是個陸軍營區——木製的兩層樓建築，四周圍著黃褐色的土牆。而黑土山小鎮便坐落在離營區後方不遠，由主要道路彎進去的一條小巷子內。

雖然是初來乍到，但我已迫不及待的想要到周圍的新環境中一探究竟。在枯燥的衛生及安全講習後，我和中文班的兩個夥伴——貝克及李維，噼哩啪啦的衝下營房的樓梯，準備去結交中國朋友。

黑土鄉其實只有一條街，兩旁是緊緊相鄰的木造小商店。有家店賣糕餅、月餅、千層糕，以及甜煎餅；有家店賣核桃、棗椰、栗子、棗子糖、胡桃果；有家水果店賣石榴以及金黃甜美的大梨子，有家布店把布料堆到人行道上；街尾則是一間打鐵舖及一間豆腐店。除了從幹道到我們營區的軍用六×六卡車偶爾會彎過這裡外，這條街上的唯一交通工具便是黃包車及運貨的騾車。

我們首先碰到的人是兩個士兵，他們是駐守我們營區大門的國民黨衛隊。

「你好。」我用中文向他們致意。

「你好。」他們一起回答著。

接著我們自我介紹：「我們是美國兵（Women Shi Meiguo bing）。」意謂我們是美國士兵，來這裡協助你們打日本鬼子。

「Megui hou」，他們以奇特的口音說著「美國好」。

我們開始交談，但情況却與在史丹福大學的語文班中大不相同。貝克及李維兩人很快就聽不懂對方說什麼。即便是我也覺得很難猜出他們在說什麼。他們的口音很重，有點像又輕又含混的湖南鄉音，極難聽懂；讓人只能從大脈絡中去拼湊出他們說話的意義。我用來「猜」的方法是去辨認出他們的發音與正統的北京官話有什麼不同，例如將他們「D」的音換成「T」，「L」的音換成「N」的音。我問他們是哪裡人，「湖南。」他們說，但聽起來卻像是「福蘭」。

那兩個士兵告訴我們，他們隸屬第五師。我們也已久聞這個師是國民黨的精銳部隊，曾遠赴緬甸在「火爆大兵」史迪威將軍的手下受訓。我問他們是不是能吃得飽？是的，他們回答，有很多吃的。他們的外表看起來也是如此，他們都有著一張圓臉，年輕而紅潤。

那時已接近他們換班的時間。等接他們班的士兵來後，兩個年輕的衛兵便邀請我們到他們的總部去。我們爬上了營區後的山坡，來到一棟暗灰色的古老建築，有著石瓦屋頂及從屋簷角上探頭而出的承霤。從外觀看來，這不是一間古廟便是一間舊學堂。建築物的外圍則是一片像是廣場的空地。

我始終沒走進他們的營房。因為我被自己在廣場上所看到的可怖景象嚇得裹足不前。廣場上放著許多看起來像是來自中古世紀牢房中的刑具；有一塊像是樹樁的木板，上有可容頭及手臂穿過的洞；另外有一個可以將頭、手銬起來的活動刑枷；一個以皮條串成的鐵柵高高掛在伸長手臂也搆不著的地方，如果將人的手指頭綁在上面，那這個人便必須不停的墊起腳尖。還有一張分成兩截，被稱之為老虎櫈的板凳，明顯的是用來拉長，甚至拉斷人體的拷問刑台。每件刑具看起來都很舊，但卻都維修得很好——很明顯的都還在使用中。

「這些東西是用來幹什麼的？」我問了那兩個年輕的衛兵，他們同時咧嘴而笑。

「它們是用來處罰不守規矩的士兵。」其中一個開口回答，並且用了一個代表「頑皮」的隱晦字眼。

付鎮上的老百姓。」

「或者是處罰老百姓，如果他們也不守規矩的話。」另外一個插嘴，意謂它們也可能用來對

他們雖然都笑著說，但我知道他們不是在開玩笑。貝克、李維和我面面相覷，然後又不約而同的看著這兩個有著年輕臉孔的男孩，他們不可能超過十八歲，我甚至懷疑他們可能只有十四歲。

「你們為什麼從軍呢？」我們問。

他們又笑了。「Mei banfa（沒辦法）」他們又一起回答。意謂他們並沒有別的選擇。

* * *

在世界其餘地方，大戰都已經結束。但是在中國，戰爭才剛開始。

日本投降中止了不斷的爆炸及空襲，同時也使善良的百姓不必再畏懼那些在上海及南京一路姦淫屠殺的可怕侵略者，但也擊敗了這個民族共同的敵人，消除了使中國團結的唯一因素。

日本人一走，中國人便轉而開始內鬥。

在日軍占領期間，國民黨及共產黨的合作也只是斷斷續續，而且往往是虛有其名。但一等日軍投降，這層薄弱的合作關係立即破裂。在離此遙遠的華北及華中地區，統治中國的蔣介石國民黨軍及控制大片地區的共產黨軍，正搶著去接受日本軍隊的投降，同時接收他們的精密武器。雙方所要爭奪的，不僅是受降的威望，更是要爭取未來自稱是中國合法政府的權力及能力。

在昆明，街上到處是穿著各式不同制服的軍隊，正反映了即將使中國陷入激烈及痛苦內戰的

深切歧異。國民黨軍隊非常好辨認，他們通常穿著英挺、特製的灰藍色棉布制服，或是卡其色的外套。這些在昆明的國民黨軍是蔣介石的親信部隊，而他們在這裡出現更證明了腐敗已經從中國內部開始蔓延。這羣精銳部隊原本應該用來驅逐日軍，但是為了在抗戰結束後消滅共產黨，他們卻被留在遠離前線的昆明休養生息。就如我們在營區碰到的年輕衛士，他們都是有張甜美臉孔的湖南年輕人，看起來營養充分，與其他人形成對比。

而那些軍閥——那些在中國各地割據稱雄的土皇帝——的部隊，則活像是一羣雜牌軍，穿著五色雜陳，每個人臉上都帶著戰時的生活特徵——飢餓。

我在昆明不久就發現那個地方沒有法律，沒有任何事物可以保護人民不受自己政府的壓迫。我第一次開車經過昆明市內時，我們的吉普車便碰上腳踝被綁在一起，拖曳而行的一羣人，不得不停下來。

「這些人是誰？」我問著陪伴我們的年輕人。

「新兵。」他如此回答。他並且告訴我，軍隊到鄰近的村落中搜索，只要看到他們中意的人就強行拉走。

「但是只有兩個衛兵在看管這十幾個鄉下少年啊，」我反問：「他們為什麼不乘機逃走？」

他聳聳肩說：「阿兵哥身上披著虎皮。」意思說你最好不要想在他們面前搞鬼。

村落中的年輕人並不是唯一的受害者，在我們到達昆明後沒多久，我們營區的國民黨指揮官便曾信口提起他可以找來任何我們想要的女人。他說，只要一塊美金，我們保證可以為你找來一個處女。錯愕之餘，我們問他女人從哪裡來？「從鄰近的村落，」他解釋著，「沒有人敢抗拒的。」他接著補充道。

阿兵哥身上披著老虎皮。以後我們一再聽到這句話。即使是重大罪行發生，通常也沒有偵訊、沒有審判、沒有刑罰。那裡不講法律——只講權力。

有一天在昆明市區，就在我停吉普車的地方，我看到兩個腰別德製手槍的警察正在我車旁邊用繩子綁一個衣衫襤褸的人及一個小男孩。「怎麼回事？」我問道。

「我們發現他們在你吉普車旁徘徊，」其中一個警察回答，「我們肯定他們是想從你車上偷東西，只是我們先逮到他們。」

「噢！」我回答，但心中卻懷疑他們如何得知那兩個「犯人」的意圖。「那你們要如何處置呢？」

「我們會把他們拖到行刑場槍斃。」另外一個警察一邊回答，一邊將小男孩的綑繩緊了緊。

而那個小男孩絕不會超過八或九歲。

我能怎麼辦？我很確定那兩個警察根本不會管什麼「證據法」或是「法院拘提令」。「這樣子好不好？」我靈機一動：「我有個主意。你們在一輛美國吉普車的附近逮到了他們，所以我們美國人應該有個處理他們的機會。你們何不將這兩個人綑緊，把他們丟到我車後座。我會把他們帶回美國憲兵指揮部。等他們落到我們的憲兵手裡，他們會後悔沒有跟著你們。」

兩個警察互看了一眼，並且乾笑數聲。接著便把綑繩綁得更緊，把男人及小孩丟到吉普車的後座，我迅速上車，加速駛離現場開上街道，唯恐那兩個警察會後悔而來追我們。同時我也回頭向我後座的兩個乘客大聲說：「不要擔心，一到安全地方我就讓你們走。」

我轉了幾個彎，左穿右閃的穿過繁忙的街道，一路往市郊駛去。我把車開到一個大公園的旁邊停下來，下車用力將他們的細繩切斷。他們卻不知是沒有聽懂我的話，還是不相信我，竟只是呆呆的站在那裡看著我，眼裡閃著絕望。

「沒事了，」我說，「我放你們走。」

那個男人及小孩依然呆視著我。

我只得再說：「你們自由了，可以走了。」

慢慢的，男人的眼中現出會意的光芒。他跪了下來，哭哭啼啼的說：「Jiu ming en ren」同時也把那男孩拉著跪下，一起說：「Jiu ming en ren」——你是我們的救命恩人，把我們從死亡邊緣救出。兩個人不停的在地上磕頭。

我覺得難過。

突然間，我覺得慚愧又激動，拿出皮夾，掏出裡面所有的錢，一半給男人，一半給小孩。「離開這裡，趕快離開這裡。」我說，「不然那些警察會追上來並且再把你們抓起來！」

我跳上吉普車，盡快駛離現場。

撇開人們對國民黨或是警察的畏懼不談，真正能夠激起中國人民幻想的是共產黨，而不是國民黨，大廚師老王向我證明了這一點。

在我到達昆明後沒多久，老王在嘈雜的餐廳中注意到我，那時我正與其他美國大兵一同排隊拿取食物。我一面將豬肉、牛肉放進餐盤內，一面用中文與打菜的師傅們閒談。老王那時晃著他福泰的身軀走過來，把我拉到一旁悄悄的說：「你不會想要吃這些爛食物的。你是中國的朋友，你會說中文。等晚餐過後你再來找我們。」

等美軍人員都走光了以後，我回到廚房。廚師們正通力合作，忙著準備他們自己的晚餐，長長的砧板上堆滿了食物。那天晚上我們吃了糖醋里肌、脆皮雞、炸茄子，以及四季豆。我愛死了極具異國風味的「過橋米線」——一碗熱得冒氣的辣湯裡加入米粉。

從此以後我想盡辦法溜回廚房吃飯。在鍋碗交錯、嘻笑叫罵，及大聲吆喝的熱鬧氣氛中，廚師們聊起戰前他們在昆明的生活。他們會告訴我有關「漢流」——一個工匠們聯合起來互相支援的祕密組織，或是青幫與紅幫間血腥的暴力衝突——這讓我想起了黑手黨之間的血拚。

廚師老王是個天生的說故事高手，而他說的民俗故事更是多樣而豐富。當傍晚來臨時，廚師們便會抽著我從美軍福利社買來的駱駝牌香煙，聽老王講故事。他最喜歡說的是一個名為「朱毛」的英雄。所有的廚師都知道這個英雄，也都喜歡聽有關他的英雄事蹟。雖然「朱毛」從沒有到過昆明，但廚師們說他幾乎到過中國的每個地方，而他的功蹟也是全中國都知道的。他魁梧有力，模樣非常英武，沒有軍隊能抵抗得了他，也沒有碉堡能擋得住他。子彈及槍矛不能傷害他，他甚至可以進出最慘烈的戰鬥中而毫髮無傷。而更重要的，大家都愛戴他。他利用他的力量來濟助窮人，扶正去惡，以及剷除不平。

我有點迷惑，在老王口中，「毛」是個名字，但它不應該是個名字，反倒更像個「姓」，而且是個普通的姓——這樣的大英雄不會有「毛」這種名字。我問老王，而他却只是聳聳肩。他只管說很好聽的故事，至於姓名涵意這種文謅謅的問題他可不懂。

有一天晚上，老王又說起另一段「朱毛」的英雄事蹟——他如何英勇的帶領手下衝入一個村子，闖進富有大地主的糧行並將米麥分給貧農。這時我突然了解了這位「朱毛」英雄到底是誰。我的思緒飛回我在史丹福大學的課堂上。「ㄇ——ㄠˇ」我的老師會這樣子發音，試著教會我們那些雙母音的字：「毛，就如同毛澤東，」接著他會說：「ㄓ——ㄓ——ㄓㄨ——朱，就如同朱德。」指的是共產黨最有名的總司令。下課時，老師們也會提起共產黨在對日抗戰前的兩萬五千公里長征。為鞏固權力，國民黨決定先摧毀共產黨的勢力，並把他們驅逐到偏遠的北方省分。當共產黨倉皇逃避國民黨的追擊時，他們沿途留下大量海報述說他們的進展以及追求社會改革的方案，而每一張海報上都會蓋上兩個最高領導的姓：朱毛。

於是他們的故事便在村鎮之間流傳著，而在這些廚師的心目中——甚而我想是在廣大中國的農民及百姓心中——這兩個人的形象融合成一個超級英雄，彷彿是現代的俠盜羅賓漢。

* * *

當我開著我的小吉普車逛昆明市區時，我經常停下來與店員或書商閒聊。其中有個書商幫我取了個中文名字——李敦白。這個名字與中國古代大詩人李白的名字極為相似，除了中間加了個代表正直的「敦」字。這個名字是我英文名字「Rittenberg」的音譯；但是那個書商又解釋道，它聽起來也像是個真的中文名字。

我也固定的向聚在公理路上叫賣的報童們買報紙。我吃力的仔細閱讀每份報紙，分辨各報不同的政治立場。例如有份「公義報」，是支持國民黨的天主教報紙；還有「雲南日報」，則是雲南省長的御用刊物，軍方也有一份「掃蕩報」，專門報導軍方打擊共產黨的行動。

共產黨也有自己祕密發行的報紙——新中華日報。我每次都會買一份新中華日報，即使我只能看懂一小部分。其他的報紙大部分都是印在新聞用紙上，但新中華日報的紙質却類似草紙，印刷也很模糊。

報童們通常不會當街叫賣新中華日報，但他們會將報紙壓在報袋的最底層。而且他們不得不小心。雖然省長曾允諾給予共產黨員官方的保護，昆明的共產黨員其實是在死亡的陰影下運作。我便曾多次見到雙手被反綁的一行人從街上走過，手裡還拖著他們自己的刑椿，走向他們即將被槍決的行刑場。他們的背後都被標上記號，指明他們是共產黨。

由於我太常到公理路上買報紙，因此報童們會到那裡等我。當我將車子停在我經常買報紙的街角時，這羣衣衫襤褸、滿身髒亂、赤著雙足的小毛頭便會圍過來，然後其中一個便會從報袋底層中抽出共產黨報紙。

我的行程由自己安排，生活又孤單，我與這些小傢伙混在一起的時間越來越多。他們的話不容易聽懂，因為他們都帶著極濃厚的土腔；幸好有個較年長的孩子志願做我的非官方翻譯。每當有人說的話我聽不懂時，他便會拉開嗓門大聲重複一次，彷彿大聲就能幫助我聽懂。

有次當我買完報紙準備離開時，卻發現車內有些異樣，於是我打開吉普車內的置物箱，卻發現我的大手電筒已經不翼而飛。我猜想一定是小毛頭中有人趁我們交談時將它偷走，於是我關上置物箱蓋子，並將臉色拉了下來。

「我們都是朋友，」我說著，「我們一起談天、一起玩，而且我們彼此信賴，所以是朋友的話便不該偷我的手電筒。」

報童間起了一陣騷動，而且彼此間不停地互相推擠，直到一個垂頭喪氣的小傢伙站出來。他低著頭站在我面前，而其他的報童則教訓他。最後他終於把手伸進破舊的衣服內，掏出了我的手電筒。我把他提起來然後擁抱他，而每個人都笑了起來。

我一定是給報童們的印象太好，要不就是有人一直在注意我。就在下一次我到公理路買報紙時，那幫報童的首領靠到我的吉普車旁，然後悄聲對我說：「你喜歡讀共產黨的報紙，那你想不想與那些編這份報紙的人碰面呢？」

我點了點頭，那個男孩便跳上吉普車。我把車開走。他沿路大聲指點方向，我們很快的轉到昆明市區，不久後我們將車停在位於真義街上的繁忙商業區內。他跳下車，並指著一間小小的酒舖，然後帶我走進去。我們一起走過酒舖內成排塵封的酒瓶以及一個幽暗的收銀櫃台，朝酒店的後面走去。酒店後面是一間隱祕的辦公室。那個小報童敲了敲門就溜了，留下我一個人站在門口。

我的心頭僅有一點點緊張。我知道身為美國人，尤其是軍人，我現在的處境並不是真的很危險。我是為等一下要見到的新朋友擔心，因為我知道國民黨的特務很可能正在監視我。

門終於開了，兩個男人站了出來。他們看到我似乎並不訝異。

他們自報姓名後便未再做更深入的自我介紹。其中一個叫程百登，他長得高大、英挺，稜角分明的臉上帶著眼鏡，看起來像個很受女性歡迎的演員。另外一個人的外表就像是地下工作人員——臉上總戴著憂愁，而看起來似乎一直都是和衣而眠。他煙不離手。他說他叫李國華，顯然是兩個人中的頭。雖然他只是個矮小、有著扁平鼻子及茶壺下巴，毫不起眼的人，但舉止自有一股威嚴。他的臉上滿是皺紋且帶著歲月風霜，嘴內並有顆金牙，講話語調低沉且有極濃厚的廣東腔。

從他們如臨大敵的表情看來，我猜這裡只是他們碰面，但非討論事情的地方。姓程的那位先生建議我們稍後在別的地方碰面。由於我不知道任何好的聚會地點，於是他們提議到附近一家咖啡屋見面。

隨後我們握手道別。雖然我有點被這次的會面搞迷糊了，但我卻極期盼再見到他們。我覺得我與這兩個陌生、異國的中國共產黨員似乎有血緣關係。在被徵召入伍前，我自身也是個共產黨員。

我來自一個小康的家庭，是家中唯一的男孩。我的父親是查爾斯頓城的著名律師，母親是俄羅斯移民的後裔。一九四〇年，我還在大學唸書時就加入了美國共產黨，一方面是因為它是當時唯一採取強烈反戰立場的團體；而我本身也對美國一頭栽進大戰的求戰態度非常不滿。更重要的是，由於共產黨強烈主張言論自由及各種族平等，再加上它在美國勞工運動中扎下的根基，使我認為它是唯一能匡正周遭所有不公平事件的團體。

在美國共產黨中兩年的時間，使我開拓了全新的視野。我組織了鋼鐵工人及礦工運動，我曾被總部在楊百翰的聯邦紅色特遣小組逮捕審問；我為北卡羅萊納州羅諾克雷比斯（Roanoke-rapids）的棉廠工人開課講授政治經濟學，在那段期間內，我看到許多男人女人甘於貧窮生活，為的是協助更多更窮困的人，我看到許多人為了理想而犧牲。至少在左翼的勞工運動中，我發現了一羣有理想、有組織，非常執著的人，我們分享共同的理想，並且當我動搖時他們依然堅持，在我迷惑時他們依舊保持清醒。

雖然我與共產主義有如此的淵源，但我並未如二〇或三〇年代的一些美國共產黨員般的前往蘇俄朝拜所謂的社會主義烏托邦，而我更從未想要加入他國的革命，因為在美國國內就已經有太多的事要做！然而，從軍後我卻不得不放棄黨員資格，因為共產黨不想被輿論控訴為「滲透部隊」。

雖然我不再是個共產黨員，但我從未放棄我的理想，我仍想著要為一個「全新的社會」努力，離開共產黨在我的生命中留下一個大空洞。在中國我感覺空虛及漂泊，被動的觀察周遭的事物，而不能主動的投入我想要的改變中。我並未刻意要去聯絡中國共產黨，但卻很高興能與他們接觸（即使我並不確定這件事將會有什麼結果），也許我能幫助他們，也許他們能夠幫助我。

我跟程、李兩個人後來在一間露天餐廳共進晚餐，席間他們告訴我各自的故事。程是個作家，翻譯過史坦貝克及福克納的作品，他也曾與著名的亞洲事務專家約翰．費班（John Fairbank）共事過。現在他正在逃亡，迫於戰爭及佔領區的阻礙滯留昆明。李則經營共產黨報紙。他說，這份報紙的情況很不穩定。

他們似乎想結交美國人，但却不像國民黨那麼諂媚。我與幾個軍中夥伴都曾被許多油滑的國民黨官員騷擾過，他們硬給我們好處，想要藉此「交朋友」。我們都拒絕了他們的奉承。不過我卻非常歡迎與共產黨的接觸。李並提起要給我幾份來自共產黨延安總部所印發的一些新聞公報，以便讓我進一步了解那個遠在中國西北邊遠山區，已被共黨解放地區的現況。

自從第一次會面後，我很少見到程，但我跟李却經常保持聯絡，而我們之間也因此產生了相當的情誼。他逐漸以共產黨的觀點，告訴我中國的現況，也告訴我當地共產黨的組織——一個遠與美國共產黨大不相同的團體。我原本不知道此地有個地下工作網存在，而且每個工作人員都僅知道另一個聯絡人的姓名，以防止一個人將整個組織出賣。

經由李的引介，我開始與其他的共產黨員會面。有一天晚上，他帶我到一個姓喬的人家裡，而這位姓喬的先生原來便是有著隱祕辦公室的那間酒店的老闆。他的家舒適怡人，雖不是富貴人家，卻也算得上小康。而且我發現，即使是處在重重包圍之下，共產黨人仍能自得其樂。我們在他家聽西洋音樂、跳舞，李喝醉了後到處找人開玩笑。

他們告訴我在延安——毛澤東在偏遠山區中的總部——發生的故事。對我而言，延安在過去就如同珍珠港、華盛頓，或柏林這些在新聞中常見的地名一般；但在那天晚上，延安卻活生生的在我眼前呈現，有活生生的人在那裡過活及工作。他們說在延安，每個星期六晚上都有舞會，從最基層的工作人員到毛主席本人，每個人都參加。

喬太太也插嘴說，她過去在延安住過，她女兒也在延安上過托兒所，她並且說女人在延安都有平等的地位。這句話給我很深的印象。她慫恿我說：「你應該去延安看一看，我們也需要外國朋友的幫助。」

其他人也都同意。他們有些人是開我玩笑，有些人則是表示友善，但也有些人是認真的。突然之間這個想法讓我興奮起來，去延安，其實不是不可能。也許等我離開部隊後，我就能到解放區去看實際行動的共產黨，甚至能夠到延安親自拜見毛主席。

漸漸的，我也開始幫他們一些小忙。身為美國大兵，我可以在市區內自由行動，不必擔心軍方及警察的盤查。有好幾次我協助共產黨的地下工作人員逃亡。有一次是個老人，我把他載到市郊。還有一次是個積極參與學運的年輕老師，他在各處都被通緝，所有進出城市的通道都有士兵看管，所有進出的車輛都被搜查；但是那些稽查的士兵卻絕不敢碰一輛美軍用車。

在約定的時間，一個約二十五、六歲，穿著學生長袍，長得很好看的年輕人上了我的吉普車。我依照李的指示，開車載他出城，順著那條通往我們營區的大路，一直到過了營區後的一間學校，一個姓吳的男人在那裡等他。之後我回到營區，對自己的行為感到欣慰。

李國華和我經常相約去看戲。和他交談我覺得很愉快，並且覺得自己已逐漸融入中國文化中。然而我們相約看戲也並非萬無一失，由於無處不在的國民黨特務，我們必須非常小心，有時也碰到驚險場面。

有一天晚上，我和李一道去觀賞一齣名為「家」的舞台劇。這齣名劇是當代中國小說家兼劇作家巴金的作品，內容在描述一個權貴的兒子最後轉變成無政府主義者的一生。那次表演的會場是在一個非常陡峭的山頂上，因此我那輛老爺吉普車只能順著狹窄的山路慢慢往上爬；就在這時候，我聽到山坡下有人在叫我的名字。

「李──先──生！李──先──生！」我回頭看到一個曾經巴結過我和我同袍的國民黨官員，正吃力的邊往山上走，邊叫著我的名字。我吃了一驚，深怕他會認出李國華，於是我裝做沒有聽到他，加足馬力向上衝。但由於我的老爺車的馬力實在太小了，攀爬的速度並沒有增快多少，因此即使是徒步，那個國民黨官員也逐漸追上我們。我心裡一直祈禱他會跑累了不再追，但是他很顯然的堅持要追上我們，而我也不停的聽到身後喊著：「李先生，李先生！」

終於，吉普車上了山頂，並駛進站滿等著要看表演的羣眾的停車場內。李國華看起來有些狼狽而困惑，但當我告訴他是誰在追我們之後，他臉色發白。

我們買了戲票，便邊走邊談的走進戲院，但李卻突然間坐倒在後座的長椅上，接著整個身體伸直，開始劇烈的顫抖，我嚇壞了。

「我去找個醫生。」我說著，轉身要走。

他伸出顫動的手說：「不要！不要！我還好。」但他的身體仍然失控般的顫動，而我只能驚懼交加的在一旁看他不住的冒冷汗。許多看戲的人逐漸走進戲院，但是沒有人注意到我們。

大約過了五分鐘後，李坐了起來，他整個人蒼白且汗水淋漓，不過痙攣的情況已經好了許多。

「怎麼回事？」我問，「到底怎麼了？」

「電擊酷刑的後遺症。」他喃喃說著。

在我們起身朝我們的位置走去時，李低聲的述說他過去曾被國民黨逮捕、囚禁及刑求，從此以後他便完全不同了。我不禁猜想，他是不是害怕再度被逮捕而嚇壞了？他的神經是否受損？我無法得知，但是我仍忍不住問他醫生怎麼說的。「醫生是幫不上什麼忙的。」他淡淡的回答，然後便將話題轉到戲劇方面。

大概就在這段時間內，我原先預計的事情果然陸續展開。大戰已經結束，美軍即將撤離昆明，而我們的辦事處也將要關閉。一九四五年十一月底，上級的命令便張貼出來，我們全連人員必須撤回印度等待回美國解甲復員。

我不想走。我已經迷上新交上的朋友，也對認識中國共產黨感到興奮。在我心裡深處，其實一直盼想著我的中國朋友們在那次晚宴聚會上說的不是開玩笑，我真能有機會造訪延安。對於未來，我並未考慮太多。我只覺得自己正處在一項冒險的開端，而我不想未曾嘗到滋味就離開。

我去找團長，要求能夠繼續留在昆明。「在獲准退伍前，我們還必須在印度待上幾個月。」我據理力爭，「我現在才剛開始體會與中國人打交道的要訣，況且這個工作也符合軍方的需要，為什麼不讓我多留一陣子呢？」但是他不為所動。

那天傍晚，在經過總部大樓前回宿舍的路上，我注意到指揮官辦公室的燈仍開著。我從未跟指揮官亨利・歐雷德將軍（General Henry Aurand）講過話，不過據說他是史迪威的人馬，並且極講道理。我實在很想留下來，於是我決定碰碰運氣。我敲了他辦公室的門，進門後立即立正敬禮，報出自己的姓名及階級，說明自己有個私人問題想與將軍商量。

「我的參謀總長能不能留下來一起聽，還是你要我請他離開？」奧雷德將軍說，手指向坐在他對面的一位上校。

不曉得為什麼我霎時間確知自己贏定了。

「歡迎他一起聽，長官。」我回答，隨即盡量簡要的將我的情況做了報告。

將軍以他一向果斷、講求效率的解決問題態度回答我：「儘管撕掉你收到的任何命令，除非是要你到上海陸軍總部報到的調職令。」他並且說：「你不須對任何人解釋，照常做你該做的事，如果有任何人問起，就叫他們來找我。」

我不曉得到了上海會發生什麼事，但我必須開始準備——而且要快。我經由酒舖的人傳了訊息給李。當他聯絡上我時，我跟他說我將要離開昆明到上海。他說他會寫封信讓我帶去上海，給他在當地的朋友，然後這個朋友會給我介紹一個能在上海協助我的人。

李並且說，如果我還想去解放區，這個人可能幫得上忙，我們並約好隔夜在同一個街角碰面。隔天，我們照原訂計畫碰面，他帶我到他家裡。那是一間普通、低矮、石造的中式院落房子，有一長一短兩個房間。那天的氣氛緊張。李的太太開始告訴我到上海該注意的事，「閉上你的嘴巴。」李厲聲叱責。隨後他便要我坐在一張充做書桌的小桌子旁，桌上面擺著三封信，每封信都已封死，並寫好姓名及地址。李開始小聲的跟我交代事情，而為了小心起見，每次當他提到一個重要的字眼時，他便用寫的。

「當你到上海後，你必須到……」接著他用手寫下個地名。「當你到那裡後，你就去……」他又潦草的寫下一個地名。「當你看到這個人，你必須叫他……」他不停的寫著一些潦草的字體。

問題是李想當然的以為我認得中國草書——一種中國知識分子在匆忙中使用的文雅字體，而我自己又因面子及自尊作祟，拉不下臉來告訴他我根本一個字也看不懂。

在離開他家時，我將那張寫滿草字的紙握在手掌內。我不敢將整張紙給任何人看，因此在接下來的幾天內，我只得一次一個字，在不同的地點問不同的人。費了好些功夫，我終於將李國華的指示拼湊在一起。

我本來就會小心行事，可是李的臨別贈言卻令我惴惴不安。當我們握手並道別時，他的臉色沉重。「我已經盡我所能的幫助你了，」他說，「我只請求你一件事。無論在何種情況下，都不要向任何人說你看過我，也不要提我的名字。」

第二章 饑荒

幾個星期後，我奉調上海，搭軍用車開始了向東一千六百哩的旅程。上海軍法處及索賠辦公室在福州路的一棟大樓內，對面便是駐中國的美軍總部。我則住進了海軍的基督教青年會會所。這間會所現已改成部隊的招待所。

在ＹＭＣＡ的第二天，我起了個大早，並決定出門逛逛。當我正跨出大門後，卻差點被絆倒——一具凍僵的屍體就倒在門檻上。那是一個看起來大約四十出頭的中國男人，身上穿著好幾層薄棉衣；並且裹著一件破爛的草蓆；然而這些顯然都不夠保護他抵禦十一月深夜的寒冷，而使他在睡夢中失去生命。

從那時開始，我幾乎每天都在上海看到死屍，有時四肢張開倒在路旁，有時蜷曲成一團，身上蓋著一件草蓆。警察及路人匆忙走過，對這些死屍視若無睹。

「為什麼呢？」我問一個上海當地人。

「因為，」他回答說，「如果任何人去碰這些屍體，警察可能就會要求他負起埋葬屍體的責任。現在在上海連讓活人活下去都很困難了，誰還有心情處理陌生人的屍體呢？」

我在上海的工作名義上和在昆明相同，便是要去調查那些針對美軍的民事案件，但是由於上海的軍法辦公室即將裁撤，因此我事實上並沒有什麼事。我花了不少時間到處走走，周遭那些絕望的臉更是使我的心靈飽受煎熬。

大街小巷都擠滿了難民，許多巷道根本無法通行。這些難民因為戰爭、饑荒，或是最近的大洪水，被迫離開鄉下老家逃到上海，却又找不到地方住。因此難民們只得開始在街道搭起臨時避難所——用燈心草做成草蓆搭成他們名為「滾龍」、狀如坑道的小棚子。這些草蓆棚常常因難民使用火煤爐煮飯及取暖而著火，整條街以及街上的所有居民，便會在剎那間陷入火海。

通貨膨脹更是嚴重。貨幣兌換所的掛牌滙率，幾乎每天都會上升好幾次。當我初到中國時，中國國幣對美元的滙率是數千元對一美元，而到我離開昆明時，滙率已經是數十萬國幣對一美元。

有幸能夠保有一份工作的人，每天拿到薪水後就匆忙到糧行將手上的現金換成糧食。苦力及工廠工人一致要求救濟，連老師也走上街頭抗議通貨膨脹。有些日子裡，上海主要街道都因為擠滿了示威抗議者而無法通行。

我經常在晚上閒逛到「泡井路」再轉到「南京路」上，那裡有著許多殖民地時代以巨石建築而成的大樓，彷彿訴說著這個曾以其豐厚的財富雄霸亞洲的城市的滄桑。我也經常漫步到燈火輝煌的永安百貨公司，經過附近的法國麵包店，以及高雅的各式餐廳，那裡依舊充滿了以外滙消費的外國人及富裕的中國人。

南京路上從頭到尾，每天夜裡都站滿了女孩子。她們成羣結隊，看起來飢餓，且衣衫襤褸。我經常會被一羣這樣的女孩子當街攔住，拉著我的袖子，「年輕人，去喝點酒吧！」有些女孩會這樣乞求著。她們看起來有些嚇人，皮膚泛黃且長著痘瘡，眼裡閃著挨餓的光芒。「要不要按摩？」她們像波浪般的襲來，有時邊打躬做揖的說著：「是，是，好，好。」她們穿著開叉旗袍，再套上一件廉價的仿毛短大衣。她們一點都不吸引人，她們正處在絕望中，而且是一大羣人處在這樣的絕望中。

我感覺極端孤單，就在我離開美國時，我的太太維拉（Violet）正訴請離婚。在印度時，我收到了離婚協議書。我曾經非常迷戀維拉，她是個漂亮，有著褐色眼珠的農家女。當我在阿拉巴馬州的伯明罕市（Birmingham）發動一個要求選舉權的活動時，我們相識、結婚。婚後第一個夏天，在北卡州的教堂山（Chapel Hill）我們共度了一段極為甜蜜的時光，我們與工會夥伴一同工作，並一起跟一個朋友學鋼琴。但隔年夏天，她便愛上了別人。因此一年後當她要求離婚時，我並非十分訝異，但我却依然感到傷痛。

身處在世界上最擁擠的城市之一的上海，身旁有數百萬的人，我依然感到孤寂，我想要友誼、想要關懷、想要愛。

在昆明時，我鬼混過幾次，與一些「吉普車女郎」接吻愛撫，她們經常徘徊在路口，等著搭美國大兵的便車或是向他們要東西，但我却無法使自己與這些為了一份口糧或一條毛毯便能出賣自己，已經失去靈魂的女孩子更進一步。在上海，我心情更為沉重，也更不願再從他們悲慘的命運中佔任何便宜。我曾到過一個名為「喜樂」的大舞廳數次，在那裡你只要付入場費，愛跳多久便可以跳多久，那裡的女孩靠著帶男人回家賺錢。

我在那裡跟一個舞女聊過幾次，她有個英文名——聽起來像是辛蒂。我們邊喝著柳橙汁邊聊天，不久後她要我跟她一起回家。她是個年輕的好女孩，但我却沒有辦法和她上床。於是我只得請她多喝幾杯，並詢問她的生活情況。她告訴我她是江蘇省常州人，家中有七個兄弟姊妹，食指浩繁，她的父親只得將她賣給從上海來鄉下搜購年輕女孩的人口販子。剛開始的時候，她說她自己非常害怕，並且每日以淚洗面，她想要逃走。但是即使她能逃走，她也沒有辦法逃回江蘇，更沒有維生的本事。

辛蒂告訴我，她並不恨她的父母，因為把她賣了，他們才有足夠的錢使小一點的子女活得久一點。她在上海已經快一年了，每過一陣子她便會碰上一個會毆打她，使她痛苦的壞男人，但是大部分的美國人都對她很好。她說，她現在也已經逐漸習慣了。

* * *

到達上海後，我立刻就拿著李國華的介紹信去找當地的共黨聯絡人。根據我好不容易才搞懂的那幾個中國字，我先去找二個會將我介紹給另一個人的男子，第二個人會再將我轉介紹給第三個人，最後我再將最主要的信交給他。

第一個聯絡人是在由美國資訊服務處所支持的一份中文報紙——南明晚報工作。李國華給我的信中只說他在那裡工作，但並未說明他是個辦公室小弟、工友，或是別的。結果這個人竟然是總編輯，穿著很體面的西裝，顯然是個重要人物。

不過在美國政府雇員身分掩護下，他暗中卻是共產黨員。當我把裝有小字條的信封拿給他時，他迅速叫我噤聲，將我帶到樓梯間內。「依這個地址，你就可以找到下一個聯絡人。」他邊說邊在一張紙上寫下一些字。紙條交給我後，他匆忙道個晚安，隨即轉身離開。

我慢慢逐字譯出他的字條，上面寫著要我在某天早上到某間店裡去找一個名叫江震中的人。到那間店時，我嚇了一大跳，因為那是一間坐落於四川路上，非常大的錢幣交易商，店裡面都是一些有著雙下巴、瞇著睡眼、穿著長袍的士紳，拿著算盤坐在桌前，以金條、美金及中國國幣互做交易。這類商店都不是什麼高尚商號，而江震中看來也不是高尚人士，一身臃腫的肥肉擠在藍色絲袍中，活像個老不修，正是典型的上海白相人兼肥商。我猜想他應該是日進斗金，閒來無事就把錢花在賭博及女人身上。我那時真有點不知道自己到那裡幹什麼的感覺，但不論如何我還是將該給他的信給他，同時給他看我最後一個需要接觸的人的名字——蘇梅津。

「星期四再過來，」江震中說——也就是兩天後。「蘇先生屆時會在這裡。」

兩天後我按照預定的時間到達。當我走進大門，蘇梅津馬上就從裡面的門出現。他穿著一件非常整齊的三件式斜紋嗶嘰布西裝，外加大衣，戴頂帽子，再加上一副眼鏡，使他看起來像是個校長。我正要開口，他卻急忙搖手，而臉上的表情很明顯的說：「現在不要說話。」

我們上了一輛三輪黃包車，到一家當地有名的西式餐廳——喬飛絲（Joffe's），在那裡我把李國華的信給了他。

「是，是，是。」他邊點頭邊看著信。「李國華和我一起坐過牢，」接著他警告我，「上海是個非常複雜的地方。如果有人問起你和我在一起幹什麼，你就說我姓楊，是你的中文老師。」

在喬飛絲，我們一邊享用咖啡及奶油泡芙，一邊試探對方。蘇梅津不要錢，但也不是清高到不肯收受小惠，我們計畫未來碰面的地點，他則建議最好是吃飯或是看戲劇的場所，因為如此一來，他便可以藉口說這樣我的中文才有進步的機會。但不久後我就發現，他其實是個戲迷。蘇梅津聽得懂崑曲——在平劇的前身劇種中，崑曲最為精緻，也最有名——其他各種戲曲也都能琅琅上口。我們會面是他確保有人不斷供應他看戲的好辦法。每次都由他選擇看那一齣戲，買戲票，然後我再把錢付給他。

對我而言，我寧願被別人毒打一頓，也不願坐在戲院聽平劇。我無法將它當成音樂聆賞，遑論聽出任何旋律；而令我更不能理解的是，為何一件小小的事也需要那麼多哭哭啼啼的吟唱及身段動作來表達？

唱戲的演員可能一唱便會超過一個小時，而蘇梅津會不時的靠過身來解釋：「那個女的愛上那個男的。」舞台旁邊也不時的會閃出字幕，以便讓那些無法聽懂這種特殊唱腔的中國人也能看得懂劇情。平劇對我而言實在是太過深奧、太過文謅謅。

不過，這其中也還有令我愉快的經驗。最有趣的是那些賣熱毛巾的小販，他們會站在走道或是包廂口，將客人要的東西神準的丟進觀眾席上的顧客手中，然後從半空中接下客人拋過來的硬幣或紙鈔。當我和蘇梅津成為常客後，我開始注意到戲院裡其餘的常客，尤其是一個迷人的少婦。她有兩次坐在我們隔壁，但是她從未特別注意過我或是蘇。

蘇梅津不停的提供我新華社從延安所發出的新聞訊息，並且告知我共產黨對許多事件的看法，例如工會的示威抗議，他便告訴我這些都出自共產黨的一手策畫，只是利用工會當護身符，所以街上的抗議人潮其實是共產黨在上海的實力展示。

共產黨在上海有一股特殊的力量。日本人宣布無條件投降時，共產黨的新四軍正包圍上海，國民黨軍則在更遠的地方。這時新四軍立刻派遣政戰人員入城安撫，而全上海市舉辦「歡迎解放英雄」的活動也開始準備。但是卻由於國共兩黨在重慶簽訂了規定雙方軍隊留駐原地的停戰協定而受阻。在上海各處，你仍然可以聽到人們對局面如此轉變有著深刻埋怨與失望。

即便是如此，共產黨員在上海仍然是非常危險的，尤其是那些地下工作人員。蘇也告訴過我地下工作是如何運作的點滴。基本上它是個與其他共黨組織完全隔絕的組織；蘇並且告訴我，一旦任何一個地下工作人員發現自己被國民黨監視，他必須在發現自己已被監視的當天消失。

蘇經常要我幫他一些忙，有些聽起來有些荒誕，不過絕不至於不合情理。例如他有個好朋友名叫夏衍，是個極有名的中國作家。這位老兄染上了抽「駱駝牌」香菸的癮頭。這對我不是問題，因為我不抽菸，而且幾乎可以毫無限量的買到菸。後來他又要我幫最著名的左派作家魯迅的兒子買一本業餘無線電入門手冊，這也不難。又有一次他告訴我，他有一個老同志，很窮，但又不停的生小孩，因此需要保險套，這也絕對不是問題，因為我只需到美軍的性病預防中心去，隨手一抓便是一大把。

＊　＊　＊

在我與蘇梅津認識後不久，他便說要介紹一個朋友給我，是個女人，剛剛才經歷了一場可怕的悲劇。她的丈夫名叫李孝西，生前是共產黨在重慶談判小組的成員，隸屬周恩來手下，最近慘遭暗殺，兇手顯然誤以為他是周恩來，用機關槍將他的車子掃射成蜂窩。

她那時非常不開心，所以蘇梅津建議她認識一些美國朋友或許會快樂些。後來我懷疑蘇之所以這樣子做，只是想在與我更進一步交往前，聽聽別人對我的看法，因為他要介紹給我認識的朋友竟然是個相當重要的人物。

她的名字叫做廖美心，是共黨中央委員會中的高幹廖承志的姊姊。她用辛西亞（Cynthia）的名字，並且照慣例的冠了夫姓——李，她與她的十二歲女兒妞妞一起住在前法租界中的一棟公寓樓上。蘇梅津有天帶我到她家晚餐，我告訴她我的過去，我在北卡州的教堂山組織學生運動時的角色，以及身為社會運動者的生活。我那晚應該是通過考驗，因為那天晚上結束後，她便邀請我再度前往，並且說可能會介紹另外一個人給我認識。不久後我就發現，這個名為辛西亞·李的女子，竟然就是被國共兩黨共同尊為現代中國之父的孫逸仙博士的遺孀宋夫人的機要祕書。

與宋夫人共進晚餐的那晚，話題並未扯到政治或組織，多半是在談論席上另一個客人——陶行知的工作。陶是個知名的教育家，正致力於打破舊有填鴨式的教育，建立新的教育體系。

那次晚餐過後沒多久，我便聽說陶行知以前也曾在公共場所遇刺受傷，而下手的人顯然是祕密警察。

核定我光榮退伍的命令最後還是送到了我的手上，幸好宋夫人幫我想了一個可以留在中國的法子。那時我早已決定不回美國，因為我已體認到「家」已經沒什麼好回的了。當初身為共產黨黨員所建立的一切都在戰爭期間被摧毀，投身戰後美國重建工作的想法也逐漸不再；而與親人淡薄的家庭關係更使我對回家的想法淡然。我與前妻維拉早已離婚，我們並無子女。我的父親在我離開美國前就已去世，母親與我也不親近。她在我與維拉離婚時寫了一封信給我，要我把政府壽險的受益人由維拉改成她。我那時想，母親對金錢及物質的迷戀已經害了父親一輩子，我可不願意我的也毀在她手上。

何況，我已開始覺得自己既齷齪又腐敗，我所謂的腐敗是指我周遭盡是悲慘與邪惡的現象，但我卻坐視不管。我已經離過去的理想愈來愈遠，因此我想要更接近這羣追求理想的中國共產黨。在昆明的朋友們點燃了我的夢想，而現在辛西亞則更是竭盡所能的在旁搧風點火，「不要回去，」她鼓吹著，「留在這裡，與我們在一起。你可以幫助我們的黨，留在中國，到延安去！」

那時我的腦中還藏著另外一個想法——我也許可以在中國找到另一段羅曼史！辛西亞似乎也能了解這點。「你應該在中國找個好女孩，」她說，「你可以加入我們共產黨。」而這似乎是個相當令我動心的好主意。

要美軍同意我在中國退伍的唯一方法，便是要讓我有個正當工作。因此辛西亞給了我一封以宋慶齡名義寫的信，交給聯合國善後救濟總署（United Nations Relief and Rehabilitation

Administration）的官員。聯合國善後救濟總署是一個政治中立的組織，它專門救濟戰爭或是饑荒中的難民。對我而言，這是一份高尚的好職業。那封信上寫著：「這位就是我曾向你提起的美國朋友，請為他找個工作。」

＊　＊　＊

我所得到的工作頭銜是「觀察員」。

聯合國善後救濟總署的任務是要將穀物、麵粉，以及其他食物運送給遭受饑荒的難民。而中國儘管已經災情慘重，依然有人從中搞鬼。聯合國官員懷疑有大批救援物資都被腐敗的國民黨官員經由黑市轉賣，他們甚至懷疑有人假造饑荒的報告。當然，沒有人會懷疑這裡沒有饑荒，那些如潮水般湧進上海的難民，充分證明飢餓已經嚴重侵蝕了這個國家。但是救濟總署懷疑黑市商人，甚或糧行本身，在饑荒報告上動手脚，以便從類似救濟總署這樣的捐獻者上榨出更多的錢及救濟物資。

我的第一個任務是到國民黨控制的湖南省視察，據說那裡是饑荒最嚴重的地區。除了呈報問題及嚴重性外，我還得監督救濟物的分配，以確使救濟物資能送到應得的飢民手中。

一個寒冷的二月天，我登上了運送救濟麵粉的美國海軍運輸船，順著長江往武漢出發。同行的兩位同事，一位以前是政府情報官員，另一個年輕人則剛從海軍情報署退役。

揚子江和密西西比河竟是如此的相似，流過的江面同樣遼闊曲折，大彎慵懶，小彎忸怩。我們的船冒著蒸汽溯流而上，沿江看到許多在河上謀生的船戶，擠在他們賴以捕魚，從出生到死亡都住在上面的河船或舢舨上。他們和印度最低層的賤民一樣，不准到岸上過夜，也不得與岸上的人通婚。他們用繫牛馬的繩子將孩子們繫在船桅上以防他們掉落水裡。他們靠抓魚、蝦、老鼠維生，但卻從來不賣所抓得的漁獲。

我站到老邁的中國領船人身邊，他一邊對著舵手或駕駛艙打訊號，或是接手掌舵，一邊跟我聊天。他在揚子江上已經待了四十年，熟悉每條支流及每個漩渦，每塊石頭及每個淺灘。「戰爭結束後會發生什麼事呢？」我問他。

他看了我一眼，然後大笑了起來。「什麼事都不會發生的，」他說，「政府會改朝換代，但稅他們還是會照收，而不管誰主政，他們還是得找我來替他們的船領航。」

船從上海出發後開了一天一夜。當船終於靠到武昌碼頭時，已是凌晨時分。我們隨即搭渡輪到達江對面的漢口，並住進「江岸飯店」，那是家臨河的老旅館。同行的兩位同事已經開始忙碌起來，但卻不是忙聯合國的公事。他們從上海帶來好幾袋拇指大小的金條，在急速攀升的通貨膨脹中，金條是最穩定的通貨。由於戰爭的關係，城市間的通訊已告中斷，因此金價因城而異，中間可能會有五到十美金的價差。這一來，有特權旅遊各地的人便能從中發財。上岸第一天，我的兩位同伴整天忙著用金條換美金。對我來說，這也是一件好事，因為我不想被他們打擾。更何況他們都不太會說中文，如果他們抽出時間辦公，那我還得兼職做他們的翻譯。

想正確掌握當地的情況，我的第一要務是找當地人幫忙。沒有人幫忙，我很容易被貪污的官員蒙蔽。離開上海前，我已要求蘇梅津幫我寫介紹信給武漢當地的共產黨員。

當我的同事忙於賺錢的那天晚上，我便到共產黨員寄宿的德明旅社找一位王震將軍。漢口是武漢三鎮之一，曾經是德國的勢力範圍，德明旅社則顯然是一家豪華的德式旅社。不過它已經很破舊，木製的樓梯已經破裂，家具已經磨損，而地毯也都露出線頭。我很幸運，因為將軍湊巧就在他房間，他看完那封稱我為美國朋友的介紹信後，很熱情的擁抱我。

王震的相貌極不平凡，他的眼神具有不尋常的表達能力，嵌在有稜有角的長形臉上，上排牙齒像兔子般往外暴。在共產黨領導人中他有個「土匪王」的綽號，以作戰勇猛及身先士卒聞名。他有尖刻的急智以及幽默感，也有火爆的湖南脾氣。

晚餐時，王震告訴我有關中國軍事局勢的各種消息，情況不妙。他告訴我共產黨在長江以南的軍力已全部撤回江北，這是毛澤東與蔣介石所簽署的停戰協定中的一項，而美國總統杜魯門的特使馬歇爾將軍（George C. Marshall）則在其中幫了大忙。

王震毫不諱言他不信任也不贊同這項停戰協定。「我們在江南平白失去了大片領土，那全是我們同志拚死作戰換來的。」他說，「我們這樣子等於是把窮人再度送進地主手中，讓地主再吸他們的血。我們完全遵守協定，把每一個過江的人都撤回去。但蔣介石做了什麼？除了對我們展開全面追擊外，什麼也沒有。」

我告訴王將軍我在聯合國善後暨救濟總署的任務，並要求他幫忙。「把你介紹給湖南的任何一個人都太危險了。」他說著，但他還是願意幫忙。他願意派一個手下給我。

「這是毛同志，」他指著站在門口的一個高大年輕人說，「他來自湖南，是毛主席的姪子，」那個年輕人聽到這句話不禁臉一紅。「他會改換身分，在你走後晚一天搭火車過去。他會找到你，並協助你蒐集資訊。」

我幾乎不敢相信自己所聽到的。現在我有信心讓救濟總署的人看看我能做什麼事，帶回什麼樣的報告。我與那個年輕人握手，並頻頻向王震致謝。

隔天早上，我跟兩個同伴一起搭船過河回到武昌，在那裡坐上了我所見過的外觀最奇怪的火車，車廂是由擄來的日本軍車改裝而成，在底盤加上火車的輪子以便在窄鐵軌上通行。火車載著我們及救濟物資行駛了一整天，先是朝西，後來轉南。那晚我們停在一個叫「林山」的小村，並住宿在村中的一家小旅舍。

旅舍是泥磚建築物，全部都是單層，地板則是壓實的泥地。每間小房間內有一張床，床上鋪著棉褥，上面有方棉被。旅舍服務生是個圓圓胖胖的年輕女孩，她到我們房間內將熱水加在水盆內供我們盥洗；並且將熱水加入水盆旁的熱水瓶內，供我們飲用。我們也在房間內用了一餐：有辣味鷄湯麵、蘿蔔乾泡、生蘿蔔、一小條煎魚，以及一杯熱熱的綠茶。

接下來的行程我們坐上了一般正常的火車，但是奇怪的事却在此刻發生。我們的救濟麵粉竟然在一夜之間不翼而飛。「貨應該在另一列火車上，」列車長說，「不要擔心，它會在你們之前到達目的地。」

因此我們繼續朝湖南省會——長沙前進。但是就在我們到達下一站之前，煞車聲忽然尖銳的響起，而火車慢慢停了下來。我們在車上等了幾分鐘，聆聽前面傳來的叫罵怒叱聲。我忍不住下車走到火車前面，發現兩個武裝的國民黨憲兵正用綑貨繩在綑綁另兩個士兵。那兩個士兵也不停的回嘴抗議，但是並沒有人理會他們在說什麼。而在鐵軌旁則翻覆著一台老式的手搖小推車。

我走上前問那個憲兵士官是怎麼回事，「他們破壞火車運輸，」他說，「這是足以處死的罪行。」

「他們做了什麼？」我問。

那個憲兵士官聳聳肩說：「這些士兵的駐地離這裡不遠。他說他們的長官命令他們利用火車小推車到林山去買幾包菸。在他們到達林山前卻碰到我們的火車。」

「那你們將如何處置他們？」我接著問。

「把他們槍斃！」那個士官回答著，而顯然覺得他是在浪費時間回答一個外國傻子的蠢問題。

我忽然間憶起了在昆明市內停車場上的那個男子及小孩。但這次除了抗議外，我毫無辦法。

「但是你不給他們上法庭審判的機會？」我深感震驚的問著。

「照規定，凡是破壞交通幹線的人，可以馬上判死刑並就地執行槍決。」那個士官告訴我。這種規定顯然是用來對付共產黨的，因為他們會破壞公路或鐵路，以阻止國民黨軍隊開赴前線以應付即將發生的內戰。「但是那兩個士兵只是服從長官的命令而已。」我又接著抗議。

那個士官不耐煩的轉身走向他的同伴，將兩個倒楣的士兵拖向一片山坡，消失在一叢樹堆之後。接下來我們便聽到一連串來福槍聲，然後那兩個令人髮指的劊子手一前一後走回來。那兩個倒楣的犧牲者就這樣橫屍荒郊。

以後的行程一路順暢，到達長沙時是傍晚時分，正好趕上跟一位住在中國多年的美國人共進晚餐。在我見過的人中，他對宗教表現得最為虔誠，跟他一起吃飯讓我坐立難安。

晚餐擺在一張普通的長桌上，開飯前他先說了一段祈禱文，吃到一半時，他要大家暫停讓他再一次祈禱感謝主，最後他又來了一段長篇禱告結束這一餐。整頓飯他不停呻吟般的哀嘆人的罪惡，以及贖罪之路的崎嶇，令人萬分同情。由於他把這頓飯籠罩在哀傷肅穆的氣氛下，害得我幾乎沒吃什麼東西。

晚餐後，他介紹我們認識為他工作的一對夫婦，他們是已經完全西化的基督徒。如果我先前在火車上遇到過這兩個人，從他們一本正經的舉止、整齊的外表，以及西式的衣著，我很可能以為他們是在教會學校長大的。丈夫名叫伊凡，是個安靜、矮胖而微禿的人。他的太太名叫蘇菲，身材嬌小，精力充沛，說話的聲音像是因抽菸過多而沙啞，雖然她不抽菸。我們聊了一會兒辦公室的事情及他們的工作，接著我便早早上床。

睡到半夜，我被輕輕的敲門聲吵醒。外面是伊凡及蘇菲，他們悄悄的走進我的房間，然後將門輕輕的帶上。「我們有些話要對你說，但是不能有別人在場，」蘇菲說道。「王將軍派人捎來口信說，他的手下不能跟你來這裡，因為火車上盤查非常緊，容易有危險。」

即使是他的手下沒辦法跟來，有了蘇菲及伊凡的協助，王震將軍也算是幫了我大忙。這兩個人擁有各類情報、細節、人名、紀錄，及黑市轉運路線的地圖。他們也告訴我，那些急著要送給饑民的救濟麵粉究竟下落如何。

就如同原先跟著我們的救濟物資一樣，這批糧食在岳陽附近從火車上卸下，然後運到國民黨軍隊後勤署所在附近的一座倉庫。後勤署署長是國民黨內親日派的首要分子，在蔣介石陣營中極具勢力。接著這些糧食會經由卡車運送，由湖南到廣東省；蘇菲及伊凡還畫出這一段運輸的路線圖。這些糧食最後會運到湛江港，然後裝上前往香港及東南亞的船。一旦到達了那些滿是飢民的海港時，這些米糧便可賣得相當相當好的價錢，有時候甚至被原先捐出這些米糧的救濟機構再度買了回去。

我非常的震驚及憤怒，但另一方面也覺得躍躍欲試。我將破壞這整個貪汚行動。黎明前，我終於上床，感覺到自己的任務幾乎已經完成。

幾天後，我和兩個同事坐吉普車往南走。這是一個基督教會的老傳教士給我們建議的路線，它會帶我們到位於佛教聖山——衡山南麓的衡陽市，然後經過祈陽，最後到達零陵。他並且解釋，順著這條路，我們可以見到最嚴重的饑荒區。

我順著塵土滿天的路開著，而不久之後我們便發現，我們確實是開進了饑荒區。路的兩旁是排成一列列的難民，父親們、母親們，臂彎裡抱著嬰兒，手邊拉著較大的小孩；年邁的農婦拐著纏布的小脚一步步痛苦的蹣跚而行；路旁也有死屍，就躺在他們臨死倒下去的地方，景象十分恐怖。

我們順著傳教士的指示走，逐漸遠離長沙接近衡陽，而難民們却都向北跋涉。我不知他們往何處去，也不知他們期盼發現什麼；或許他們要去長沙，希望能獲得一些食物或是在城裡找到工作。不論怎樣，我們一直未見到任何人往南走。

我的夥伴雖然還在耍嘴皮，但很明顯的他們也感到憤怒，眼前的恐怖景象慘不忍睹。好在大部分難民對我們視而不見，他們只是蹣跚的走著，像一羣面無表情的鬼魂般。我們試著將自己與周遭的悲慘隔離，一方面是想使自己保持清楚，一方面是我們實在無能為力。

我們沉默的繼續向南開。到了衡陽南邊後，饑荒更加嚴重。餓殍遍地，死屍幾乎一整天都在我們眼前，死者大部分是老人，或是嬰孩、兒童。路上擠滿了難民，當我們車子駛近時，他們靜靜的讓開，讓我們通過。有人用牛車堆滿了家當，也有人用推車推著自己的傢私；我不知道這些人能持續多久，拖著這麼多東西，卻餓著肚子。

男人們曲著佝僂的身扛著扁担，女人們彎著腰背著瘦弱的孩子，我不知道到底有多少飢民——也許上萬，也許數十萬——但他們只是像潮水般不停的湧過來。

我們在下午到達祈陽，駛離公路，穿過成千上萬的難民進城。城裡擠滿了難民，像成羣結隊的黃蜂，幾乎已不成人形。他們已迹近絕望，而與路上所碰到飢民不同的，這裡的飢民一肚子怒火。這些眼神鬼怖的飢民想要看穿我們般的直視著我們，擠在我們吉普車旁，他們不是要錢，他們要食物。

「Yao Mi，」有人開始叫著，「Yao Mi，」我們「要米」。給我們米。飢民們開始叫喊，並且衝上來圍著我們的吉普車。他們把空著的碗舉到我們面前，最高、最強壯的擠在最前面。

「我們要米，」他們一起哀嚎著：「我們要米。」飢民中有個痲瘋病患，兩臂只剩肘部以上部位，他用殘肢捧著破碗，顫顫的伸到我們眼前。

在吉普車的後座傳來一串英文的尖叫，海軍軍官突然失去了控制，並且開始吶喊。「我們快走吧！我再也受不了了！」當飢民更迫近一步時，他開始大哭了起來，「我要回上海，讓我走。」他站起身想要跳出吉普車。

飢民擠滿了車旁，使我們幾乎寸步難移，但是駕駛仍能保持冷靜，我們終能一寸寸的前進。同時車上同行的另一個中國夥伴也爬上引擎蓋向羣眾勸叫，他是我在搭渡船時認識的，一個年輕國民黨軍官，先前跟我說過他暗地裡同情共產黨。幸好我那時邀他同行，他現在正負起隨行人員的責任，乞求飢民讓我們通過。

我們終於通過那個城鎮，回到公路上。當我們安全的通過難民羣後，那個年輕的國民黨軍官便跳下車去搜尋那個區域，看看能不能找到任何食糧或是囤積的米倉。沒過多久他便回來，告訴我們，他發現一個堆滿米糧的穀倉，並且就在災區的百碼之內。

「為什麼？」我問。

「他們要等米價更高時才賣。」他回答。

海軍官員對這次任務已經無法再勝任。他蒼白、顫抖，躺在吉普車的後座喃喃自語。他努力想使自己鎮靜下來，但只要我們周圍盡是難民及餓殍，他便沒有辦法控制自己。那天傍晚，我們到達湖南南端的零陵，但是他仍然緊張不安，他就是沒有辦法鎮靜下來，我們只得在寄宿的修道院打電話回長沙，要求派一輛吉普車來接他回去。

那間修道院由來自奧地利的修士及盧森堡的修女共同管理。跟他們共進晚餐是個非常奇異的經驗，在一整天的來往於死亡及將近死亡之間，我們竟然能在晚上坐在桌前享受一頓溫馨的晚餐。桌上有上好的紅肉、雞肉、葡萄酒，以及許多牛乳。最令我訝異的是，在這個理應缺糧的地區，我們卻看到桌上有塗著果醬，又厚又香的自製麵包。

席間的談話也相當奇怪。院內的修道士很少會說英語的，因此我與院長便用中文交談。他的中文非常好，他並且答應隔天要介紹一個當地的大善人——歐關將軍給我認識，他同時也是湖南南區的行政專員。修道院長並且告訴我，這個善心的紳士將會讓我們深入了解當地的饑荒及救濟情況。

第二天早晨，吃過同樣豐盛的早餐之後，我問修道院院長，在目前這種遍地饑荒的情況下，他們怎麼獲得這樣好的白麵包。「跟我來，我帶你看看。」老院長說著，然後他帶我下樓到一個類似穀倉的大門前，然後把門打開。

那間沒有窗戶的陰暗房間，就正在昨晚我們飽餐一頓的餐廳下方，裡面有兩個腳踏的石磨，每個石磨各由一個瘦小的中國女孩踩著。她們大約只有十一、二歲，而她們就在昏暗中磨著麵粉以便烘出教士們的麵包。還有兩個女孩蹲在這個大房間的牆邊，顯然是在等另兩個正在工作的女孩累了後，可以隨時接替。院長解釋道，那些窮苦的佃農家庭積欠教會的錢，就把女兒押在這兒做工抵債。

那天早上稍晚，我的國民黨朋友告訴我，他從與鎮上鄉親及其僕役聊天所得知的消息，令我大吃一驚。他說這個地區多的是糧食，他自己便已記下好幾個穀倉滿滿的地點，而我們也計畫稍後逐一實地去察看。根據地方人士的說法，囤糧的罪魁禍首就是歐關，他不是修道院長口中的大善人，而是集專員、軍閥、土匪於一身的善霸。他將救濟物資私吞並出售，使他自己成為當地最大米糧囤積者及獲利者。他的昭彰惡名不但源自他無視百姓受苦的冷酷，也來自他的狡猾，為了掩護自己的惡行，他會裝模作樣的捐出少量糧食，並在發放救濟總署的救濟物資時大肆張揚。

早餐後，我們造訪歐將軍的專員衙門，這個衙門是掌管好幾個縣的地方政府機關。經過一番繁文縟節，我們被帶到這個大人物面前，發現他竟然是個肥胖的老怪物，穿著老式的軍服，身上斜佩著綬帶。當他起身歡迎我們時，因痛風而腫起來的脚使他的臉上露出痛苦的表情。

老將軍周圍的一羣趨炎附勢之徒，這時候紛紛的喃喃讚頌，「真是一個好人，」一個穿著絲質長袍的老者，搖頭晃腦的摸著長鬚說著，「他把所有送到這裡的物資都轉送出去。」

「真是個活菩薩。」一個留著薄髭尖鬚的小個子男人說。

歐關舉起右手，以自謙的姿勢前後擺動。「老百姓正在受苦，」他說著，「身為百姓父母官的我們真是痛心，因為我們能幫得上的忙有限。我們期盼我們偉大的盟友——美國，能夠協助我們，並送給我們災民更多的食物。」

我們盡快離開那裡，以便參加我的國民黨朋友安排的下一場會面，地點是一間男子高中，裡面的學生都是地方士紳的小孩。他們知道的比我們預期的還多，他們曉得米糧藏在哪裡，也知道誰從饑荒中牟取暴利。使我們驚訝的不是他們知道這麼多，畢竟這些事都在他們家中發生，真正令我們訝異的是，他們會把他們知道的告訴我們。

兩千多年來，孔老夫子的論語一直訓示著，一個盡孝道的兒子應當在必要的時候說謊話來保護他的父親，就如同一個盡忠的臣子應當為了君王掩飾、說謊。但是現在這個教條似乎已經被打破了。

是什麼打破了這個成規呢？這些學生的說法回答了這個問題。「當日本人佔領這裡時，」一個學生說，「我們一直企盼著國民黨政府回來。但是現在我們寧願日本人還統治著我們。」「他們是異族，」另一個學生插進來，「現在這些人照理說是中國人，然而他們卻把自己同胞視若無物。我痛恨這些人！」

我真的是看夠了也聽夠了，隔天一早，我便和我的同伴開車回長沙，搭機回到上海。

第三章 新四軍

由於聯合國救濟組織必須將救濟物資公平分配給國民黨及共產黨，因此不到一個月，我便被分派另一個任務——將救濟物資送到共產黨控制的區域內。我看過國民黨如何處理其勢力範圍內的饑荒問題，這次我的任務便是去看共產黨如何處理。我奉命到聯合國善後救濟總署在湖南的辦公室報到，並從那裡往北進入大別山脈。在那裡，我會遇到中共新四軍中著名的游擊隊領袖李先念。

我樂意接受這項任務。我終於能夠親眼看到共產黨在自己勢力範圍內行動。但是我也很快發現到，從我上司的觀點來看，我的任務具有雙重目的——除了運送救濟物資外，還有情報蒐集。外界早就謠傳聯合國善後救濟總署除了執行人道救濟外，還負有間諜情報功能，而從我上一次任務中還有情報背景出身的夥伴來看，我也早就懷疑這項傳言屬實。我的懷疑終於在首席觀察員跟我簡介此次任務時，從他所採用的輕鬆，卻又有點難以啓齒的態度上獲得證實。

首席觀察員是個剛從陸軍情報署退伍的中校。他那時靠著迴轉椅輕鬆的坐著，兩隻拇指掛在胸前兩側，看起來好像是招考新人的星探。他冷靜的說，如果我「湊巧」發現任何有關中國及蘇俄間的共同防禦條約，他會很樂意聽一聽，任何共產黨內的派系問題也可以說一說。

我吞了一下口水，我說我會盡力。我用「盡力」這兩個字是為求心安。一方面我不想完全拒絕他，因為我怕他會派別人代替我去。而另一方面，我並不想為他，或是任何其他人做間諜。

幾天後，我搭上另一艘美軍船，再度順著長江北上。到達武漢後，我和將和我交接任務的聯合國觀察員碰面，他是個年輕的法國工程師，在當地已經待了將近一個月。他是個很有組織、認真的人，詳細的跟我講述他在當地的經驗。他說中國共產黨工作勤奮、願意為人民付出、不貪汚、對人和善。他們企求和平甚於一切，也非常歡迎美國政府為阻止中國內戰發生所做的任何事——雖然他們很懷疑美方的真正意圖。「我很羨慕你第一次就能到那裡去工作，」他最後說，「那裡的確是另外一個世界。」

「那你為什麼不待久一點呢？」我問。

「我不敢。」他的回答令我吃驚。

「為什麼不敢？」

「因為如果你在那裡待太久，他們會讓你也變成共產黨，你沒有辦法拒絕他們的。」

共產黨在大別山脈中佔據的地區，幾個世紀以來一直在中國的政治、歷史上佔有重要角色。任何人要統治中國，必須先佔有中原——南起大別山，北至黃河，東從大運河，西至位於中亞斷層口的西安；而大別山脈雄踞在中原南端，俯瞰從北京到廣東及上海的主要鐵道、主要的幹道、小路，以及中原上主要河川的航道。

李先念麾下的共黨新四軍第五師就在這個戰略地區的中央，但他們駐紮該地並非為了戰略因素，而是為了遵守國共兩黨在日本投降後達成的停火協議，以至於全師被陷在那裡。協議簽訂時，李先念正率領六萬部隊——其中有一萬人是老弱、病號或傷兵——兼程趕往江蘇與共黨的主力部隊會合，以求自保。

但是根據停火協議的條款，除非有停戰當局的許可，否則任何一方的軍隊都不准行動。毛澤東便因此命令李先念遵從協議的條款，李先念和他的部隊只得停留原地，而國民黨軍隊卻像套索般愈逼愈緊。

自從共產黨陷入這個區域後，我們是第一批到達的救濟。圍剿共黨部隊的國民黨軍隊企圖阻止救濟物資送達敵人的手中，但，一直試著在國、共雙方協商出一個整體政治協定的馬歇爾將軍堅持他的立場，他暗示，如果米糧不能送達共產黨手中，美方也可能切斷對國民黨的援助。

我們運來的救濟物資少得可憐，但我們一羣人還是頗感興奮；因為我們知道即使只是帶著這麼一點點的救濟物，想要進入被包圍的解放區也不是那麼簡單。我的駕駛是個來自武漢的白俄裔中年人。他告訴我，他很樂意開車進入共產黨地區。「那裡的人待我很好，他們會照顧我的車子，派人將車子清洗擦拭乾淨，晚上還陪我玩牌。每次到那裡，我便是重要人物。」

我們的車在湖北省內左彎右拐的，朝著大別山脚下前去。大約四小時後，我們駛過一條小溪，車子在為行路人鋪設的踏脚石上顛簸前進。駕駛轉身告訴我，「到下一個山頂，你就可以看到新四軍的哨兵。」我們的車衝上一段斜坡，然後就看到有兩個衛兵站在峯頂。那是兩個年輕男孩，身上穿著藍灰色土布制服；肩上各掛著一隻笨重的日式三．八步槍。他們看起來不比他們的步槍高，脚上穿著草鞋，頭上戴著帽沿鬆垮垮的布製鴨舌帽。我很興奮的向他們揮手，而他們也向我揮手。

突然之間，我替他們感到高興及驕傲。我確定這兩個年輕男孩不會像那些在昆明或上海趾高氣揚的士兵，也不會如我上次在饑荒地區所碰到的冷酷軍人，他們不是會為了一包香菸而殺死同夥的土霸王。這是一支人民的軍隊，成員都是農家小孩，為了自己的前途及家人才拿起武器作戰。

在陷入包圍的情況下，李先念的第五師將總部設在舊名鮮花店的宣化店。鎮上有一條僅容四人並肩行走的鵝卵石街道，及與其交錯、迷宮般的小巷子。我們到達時，已經有個歡迎餐會在等著我們。

「我們正在開會紀念四月八日殉難的烈士。」接待的官員告訴我。「各位將坐在講台上。」我猜他所稱的「烈士」應該是指幾天前死於空難的一些共黨領導者。

我們經過一條長長的獨木橋，越過小河，到達對岸的一片平地，那裡已經立著一座用木頭搭好的平台。台上大約有十來個穿著藍灰制服的人，同時有數千名士兵及老百姓聚在台前的廣場。

紀念會的演講已經開始。當演講人一個接一個稱頌陣亡同志的英勇時，我的眼光掃過和我同在台上的大人物；試著去認出那位是統領此地部隊的游擊名將李先念。根據他們各自的軍人氣質、威嚴，以及臉上流露的個性及智慧，我選出幾個可能的對象。我的選擇完全錯誤，當李先念站起來講話時，我認出他竟是我看一眼便認為絕不可能的人。他身材瘦小、一臉倦容，穿著隨便，而且看起來怪異及無趣。我知道李先念是木匠學徒出身，當共產黨紅軍到他的村子時，他便跑去加入他們。但我事先絕沒想到，他的外表這麼憔悴不起眼，使我聯想起林肯。

我很快的察覺到，在解放區內看不到讓我在上回任務中極端厭惡的奢侈浪費。當我住進我的房舍——一間由荒廢校舍改建成的招待所——我的翻譯員便帶領我四處去拜會共黨上級領導人。李先念在他的房舍接見我，他的住處幾乎跟我的住處一樣簡單：一棟位於村內大街的單層磚房，入口處掛塊布權充門，門內是個起居室，靠牆有幾張直背式的椅子。

在上次任務幫過我的王震將軍也回到這裡，擔任李先念的副司令員，並指揮他的嫡系部隊對抗國民黨軍隊。當我們碰面時，他立刻像兄弟般伸出雙臂擁抱我，並邀請我到他的指揮部。他的副官正在等著他用晚餐——一大碗飯，一個白鐵杯裝著茶，一小碟紅辣椒炒雞丁。

指著那碟，王震笑著說：「這真是賄賂。我的弟兄們老是要從窮人家裡買魚及雞肉來給我。我一直告訴他們不要這樣做，但他們就是不聽。我們不像那些為錢賣命的國民黨軍，我們的士兵都是志願軍，他們是為了自己而戰。我們有共同的思想及感覺。這裡的農家都很窮。」王繼續說，「今年又是荒年，我們不能再增加他們的負擔。我們的軍隊現在一天吃兩餐，兩餐都只有稀飯。我是中央委員，所以上級會照顧我，讓我有足夠的營養來領導，要不是絕對需要，我是不會接受的。」

我忍不住拿王震將軍與零陵的修道院院長相比較，那個以紅酒及香白麵包——來自疲弱女孩踩著石磨磨成的麵粉——招待我們豐盛一餐的院長。「只靠稀粥，你的軍隊如何行軍及作戰呢？」我問。

「中國的革命一向是充滿了困難及痛苦的，」王震回答著，「我們受過的鎮壓及背叛遠超過世界上的其他革命運動。我們的精神是『前仆後繼』，我們不惜為理想而死。」

他平靜而不誇張的說著。我心想，這個人應該不是個莽撞的狂熱分子。他是個將自己貢獻給主義的軍人，隨時準備為了自己的信仰而犧牲。這樣的想法讓我為他驕傲。

等他吃完，我們走出門外踏入夜色中，沿著河邊漫步。王震似乎陷入愉快的回憶中，「當我在湖南初次申請加入共產主義青年團時，」他說著，「他們不願意讓我加入，因為他們認為我排外。他們告訴我在外國人中，只有資本家及地主階級才是我們的敵人。全世界所有的工人都是我們的朋友，但我還是不懂，因為我痛恨那些外國人及他們的狗，而且我也不懂政治。」

「什麼外國人及什麼狗？」我問。

「當我十歲左右，我在湖南一家英國鐵路公司的一個老闆家裡做僕人。每天，我必須為他及他的勢利眼老婆倒夜壺，把屋子打掃乾淨；還要幫他們洗衣服及到廚房幫忙。他們養了一條狗，而他們對這條狗比對所有的中國人都還要好。我討厭那條狗。有一天，他們對我實在太惡劣，令我再也不能忍受壓迫及恥辱，我便把那條狗殺了，逃離那裡，然後加入紅軍。但是在那個時候，我並不了解共產主義以及國際主義。那時我真的很排外。」

我們靜靜的走了一會兒。然後他突然抓著我的手。「你瞧，」他說，「如今我知道了，現在我已經有個外國朋友，是個美國人，但不是美國帝國主義者（美帝）。我，一個中國農家子，竟然有我自己的美國朋友，太棒了，不是嗎？」

在解放區內，我找不到任何貪污腐化的證據。事實上，在我觀察下的第一次救濟物資分配，稱得上是公平、民主的。

我在黎明時出發，徒步前往救濟物資分配區，陪伴我的是個曾在底特律福特汽車公司做事的中國通譯。我們幾乎走了一天，越過北邊省界進入河南境內，目的地是丁原店。那是我在中國曾見過的最為貧窮的地區之一，比國民黨所控制下有著綠油油稻田的鄉村要窮得很多。但這是當時我在中國所曾到過的地方中，唯一沒有看到死屍的地區，不僅沒有死屍，也沒有娼妓，我甚至看不到乞丐。在鮮花店我曾經碰到一個老婦人拿著一個碗向我求乞，但是我的隨行通譯很快把她拉開。「這不是能解決妳問題的辦法，」他說，但還是從口袋裡掏出一些零錢，「到邊區政府去請求救濟吧，我們會幫助妳的。」

我和中國通譯抵達丁原店時已近傍晚。這個小鎮其實只是一簇泥磚茅舍圍著一條鵝卵石大街，其間點綴著幾間兩層樓石頭房子。隔天早上，村中執事帶領我們到大街旁的鎮上廣場，上面有一間土地廟。廟建在一個寬廣的平台上，神祠的屋頂將近有六呎高，上有飛簷及承霤。

村民們早就聚在一起等待救濟物資的分配。村長身材瘦長，是個看起來約莫三十五歲的佃農，他負責召開這次的集會，並且首先介紹了這次救濟物資分配的負責人；那是個年輕女學生，由武漢的共產黨組織派到新四軍中接受幹部訓練。她站起來說話。「本區的各個家庭可以分配到約五十噸的米糧。」她說。然後說明分配原則：米糧分配將依據各家的需求來決定。每個家庭要先描述自己家庭的窮困情況，然後據此情況來做數量要求。接著村裡的各家親朋好友將一起討論，擬出分配名單，貼在村裡的廣場上。她並嚴厲警告說，任何人如果被發現到有賄賂、貪污、徇私、偏袒或涉及救濟物資的黑市交易等情事，將遭「嚴格懲罰，絕不寬貸」。

接著會議開始，騷動也隨即爆發。每個人都爭著說話；有的人嗓門特別大，即使在這種嘈雜聲中我還聽得到他們的叫嚷。不過雖然場面一陣混亂，並未耽誤正事。

會議一直進行到將近日落。第二天一大早，麵粉就由學生們揹在背上逐一送到村民家裡，這是我在中國唯一見到救濟物真的送達飢民手上的。我沒有見到任何貪污的跡象，而從共產黨幹部省吃儉用，以減輕百姓負擔的情形來看，我也肯定確實沒有貪污。

工作完成，我和中國通譯當天下午便又一路跋涉回鮮花店。當我們回到鮮花店時，卻發現整個鎮上的民情興奮到極點。每個人都迫不及待要告訴我們一項大消息：周恩來要來了。

戰爭結束時，國民黨控制了城市，但是北部及西部的鄉村地區則屬於共產黨，共產黨在山區及草原中逐漸壯大聲勢，並且控制中國中部及北部的主要鐵路及公路，勢力範圍涵蓋長城兩側，東從海洋西至大西北，北從中俄邊界南至揚子江。當國民黨把希望寄託在大量的美援之上時，毛澤東和他的共產黨同志則是為了全中國人民的意見，窮人、工人，及小商人的權益而戰。

美國的立場則是模稜兩可。馬歇爾將軍所領導的和談小組企圖一面支持蔣介石，一面促成國共雙方達成和平的政治協商。美國希望聯合政府能夠在國民黨的主導下，避免內戰的發生。

鮮花店的情況也是非常緊急。由於全面內戰在此爆發的可能性逐步昇高，鮮花店成為全國所注目的焦點。雖然國共雙方簽有停戰協定，但是面對四周逐漸增加的敵人數目，此地共產黨並不希望在這個小山區內等死，國民黨方面也不希望共產黨待在這個重要的戰略位置上，因為它將威脅到武漢及通往首都南京的通道，但是國民黨也不想讓這裡的共產黨軍隊脫困和其主力會合，重新集結再做抵抗。如果雙方在這個戰略點展開殊死戰，整個中國勢必會捲入內戰的深淵。

身負調停任務的馬歇爾將軍於是組成了一個停戰特別代表團，在鮮花店舉行會談。第一次會談行將展開，由馬歇爾將軍的特別助理，亨利．白洛第將軍（General Henry Byroade）主持。國民黨方面則是由王鐵民將軍代表，他是軍事委員長蔣介石麾下的一位戰區副司令官。

周恩來身為共產黨革命軍委會副主席，階級比前述兩個人都高；但是，別人興奮的告訴我，周恩來還是決定親自來探視在這裡的同志，以表示他關切同志所遭遇的苦難。

黃昏時，每個人都跑到村口去看周恩來。不巧的是，他來的時候我偏偏不在。我因為公事必須先回住所一趟，而在回村口的途中我進了公共厠所。就在我不在的那一會兒，三方和談小組的人正巧到達，並且在短暫寒暄後便即分開。這時當我還在公厠內，正在扣鈕釦準備離開時，一位掛著準將軍階的美國人走了進來。

「你一定是白洛第將軍。」我說。

「正是，」他邊說，邊輕快的與我握手，「你在這裡做什麼呢？」

「我是聯合國善後救濟總署的救濟觀察員，」我回答著，並將我的聯合國工作證給他看。

「我也是這附近唯一的美國人。」

他略帶同情的點點頭，看表情似乎是鼓勵我繼續說下去，於是我繼續說：「如果你能告訴我這裡將發生什麼事的話，我會十分感激的。因為我掌管著這裡所有的救濟物資，而我不曉得是該準備趕快離開這裡好，還是運進更多救濟物資，還是該怎麼辦。」

將軍的下巴僵了一下，「我可以告訴你這裡會發生什麼事，」他說，「這裡的人將會被消滅掉。我最近剛從東北回來，那裡的紅軍是政府軍的十倍，政府軍不可能獲勝。但是政府軍在這裡卻佔上風，而我們決定讓政府軍殲滅此地的共軍。」

說完這些話他便走開了，留下震驚的我一個人站在那裡，難道這次和談竟是個騙局？難道這個美國將軍不是被派來協商和平，而是來誘使共產黨陷入「安全」的幻想中？這似乎很難令人置信，但根據我剛從馬歇爾將軍首席助理處所聽來的，整個計畫似乎就是如此。

我嚇壞了。我想，美國政府正在欺騙他自己的人民，甚至可說是背叛了美國及中國的廣大老百姓，這不是美國人的政策，它不能代表美國人民的意願，相反的，這是背著美國人民進行一場騙局。而令我感覺更糟的是，我對自己扮演的角色有新的領悟，會不會馬歇爾將軍堅持將救濟物資送入鮮花店是整個陰謀中的一部分，目的是要使新四軍失去警戒心，讓國民黨軍可以乘虛攻擊？我覺得自己是受人擺佈的呆子。

我認為這場戰爭一邊是那些在上海欺壓吃不飽的工人、乞丐，以及娼妓的迫害者，另一邊則是在鮮花店清清白白生活的革命家。我們的政府竟然假借中間者的立場，站在壓迫者的那一邊？而它又怎能利用其公平及民主的聲譽來欺騙中國共產黨呢？我深感可恥，身為一個正直的美國人，我覺得我有責任挺身而出。

在鮮花店的公厠內，我面臨自己人生最大的轉捩點。我下決心要去協助那些被壓迫者，而唯一能夠真正幫助那些受壓迫的中國老百姓，甚至是那些美國人民——我相信如果他們知道真相，也絕不會容忍這種欺騙行為——的真正方法，便是告訴李先念本人有關美國政府的意圖。經由這樣的預警，他便不致上當。

當夜色來臨，我受邀參加第一次和談會議，地點是在村裡最大的一棟建築物郭家宗祠。在這棟沒有窗戶，簷上飛著怪獸的建築物內，早年曾舉行過郭姓一家人的宗族會議。在大廳的最前端，三、四張桌子被併起來成為一張大會議桌，桌後面坐著和談的成員。桌上則放置著六盞以棉線捻成燈芯的油燈，搖曳不定的火焰是整座黑暗大廳內唯一的光源。我遠遠的坐在後面。

共產黨坐在長桌的左邊：政治委員鄭偉生、司令員李先念，以及副司令員王震將軍。白洛第及國民黨代表王鐵民則坐在右邊。正中央坐著一位身穿國民黨將官軍服的英挺男子。令我震驚的，他便是傳說中的周恩來。

為使和談順利，國共雙方這次都穿著國民黨制服。即使在黑暗中，我也看得見周恩來臉上剃刀沒辦法刮乾淨的泛青鬍根，這在中國人是極為少見的特徵，也為周恩來博得了「鬍公」的雅號。

李先念率先發言，強調中國共產黨致力於以和平的政治方式解決中國內爭。而國民黨的王鐵氏將軍，一個看起來高瘦、禿頭、外表嚴肅，橢圓的臉形配上一副老學究眼鏡，鏡片後有對溫和大眼睛的人則慷慨激昂的說：「為什麼這麼說？怎麼可能會有人想陰謀包圍並消滅新四軍？」「誰呢？當然不會是國民黨軍隊。新四軍是我們自己的中國兄弟，我們一起對日抗戰，所以我們也會一起為我們的問題找出解答。」

不過一個小時前，白洛第將軍才在公廁一臉冷峻的跟我講過話，如今在大庭廣眾間他說的完全是另一套。他說，美方此來是要協助雙方以政治協商來解決衝突，並且防止內戰。

但是整個會議最吸引人的，則是周恩來的精簡演講。他告訴所有的聽眾，他不只是和談小組的一員，他是每個人的同志，因此，他感受到他們的關心及痛苦，並誓言要努力不懈，直到大家安全脫離包圍及被攻擊的危險為止。

會議結束後，我與其他人朝著一條獨木橋走去，準備過河回對岸的招待所。在半途，我碰上了一羣提著燈籠的人。那是周恩來，以及送他回住所的李先念。李先念馬上趨前把我介紹給周恩來認識，「這是我們的美國朋友，李敦白。」

周恩來握手有力卻不做作。握手時，他對我說：「我在會場上看到你。你在我說話時，鼓掌比別人都大聲。這不是聰明的舉動，他們會注意到你的反應，等你回到國民黨的控制區後便沒那麼容易工作了。你應該更加謹慎才是。」

我啞口無言。一來，這是我第一次會見這位世界級人物，而他又是如此不拘形跡。其次，是他的觀察力。我不禁問他，在那樣昏暗的大廳內，他如何能看到我，而他為什麼又要對一個落單的美國人如此注意呢？

「照顧國際朋友是我們的責任。」他回答著。雖已年近五十，但穿著筆挺制服的他看起來年輕有活力。我們一起走在通往招待所的小徑上，在微弱的燈籠照映下，我們小心翼翼的通過獨木橋。

「我想做更多的貢獻。」我告訴他。「我告訴這裡的人我想留在這裡幫忙，但是他們不讓我留下來。因為他們很可能必須突圍，而他們不想帶著我。」

周恩來建議我到南京去找他。

當我們一同走回招待所時，我把從白洛第將軍那裡聽來的消息轉告李先念將軍。我告訴他白洛第所說的每一句話，再加上我自己的見解。他只是靜靜的聽著，我也無從知道他的想法。

周恩來離開後，和談進展得頗不順利。美方代表是來自馬歇爾將軍南京總部的一位上校，骨架高大瘦削。他是個一板一眼的誠實軍人，但對中國沒有什麼經驗。國民黨的談判代表則是擔任保安司令部指揮官的陳欽上校。共產黨方面的代表則尚未到達，因此由我的老朋友王震將軍暫時替他上場。

真正協商還沒開始，會議便因爭執而停擺，雙方各自譴責對方的翻譯員是間諜。他們之間的爭執改變了我的命運。

美軍上校受不了雙方無謂的爭執。他雖然沒帶翻譯人員，自己又不會說中文，但是他有辦法解決。他說：「好了，好了，我們不能為了譯員的問題花一整天爭論。這樣子好了，我們有個中立的第三者在這裡，他是聯合國的代表，而且他懂得中文。因此我將請他擔任我們三方面的翻譯，而你們自己去解決你們的翻譯問題吧！」

由於大家別無選擇，他的提議獲得通過，決定邀我參加會談。我懷著誠惶誠恐的心情接受邀請。我的中文在那個時候，可以跟人說話，但很有限，而且我還得費神去了解湖北及湖南口音。但一想到能參與和談我仍忍不住興奮不已。

第一次會議就像是一場鬧劇。我坐在三個和談代表中間，同時旁邊還有兩個翻譯在監督我的解釋。美方上校代表首先發言。鮮花店周圍的地區必須維持安定，他說，同時搖著手中一疊公文表示，和談小組已經收到許多互指雙方違反協定的抱怨信，而他打算逐項調查。

陳上校接著代表國民黨發言，感謝美國政府為和平所做的努力。「不幸的是，」他接著又引用一句中國諺語：「和平正遭到那些唯恐天下不亂的人破壞。國民黨政府至今都還相當有耐心，遭到攻擊時也不還手，為了和平，必要時還不惜撤退。」他接著又大聲的唸出許多指明時間地點的國民黨軍申訴函。例如，新四軍的狙擊部隊在某某時間、某某地點攻擊了和平的政府軍，而第五師進攻某個山頭，政府軍自動撤退，讓出那個山頭……等。

突然之間，一隻粗糙手掌拍在小桌上，震得茶杯、茶壺一陣晃盪。「媽咯個屄」王震將軍怒吼。這句話粗略可翻做「操你媽」，不過我將它翻成「狗雜種」（son of bitch）。

「我再不能忍受坐在這裡，聽這個國民黨代表的『亂言』。」王震將軍罵出最土的湖南方言，憤怒之下腔調比平常更為濃厚。

「什麼是『亂言』？」我悄聲的問他，我可不想在大庭廣眾下宣揚我的中文多有限！

「就是，『胡說』。」王震將軍以平靜客氣的口吻直接回答我，可見他剛才的激動半出於做作。

「我無法坐在這裡，聽……聽這種……這種廢話。」我只得這樣翻譯。「亂言」這句話結果是同樣的意義，只是說法較為古老罷了。我想要盡心翻譯的努力畢竟徒勞無功，因為在任何人還能說任何話之前，王震將軍把桌子一翻，大踏步走出去，會議也就此中斷。當然我們必須把這個情況報告給李先念。美方上校對別人這樣子打斷他的任務不肯善罷甘休，於是我只得充當翻譯員，陪他到李的總部。

李先念將軍聽完美方代表的陳述後，露出我覺得有些無奈的笑容。「不論如何，」他說，「我們的正式代表任時項中校明天就會到達，那時整個團隊就能繼續運作下去。任中校的頭腦很冷靜，與他溝通應該不會有任何問題。」

這個問題總算是解決了，接著李先念又深思的說：「我真的全心希望和談能夠成功。」他告訴那個美方代表，「自一八三九年第一次鴉片戰爭以來，中國人民在接連不斷的戰爭中受苦受難。軍閥們不停爭戰，差點摧毀了我們的國家，直到日本人利用了我們內部的分裂及薄弱，以鐵蹄蹂躪了中國最富庶的區域。如今，我們終於和盟友們共同獲得了勝利，並且有了一線和平的機會來埋葬死者，醫治傷者，以及重新建設我們的國家。請你了解我們中國共產黨是真的想做美國的朋友。我們是中國共產黨，我們和蘇聯的共黨同志多少有些歧見，而我們也不想只有他們這個朋友。」

我深信李先念將軍所說的。即使我對白洛第將軍無法諒解，卻為這位美國上校深感驕傲，因為他很重視自己的任務，並且我認為他完全不知道這項會議背後隱藏的陰謀。

而對我自己而言，這是幾年來我首次感受到清楚的人生目標。我正處在歷史洪流的轉折點上；這個會議使得敵對雙方可以盡情的發抒各自的感受及意圖，而我是其中一個參與者。我想我做的不僅只是翻譯他們所說的每個字，我做的應是遠超過這個。我可以成為一個良好、清晰的溝通路線，讓這些背景與文化極端不同的人可以彼此溝通。我可以協助他們了解的，不僅只是文字及言語，而是他們所隱含的情感、涵義及味道。我可以幫助他們繞過路障，搬開阻礙，開啓一條了解及合作的道路。我想我可以勝任，我終於知道自己要做什麼。

我並未忘記最初到延安的計畫，也未曾忘懷要去拜訪毛主席及中國共產黨的領導們。但是現在我正處在一個創造歷史的時點。和談雙方都需要我做這個工作，他們沒有其他的人可以幫助他們。因此只要一有機會，我總會問是否能讓我留下，但是每次，他們都拒絕了我。

最後，我為聯合國善後救濟總署所做的工作終於完成，我失望的回到上海。不過我依然希望繼續為聯合國工作，直到有機會去延安為止。我將兩次運送救濟物資的報告交給救濟總署，並強調第一次到湖南及第二次到新四軍控制區內的所見所聞適成對比。而就救濟工作而言，兩者間的差別有如白天與黑夜。

幾天後，聯合國善後救濟總署的一位副主任邀我到他的住所一談。他非常友善健談，除了提及我們共同的朋友，也讚許我做的調查報告。他說，他們滿意我的工作，認為我交的兩份報告完整且透徹。「我們發覺你喜歡在共產黨的勢力範圍內工作？」他問，我點了點頭。接著他又表示，為了獎勵我的工作成就，將晉升我的職位——一次連升兩級。此外，我將被派遣到東北，那裡是共產黨勢力最強的地區。他確信我將會很高興。

我的確是非常高興。但卻沒有高興很久。

因為接著，他又裝做不在意的說，他們希望我能幫兩個忙，而且只是個小忙，所以他覺得應該不成問題。

第一，他們希望能修改我的湖南報告。「不是大修大改，」他說，「只是改得使報告更為『圓滑』」。例如，他要我消去一段有關美國官員強暴他的中國女祕書的證詞。第二點是有關我的薪水問題。以往我一直未從聯合國善後救濟總署支領生活津貼，因此聯合國官員都覺得非常奇怪。

我的薪水是六百美元一個月，對一個在中國的單身美國人而言，是很優渥的待遇。此外，這項工作還供給免費的膳宿、交通及日用品。外勤人員還有額外的生活津貼——每天十六美元，足夠餵飽八十個中國家庭。在那個滿街可見死屍的時期，我真的不想領這筆可以用來救濟更多中國人的錢；我把這個想法及原因告訴了他。

「我們也是這麼想，」他輕鬆的說著，「我們很敬佩你的理想，不過我們也要提醒你一項事實——這會造成其他聯合國官員的困擾。當查帳人員從紐約過來後，他們會想知道為何有人不領津貼照樣能過日子。因此我們要求你要支領你的津貼。」

我起身走出那個房間，連門都不想帶上。

看來我在中國的冒險之旅將就此結束。我深感灰心及悲哀。共產黨不願意讓我待在鮮花店。儘管我有朋友的鼓勵，延安似乎仍遙不可及。現在我又證實我的上司們對蒐集共產黨情報及保住薪水的興趣，遠超過公平公正的做事。

我感到失望，想從此離開中國。但是當我去向蘇梅津、辛西亞及孫逸仙夫人說再見時，他們卻勸我不要馬上離開。「至少在回美國前向周恩來道別。」辛西亞和孫逸仙夫人異口同聲說。

我很快就聽從他們的慫恿，準備再度探望深具領袖魅力的周恩來。畢竟，當我們在鮮花店初見面時，他不是也叫我再去找他嗎？因此，那個星期天我就搭機前往南京，並造訪共產黨在新李樹谷的別墅。

這座別墅坐落在一羣漂亮的紅磚屋瓦、粉白泥刷的家園中，周圍環繞著草皮及花園。我敲門時還不到早上九點，來開門的是周恩來的祕書鄭文金，我曾在鮮花店看過他，並第一眼就很欣賞這個年輕人。

「我是來向周恩來告別的。」在我們熱烈的握手時，我說了這句話。

鄭笑了笑說：「他還沒有起來。」

「他昨夜幾點就寢的？」我問。

「差不多是五點，跟平常一樣。」

「那他通常幾點起床？」

「九點。」

「你是說，他每天只睡四個小時？」

「有時候更少。他有太多的事要做，太多的事要想。但是請你在九點回來，我確信他會想與你一起共進早餐的。」

「你實在不能讓他這樣的熬夜，你應該讓他早點就寢的。」

鄭聽了我的建議後，開懷的笑了起來。「沒有人能強迫他做任何事，」他說，「這裡的每件事都需要他一肩承擔，幾乎每件事。他非常有責任心，必須同時處理許多不同的事。」

我到四周走了走，大約九點之後再回到他家。當我再次造訪時，鄭滿臉笑容說：「請進，他們剛剛坐下來吃早餐。」

他招呼我到飯廳，周恩來正與他的太太鄧穎超，及一些共黨官員們一起吃早餐。鄧穎超拿了一個小紅蘋果給我，「這是我們在山東的一個解放區出產的。」她說。

他們讓出了周恩來身邊的位置，並邀我與他們共進早餐。為了禮貌起見，我談起我們上一次的會面及他的健康，並對他的操勞表達關切。他對我的關切只用一句話帶過：「我知道要怎麼忙裡偷閒。」

我告訴他我就要離開中國，但他卻絲毫聽不進去，「回國前你應該到延安去一趟，」他說，「你應該拜會毛主席，和他談一談。鮮花店只是個暫時的情況。你其實應該去看看一些比較早設立的解放區，我們在那裡已有相當的建設。這樣你回到美國後便有更多的東西可以談，更多的內容可以寫。」

周恩來建議說，我有個法子可以去延安，就是跟著普萊絲小姐（Mildred Price）走。她是紐約一個救濟組織的代表，近日就要起程。

我告訴周恩來，我到延安不僅是想參觀而已，更希望能參與他們的工作。「譬如說，我能教一些英文課。」我說。

「等你到了那裡，有的是時間討論這個問題。」周恩來如此回答，然後他便將注意力轉到別的話題上。

* * *

我整整等了四個月才到延安。

我依照周恩來的建議，找到了普萊絲，並且成為中國聯合救濟組織的代表。我們一起到達北京，並且計畫從那裡搭美軍軍用運輸機進入延安。當時美軍每週都有飛機飛往各個舉行停火談判的地點。任何美國人只要理由充分——而救濟工作正是相當充分的理由——都能夠免費搭上美軍軍機。除此之外，其他想進入延安的法子都不切實際。內戰越打越激烈，北京和延安間的大片地區到處都是戰場。

我們向美軍申請機位，但是只有普萊絲被接受，有人私下告訴我，是美方談判委員華特·羅賓生（Walter Robinson）親自駁回我的申請。

我向羅賓生本人請求，但徒勞無功，由於我此行出自周恩來的建議，因此普萊絲和我一起去求葉劍英將軍出面，他是共軍總參謀長，也是共黨在北京的首席代表。葉劍英破例親自去拜會羅賓生將軍，但也被拒絕了。這是第一次一位美國公民被拒絕搭上往延安的飛機，而且沒有人可以告訴我原因，我那時覺得我的希望終於破碎了。

那天晚上，我和普萊絲一起到葉劍英的別墅共進晚餐。為了安慰我的失望，他提了一個替代計畫。與其直接到延安，他建議我到張家口，那是位於內蒙邊界，由共產黨所控制的一個城市。他向我保證，我在那裡將被奉為上賓。

張家口位於北京的北邊偏西，是進出萬里長城的關口。日軍投降時，八路軍馬上自日軍手中拿下張家口，並使這個城市成為共黨在北中國的重鎮，它也是中共在東北三省以外所掌握的唯一城市，這個地方被共黨用來做為幹部的訓練中心，以及東北及延安中間的轉運補給站。

我到了張家口，發現它和共黨在鮮花店上陷入重重包圍的臨時行營截然不同。這是一個真正的城市，面積還頗不小。我踏著輕快步伐出發，四處去看所有值得看的東西。我參觀了一間菸草工廠、一間大學，及一家醫院。我閱讀了共產黨為婦女及年輕人所出版的刋物。我告訴菸草廠的工人，他們有多幸運能夠在自己的工廠為自己的利益工作。我告訴學生們他們有多幸運能夠在一個真正的人民政府下生活。我告訴藝術家們，他們有多幸運能夠自由的追求藝術。

就如我所盼望的，共產黨在那個週末終於要求我留在張家口工作。共產黨一直擔心過度依賴蘇俄，並把美國看成較好的戰後資助來源。當地的指揮官聶榮臻將軍告訴我，毛主席希望在共黨獲勝後能得到美國貸款來重建中國。因此他們即將成立一個英語電台，直接向美國人民提出訴求。但是他們缺少一個以英語為母語的人來矯正他們的文法及文體，並協助他們廣播，我因此得到了那個工作。

我住進了一間原本被日本人佔住的房子，並且開始了翻譯及改正廣播稿、訓練播音員的生活。我交了許多朋友，並參加了研習課程。我自由的在鄉間漫步。我對在這裡與這些新認識的共黨同志工作感到高興，不過我也從未停止去想到延安的計畫。

說來諷刺，幫助我實現這個計畫的並不是共產黨，而是國民黨。

在九月的某個晚上，著名的獨臂將軍蔡樹藩，神情懊惱的來見我，他是礦工出身，現任張家口共軍的政治部主任。他說國民黨軍隊已經突破共產黨在張北的防線，正朝著張家口進逼。他要我立刻去見本區最高指揮官兼政委聶榮臻將軍。

我去看聶將軍時，他正坐在桌前，身旁的牆上安著兩具軍用電話；他面前擺著一只很大的搪瓷茶杯，並且不停喝下一口口的濃茶。從他因高熱而發紅的臉及腫脹的鼻子看來，他正患著嚴重的流行感冒。

「你必須立刻離開這裡去延安，」他說，「我們希望你在那裡繼續你的廣播工作，這裡的工作必須暫停，因為敵方已經開始利用美國飛機來轟炸我們的廣播站。我會幫你開一張路條，讓你可以通過戰線到延安，並獲得你在路上需要的一切協助。祝你好運！」

就這樣，我終於踏上往延安的路途。

將近一個半月的時間我都在匆忙的趕路，一路經過河北、山西、陝西、綏遠及察哈爾。大部分的路程我必須徒步，每天穿山越嶺走十五哩，後邊跟著一輛裝著無線電及印刷機器的騾車。有時候我也騎騾、騎馬，或是搭乘共軍搶來的日本軍車。

沿途我吃的是加了濃醋的山西湯麵；晚上，我睡在炕上——中國西北方最常見的土炕床。我經過榆山縣，此地的煤純度極高，像蠟燭般一點即燃。當我經過長城蜿蜒其上的山脊時，當地農民很驕傲的向我指出名將林彪打敗日軍，並因此受傷的地方。我造訪了一間大學，而那個校長最出名的事，便是他有一回被著名大作家魯迅批評過。

有時我只有一個同伴，有時我們接連幾天跟其他到延安朝聖的團體結伴而行。在日本軍車上，曾遇到過文評家周揚、都市青年韓述、父親是暗中親共產黨的國民黨西北軍將領趙守山的小趙，及著名的經濟學家兼報人C．Y．N．陳。有一次我甚至和一個叫陳景昆的法官同行。陳是毛澤東的高中老師，最高當過北京最高法院的院長，最後卻對國民黨的腐敗感到噁心。有一天，他帶全家人到北京西山出遊，然後就此失踪。

雖然此行通過被國民黨猛烈攻擊的地區，是一段令人心情沉重的旅程，但我覺得我的旅程還算是平靜的。不過沿途我發現自己愈來愈深陷入這片正在面臨如此重大基本改變，陌生又奇妙的大地裡。在最後的一段旅程，著名的賀龍將軍贈送我們馬匹，給我們騎到黃河的渡口，然後進入陝西，到達延安。那天晚上當我們住進軍隊招待所時，我發現自己繫在馬鞍上的袋子掉了。在那個藍色小包包內裝著我的牙刷、一些牙粉、幾塊肥皂——以及我的美國護照。招待所的指揮官派人仔細搜尋了道路，但始終沒找到。我不小心丟了我僅存的個人物品——也掉了我與外面世界的唯一「官方」接觸。

兩個晚上後，一九四六年的十月十九日，我們到達延安。那是個週六的夜晚，就像好久以前在昆明時別人告訴我的一樣，每個人都正要去參加每週一次的舞會。舞會是在一個長而低矮石造的建築物內。

在屋外，我可以聽出有一把大提琴、兩支小提琴、一支薩克斯風或是豎笛正在裡面演奏。四周圍極度的黑暗，這使得從屋內射出的光像是正在燃燒的烈火。

有個人推開門，我向門內瞧了瞧。從門的正對面，我看到了活生生的毛澤東主席。從他寬大的額頭、眉毛及那張小的幾乎像女性的嘴唇，我立刻就認出他。從門外背著白牆看過去，他那獅子般的頭看起來冷酷，幾乎令人感到會有災禍發生。

這個定格畫面維持不到一秒鐘，因為正在我凝視的時候，樂隊奏起了狐步舞曲，那個原本冷酷的人物忽然有了生命，轉身，與舞伴擺起舞姿，然後翩翩的舞過整個舞池。

第四章

在毛澤東的洞穴

一股陌生的狂喜自我心底產生。

在我周遭的一切看起來乾淨純潔。這裡的人，他們的穿著、房子、音樂。即使是那裡的狂風及荒涼景觀也都無損於延安給我的純潔印象。我是在一個遠離赤裸裸的貪污及腐化——我在過去已經看得太多——的新天堂。

不過當我看著毛澤東帶著他的嬌小舞伴在舞池內翩翩廻旋時，我覺得延安的意義不僅於此——延安不僅是一個人民試圖過道德生活的地方，它是鍛造新中國，從而開創新世界的熔爐。

一九三〇年代中期，毛澤東為逃避國民黨率軍展開長征，最後來到延安。在延安，毛澤東組成著名的八路軍。以延安為據點，毛澤東指揮大軍反擊，協助驅逐日軍。而今在延安，他正在與國民黨的一場慘烈戰爭中掙扎求存。

在這裡，在這個中國遙遠大西北草原的邊陲荒地上，在這個曾被蒙古及匈奴征服的地方，一羣有抱負的忠誠知識分子、學生、學者、藝術家及經濟學家齊聚一堂，計畫共同實踐一個新的經濟、新的文學、新的政府、新的社會。在這裡，他們建立了自己的藝術學院，自己的報紙和廣播電台，及自己的學校。在鮮花店，當我還是聯合國的觀察員時，我敬佩這些共產黨，在張家口，我曾經幫助過他們，但在這裡，在延安，我希望自己能夠做得更多，我希望自己成為他們的一分子。

我跨過門檻，走進舞池。

當毛澤東看到我時，他停下了舞步，若有期盼的站在那間又矮又長的房間中央。跟著他的凝望，每個人都靜了下來，接著便有人領我走過舞池，正式的介紹我給毛澤東認識。

毛澤東握住我的手，他的握手有力，但是不像真正的握手。他握住我的手時並沒有自然的上下晃動。他微微一笑，身子朝我略往前傾。「我們竭誠的歡迎這位美國朋友來這裡加入我們工作行列。」

樂隊奏起了「稻田裡的火鷄」。毛澤東注意到了我的訝異神色。「有些美國同志教給我們這首歌。」他愉快的說，他帶著我走向圍在舞池旁的一排椅子，一起坐下。

「對日抗戰時，有許多人嘲笑我們。」他說著，「他們笑我們只有麥桿和老式步槍，這的確是真的，但是我們還是用麥桿和老式步槍打敗日本人。你會發現延安的生活非常簡樸。」

「我無所謂。」

「你的中文說得很好，我一直想學好英文，但卻總是學不好。」

「如果我幫得上忙，我很樂意一試。」

我簡直無法相信自己是這樣的幸運。眼前就是我在報紙上看過的毛澤東，也是我在史丹福大學研究過他的理論的毛澤東。我佩服他對中國所架構的遠景及他的哲學智慧。如今二十五歲的我，身體因歷經五百哩的跋涉又髒又倦，竟然就在此時此地與毛澤東平起平坐的聊天。說是「聊天」，似乎也不很恰當。毛澤東有種獨特的魅力，能將他的眼神落在說話的對象身上，並且使得整個房間都安靜下來，那種大眾注目的感覺，有些緊張但也令我飄飄欲仙。

其他的資深共黨領導人也漸漸走進跳舞的大廳。一個身材高大、長得圓圓胖胖，年紀明顯比毛澤東大許多的男人走進來，站在門口脫軍大衣。「哈，朱德總司令來了。」毛澤東喊著，慢慢站起來迎接這位將軍，顯然是向我展示他對這位年長但卻較為低階的同僚的尊敬。

朱德坐到我的右首，把我夾在他和毛的中間。朱德有一張飽經風霜、皺紋深刻的臉龐，而臉上可能因為經常掛著笑容，使得即使在不笑的時候，笑紋也因年深日久而留在臉龐上。毛澤東跟傳說中的幾乎完全一樣，但是朱德看起來則更為衰老，不過他似乎老實而有趣。「你身上長蝨子沒有？」他客氣的問我，「除非有長蝨子，否則你算不上是革命同志。」接著他咯咯笑了起來，這顯然是他最喜歡的笑話之一。

朱德很快的就被人請去跳舞。他的舞步非常輕快，顯然很喜歡跳舞。朱德的太太康克青靠過來告訴我，「他在舞池裡真是活躍，」她很溫和的說：「只要他跳得動，他絕不錯過任何一支舞。」

「你知道嗎？」我告訴她，「我在昆明的時候，有個人跟我講過許多有關『朱毛』的冒險事蹟，他把朱毛當成一個人，而不是兩個人。」

她聽了笑起來。「你一定要來參觀。我們正在動員婦女同胞一起紡紗、織布，並且為病者及傷患洗滌。你應該看看延安婦女有多積極及能幹，她們並不想只是坐在家裡，光做燒飯及照顧小孩的事。」

樂隊不停的演奏他們會的美國舞曲，例如「紅河谷」、「肯塔基老家」、「老黑爵」、「你是我的陽光」，以及一些中國革命進行曲，例如「新民主少年進行曲」，以及「游擊隊之歌」。

整個大廳熱鬧非常，不論是士兵、戰略家、護士、醫生、記者、翻譯員、指揮官、政治官員，以及理論家，每個人都在舞池中扭動，最高官員與基層小職員都跳在一起。突然間，門口傳來一陣騷動，一個穿軍大衣的女人像風一般掃進屋內。要不是愁眉深鎖的話，她或許算得上漂亮。「那是江青，毛澤東的愛人，」我身旁的一個人悄聲的說著，他用了「愛人」，也就是共產黨最常用來稱呼配偶的方式。「她是個悍女人，」我身旁的人繼續說道，「你最好別惹她。」

我打量那個年輕的苗條女子，她年約三十出頭，比毛澤東年輕二十歲以上。「她看起來並不悍啊！」我說。

「許多人常犯這樣的錯誤，」我身旁的人露出了一個「早知如此」的笑容，「她雖然只是主席的私人祕書，但是任何人想見主席，都得經過她那一關。」

我很好奇，想認識她，所以當樂隊開始下一條舞曲時，我趨前自我介紹，並邀她共舞。她很客氣，令我覺得自己受歡迎。她其實很安靜，幾乎是羞怯，而我實在看不出她悍在哪裡。

事實上，她似乎只顧擔心自己虛弱的體質。「我的身體不是很好，」我們跳舞時，她自動的說出，「我的胃也不好。」幾分鐘後，她又抱怨室內沒空氣，太悶。「我現在心跳得很快。」她說，暫時將手抽離我的手放在胸前，接著她又告訴我有關她組成電影實驗小組的事，並邀我有空時去看他們的作品。

那天晚上我住在附近的客房。第二天一早，毛澤東和他以前的老師，一個姓蘇的中年人，開著延安僅有的，原本專門用來載送參與緊急會議人員的兩部吉普車中的一部來接我到我的新家。我們沿著河邊開，走上一條小路，而那條小路將通往我從此生活與工作的「窰洞」。

延安鎮在經過幾年前日本人的密集轟炸後，幾乎不再存在。延安真正的生活發生在深鑿進山壁的洞穴內。峽谷的每一道彎都有些小「村落」，是完全由這些洞穴組成的。他們以蜂窩狀往山壁打洞，並利用狹窄的石道組成每一層間的聯繫。一個外地人可能走在一整鎮人的下面，而絲毫不知自己頭頂上有人活著。

蘇老師坐在吉普車的前座，毛和我坐在後座。那輛車很小，而要坐進後座，毛澤東必須屈膝，頂著肚子，然而他卻依然有辦法保有他那草莽皇帝的氣派。

我們就這樣開了一段時間，同時毛澤東則闡述他最喜歡的一個理論：「帝國主義者及反動主義者只有在你怕他們時才可怕，」他說著，搖頭晃腦的擺向我，就像他正在向一整個大廳的人說話一樣。「如果你不再害怕，為什麼這兩種人從此就不再可怕了呢？因為這些人雖然會製造許多麻煩，但是他們懦弱無能的內在終會顯露出在他們看似無所不能的外表上。因此革命成敗的關鍵，繫在人民的力量上。人民是歷史上所有運動的資源。」

當我因獨獲毛澤東的垂青而洋洋自得時，我情不自禁的將他與周恩來比較。當我與周恩來在一起時，我覺得他是朋友，也是同志；與毛澤東在一起，我覺得自己似乎就坐在歷史的旁邊。跟周在一起，我覺得溫暖；跟毛在一起，我只有敬畏。

吉普車停在通往綠頂山的小路上。有個嚮導已經在等我，我們一起順著山路往上爬到迷宮般的大批洞穴前。

在這些洞穴裡的是中國共產黨的各個新聞機構，負責對中國及全世界宣傳，其中有中央委員會的直屬單位解放日報，以及以中文及英文摩斯密碼送出訊號的延安電台，提供其他單位新聞電訊的新華社也在這裡。在山脚的大石洞裡甚至還藏著一部龐大的印刷機器，據傳那個洞挨得起原子彈爆炸。

這些機構合起來統稱「解放之家」。在主洞穴內，代主任余光先接待了我。原來的主任是廖承志，但他剛從蔣介石的監獄中出來，正在休養，因此就由這位曾在紐約中央鐵路工作的余光先暫代。他以熱情的握手及好得令我訝異的美式英語歡迎我，並解釋我的工作是擔任通訊社的英文廣播組的顧問。當張家口的每日二十分鐘廣播因為轟炸而停止時，延安這裡便開始試播。雖然這裡有許多優秀的翻譯員，但卻還少一個以英語為母語的人來督導。「我們需要個好手來訓練我們的人，來潤飾他們的英文，並給他們所需的幫助及指導。」余這樣告訴我。

這正是我所希望做的工作。在延安，在這個共產黨運作的中心，我可以看到未來。如果共產黨終於勝利，我想像自己可以扮演一個在中美政府間居中聯絡的歷史性角色。這個想法令我一陣激動。

在歡迎過我後，余將我交給我未來的上司C．T．沈。沈是新加坡人，在我看來，他非常的英國化，有點冷漠及難以親近，非常的驕傲，自律甚嚴。他的英文極佳，以前他也曾是美國某通訊社的駐外兼職記者。他的副手是個和藹的印尼歸國華人，名叫陳龍，他有點遲鈍，但卻對每個人都很熱情及友善。這一組內的主要成員還有來自北京燕京大學的一對夫婦，彭迪及他的太太錢新。

那天我提早下班，以便能回到新家看看。新家就是個洞穴，和辦公室所在的洞穴並無不同，它向山裡挖了約八呎深，寬大約五呎。裡面的床是用木板門做成，安在兩個靠在洞穴後牆的鋸木架上。在這面牆上另有一個門通往更深的洞穴，那是用來做為防空洞的。這些防空洞整個合起來，整座山就被挖成了一個洞穴般的圓形走廊，而每個洞穴在四面都有或高或低的出口。

洞穴前頭的左邊有個門，門的右邊有個紙糊的格子窗。在白天的時候，天光會透過紙窗照進洞穴內，在晚上，大部分居住在洞穴內的人都點油燈；而所謂的油燈，充其量只不過是一個小碟子上面用捻好的棉線做燈芯，用豆油代替煤油。這種油燈散發出一種微弱，又有點陰森的光，讓你可以在黑夜的洞穴內找點東西。不過它的功能大概也僅限於此。我比較幸運，中共將我比照其餘資深的領導人，給我一盞小的煤氣燈，讓我在晚上能夠讀書、寫作。

延安黃土窰洞的冬暖夏涼聞名全中國。我到達的時候是冬天，洞內卻頗冷。不過在門外我發現了一袋煤塊，供我在上床前放在小火盆內燃燒取暖。

那天晚上，我躺在洞內的床上，遠處不時傳來淒愴的狼嚎。接著我又聽到別的聲音，一種極有節奏的金屬碰撞聲——咔青，咔青，咔青，宛如一個偉大樂團中的打擊樂師，正在遙遠的地方打著樂鈴。樂聲非常清晰，但卻又有些遙遠，高高低低的半隱在風中傳來。

我走到洞口外的石道上，向黑暗中望去。在遠方的乾河床上我看到一排黃色的燈籠，擺動的方式看起來並不像是一隊正在行進中的人所攜帶的。我看不到任何支撐這些燈籠的東西，但它們卻能和諧的在冷風中上下搖動。「駱駝，」我旁邊的石台上響起了一個聲音。那是我的鄰居，他是個瘦瘦的湖南漢子，臉上留著山羊鬍。「駱駝是世界上唯一會在晚上發出那樣清脆聲音及那般詭異光芒的動物。」他說。在我們身後的黑暗中，他的老婆正將小孩哄在懷中睡覺。

「這些駱駝打哪兒來的？」我問。

「從蒙古大草原，或是跟著住在寧夏的回人，從大鹽井那邊過來。我們需要的鹽就是由這些駱駝商隊從那邊運來，然後他們會帶回去牧人所需要的布、針，及麵粉。」

我一直看著那些燈光飄過底下的山谷，然後才回洞內睡覺。臨睡前我想著，這真是個奇妙而陌生的地方。聽著山谷下傳來的駝鈴聲，我感到極端的平安及滿足，叮叮噹噹的駝鈴一直緩緩的伴著我睡入沉沉的夜裡。

* * *

第二天及往後的每天早晨，我都被遠方山谷下傳來的另一種聲音吵醒。

「噫哈哈……打豆漿咧……嘢。」這樣的喊聲在山谷中回響著。我的小傳令兵已經起床，並且打好早上洗臉水，也給小煤爐升好火。我穿上了棉外套，嘣嘣啪啪洗了臉跟手，就走到了洞外的石道上。

那個聲音再度從山谷下響起。「噫哈，打豆漿咧嘢。」

那是挑豆漿工人的聲音，他正慢慢的順著山路爬上來。我看到他在半山腰停下來，他應該是個佃農，頭上包著一條白毛巾，肩上扛著扁擔，扁擔兩頭各挑著一個圓桶。他的叫聲就像是訊號般，引得每個人都從洞穴蜂擁而出，魚貫走下陡峭的山坡，而手上則帶著任何你想像得到的容器——臉盆、茶杯、馬克杯、玻璃杯、碗、葫蘆。每個人每天早上都可以喝一杯或一碗跟全脂奶粉一樣營養的豆漿，味道有點澀，但是跟早餐的油條一起下口非常美味。

太陽在山後昇起，晨光照映到我眼前的山坡上，並襯出延安著名的寶塔山，以及矗立在寶塔山山坡上著名的多層佛塔。人們輪流快步下山，將容器加滿熱豆漿後帶回來與朋友及家人一起享用。有好長的一刻，我們就站在石道上，喝著熱豆漿，看著上升的太陽，靜享朋友相處之樂。

接著大家便各自開始工作。

就如同早期的基督徒，我們所有的生活就局限在有如陵墓的洞穴裡。要到我工作的洞穴，我必須先走到下一層的洞穴，繞過山邊，然後再從左邊攀上去。英語部門辦公洞穴的隔壁，就是負責將外電翻譯成中文供各級領導閱讀的翻譯部門，以及國際新聞部門。

日子幾乎一成不變。我早上大約七時三十分到達辦公室，跟每個人打個招呼，然後坐在我的寫字桌前開始閱讀新華社所寫的英文草稿。這些草稿大都是寫在自製的原始草紙上，因此墨水的字跡經常是模糊難認的。

我們這裡就像是老式打字機的模型博物館。其中有位編輯用的是老式「安得屋牌」（Underwood）的打字機——跟我老爸改行當律師後，繼續為報社寫社論的那台老爺打字機相同。另外還有一台「忠誠牌」（Royal），以及另一台形狀稀奇古怪，我從未見過的「雷米頓」牌。我自己則有一台瑞士製，小小的「何美斯牌」（Hermes），那是我從張家口一起帶過來的。

組長C．T．沈會先將重要的消息分類，然後分別交給副組長陳龍、彭迪、錢新及張德方去翻譯。較不重要的消息則會交給英文較差的組員，例如鄧光等來翻譯。最後辦公室的祕書胡筱薇則會用她胖胖的小手，經由那台「忠誠牌」打字機將改正過的稿子打成正式的消息稿。

每個組員完成翻譯稿後，就交由我來潤飾，略做修改，有時候我也會對這些報導可能有的政治影響及需要如何改進提出自己的意見。每份消息稿都帶有政治訊息、中國共產黨渴望和平，國家統一及民主，該黨一直耐心協商，希望使中國人民在數十年的戰禍頻仍之後能免於再一次的內戰，也一直呼籲組成一個民主的聯合政府。相形之下，國民黨則是利用談判爭取時間，直到國民黨軍隊能夠在美國空軍的掩護下進駐有利位置，然後發動攻擊破壞和平，以便繼續它一黨獨大的情勢。

新聞稿中提及原子彈的威脅，並且鼓吹第三世界國家挺身反抗美國的帝國主義，其他消息則報導共產黨控制區內的各項活動。有些是有關農民成功的推翻地主的壓制，重新分割農地，在一夜間由乞丐變成自由農民的故事；或是報導有些生意人，在國民黨控制區被那些獨佔利益者逼得無法做生意後，卻在共產黨控制的城鎮中重新讓自己的生意興盛起來。有的則是報導一些鄉村的村民選出共產游擊隊的成員來當村長，或是獲得農地的幸福村民將自己的孩子送去加入解放軍，以便那些霸佔地方的財閥地主永遠無法再回來欺壓他們，搶走他們剛獲得的土地。

不論內容如何，這些報導大都是不折不扣的宣傳。不過對我而言，它們卻呈現了事實。這個世界上最古老、人口最多的國家，正要從一個閒散地主賴以剝削飢餓農民的極權政府，轉變成一個農民擁有土地的國家，而我們則正在為這些遽變留下紀錄。就如同在歐洲及美洲的那些自由農民般，這些新農民將是一個繁榮的經濟及民主的政治系統的最大基石。而更重要的是，共產黨並不會盲目躁進的重蹈西方覆轍，造成一個貧富兩極化的社會。共產黨是想構築出一個社會主義的社會，而在這個社會中互助合作才真正是基石，並非私利及貪婪。

我為自己在這場革命中所扮演的角色感到極度驕傲。那是一個唯有像我這樣的人才能扮演的角色——一個美國人並且是馬克思信徒，懂得中文並且全心全意的認同中國共產黨的信仰及目標。不管我被賦予什麼任務，我都會非常自傲的想：「這些自由、解放的新福音是經過我的手而到達外面世界的；它的製作過程中有我的辛勞。」

在延安負責美方聯絡任務的美軍上校在我們碰面不久後，便公開放話說他認為我是「非美國人」，「一個叛徒」。然而，我覺得自己才是真正的愛國者，我的行動才真正符合那些已在美國本土遭到扭曲的傳統精神。我所修改的那些統戰文宣，並未打擊美國憲法、人權法案，或是一般美國羣眾的利益。我覺得那些違背美國人民利益以滿足自己貪婪及野心的人，才應該覺得可恥。我只是重新繼續了我在阿拉巴馬州及卡羅萊納州所放棄的志業——對抗那些被羅斯福總統稱做大笨騾的法西斯信徒及帝國主義者。我確信自己的所做所為，不但可避免更多類似「李木仙」的事件再發生，也可以喚起世界各地的人起來反抗壓迫，並為美國邁向真正的民主鋪路。

不論碰到什麼樣的報導題材，我都全心全力仔細訂正。沒有任何一個放錯位置的修飾詞或是錯誤的時態逃得過我毫不留情的筆尖。我變成一個對文法、數字、時態、冠詞的使用、逗點的使用、遣詞用字等原則毫不放鬆的嚴格把關者。我要求每個句子都必須清晰而正確；不過，事情當然從未如我所願的一般。送出去的消息稿經常是奇怪的中英混合體。而許多時候我接到的翻譯稿怪到令人無法改成得體的英文。

在延安的播音傳送範圍，最遠只能到達南京及北京。因此我們的聽眾便是以那兩個地方的外國新聞媒體為主。我們希望記者會聽到我們的新聞及意見，並在他們的報導中加以採用。不過我們的摩斯密碼卻可輸送達世界各角落，因此每天我們工作起來就如同全世界都在傾聽一般。

每天中午，我們會把完工的譯稿送到主任在山上的洞穴，由他認可後播送出去。午餐後，我則為同事們開班授課，告訴他們最常犯的錯誤以及該如何改進。我選用他們熟悉並且喜歡閱讀的教材，例如艾加．雪諾（Edgar Snow）的《中國紅星》（Red Star Over China）——這本書的讀者遍布全中國，許多人就是受這本書的影響而來到延安。

除了書籍外，我們也能接觸到其他各種資料。我常常在想，那些在倫敦、華盛頓以及紐約諸如詹姆斯·雷斯頓（James Reston）的知名記者及評論員，會不會知道在中國山區有一羣如我們一般勤勉的記者——而其中大部分都是曾就讀教會學校——藉著豆油燈光來仔細閱讀他們的大作。經由摩斯電碼我們收到美國通訊社的新聞稿；我們定期閱讀紐約時報（The New York Times）、還有華爾街日報（The Wall Street Journal）、基督教科學箴言報（The Christian Science Monitor）、華盛頓郵報（Washington Post）、巴爾的摩太陽報（The Baltimore Sun），因此即使是身處偏遠的延安洞穴，我們仍跟美國及世界保持聯繫。

我在延安工作了一個月後，周恩來搭乘美軍運輸機回到延安，那是一九四六年的十一月。每個人都到機場去迎接他，包括毛主席。在專機的扶手梯旁，毛澤東緊抓著周恩來的手，「副主席，你辛苦了。」他說。周恩來走過歡迎的行列，並向每個人致意。當他在人羣中看到我時，他悄悄的說：「老朋友，我很高興見到你！」

每個人都很高興看到周恩來回來，雖然他在黨內只是第三號人物，次於毛澤東及劉少奇，但他顯然是最受歡迎的領導人。不過，他這次回來卻有重大、不祥的意義。雖然共產黨軍隊剛在北方及東北打了好幾場勝仗，但在其餘地區，他們卻不得不從一些主要城市及佔領區中撤退。鮮花店已告淪陷，張家口也已失守，新四軍在山東省的總部臨沂則被重兵包圍。甚至謠傳延安也會棄守。周恩來此次是帶著南京、北京以及其他各地的談判代表一起回來的，因為與國民黨的和平會談已經完全破裂。由於全面性的內戰將一觸即發，共產黨便將各地知名的代表召回延安或調到安全地區。

周恩來之後，還有一行人陸續步下飛機。第一眼，我很訝異自己竟看到一個像是上海商人的人影，他穿藍色絲綢長袍，頭上戴著一頂西式氈帽。等我再看一眼，才發覺他根本就不是商人，而是一個我在鮮花店曾見過的年輕將軍，他曾將一只茶壺擲到一個國民黨將軍的頭上。接著更令我訝異的事發生了，下一個走下飛機的，竟是我在上海最早接觸到的共產黨員蘇梅津。他不是一個人，伴隨著他的是個年約二十五歲，很有魅力的女人。我覺得她很眼熟，但是直到幾天後，我在餐廳碰到她，才認出她是誰。她就是那個在上海戲院中偶爾會坐在我和蘇梅津旁邊的女孩；而認出她的那一刻，我心裡突然閃過蘇梅津所曾要求我幫忙的事，其中一件是有個不想再要小孩的老同志想要些美國政府發出的保險套。霎時間，我確信自己知道了那個「老同志」是誰。

但是最大的訝異卻還在後頭。另外一個上海商人從飛機上出現。那是江震中，肥胖而懶惰的資本家，當初我和蘇梅津就是在他經營的錢幣兌換店碰面。我覺得慚愧，因為我曾誤認他是一個典型、腐敗的上海商人，然而他卻是共產黨最忠貞的黨工，只是他隱藏起自己真實的身分。

在延安，我們每天工作時間很長，在各洞穴間來回奔波，參加會議，但是我的新生活一點也不單調，反而充滿了朋友與歡樂。

每個洞穴外牆的窗戶下，都會有小小的木製桌椅，可以用來工作、念書及玩牌。許多晚上我都坐在那裡，在幽暗且噼啪作響的豆油燈或是煤氣燈下，和我新交的朋友們講述各人的生平。我的兩個工作夥伴，錢新及她的丈夫彭迪，很快就成為我最要好的朋友。我們一起度過許多漫漫長夜或是圍在煤爐旁，品嚐慢火熬著的一小罐雞湯，或是用他們朋友從外面帶進來的珍貴麵粉包家常水餃。

彭迪是個悶不吭聲的江西小伙子。當他在湖南念書時，曾在一場日機大轟炸中展現了他的英勇救人氣概。對於他太太所喜愛的知性的探討，他並沒有太多的耐心。他會慨談他自己對於行動及改變的決心，以及他對國民黨的痛恨。有一次我們像往常般擠在洞穴內徹夜長談，他告訴我在高中時，他曾在學校內幾棟陷入火海的建築物間狂亂地來回奔走，想從日本軍機造成的斷垣殘壁間救出更多的人。他痛恨日本人，但他也痛恨國民黨，因為他們使得那些在湖南省會長沙討生活的自己同胞，陷入一場漫天大火中，只是為了實行對抗日軍的焦土政策。彭迪一直大力贊成將日本人及國民黨趕出中國。

錢新來自北京閥閱門第，並且曾在一所教會的女中就讀。她說得一口珠圓玉潤的京片子，對於詩詞、文學及古典音樂，都有極高的品味。

有時候另外一個朋友于光遠，會造訪我們洞穴，向我們講述他到山西的種種故事，以及他和當地那些有禮貌、包著頭巾的佃農們的對話。當小于開始講故事時，他那對濃眉便會開始像老式打字機上的字架般不停地上下開闔。當他描述他的見聞時，聲音便會提高，同時由於太過興奮的緣故，他會在小小的洞穴內跳上跳下，前後走動。

有個星期天，幾個朋友決定請我吃飯，於是他們帶我越過一條當地人稱為延水的河流，到一個木頭臨時搭成的餐廳，那是附近唯一賣炒麵的地方。我們飽餐一頓後，在冬夜裡慢慢走回家，一路還唱著「游擊隊之歌」。

每個星期五晚上，我們會一起到美軍指揮辦公室看美國電影。這些電影帶子是由美軍運輸機定期運來延安，供那些仍在此擔任華盛頓與中國共產黨間橋樑的美國軍人及官員觀賞。共產黨提供辦公室及住所給這些美國人，美方則不時以與中國共產黨共享電影及其他好東西做為回報。我到延安以前，那些電影的翻譯工作是由一個中國通譯負責，但是在我第一次去看電影時，有位共產黨官員便把我拉到一旁，要我接替翻譯的工作，他抱怨道：「我們看的這些電影一經過翻譯，便一點美國味都沒有了。」

中國人很明顯的非常喜歡那些電影，即使是最高領導人，如毛澤東、周恩來及朱德，以及邊區的軍事將領王維舟以及王世泰等，一得空便來看電影。我們一起看勞萊與哈台、尼爾森．艾迪（Nelson Eddy）以及吉尼特．麥當諾（Jeanette Mac Donald）的影片，他們並且會問我一大堆有關美國生活的問題。「在美國是不是人人有車呢？」在看了一堆車子出現在影片中後，他們這樣問著。

他們對出現在銀幕上有關美國的任何事都明顯地感到興趣及羨慕，這令我覺得十分有趣。我想他們認為美國是一個自由富庶的國家，而這與黨方面的官方說法是完全相反的。至於蘇聯，這個原本他們所應該學習、仿效的社會，他們也很明顯的缺乏興趣。在看那些美國電影時，他們會隨著劇情發出狂肆的笑聲以及毫無忌憚的評論。當他們看到影片中一個演員無法下定決心時，他們會對著銀幕大叫：「他正面臨著意識形態的掙扎。」

他們會嘲笑、戲弄我，當我是他們的自己人。曾有部勞萊與哈台的電影描述他們兩個人追逐一隻逃跑的豬，並且在追逐中將每樣東西撞得亂七八糟。當我看到那隻豬時，我用了在昆明所學的詞——老豬來翻譯，而霎時整個房間都爆出狂笑聲。因為老豬和老朱是同音字，而那時房間內就有好幾個姓朱的老朱。「老豬，你逃掉了，」他們對著朱德大喊，「聽聽他們怎麼叫你的！」，他們也對著朱志成——我們那個窰洞山區的黨書記——大叫。對於我，他們更是不輕易放過任何一丁點錯誤，「但是他們在昆明就是這樣說的。」我抗議，雖然帶點不好意思，但對他們的嘲諷仍有點高興。

我在延安的地位非常特殊。到延安後，我就從未與組內同仁共餐，因為他們決定讓我與較高層官員共餐。這樣的決定不僅代表了我可以吃得比較好，同時也意謂我有機會接觸到更機密的情報資訊；因為在延安，許多即期的情報都是在餐桌上流傳的。

延安的伙食分三種層級。「大鍋飯」是給一般人吃的，通常是一大鍋的菜混著如玉米或粟類的粗糙米糧。每隔一天在菜盤內會有一些肥豬肉，而另一天的一餐中，則會有著大顆蒸饅頭。這樣的食物已經比延安以前的生活水準高了很多，主要歸功於共產黨在臨近地區成功的農作。

「中鍋飯」則是各部門領導的伙食，包括了較好的米糧以及每週有較多的肉。「小廚房」則保留給最資深的領導——那些需要長時間工作並且做重要決策的人。而我吃的就是這樣的食物。我們每天都有肉吃，雖然這些肉有時候不是每個人吃得到。我們也經常有蛋吃，並且每天都有湯。中央委員會的成員，傷兵病患，以及任何被證明患了結核病的人，都可以在固定的餐飲外，再配給一杯牛奶。

每天一到用餐時間我們便會放下工作，然後聚在餐廳的木頭方桌旁，廚子一上菜大家就伸筷子。在延安吃飯是絕對沒有人會客氣的，如果桌上有八塊雞肉卻只坐七個人，那想吃最後一塊雞肉便要看誰的手脚比較快。我們吃飯也不是坐著，是站著，因為這樣筷子可以伸得比較長，動作也比較敏捷。

飯桌上不斷有人交談或開玩笑，說的話南腔北調，各不相同。不過全部壓低聲音——這是延安的普遍現象。即便是在數十年後，我依然能夠從語調的用法去判斷某個人是否到過延安。甚而有時單從俚語的用法，就可以辨認出來。例如說一個人「胡說八道」，我們會說那個人是「亂彈琵琶」；又如某個人寫的報導並未根據事實，我們便會說他是「凱子公」，而這個名字是來自一齣蘇聯歌劇中一個總是做這種事的演員。

對我而言，在小餐廳裡吃飯就意謂著可以與那些中國共產黨的領導們把臂交談。有一次，周恩來在南京談判代表團的發言人梅益，便出現在我們的飯桌上。我一眼就認出他來，因為在國共談判的那段時間，他的名字每天上報。我十分好奇的看著他，他看起來像個鄰家長者，對中國人而言，他將近六呎的身材算是高的，長長的臉、細長的眉毛使他看起來就像是國劇中的英勇角色。他是廣東省潮洲人，在北方已經待了十幾年，說起話來仍是非常重的南方口音。

在小餐廳吃飯也代表有機會接觸到最直接、最機密的各類情報。有一次晚餐，我便親耳聽到有關毛主席計畫如何打這場戰，以及共產黨期望怎樣獲勝的完整描述。那是許希明帶回來的，他剛剛參加了中央軍委作戰部副部長李濤的長達五、六個小時的軍事報告。說這件事時他站著，一手拿著碗，嘴裡還不停地咬著食物；我們其餘人也是邊吃邊聽，頭上還戴著帽子禦寒。

「雖然在一些區域的形勢對我們不利，然而事實的情況卻對我們大好，」許以這樣的開頭說著。延安語言的另一個特徵便是它帶著非常正式的政治意味。這是因為許多最高層幹部都是出身於未受教育的貧民，他們所受的教育都來自黨的教條，因此說起話來便都帶著統戰宣示的意味。正在說話的許也不例外，而每個人除了狼吞虎嚥的吃外，也非常專心的聽著許提出的任何有關蔣介石軍隊數目的訊息：有多少是他最可靠的精銳部隊，有多少是地方軍閥的烏合之眾，只要吃不飽或是沒發軍餉便會不戰即逃。在討論的過程中只要提到蔣總司令，許便稱他為「輸令將軍」——一個雙關語的綽號。

從他所說的數字看來，蔣介石的國民黨軍完全壓倒了共產黨軍，而國民黨軍有日軍及美援的裝備，武器上也佔優勢。「除了輕裝武器外，我們沒有坦克及飛機，」許面無表情的繼續說著，「況且他們還控制了三分之二到四分之三的土地，而我們只有三分之一到四分之一。他們也控制了所有的大城市，而我們所控制的唯一大城是哈爾濱。」，對我而言，情勢的確非常悲觀。

「但是，」許接著說，「我們的策略依舊是以前人民解放軍用來對付日本軍的那一套，也就是集中優勢兵力逐個擊破敵兵。當他們追擊我們時，我們便撤退。而當我們要攻擊時，唯有當我們的優勢兵力是四對一甚或是六對一，並且他們的軍隊疲倦、士氣低落、挨餓的時候才攻擊。如果他們被我們緊緊包圍，並受到良好對待，他們一定會投到我們這邊。」許繼續解釋道，這樣一來，共產黨將可擊破敵人的軍隊，並且同時建立起自己的軍力、擄獲國民黨的現代化武器，勢力敵消我長。

有人別有會心的竊笑。「這就是輸令將軍的任務：擔任我方的運輸司令。」他又這般說著。在延安一直流傳著一個笑話——美國人一直不知道它自己在提供武器給中共這方面有多在行。他們把武器供給蔣介石，蔣會再很「不小心」的將武器供給中共。

「七月以來，我們完全照進度的逐月擊破國民黨的旅級部隊。當我們消滅了一百個旅，那麼戰爭的轉捩點便會到來；屆時我們將會來一個全軍大反擊，並求得最後勝利。」許希明做了最後的結論。圍著餐桌的每個人若有所思的點點頭，並繼續把自己的飯吃完。

＊　＊　＊

有一段時間，我一直聽說安娜．路易絲．史莊（Anna Louise Strong）會到延安來。我在史丹福大學修習中文時，她曾到陸軍中文班來演講，那時她告訴我們，美國的中國政策應當將逐漸增強的中國民主革命力量考慮在內，並且鼓勵這些革命人士與美國建立友誼，而不是一味孤立他們，迫使他們成為蘇俄勢力的一環。

我很喜歡安娜．路易絲．史莊，並且自第一次見面後便敬重她。因此當她終於搭乘美軍運輸機來到延安時，我對於能再見到她感到非常高興。她是個脾氣很壞的女人，年紀超過六十歲，已經老態龍鍾。身為一個著名的左傾記者，她曾經訪問過數個中共重要領導者，其中包括一次與毛澤東長久的對談，這篇專訪稿也散見於世界各大報。我上一次見到她是在張家口，那時她正醞釀著一大堆的計畫。毛澤東已經同意讓她寫一本完整的自傳，她自己也計畫寫一本有關共黨革命的最後歷史。她曾要求我協助她寫這兩本書，我也答應了。

史莊有段長期與中共緊密合作的過往，中共的人喜歡她，也敬重她；但是她那一觸即發的火爆脾氣，以及刻薄的嘴巴卻令人不敢領教。更糟的是，她不會說中文。因此廖承志指派我每天抽出時間幫助她，並且看顧她。「這是你的工作，」他咯咯笑的說著，「每天挪出一半的工作時間陪史莊並使她高興。幫助她找些可以寫的資料，唸給她聽，幫她翻譯——或是任何事，只要能使她嘴巴安靜下來。」

每當史莊滴滴答答的在她的手提打字機上打文章時，我便會在一旁告訴她我一路走來延安的歷程，而這些故事提供了她許多素材發表在國家守衛報（National Guardian）、聖路易郵遞報（St. Louis Dispatch）、波士頓環宇報（Boston Globe），以及舊金山時報（San Francisco Chronicle）。我們一同翻譯了幾部中國文學作品，由我負責中文而她負責修飾英文；也共同採訪了幾位資深的領導，包括訪談朱德討論有關軍事情況。

接著我們又被賦予更重要的任務。

某一天晚餐後，廖承志的傳令兵跑到我的窯洞來，「老胖要馬上見你。」他說著，而我也聽出了老胖就是廖承志的綽號。我立刻到他的住處，廖承志則一臉興奮的告訴我，副主席周恩來請我立刻到他住的窯洞。

當我到達時，周恩來的副官引我走進了他的兩房窯洞。主房間正面對著門，臥室則延伸在走道旁的房間內。在主房間的遠端，周恩來面對著門坐著，而他左手邊的小桌旁則坐著史莊。

周恩來房內的家具陳設僅稍比我房內的考究一些。房門右手邊的另一張小木桌旁則坐著周恩來的太太鄧穎超。從門旁的走道可以看到臥室的床沿，整齊摺放著白色的手織粗棉被，與一般人使用的並無兩樣。

我一走進房間，周恩來便起身與我握手。「我們需要你來翻譯，但是你已經有點遲，所以我們就先開始了，」他說著，「我已經回答史莊同志幾個有關中國及世界局勢的問題，你來恰好可以當我的活字典，在我不曉得該用什麼英文字時告訴我正確的用法。」

鄧穎超端給我一杯茶，然後又從桌上的盒子內取出一些巧克力來請我。接著她便回到小桌旁繼續寫東西，而周恩來則繼續他和史莊的訪談。坐在那裡聽他們的對話，我發覺周恩來的英文其實已經足夠應付了。雖然他的發音有點破，但是他的邏輯則是很確實。機智、聰明使他能選用一些簡單的單字以及句子，將自己的意思簡潔有力的表達出來。

每隔一陣子，周恩來便會停下來問我某個英文單字。

「武斷的英文是？」他有點頑皮的問。

「Arbitrary.」我回答。

「武裝叛變是Coup d'état?」他問。

「Coup d'état.」我回答，然後他笑了起來。

周恩來告訴史莊有關國民黨當局的背信行為。表面上他們講求和平，然而卻利用和談以爭取時間的政策。雖然他個人極為尊重馬歇爾將軍，但是他認為杜魯門總統偏袒蔣介石，而且還故意讓蔣知道，一開始就注定和談失敗的命運。

就在周恩來一面思考用什麼英文單字，以陳述他對當前政治局勢的看法時，他仍一面與他太太熱烈的討論一封要寄給某個國際婦女組織的信；而他們的養女孫維世更是在洞內走過來走過去，不時插嘴問周恩來，她應該如何去導一齣即將在當地實驗劇場上演的舞台劇。面對太太及女兒的所有問題，周恩來都很有耐心，周詳的回答，並且一點也不影響到他與史莊的訪談。

然而訪談的最高潮卻是接下來所發生的事。

周恩來拿出一本印在褪色新聞紙上的小冊子，並要我將書名翻譯出來。

「有關於若干歷史問題的決議，」我唸了出來，「最高機密，中委會政治局編撰。」周恩來說著，「即便是黨內同志，仍有大部分不知道有這份文件，只有中央委員會的成員知道。」

周恩來知道史莊只會在延安待一小段時間，因此他要我將這本小冊子翻譯成英文，讓史莊帶幾本小冊子到歐洲，並親自將小冊子交給幾個蘇聯附庸國的共黨第一總書記，這些國家包括波蘭、東德、捷克、匈牙利、保加利亞、羅馬尼亞，以及阿爾巴尼亞。

周恩來先大致上的總結了小冊子上的內容：基於過去痛苦的經驗，中國共產黨建議各國的革命同志必須制定並執行自己的策略，更不可接受任何外國組織的命令，否則革命必將遭到失敗。一份來自中國的這樣的文件真像是一顆炸藥般，因為它要那些被蘇俄控制的國家捨棄對蘇聯的依賴，並且根據自己的判斷來解決國內的事務。

第二天我們在史莊辦公室的隔壁設立了一個小小翻譯室。對這項任務我們都保持高度的機密性。而在翻譯了這本冊子後，我發覺我們的小心謹慎是應該的，因為除了周恩來告訴我們的之外，這本冊子還包括了對共產黨建黨以來的所有不正確路線及黨員提出分析及檢討，除了毛澤東本人及劉少奇以外，幾乎沒有任何人能夠逃得了這本冊子的批鬥；即使是周恩來及幾位著名的領導都因為曾經提出幾乎毀了革命運動的策略，而遭到點名批判。

我對這項任務感到十分興奮，這是共產黨信任我並且願意讓我進入領導羣核心的正面證據，但我至今依然未能獲准成為共產黨員。

從第一天到張家口開始，我便要求加入共產黨。很明顯，在這個國家發生的一切好事都是共產黨促成的。共產黨教導士兵去耕種，並從貧瘠的土地上種出五穀雜糧來餵養我們。共產黨也教導窮民如何紡紗織布；共產黨更派出一組組認真的青年男女到村落裡，去教導村民基本的衛生觀念及公共健康；而他們所教導的第一課，通常是為什麼要刷牙以及如何刷牙。在從張家口到延安的路上，只要那個村落中的村民知道要刷牙，我便能很輕易判斷共產黨必定到過那裡。

在張家口的時候，共產黨拖延我的申請，到了延安之後，我立刻又申請加入共產黨；但是幾個星期過去了，依然沒有任何回音。直到有一天，廖承志突然告訴我，我的申請上級已經在考慮，而他也寫了一封介紹信給黨中央組織部的副部長安子文。

第二天我就到安子文的窰洞。他是個高大、嚴肅的陝北人。他解釋說，所有要入黨的人必須先通過兩關。第一關是嚴密的身家調查；凡是不受歡迎、有法律問題、婚姻問題、外遇，或是政治背景可疑的人都會被拒絕。那時候共產黨每天都在敵人的嚴密攻擊之下，因此他們必須消除被間諜滲透的可能性。

對中國籍的申請者而言，我相信身家調查必定是像美國ＦＢＩ的安全調查一樣仔細。共產黨會派人到申請者的家鄉去調查，確定申請者念過他宣稱念的學校，做過他說他做過的事。我也寫了那份標準的自傳書，但他們卻無法派人到美國去查證，所以我想共產黨必定曾詢問過安娜·路易絲·史莊我的過去，並要求她擔保。

另外一關是申請人的政治態度，而共產黨需要的是真正願意奉獻的黨員。就這一點而言，他們便依賴對我的印象以及我的工作成就，以及最後的面談來評估。安子文直視著我的雙眼問我：「你想加入中國共產黨的原因是什麼？」

「我自己並不是一個很好的共產黨員，」我告訴他，「而我想學著成為一個好的共產黨員。除非我加入共產黨，否則我永遠達不到這個目標。」

他有點愕然，似乎對我的回答感到訝異。我甚至覺得他可能對我的回答不滿意，因為那似乎是個錯誤的答案，但是我也無法確定什麼是對的。

我心裡極度關切。但接著安說：「我們同志的報告中，對你的熱忱及工作精神說了許多好話，我們對你有很深的印象。」

每個申請人必須找兩個保證人，我找了李先念將軍及王震將軍，因為他們會比中央委員會的其餘委員更了解我，而且應該願意擔保我。

接著安又告訴我一件令我吃驚的事。身為一個外國人，我必須再通過另一關。「對外國同志的入黨，共產黨中委會有個特殊規定，」他說，「這個規定雖然是祕密，而且沒有明文，但依然存在。這個規定是，想要入黨的外國同志必須直接獲得中委會五位書記的同意。這就意味著我必須獲得毛澤東、劉少奇、周恩來、任弼時及朱德的同意。「我會將你的申請書送給他們，而你會在一、兩個星期內得知答案。」

這樣依然令我心中七上八下，因為外國人獲准進入中國共產黨是一件極不尋常的事；而就我所知，只有一個美國人曾獲准入黨——喬治．哈頓（George Hatem），中文名叫馬海德，我曾在北京的和談代表辦公室看過他一次。他一到中國共產黨所控制的區域內便決定放棄自己的美國籍，然後加入共產黨。然而他並不是非常政治化的人，也未積極的參與黨內的生活。

我整整焦急煩躁的超過一個星期，直到廖承志終於告訴我一切都沒有問題，書記處一致批准我的入黨申請書，而我現在已經是中國共產黨的一員。他並接著說，大部分中國籍黨員都需經過一段觀察期，但我不需要，只是我的黨員身分目前不用讓一般人知道。廖也向我解釋，以後我的月薪中有一小部分要交出來做黨費。

身為外國人，我在黨內所能扮演的角色極為有限。我只能參加自己部門內的會議。但是身為黨員，其意義便遠超過僅只是個會議，這樣意味著我會是一項行動、一個目標、一項革命——幾乎可說是一項宗教的一部分。當黨工丁同將我所屬的黨部黨員名冊交給我時，我很訝異的發現幾乎所有統戰宣傳部的同仁都是黨員；而不是黨員的人通常是在背景或是人格上有重大缺失。

而很明顯的，他們每個人都非常看重自己的黨員身分。我曾與彭迪及錢新夫婦徹夜長談有關他們加入共產黨的原因；錢新的理由很單純，她純粹是一種苦行僧的想法，就如同早期基督徒對宗教的奉獻一般：「當我們到這裡時，」有一夜她這樣的告訴我，「我們把一切所有都貢獻給革命，包括我們自己在內。我們必須改變我們自己，拋棄我們的主觀、自私、粗俗的想法，以及任何會阻礙我們對這項目標貢獻的每件事。我們將個人的問題及野心都拋在一旁，使自己成為革命的一部分。」

這真是一種極其幸福的無我境界，顯然每個黨員都想要去達成這個目標，我們稱這種精神為「革命理想」。我很高興大家同心協力，想去解放世界上的卑憐及飢餓，而這種愉悅超過了我們每天生活中可能發生的任何憂慮及個人問題。

每個人都追求自我改進，每個星期我們在辦公室內開會，提出抱怨及批評。毛澤東也要求黨員必須效法孔夫子「聞過則喜」的教訓，作一個樂於接受批評的好黨員，並真誠的感謝那個提出批評的人。毛澤東曾作了一首打油詩來敎勉黨員奉行這個原則：

每個人說自己所想；
全部都說出來；
不要怪批評者；
靜聽別人批評；

有錯——就改！

沒錯——就防！

每天晚上，一個好的黨員應該花十五分鐘來反省當天的事，想想自己做對或是做錯了什麼。誠如毛澤東及劉少奇所說，經驗是最基本的導師。我的許多朋友都帶著一本小筆記本，並虔誠的隨時記下自我改進的意見。批評自己的夥伴，協助他們改進自己的錯誤，更被認為是每個黨員的道德責任。

我們所有人都覺得，從黨所獲得的遠超過個人所貢獻給黨，因為就如同錢新所說的：「我們有個追求真理的共識，我們也有黨。黨就像是我們的母親，它照顧我們。我們什麼都沒有，但黨一有什麼，我們便能公平的獲得一份。」

我認為她所說的都是真的。在富裕的美國，我在終日擔憂、偏見、貧窮、飢餓的環境下長大。但在這個只有黃土的延安，我沒有任何欲望。每年黨會發給我三套衣服，一套冬裝，兩套夏裝。我的月俸放在箱子內堆灰塵，因為共產黨已經滿足我的每樣需求。

*　*　*

雖然中國共產黨尚未被美國視為敵人，而在中國的大部分美國人確實也頗敬佩共產黨人，但仍有少數美國人公開的對我及共產黨表示敵意。其中一個便是負責美國聯絡辦公室的上校主任。中共在接待貴賓的招待所內為美國人準備了辦公室，其中有三位美國軍官，一個上校，一個中校，一個少校；另外還有二、三位士官。由於安娜．路易絲．史莊也住在招待所，因此我幾乎每天都會碰上那些陸軍人員。除了上校外，他們對我都很友善。上校非常痛恨共產黨員，他詛咒、嘲笑共產黨，他也討厭我協助他們發行解放日報，他甚至稱這份報紙為「手淫日報」。他曾拒絕我一起參加感恩節晚餐，而這件事卻幾乎演變成國際事件，也差一點上了軍事法庭。

這位上校邀請除我之外在延安的所有美國人，包括那些駐紮在「友誼之家急救單位」的醫護人員，去參加美軍所辦的感恩節晚餐；而當他的部屬——他們都是好人，也喜歡我——羣起向他抗議時，他大發脾氣。他大吼道：我絕對不會邀請那個叛國賊參加！

這可惹火了脾氣火爆、德州石油業出身的少校。他大吼道：「他不是個叛國賊，他是個好人！」並把上校打倒在地。

最後，共產黨出面干預。他們宣稱那是他們的招待所，如果上校要邀請其餘的美國人參加的話，他也一定要邀請我參加，否則共產黨也絕對不會參加感恩節晚會。上校最後很不情願的讓步，於是我參加了那場晚宴，吃罐裝火雞肉、馬鈴薯泥，以及南瓜派；我也和那位少校一起開心的大笑。他抱怨為了要幫我討一張邀請卡，他的手到現在還在痛。

幾天後，我和彭迪一起下山去參加周恩來主持的一項會議。我們往通到陸軍總部的路上走著，而這時遠處的陸軍總部突然走出一個高瘦的身影。

「李先念來了。」彭迪說著。

我開始跑向李先念。當李先念看到我時，他也開始向我跑來，他細瘦的身子向前延伸，手、脚像是馬跑步一般輕飄的前後擺動。他看起來蒼老疲倦，但是步伐卻有點滑稽。我們握手並親切的擁抱在一起。

「我聽說你在這裡，但卻不知道你在哪個單位。」我說著。

「我就住在醫院左近，」他說，「我就要結婚了，來參加我的婚禮吧。」

聽到這個消息，我想我原來還是猜對了有關他那可憐的第一任老婆——單曉萍的事。在張家口到延安的路上我曾遇見她，那時她仍是李先念的太太；但是從她那憂鬱的表情以及他們並沒有小孩的事實看來，我確信他們之間一定有問題。當她到延安之後，李先念立刻提出離婚的要求。

我答應參加他的婚禮，然後就分手。不久後我們再度碰面，那時我是一個人，在握手後，他告訴我，「我要順便告訴你，我們很感激你提供給我們的情報。」我愣了一下，隨即又會意過來，他是指在鮮花店我告訴他有關白洛第將軍告訴我的事。「我們許多同志都不相信這件事，」李繼續說，「他們認為你弄錯了。但是我相信你，而事實證明你是對的。我們很感激，也永遠不會忘記。」

接著李先念開起玩笑。「當我們贏得這場戰爭後，我將會是武漢市的市長，」他說，「然後你就可以來住，而我會找一個當地最漂亮的女孩來做你的老婆。」

我很高興聽到我的情報有幫上忙，但卻也很遺憾它是正確的。我也逐漸開始懷疑共產黨要如何贏得這場仗，因為我每天都會聽到共產黨的領土被國民黨佔去的消息。

幾天後發生的一件事，令我對共產黨的未來更加擔憂。那天非常熱鬧，因為大家都到延安郊區去歡迎王震將軍聲名遠播的第三五九旅。他們從鮮花店出發，迂迴的繞過國民黨軍，向西穿過湖北省，到達了陝西省的南邊。他們試圖在那裡開闢一個共產黨佔領的新區域，但是那裡不友善的百姓、貧瘠的土壤，以及不毛的山丘，使得即便像他們一樣強悍的軍隊也無法待下去；他們只得返回延安重整。

歡迎大會是在十里店舉行。而在十里客棧所見到的景象，更是令我十分震驚。就像當年兵敗佛吉谷（Valley Forge）的華盛頓軍隊，這支部隊赤著腳跋涉千里，行列不整的回到這裡。其中有些人甚至沒有草鞋保護自己的腳不受十一月冰霜的侵蝕；而幾乎每五個人中只有兩個人手上有武器——大部分是從日本人手中搶來的破舊來福槍。不過，即便他們的情況如此糟糕，我卻仍相信共產黨會贏；而如果他們真的獲勝，那也是依靠士氣、得民心的訴求，以及卓越的戰略及戰術，絕對不是依靠軍力。

而如果共產黨真的贏了，我相信他們必能救中國於貧窮及困乏之中。在共產黨之下，中國無數個像「木仙」的小孩子便能安全；共產黨也會贖出那些南京路上蒼白而年輕的妓女，並且搶救出那些為修道院院長踩磨磨麵粉的小女孩，他們更會保護年輕戰士不被引進死亡的戰爭中。

我發覺自己開始以這樣子的「信仰」來解釋周遭所發生的事，即便那些事可能是像「聲討張永泰大會」那樣令人難以忍受。

張永泰是延安附近典型的地主。以西方的標準來看，他們稱不上富有，甚至談不上過得舒服，但是與當時中國大部分處於飢餓、窮困的農民相比，他們就像是大地主一樣。他們通常是地方上唯一能讀、能寫的人；因此它們也握有強大的力量去解釋，甚至去設定法律。地主在村中就像是絕對至尊的主人，佃農看到他時必須彎腰鞠躬，並且讓路給他通行。他們必須將太太送進地主家中去幫傭，將小孩送去他的廚房打雜，將夠壯的兒子送到他田裡免費做工。

在延安附近，毛澤東進行了一次土地改革。他提出一個方案，讓地主們拿土地來交換政府發行的公債。雖然張永泰被共產黨宣傳為接受土改的模範，但是村民並不相信。在村裡黨組織的率領下，他們召開對張永泰的鬥爭大會，以發洩多年的憤怒。

當我到達時，鬥爭大會剛剛開始，張永泰走出來站在曬穀場中央，向著面對他坐著的村裡父老及黨部的土改隊隊員鞠躬，他也向圍在曬穀場觀看的村民鞠躬。

張永泰首先開始說他自己一直遵守黨的政策及法規，並且從來沒有惹過麻煩，接著他也簡短的說出自己的小過失。最後他企圖引人敬佩的說，他已經收拾好所有的行李，準備隔天一早就和他的兒子起程前往最前線；他們已經志願加入共產黨的中國人民解放軍，準備為解放區內窮民的幸福及安定而戰。

張永泰講話的大部分時間內，窮民們雖然喧鬧，但仍讓張永泰說他想說的話。但等他說到他要志願加入人民解放軍時，羣眾突然整個變了；一個漢子跳了出來，緊握著拳頭大吼：「人民解放軍是屬於農民的軍隊，我們怎麼可以讓一個反動的地主參加！張永泰是故意在侮辱我們！」

人羣中有一聲怒吼回應，「打倒張永泰！徹底打倒張永泰！」會議的主持人在旁鼓動：「不要害怕，大聲說出來。」而其他土改隊隊員也開始領導所有的貧民大喊口號。

「讓生氣的人發洩他的怒氣。」
「讓受過苦的人說出他的苦。」
「苦水一定要吐出。」
「吐出你的苦，放下你的負擔。」
「復仇！復仇！打倒反動地主。」
「復仇！」

突然間一個把頭髮挽成髻的小脚農婦從人羣中站了起來，走到曬穀場的中央；她站在張永泰的面前。張永泰則兩眼瞪得大大，充滿畏懼的看著她，就像看到鬼一樣。

那個女人手裡拿著一隻布鞋的硬鞋跟，不停的揮舞著；慢慢的，她吞吞吐吐的開始說話，並不時的用衣袖拭去不停流下臉頰的眼淚。「我的丈夫，」她說，「去趕市集，剩下我一個人在家醃鹹菜。這時候張永泰突然門也不敲的闖了進來，他用手抓著我說，現在我家男人不在家，正是他與我單獨相處的最好時機。我急著要掙脫他，但我只是個女人，而他實在太強壯。他把我拖進後面的房間，然後……。」

人羣暴躁起來，所有人都大喊「報仇！報仇！讓受冤的人喊冤！苦水一定要吐出！報仇！報仇！」

張永泰往後退了好幾步，但是她仍痛苦的踩著小脚緊緊跟隨著他，她舉起了手，然後開始用那隻硬木頭鞋跟敲打張永泰的臉及頭；血從張永泰的臉上流下，並流入眼裡。他跪倒下來，但是那女人像瘋了一樣的繼續打；她啜泣、不停的尖叫著一些我聽不懂的話，並繼續毆打。

「報仇！」人羣繼續吼叫著，「報仇！報仇！」

我覺得噁心想吐。但是我努力擺脫這樣的想法，畢竟，這是革命。我知道革命的理論，除非農民們站起來親手打倒地主，否則他們永遠不能將長期，甚至是幾輩子的壓迫及恐懼丟棄。

我極度痛恨這樣的暴力，但我也告訴自己，厭惡這樣的事是我的小資產階級背景作祟，我更深信唯有這種階級戰爭才能消除所有的戰爭。如果要付出這樣的代價才能為世界帶來和平，才能為世上所有被踐踏的人帶來善意，我便不能逃避它。

第五章 秋高氣爽

當戈壁的刺骨冷風狂烈南下時，中國人稱之為秋高氣爽；我則稱之為冷。冷風總會穿透我塞滿棉花的夾克，並且整夜在窯洞外狂嘯。我一個人獨枕，並常不由自主的想起魏琳——那個我在張家口愛上的、有著玫瑰般臉頰的年輕廣播員。

那時我們每天都從電台一起走路回家，沿途充滿了笑聲。我一直不知道自己有多喜歡她，直到她毅然決定關起心中感情之門的那一刹那。「我們不能再接近了。」她說，因為她在等她未婚夫從布拉格回來，道義良知阻止了我再去追求她，不久我便離開張家口，她則留在張家口。但是在我離開張家口那天，從她送給我的禮物上面，我感覺到她的內心並不像她外表所呈現的那般堅拒感情。她在我的床頭放了一副她親手為我縫製的手套，並附上一張充滿感情的字條，「我為你織了這副手套，」她用英文寫著，「我會永遠珍惜我們之間的友誼。」

自那次分手後我便未曾再見過她，但是離開魏琳愈久，我發現自己更加思慕她，一直幻想著自己能跟她在一起。而這種欠缺愛情的反應，可能是我替自己惹來許多麻煩的原因。

我並不是沒有女性的朋友。彭迪及錢新夫婦幾乎可以說是我的親人，再加上新聞辦公室女祕書胡筱薇，我們四個人因為一天到晚分不開而被稱做「一家人」。然而筱薇雖然是個心腸很好的女孩子，但卻太過敏感而脆弱，她真正需要的是母愛，我和彭迪夫婦可說就像母親一樣的照顧她。但是這種友愛並未解決我的問題。

朋友們老是要幫我安排對象。馬海德的中國老婆蘇菲，有一次便假借吃晚餐的名義要介紹我和王光美認識。事實上我以前便見過這個苗條、很有活力的王光美，她是葉劍英的祕書，我在北平拜見葉時，便是由王光美引進的。但是「介紹」這兩個字就延安人來說，不僅僅只是代表介紹的意思，它還代表著親朋好友們認為被介紹的雙方是極為合適的一對。

王光美和我對待這次介紹都很認真。她接受了我共進晚餐的邀請，這在延安意味著你必須勇敢的穿過冷風走下山坡，到被炸得斷垣殘壁的村落裡的一間小餐館裡去吃回鍋肉。晚餐時，她告訴我一些她在北陝西從事土改的經驗，我則告訴她一些我的工作。王光美是個很得體的女孩，為了表示禮貌，她回邀我在下個星期六，同一個時間，同一間餐館，再一起吃回鍋肉。我認為她很可愛，也值得一交，但對於是否成為終生伴侶卻毫無興趣；而我也確信她和我有相同的感覺。

在延安，的確有一個女人非常吸引我，她就是周恩來的養女孫維世。當我第一次在周恩來的窯洞內見到她時，我就立刻被她吸引。她有張非常可人的臉，動人的長髮，而大大的眼睛則不時閃動著聰慧、幽默的光芒。她善良、機智，體態優雅而健康，輕柔而迷人。我本來可以馬上愛上她，但是有些事阻止了我——或許是由於我對周恩來的尊敬，也或許是因為我打從心裡害怕周恩來會認為我不適合他的養女，不論他認為我工作表現有多好。不過最主要的是，我怕她會拒絕我，所以我盡力與她建立起柏拉圖式的友誼。

我的麻煩開始於我碰上一個意圖並不柏拉圖的女人。她在某一天下午的晚飯前獨自來到我住的窯洞，表面上是要來拜訪剛加入革命的美國同志，但對一個年輕的中國女孩來說，這種做法非常大膽而前衛。她告訴我她曾聽說過美國的富裕生活，因此對於放棄那樣富裕的日子，寧與中國人民同甘共苦的同志感到格外敬佩。

我從未見過她，也並非特別喜歡她。她是個高大的女人，並有張細長的臉，身上穿著一件她自己織的紅、綠相間的毛線衣。她並建議我們以後應當經常聚在一起，這樣我就可以協助她練習英文。

第二天，我向一位英語部門的同事打聽她，「禍水，」他說，「她不要臉。」她曾經結過婚，但不久後就離婚，因為她的丈夫有一次提前回家竟發現她和別的男人一起睡在床上。我覺得這件事會很麻煩，但另一方面卻又感到很刺激；我已經很久沒有女人了，而現在竟碰上一個聲名狼藉，但又自動投懷送抱的女人。

我第二次看到這個女人，是在她前往廣播站錄中文節目的路上。她問我是不是願意送她到廣播站，而我並未聰明的拒絕她。在沿途較為偏僻的地方，我們擋不住誘惑的彼此摟抱、愛撫。她說她在找一個愛人，就共產黨的意思而言，也可以說是丈夫；我告訴她我們已經太接近了，最好是不要再見面。她非常憂傷的看著我，然後我們道別。

大約一個星期之後，我因為看戲很晚才回家，那時夜很黑、很安靜，而她就站在我的門口。當我將手伸向她時，我知道自己已經犯了一件大錯。但我想，她至少是個黨員，而且年紀也夠大到可以自主。但第二天傍晚當我接到到黨書記的窯洞報到的命令時，我知道我畢竟還是錯了。

黨書記朱志成是個高壯的粗線條漢子，當我到達他的門口時，他正來回踱步，擺明了正在氣頭上。「操！操！」他嘴裡唸唸有辭的罵著，然後開門見山的說：「我們的女同志說你們兩個已經戀愛了許久，現在她已經懷孕，想要跟你結婚。」

我嚇壞了，我告訴朱志成，她根本不可能懷孕，她說的根本就是謊話。

「不論真假，反正這個人會帶來許多麻煩。」他如此回答，「她的生活不檢點，而且有點無政府傾向，但是基本上她的心是向著革命；因此黨決定最好的方式是你娶她。」

「那是不可能的。」我解釋道。加入共產黨我已經準備好要做許多犧牲，但我絕對不跟這個女人結婚。我對自己的行為感到抱歉，也對黨所造成的種種問題感到愧疚；但我絕對不願為了一夜風流而付出改變一生的代價；更何況，我根本就不愛她。

接下來的幾天，事情愈演愈烈。那個女人的態度很堅決：她要一個丈夫；而我也很堅決：我絕不娶她。她不停的向黨上訴、抱怨，要黨逼我遵從黨的決定。於是黨的高層只得一個個的約見我，試著說服我娶她。但是我堅定的態度使他們困窘，而從他們失望的臉上我猜想他們原先一定確定可以說服我。

朱志成不停的重複說她基本上是個好黨員，娶了她應該不會對我造成任何痛苦才對。而C．

T．沈，那個不太愛說話、負責新聞部門的新加坡籍主管則趁著邀我去散步的機會，警告我說黨不輕易放過這種不道德的男女事件，「從過去的經驗判斷，有這種缺失的黨員在極度壓力的情況下，非常容易的就會屈服在敵人的陷阱裡。這是個非常嚴重的問題。」他還告訴我，如果黨方面要強迫我順從黨的決定，他們會使我成為鬥爭的目標，而他可以確定那會是很可怕的。「人們會對你吼叫，並要求你認罪、懺悔，而你根本不可能對他們解釋或講道理。」他告訴我。

錢新及彭迪夫婦更是特別的沮喪。錢新更說：「對身為一個共產主義追求者的你而言，這就像是從一座原本純潔無瑕的大理石像上剝下一小塊石頭。」

彭迪彷彿有深沉苦惱般的接著說：「你難道就不能再等一等嗎？你最後一定會碰上你喜歡的人啊！你怎麼可以陷進像她這樣一個人的陷阱中？」

我的主管廖承志可能是黨領導中唯一未對我施加壓力，要我娶那個女人的高層人士。有個星期六晚上，我和他仍一如往常的到石頭浴室去沖澡。坐在冒著蒸氣的水龍頭旁，跑過商船的他嘲笑我的窘況，「你這個白癡，」他說，「你怎會這樣笨？難道你還不曉得人生的現實面？」

有一段時間，我幾乎認為我的一夜風流已經造成終生遺憾。因為共產黨對貧民的部分訴求便是強調它自身在道德上的清教徒理想，與到處縱酒狂歡、養小老婆的國民黨人形成強烈對比。同時還有許多像錢新一樣想法的黨員，堅信人可以經由自我努力及性格的潛移默化而達到道德再生，所以如果一個人與異性的關係是不潔且自私的話，他們的人格就存有基本的缺陷。

但是延安其實還存在著更多眾所皆知，可能比一夜風流還不道德的事。從上海回到延安後不到幾個星期，蘇梅津便要求與為他生了三個小孩的糟糠之妻離婚，以便和那位神祕的戲院女伴——方瓊——結婚；李先念也幾乎是在一與那可憐的單曉萍離婚後便馬上結婚；毛澤東也是與第二任妻子離婚——他的第一任妻子早被一個國民黨軍閥謀殺——以便娶江青。

不過枱面下一條不成文規矩卻遠比這些事件的表象更加有力，那就是類似的婚外情必須小心處理以免觸犯公德。當黨拒絕你的離婚要求時，你就表面上還是維持舊婚姻；就像蘇梅津一樣，他和方瓊的戀情一直是祕密進行，直到結婚才公開。

我比較倒楣的是，這個女人為了她自己的緣故決定把這件事鬧開。而當她決定這樣做時，我卻又觸犯另一條更重的規定，使得問題益發嚴重——我不該拒絕遵從黨的決定。假設我在第一天就順從黨的要求，並且同意和那個女人結婚，所有的問題就會自動消失。但由於我當初拒絕，因此招來了眾人對我的道德觀，甚至我的政治性格的懷疑。

幸好，這個女人在一陣子之後就自動撤銷控訴，然後到處告訴每個人她如何用一種神祕的方法去拿掉肚子裡的胎兒。不久後她又跑來找我，並提議我們繼續做朋友，也可以常常見面；但是這次我終於夠聰明的拒絕了她。最後，這整件事終告落幕，然而卻已經鬧得延安的人幾乎人盡皆知，每個人都對這件事表達自已獨特的見解。

往後的幾個星期，我幾乎無時無刻不聽到人們拿我這件悲劇作文章。「好啊！洋鬼子，」有的人會用這種親暱的稱呼叫我，「我現在又多知道洋鬼子一點了。當你在的時候，我最好把老婆看緊一點。」

我對共產黨雖是全心全意的奉獻，但我仍是不停的與他們強制個人將所有交給黨領導的教條相衝突。

* * *

從錢新及彭迪夫妻那裡，我聽說在英語部門內有個女同事剛生產；但是她的身體瘦弱無法哺育嬰兒，再加上沒有牛奶，因此嬰兒的性命已是朝不保夕。一聽到這件事，我便利用一個星期天，越過山嶺，跋山涉水的找到基督教教友派駐在當地的醫療隊。隊裡一個年輕的紐西蘭醫生立刻拿了好幾罐奶粉給我，並且花了將近一個小時在教我學會如何正確的將藥合在一起，以及該餵嬰兒吃多少。

我帶著對自己表現非常滿意的心情，將牛奶帶回來，然後要英語部門的人將這些牛奶送給那個我從未見過的女同事。「你最好將這些奶粉送到黨書記朱志成同志那裡，讓他來處理。」他們卻如此回答我。

我毫不懷疑的將奶粉拿給朱志成。當我告訴朱志成我所做的一切時，朱志成的臉色看起來並不高興，反倒有些陰沉。「有兩個方式可以處理這個問題，」他開口說，「首先，靠著你個人的努力，你為某個湊巧是在你部門的人拿到這些牛奶，因此我可以將這些牛奶送給她。但是這樣會有個問題產生，那就是你忽略了我們組織的全面情況，例如現在就有好幾個家庭的情形比你那位需要牛奶的女同志更糟。其次，你可以將牛奶交給黨的委員會處理，讓我們根據需要的情況來分配。選擇那個方式由你來決定，我會尊重你的想法。」

我很後悔當初將奶粉拿給朱志成，但是我仍告訴朱志成，我同意最合理的方式便是將奶粉交給「共產」，然後由它來決定誰最需要，並依此分配。

「好，」朱志成說，「我們就照這個方式來處理。等你更了解我們之後，你會發現我們並不鼓勵個人私下去協助需要幫助的人。我們強調大家都支持集體，而讓共產來處理需要協助的案件，將遠比任何個人處理得好。」

我感到受傷且憤怒。我做了一件我認為很有意義的事，但共產黨不稱讚我的動機，反而批評我違反了共產的精神。鼓勵一個人盡全力去協助另一個人，又有什麼不對？而這種做法似乎遠比把所有貢獻都交給共產有效率多了。

接近新年的時候，我又再一次與黨起了衝突。那次我花了很長的時間去翻譯一篇登在解放日報上，有關共產黨外交政策重要且長篇大論的文章。由於這篇文章對世界各國能否更了解共產黨一些重要政策相當緊要，於是我加倍的謹慎及用心。接著不久後，我與周恩來一起參加了一項會議，他對新聞單位在新年所翻譯的那篇消息稿非常讚賞，並認為我們翻得很流暢，他問我：「那篇報導誰翻的？」

「我翻的，」我回答他。「而在我完成初步翻譯後，其他人再順過、檢查過。」

「恭喜你。」周恩來回答。

我對自己感到很驕傲，但是當我和周恩來的談話傳開來後，英語部門的人對我產生了許多惡感。「我們大家都很努力的翻了這篇文章，但為什麼你一個人居功？」我的部門主管，C．T．

沈這樣問我，「我們並不贊成個人爭取功勞；所有的榮耀都應歸於團隊、歸給共產。」

我再度感覺到被冤枉。我認為我給周恩來的回答是真實的，而黨似乎在鼓舞大家對個人成就產生一種嫉妒、仇視的心態。

這使我想起了我初到延安的第一天，我和劉少奇之間的對話。坐在星期六舞會會場的木頭板凳上，我告訴劉少奇，我對他所寫的《如何成為一個好的共產黨員》這本書有些疑問。「我讀了你的一些作品，而且我覺得它們非常的有意思，」我說，「但是我也有一些問題要問你。我常覺得一個好的革命家應當把革命目標視為個人喜樂哀傷的唯一泉源，並將個人意志置於革命運動的需求之下。在這種情況下，他才能發現一個穩定、可靠、可運用的幸福泉源；並且忘記個人的問題，然後專注的服務大部分的人羣。」

「但是在你的書中，」我接著說，「你強調，當革命的利益與個人的利益相衝突時，個人必須準備放棄，或是忘記個人的利益，以革命的利益為優先考慮；然而依據我先前的理念，個人的利益與革命的利益應是一體的，因此我不曉得為什麼你要強調去解決一個不存在的衝突？」

劉少奇是個老煙槍。他讓右手肘靠著左手腕的坐著，讓手上的煙籠罩在煙霧中；一隻腳則高高的疊翹在另一隻腳上。他的臉瘦長，嘴旁則刻劃著數道深深的線條，每當他張嘴向天花板吐煙時，臉頰兩邊便露出弧狀的圓圈。

「革命家的個人利益和革命的利益基本上是一致的，」劉少奇心有戚戚的說，然後深深的吸了一口煙，「但是基本並不意味著絕對；有時候由於革命的需要，個人可能必須放棄他的家庭、他的工作、他的學業、他的健康，甚至是他的生命，在這樣一個關鍵時刻做如此重要的決定，他必須事先就決定好要選擇哪一個，毫不吝惜的奉獻給人民，並盡己所能，還是緊抓住自己的利益，讓人民失望，甚至背叛革命。」

「在中國，這樣的掙扎是更加的殘酷及複雜，」他繼續說，「想要腳踏兩條船，或是堅持要先追求個人利益，而同時又想要滿意的結合個人與革命目標的人，必須付出加倍的努力及堅定的心；然而到了某個時候，他們會發現選擇已在面前，而他們也冒了在兩種利益衝突下被撕成碎片的危險。」

＊　＊　＊

雖然我曾犯下了道德上的錯失，但我還是在延安交到不少朋友。同時在社交方面，我已經相當接近核心圈。一九四六年的新年除夕，所有延安的人都準備參加新年舞會，安娜．路易絲．史莊和我則受邀與中央委員會共同參加一項新年舞會前的特別晚會。

當晚，在那個布置簡單，但卻充滿節慶氣氛的房間內，撲克牌桌早已經排好。桌上的盤子內則放滿棗子糖、胡桃，以及兩種薄片糕餅，一種是甜豆沙，另一種是蜂蜜核桃。

我們玩的撲克牌遊戲名叫「五百分」，六個人一桌。毛澤東、劉少奇、朱德、周恩來、安娜．路易絲．史莊和我坐同一桌玩牌。那是第一次我和他們同桌玩牌，如果說這些黨領導人熱愛舞蹈的話，那他們玩起牌來更是狂熱。他們玩牌時的認真專注令我印象深刻。

朱德在玩牌時就像是在計畫一項軍事行動一般，他會不停的喃喃自語，當牌勢對他不利時，他會大喊：「啊！我完了！」而當他贏的時候，他會舉起牌用力的往桌上一丟，並且得意的喊：「哈！我贏了！」

毛澤東玩牌時則幾乎一聲不吭。他會小心檢視自己的牌，動作緩慢而優雅，他非常認真的看待這種遊戲。安娜．路易絲．史莊在事後告訴我：「毛澤東玩起牌來像是一個哲學家。」我則認為他玩起牌來像是一個戰略家，他總是面無表情，心裡則不停的盤算對手手中牌的機率；他研究牌面，看看計分板，然後再看自己的牌。拿牌時他會故意將手臂伸得長長的，當他贏了之後，他會將牌排成漂亮的弧形，靜靜的放在牌桌上。

劉少奇在玩牌時，瘦瘦的臉上則不停皺著眉頭，並不時緊張兮兮的清喉嚨。周恩來則是賣弄型的玩家，他的眼光不停的閃來閃去，看看這個人的臉，然後再看看另一個人的臉。當他贏了，他會誇張的嘆口氣說：「好了，這一把就是這樣吧。」然後將牌攤在桌面上。

我的牌技不如其他人，也不是很認真的在玩；但是我卻很欣賞他們的玩法以及他們輕鬆的鬥嘴。在每一手結束後，周恩來會跟其他人開玩笑：「這一手真的是玩得太笨了，」他說，「你應該早就知道那傢伙手上有你要的牌。」

有一陣子朱德的老婆也會加入牌局，而朱德便不時開玩笑的說他老婆打暗號給他，「好啊，再說啊，」她回嘴說，「你自己都已經醉得不知道手上拿的是什麼牌了。」

第二天一早，新聞部門的所有領導便擠進一輛舊式的日軍軍車，前往毛主席的窯洞拜年。我們開車到達他那名為「棗園」的窯洞，那天很冷，但是出著太陽，毛澤東就在門外的陽光下來來去去的走動著，江青則看著他們的小女兒李訥與護士玩耍。李訥那時約五、六歲，是個長得非常可愛的小女孩，毛澤東照傳統方式介紹李訥給我認識，這意味著她必須從此以後都叫我「叔叔」。她正拍著一顆橡皮球玩，我則讓她騎在我肩膀上到處玩。毛澤東的勤務兵則忙亂的排著椅子，以便給當地人為毛主席表演新年慶祝活動使用。

我們每個人都和毛澤東握手，「新年快樂，主席。」我們一起說。

「我們的傳統是和老百姓一起過年，」毛澤東向我解釋，「所以我們必須邀請他們到這裡來。」他隨即走入人羣中，並和他們漫談起來。我突然感覺到，曾經是個鄉下小孩的毛澤東，他與這些鄉下鄰居仍是保持一樣簡單、輕鬆的關係。但是就如同我初到延安參加第一場舞會時的感受一般，我深深欣賞他沉穩、貴族般的氣質，甚至他的冷漠。

* * *

新年一過，我們必須盡快離開延安的態勢便愈來愈明顯。

十二月時，國民黨將軍胡宗南已經開始將他的部隊調出西安地區——大約是延安南方一百五十哩的地方。他已經逐步逼近延安，而共產黨也已通令所有的眷屬及非必要人員撤離延安，散入離延安一日行程的山區內。這震驚了長期在這個避難所感到安全的每個延安人。不過這種危機感很快的就在國民黨的軍事探測、挺進行動失敗後消逝，許多家庭也遷回延安，但是以往的安全感卻已不復存在。

現在我已知道我們很快就會將延安拱手讓給國民黨，因為這是朱德在一次我和史莊對他的專訪中親口告訴我的。朱德告訴我們，蔣介石正在進行一個共產黨稱之為「啞鈴計畫」的軍事行動，而這個名稱是來自於它在地圖上的形狀像啞鈴。啞鈴的一端是蘇州，那裡是四省交會處以及兩個主要鐵道的銜接處，而中國的四條主要河川有三條在這裡經過；蔣介石在那裡聚集了大量軍隊，準備向東攻擊新四軍的總部，啞鈴中間的鐵棍是其間聯繫的鐵路；另一端則是鐵路另一個盡頭——西安。蔣介石在此處集結重兵以攻向延安，而奪下延安除了榮耀外，更能增進他的形象，並獲得更多的美援。

但是朱德也說，共產黨絕心粉碎這個啞鈴戰略，並使之成為整個戰爭的轉捩點。首先，他們會不戰而退，這是「誘使敵軍陷入我方所選好的決戰點」古老兵法的運用。「延安其實不是一個真正的首都，」朱德說，「它也談不上是軍事或經濟中心，它對我們來說無足輕重。讓蔣介石向全世界炫耀他已經佔領共產黨的首都，並無關緊要。我們會立刻放棄延安，讓他達成這個目的。但是蔣介石並不了解這塊土地，他也不了解這裡的人民，所以他的軍隊無法自給自足，而他也會陷入過度延伸的陷阱，使軍隊過分分散而容易遭到游擊隊攻擊。」

「那時我們的策略，」朱德繼續說，「是引誘他們進來這裡，然後搶奪他們的食物及補給，將他們拖入山區，讓他們像追野雁般的在山裡跑上跑下，直到他們完全筋疲力竭為止。那時我們就會使出我們已經休息夠、研究過、重整過的主力部隊來攻擊他們。國民黨的士兵都是強徵來的，沒有向心力，他們對於土地改革及向長官爭取公平待遇會更有興趣；一旦他們開始疲倦，我們便會摧毀他們的軍隊，接收他們的士兵、武器及補給品，然後我們再運用這些降兵去摧毀更多他們自己的軍隊。」

儘管朱德的口氣信心十足，但上級領導人顯然都很焦慮。幾個星期過去，氣氛愈來愈緊張，而在一天到晚開會的壓力下，這些領導臉上焦慮的神色開始愈來愈濃。有一天我去找馬海德，他住在日夜進行著各項會議的陸軍總部附近，一個兩間房的房子內，他是人民解放軍外務部門的特別顧問，因此他住在總部附近。他的房子是石造的，為了安全起見也偽裝成窯洞的外型，不過在中央部分仍是很傳統的留了一個庭院。他和人民解放軍辦公室副主任楊尚昆，以及外交部門的預備大使黃華共有那個庭院。馬海德的小兒子就和楊尚昆的兒子在庭院裡玩耍。

就在我正準備向馬海德告辭時，毛澤東突然沒有任何預警的出現在門口，然後招呼也不打的直接走進房內，拉了兩張椅子，坐在其中一張上，再將腳懶懶的伸靠在另一張椅子上。「我累壞了，」他說，「我開了一早上的會，到現在才能偷空來這兒休息一下。」

他看起來滿臉倦容，嘴角垂垂的掛在臉上。接著他長長的嘆了一口氣，把手伸進口袋，拿出一包他非常喜歡、味道濃烈的當地土菸來。然後他再把那件棕色、棉織的圓領外套脫掉。馬海德倒了一杯茶給毛澤東。他輕輕的啜飲了幾口，點燃了一根菸，抽完就用手上的菸再點燃一支，就這樣一根又一根。他的手則同時隨意的玩賞著桌旁的古董。在延安，農民挖出的恐龍化石相當值錢，馬海德就收集了一副很好的恐龍化石；毛澤東此刻便拿起這副化石玩賞。看樣子，毛澤東分明不想談正經大事，但他的神態也說明了他很緊張。

曾經當過醫生的馬海德問起毛澤東的健康情況，「你最近睡得怎麼樣？」他問。

「差，」毛澤東說，「很差，從重慶回來之後，我一直感到緊張，就是沒有辦法放鬆下來。」

我和馬海德都不知道他究竟是什麼意思。不過我想，他應該是在沉思有關是否發動全面內戰的問題。共產黨內部正為這個問題爭論不休，一部分的領導認為如果共產黨以武力抗拒國民黨，那美國必會以武力回應，甚至有可能運用核子武器；結果將導致第三次世界大戰。另一派，也是毛澤東主張的，認為美國會大力支援國民黨，但卻不至於動用到核子武器，因為美國雖然畏懼共產黨，卻更怕世界大戰。

點了另一根菸，毛澤東懶懶的拿起疊在馬海德桌上的「週六郵報」（Saturday Evening Post）。他很隨意的翻閱著，看看保險公司的廣告，以及汽車或是男、女時裝模特兒的照片。「你知不知道拉瑞·羅辛吉（Larry Rossinger）這個人？」他忽然向我問起這個在前些時候造訪延安，來自美國的中國問題專家。「幾個月前，我跟他吵了一架。他說美國的權力高層對自己的武力很有信心，並自認他們能支配世局。你認為呢？」

我告訴他，我完全不同意這種說法。我認為在美國有許多不同的團體，其中由麥克阿瑟將軍代表的流派立場好戰冒進，但並不是主流派。真正的主流派，我認為是以杜魯門、馬歇爾，以及艾奇遜（Dean Acheson）等人為首，傾向和談的一派。

毛澤東非常專心的聽著。獲得這樣偉大的一個人物的專注，讓我有一種奇妙的感受。他是如此專注的想要聽我所說的任何事，使得我忍不住說的比我原先想的還要多。

「但是大部分我的同志並不同意這種說法，」毛澤東說，「他們也不相信你對美國高層的預測，他們認同羅辛吉的說法。他們認為美國的領導階層非常自大，一心想征服世界。不過我個人並不認為美國領導者有這種信心，相反的，我認為他們缺乏信心，而這正是他們會如此的侵略成性和好戰的原因。」

很明顯的，我和毛澤東有相同的想法。但是這樣似乎還是沒有辦法讓他對我較親切一些。他對我的注意並不包括關愛或友誼在內。為了讓氣氛輕鬆些，我半開玩笑的指著週六郵報上一則廣告——一個看起來像是中年主管的人伸手要一些頭疼藥——說「這就是一個表情憂鬱的美國帝國主義者」。我想他應該覺得這樣嘲諷美國領導階層的弱點，會是一件很有趣的事。

毛澤東並不覺得有趣，相反的，他看我的眼色，讓我覺得他似乎是在說：你怎麼可以說如此草率的話呢？也許他真的是過分疲倦了，不過我仍覺得他那有點責難的眼神是因為，不像周恩來，毛澤東並不是真的喜歡我，也並不真的信任我。我正覺得窘迫時，毛澤東的副官恰巧從門外探頭進來報告，要毛澤東回去開會。

*　*　*

在三月的第一個週末，安娜．路易絲．史莊搭上最後一班離開延安的美國運輸機。由於戰爭就要爆發，美國陸軍已開始撤回所有駐在延安的聯絡人員，並且警告我們其他人也要盡快離開。我自己就收到一封來自聯絡辦公室主任的公函。這位主任就是那位想不讓我參加感恩節晚餐的美國上校，但他也要我加入美軍一起離開。那封公函上寫著，美國政府將不為任何繼續留在延安的人的安全負責。我過去並未倚賴美國政府來保障我的安全，因此我根本不理會那封信。

就在最後一班軍機飛離延安的那個下午，第一架B—二九轟炸機也已開始轟炸延安。轟炸機一波又一波的炸過來，即使是隔天我們在吃早餐時仍是如此。我們無法走到外面，因此我們只得穿過山裡面的防空洞通道去上班。在那裡，我發覺到所有工作仍照常進行。沒有人提起，甚至沒有人注意到轟炸，除了C．T．沈提醒我們，必要時，我們必須準備將打字機移到防空洞內。

就在他說完話，我們便聽到機關槍的聲音響起。那是駐紮在我們這個山頂的人民解放軍，正在濠溝內朝著來犯的轟炸機開火。就在我們來得及拿起打字機躲到防空洞之前，我們突然聽到炸彈落下並急速接近的嘯聲。在短暫的沉靜後，爆炸的聲光便閃出，炸毀了辦公室的木門窗，泥土也從天花板掉了下來。我們盡快跑入防空洞，並在黑暗中縮著身子靜靜等待。

奇異的炸彈嘯聲再次響起，而突然間我被一種末日臨頭的感覺籠罩，禁不住的，我舉起手大喊，「打倒美帝！」刺耳的爆炸聲又立刻響起，這一次竟直接命中我們窯洞頂的山坡上。一大塊屋頂垮了下來，我們隔壁窯洞的同事匆忙的經由防空洞走道跑了進來。

但是奇怪的事卻發生了。當我舉起手大喊時，所有人的目光都轉向我，但是他們並沒有將我的舉動視為勇敢反抗的反應，反而似乎非常不認同。一個蹲在我身旁的同事轉向我說：「對我們中國人而言，死的景象並不可怕。我們並不怕死。」

炸彈不停的落下，塵土也不斷如雨的掉在我們身上，我卻不停尋思他的話。難道他看不出來我的手勢是一種勇氣的表示？我心裡感覺到，這個問題的答案是：他知道我嚇壞了。

那個下午，延安的撤退開始。一支先頭部隊已經派出，前往早已布置好、離延安約有一日路程，名為瓦窯堡的地方。我們其餘的人則接到隔天不用上班的通知，我們必須利用白天的時間休息、打包，然後利用夜色的掩護離開。

那天晚上，我嚇得幾乎動彈不得。一次又一次的，當我試著入眠時，便會聽到逐漸接近的隆隆飛機引擎聲、炸彈掉落的嘯聲，以及震耳欲聾的爆炸聲，我不時的從床上驚得直坐起來。我的心思似乎著魔的自動地想到一些可怕的景象，我看到自己被強震震得四分五裂，或是被炸彈炸得粉碎，我必須趕快逃走。

第二天一早，我當眾說我由於昨晚沒有睡好，因此必須找個僻靜的地方好好睡個覺。我頭也不回的不停往前走，在黃土路上快速的移動著，直到來到一個山脊為止；而在那裡，延安及它周圍的村落都已看不到了，我心裡覺得舒坦多了。我走離山路，爬上一面山坡，到了一片草地。我選了一個當轟炸機再度出現時，能讓我躲進去的壕溝邊緣坐下。

我試著好好休息一下，但我還是太緊張了；於是我拿出我的筆和筆記本，寫出我最喜歡的一首詩「夜鶯頌」。濟慈詩中描述的意象使我平靜下來，過一會兒，我睡著了。

等我睜開眼，卻發現一個老農民牽著一個小男孩站在我的面前。「你在這裡不覺得冷嗎？」那個老人噘著嘴，表示關心的問道。

「不會，」我有點靦顱的回答。「你看，我穿得很暖和的，」我把穿在厚棉外套下的厚羊毛毛線衣翻給他們看。我覺得自己應該跟他們解釋清楚，於是我繼續說：「我昨晚一晚上都在工作，而我們必須走一晚上的路，所以我決定在白天找個安靜的地方好好的睡上一覺。」

他們兩個人都沒接腔，於是我繼續說，「我是延安新華社的外國專家。」

「好，」那個老人臉上帶著喜悅表情的說，「這麼說來你是朋友，你打哪裡來？」

「美國。」我回答。

「你何不到我們村子來，」那個老人滿臉溫和的笑著說，「我們會請你喝些熱茶，並給你找一個安靜、舒適的地方睡覺。你走了這麼遠的路，一定很累了吧。」

到那時候我才知道，我竟然走到一個離延安有十五哩的村落。

「你先跑下山去，告訴村子裡的人為我們這位朋友燒一些熱水，」那個老人轉頭告訴小孩，「這樣當他到達村裡的時候，一切就會就緒。」

那個男孩像隻山羊般的跑下山坡，而我們就跟在他後面走下去。當我們走到村裡後，那個老人領著我走向一棟有著大大的門，像座倉庫的房子。他拉開門說，「進來吧，裡面比較溫暖。」

「把手舉起來！」我沒想到歡迎我的，竟是這句如雷的巨吼。我四下一看，一羣神態堅定的年輕農民手上拿著各式各樣你想得到的武器——來福槍、紅纓長矛，甚至手榴彈——全都指向我。

他們仔細的搜查了我，然後留下兩個衛兵就全部離開房內。稍後一個年輕人走進來，他說他是地方政府的領導，他要知道我是誰，我到村裡來幹什麼。我盡可能解釋清楚，他也很認真的聽著，思索我所說的。不過很明顯的他並不相信。

然後他拿出我的筆記本，並指著上面的字說：「你在山坡上寫的是什麼？」我告訴他那是一首詩，他則要我一行一行的唸出來，並且解釋是什麼意思。我對這個一個半世紀以前的詩歌並非完全了解，他也能看出我的窘迫，但是他卻搞不懂我為什麼大老遠的從延安跑到他們的山坡上，來寫這些沉思生死的浪漫史詩。

最後這位年輕的領導終於做了決定。在讓我吃一碗熱騰騰的麵後，他會派遣兩個武裝人員送我回延安。如果我真的是新華社的人員，他們就會將我送還給我的工作單位，然後這件事就此了結。我們隨即出發，但走不到十分鐘，我們就遇上了從延安出發，正朝著瓦窯堡前進的新華社先遣部隊。我那天早上不知不覺的走上預定撤退的路線，而現在我的同事們就正走在這條路上。

胡筱薇的未婚夫趙敵先恰好也是先遣部隊的一員，見到我時，他滿心歡喜，並且馬上簽署那兩個警衛隨身攜帶的放行條。「我早就說他沒問題的，」其中一個警衛告訴另一個，「我看他一點也不像敵人的間諜。」

新華社軍車不久後就跟上我們，廖承志及其他的領導們坐在後車廂，廖承志的老婆阿樸則與他們的小女兒一起和司機坐在前座。「趕快上來。」廖承志不耐的叫著。

我心裡仍被轟炸的恐懼籠罩著，我寧願用走的，以便在有轟炸時可以就地找掩護，也不願坐在車上當死鴨子。但是廖承志終於對我動了第一次的氣，他氣急敗壞的說：「不，不，你馬上給我上車來，我對你再也沒有一丁點信心了。」我很少看到他生氣，因此他一生氣便對我產生很大作用。不過，我能充分諒解他的憤怒，因為我在他們已經有一大堆麻煩時，還給他們惹了一個大麻煩。

我一坐上軍車，一架國民黨的軍機就出現在天空，不斷的在我們上空來回盤旋。

第六章 我的長征

瓦窯堡離延安大約六十哩。它跟延安一樣，也是個由窯洞組成的小村；新聞部門選擇它為後備基地，有個印刷廠及後援的傳輸站。我們在破曉前到達，分配好個人居所後，便立刻開始工作。由於我們離延安並不遠，因此我仍提心吊膽的亂想什麼時候會被轟炸，並不時緊張兮兮的聽著是否有任何風吹草動的飛機引擎聲，並悲傷的想著自己是不是會立刻成為祭品。

但是當我環顧我的同事時，卻發現我是唯一害怕的人。經過這些轟炸、窯洞塌陷、倉皇撤退、聽過嬰兒的哭聲、病人的哀嚎，我沒有看到任何一個成年男女露出驚恐的表情。沒有一個。每一個人都很鎮靜，甚至可說，每個人都認為討論空襲幾乎是一件很丟臉的事，更何況露出驚恐。如果有人提到轟炸，那也是為了嘲笑國民黨，恥笑他們的準頭。

我並不是唯一察覺到我的反應大異於其他同志的人。第二天的晚餐後，我在上海的老朋友，蘇梅津就來邀我到村外去走走。我們走上一條沿著小溪蜿蜒向前的小道。那時是初春三月，雪融才剛開始，我還能聽到在逐漸融解的冰面下，溪水潺潺的流著。我們站在山邊，一起看著被夕陽染得暈紅一片的天空。

蘇梅津輕輕的開口問：「李敦白同志，你是不是有什麼問題呢？我們有些同志認為你可能是心臟有毛病，才會導致你對空襲有如此反應，是不是真的這樣？」

我搖了搖頭。「不是，我的心臟或是其他部分都沒毛病。只是我現在只要一聽到轟炸就整個人會驚慌失措。我已經試過任何一種我所知道的方法，想要克服這種恐懼，但我就是做不到。我不知道該怎麼辦才好。」

蘇梅津聽了我的話後，便開始勸我，而他所說的竟是和那次在防空洞中，另一個同事對我所說的相同。很明顯的，這些道理是他們希望我了解的。「我們中國共產黨員，」他說，「對生死的看法與常人不同。我們信仰孔夫子『視死如歸』的教條，我們不怕死，一個真正的革命同志應該不怕死。你想想，你的行為對那些視我們為典範、希望我們為他們指引方向的廣大人民，會有什麼不良反應。同志們要求我來跟你談談，希望能幫助你。我也希望你能拿出自己的良知意識，並試著控制你自己。」

但我對於控制自己一點興趣也沒有，我只想要逃離那些轟炸、逃離危險。我要待在一個離逃生路線最近的地方，並且要求一聽到來犯的飛機引擎聲時，就有權放下手邊一切事情去避難。我很痛恨黨對這件事情的態度，他們並沒有想要解決我的問題，只是一味要求我向其他黨員看齊，學習他們的反應。

蘇梅津頓然啞口無言。我知道他對我很失望，也很疑惑。我和他們之間的嫌隙比以往愈深、愈明顯。這裡並不是美國的伯明罕、阿拉巴馬，或是北卡羅萊納，而我也不再是一九四〇年那個充滿理想、抱負的熱血青年。我試著去協助中國人完成他們的目標，但並不是為我自己同胞的權利在奮鬥；我可以做許多犧牲，但是我可不想被五百磅的炸彈炸得粉身碎骨。我仍想要盡力為最大多數人謀最大利益，但我卻無法忍受，為了達成這個目的，他們要求個人犧牲性命。

我很愛護我個人的生命，也看重如何自保。我在意追求幸福，不僅只是全體的，更是個人的。而就在那個時刻，在那懾人魂魄的第一次轟炸之後，我追求自保的意識以我不能控制的肉體恐懼爆發出來。

然而在內心深處我了解我的恐懼並不能成為藉口，我更知道他們是對而我是錯的；直到我能控制一己的私念之前，我無法真正成為他們之中的一員，無法真正分享他們的奮鬥，也無法在他們構築新世界時，與他們朝共同理想邁進。直到我願意為他們而死之前，我無法真正活著成為他們的一羣。我覺得無力，並有深深的挫折感。

* * *

接下來四個月的大部分時間，我們這一小羣革命分子不斷流竄；蔣介石挾其優勢的武器、兵力，及財力——大部分來自美國政府——追打著共產黨，想要圍殲我們。事實上，情況卻是相反。老謀深算的毛澤東就如同美國獨立戰爭中領導英雄一樣，運用他對地勢的了解、他與當地農民的親密關係，以及他卓越的戰略，將蔣介石及他的國民黨軍拖入一場他打不贏的戰爭中。表面上是我們在逃國民黨，事實上是我們領著他們陷入失敗的死地內。

這是一場有點滑稽、有點諷刺的戰爭，更是一場充滿嘲笑、竊笑的戰爭。因為毛澤東、朱德總司令，及延安地區的軍司令——頑固將軍彭德懷，都是老謀深算的詭計大師。有一次朱德對我解釋說：「我們有一個任務是其他司令官很少面對的，」他說，「除了指揮我們麾下的部隊之外，我們還要指揮敵人的部隊。我們會佯攻某個城市，假做某項軍事行動，甚或散佈錯誤的情報，誘使國民黨軍到達我們要他們到達的地點，一旦他們陷入陷阱，我們立刻摧毀他們。」

而蔣介石就像是毛澤東劇本的讀者，不由自主的扮演他被設定的角色。對國民黨而言，延安就像是個代表知名度及威望的戰利品。攻下它必能上美國報紙的頭條，而這種形象上的提升，必定有助於說服那些三心二意的美國國會議員，同意提供更多美金，投入蔣介石的南京政府——一個愈破愈大的老鼠洞。

然而就軍事價值而言，延安對國民黨實在比沒有價值還要沒有價值。它只會使國民黨的一流部隊陷入一個孤立、半荒漠的鄉野中，在這裡口糧配給不到、彈藥供給不到、補給品無法運到，而到處都是當地充滿敵意的老百姓。不論胡宗南的軍隊走到哪裡，他們會發現當地的田野及穀倉都是精光的，任何有用而無法帶走的東西都被隱密藏起來或埋起來，所有的人畜都走避一空。

延安失陷後，我們仍繼續在黑夜的掩護下打包、遷移，並不停的往更深遠的山區走去。毛澤東就在鄰近的另一個團隊中，他動，我們也跟著動。有時候我們會在某個友善的村落住上一、二夜，有時我們要隔好久才能休息住宿。不論我們到哪裡，我們都會用手搖發報機發出摩斯密碼。但最常的情況是我們躲著聽國民黨的炸彈飛嘯而過，等候繼續前進的訊號。

我們走的小徑帶著我們爬過山西的陡峭高山，走下滿是果園及野花的山谷，然後穿越河北的平原。我們經過了許多數百年鮮有人跡的山谷，在某個小山村中，一個從未見過外國人的老婦人一口咬定我是個神，剛剛從某個廟裡的神龕中走下來。我們經過的地區是如此的原始純樸，以致幾哩路的差異——從一個蒼鬱茂盛的河谷到一個水灌溉不到的鹼土地——就代表了從富庶到迹近饑荒的差別。

我們愈走愈深入山區，而毛澤東卻仍留在延安附近，與他的對手玩諷刺的貓捉老鼠遊戲。毛澤東故意將他的行蹤以對方可以收到的電報送出，然後引得胡宗南高高興興的領軍從山上追到斷崖，從鹽井追到沙漠，艱辛的爬過一個，再無盡的跋涉到下一個。他刻意跟國民黨追兵保持絕不超過一天行軍路程的距離。他知道胡宗南會因想要親自抓到他，以成為蔣介石心中的英雄，他充分利用胡宗南的這層心態。在每個駐紮地，毛澤東都會等他的斥候兵帶來追兵僅剩一個小時的路程的消息，然後再慢條斯理的將外套穿上，騎上馬，然後再領著他的小總部迅速的衝下小路。在幽暗的黃昏時，他會不顧部屬的勸阻，堅持讓敵人追得更近一點，近到國民黨的斥候兵確定他就在一天可及的路程內。

「難道你們不怕夜晚敵人奇襲嗎？」我問C．T．沈，他曾經待在毛澤東的誘餌羣裡。

「國民黨不敢晚上出來的，」他回答我說，「他們對這裡的地形不熟，而這裡的地形又非常複雜。我們的狙擊兵及人民自衛隊就埋伏在黑夜中，他們也知道這一點。毛澤東非常了解敵軍指揮官及他的部屬的心態。」

時間一久，當國民黨軍隊筋疲力竭，食糧及彈藥都缺乏，並對整個追逐情況感到厭惡時，彭德懷將軍將敵軍誘入他選中的一塊口袋形絕地，再將唯一的退路切斷。然後在一場決定性的殲滅戰役中，以士飽馬騰的絕對優勢攻擊敵人。

即便是在不停的行軍移動，我們仍準備迎接勝利。在我們從瓦窯堡出發幾天後，我們到達綏德，一個離黃河岸約三到四個小時路程的地方。在行進中，我們的軍隊遇上了毛澤東以前的老師，陳法官。在從張家口到延安的路上，我就走在他那輛老騾車的旁邊，一路上聽他批評、痛罵國民黨。「你到綏德幹什麼?」我問。

「我們正急著起草新憲法，為中華人民共和國的誕生作準備。」這位令人尊敬的法官認真的說。

* * *

離開綏德後，我們繼續行軍。我們隊伍中有老人、年輕人、一整個家族、小孩，及傷兵。其中許多是在都市長大的文弱知識分子，而不是強悍的戰士。但是我們仍然平均每天二十哩的走過貧瘠、崎嶇的山區。

共產黨真的是非常優越的組織者。我們新聞單位在行軍遷移時便分成幾個縱隊，其中一個包括了領導同志，而我便是屬於這個縱隊。另一個縱隊是屬於婦孺及傷兵。每個縱隊都有屬於自己的領導中心，並且在大清早就派出先遣小組去搜尋食物、飲水，以及任何我們需要的東西，同時負責徵借晚上可以住的山洞或是任何泥屋茅房。大批軍隊護衛在我們的兩側，與我們平行前進，以確定國民黨軍隊不會察覺到我們的行動，並提防他們對我們突擊。

據我所知，在這場大規模的行軍中，只有兩個人拒絕服從團體行動的命令，每天一大早就自行出發。其中是一個名叫李宏的編輯。他對中國無止境的戰爭感到厭煩，並且被延安的倉皇撤退嚇壞了；因此雖然是個黨員，他仍拒絕服從黨的紀律，並且每天一早就自行出發。

另外一個人就是我。我雖然仍與我的單位一起出發，但是我很快就加緊腳步將其餘的人遠遠的丟在後面，我感覺這樣做可以減少碰到一場我無法躲避的空襲的機會。

只要一聽到飛機的嗡嗡聲，我就衝到隱蔽處趴到地上，頭暈腦脹的喘著氣，全身虛脫，體內每一分浪漫與冒險的熱情也跟著嚇跑了。

然而只要晚上紮營休息，我就回去找我的同事們，盡我所能的幫助他們。我特別關心彭迪及錢新兩夫婦，因為他們都被診斷出患有肺結核。晚上我們三個人會睡在同一個農戶家裡，擠在同一張炕上；我們也共用一個銅製的臉盆，我們稱它為「三用臉盆」——可以取暖、洗臉兼盛飯。起床號一響，我會先起身，將臉盆倒乾淨——由於晚上外面太冷，我們將臉盆充做夜壺使用。然後我會用熱水及從炕下取出的熱灰來洗刷銅臉盆。接著再倒上些清水供我們三人刷牙洗臉，盥洗完畢後，我用同樣的方式再將臉盆清洗一次。然後再到伙房用臉盆裝滿稀飯，而我們三個人便各持一把大湯匙從臉盆中舀粥吃；那時我壓根沒有想到自己是不是會染上結核病，因為那似乎比轟炸更遙遠得多。

在山與谷之間攀上爬下，我們花了數天時間穿過太行山區，攀越佛教聖地五台山。我們經過許多幾個月前還在國民黨控制下的小村落，而那些地方貧窮的景象使我驚恐，其落後的情況更是我前從未見的。我曾看過一個老女人住在一間幾乎一無所有的茅屋內——沒有家具、衣服、食物，她的兒子是個鴉片煙鬼，將所有東西變賣一空，留下她與孫子們挨餓。我也看過一個大約十三、四歲的女孩，全身赤裸的在村後的山坡上徘徊；因為她全家人只有一條褲子。我還看過一個老人，每天爬到山崖旁走進家族墓穴中，穿上壽衣，躺在棺材中，希望死神將他召走，以免家裡還要負擔他的生計。

當我們越過東西斗（East and west dipper）的雙子村落後，地理景觀終於改變。我們走進了沿著滹沱河兩岸的沖積谷地，這是至今為止我們見過的最富庶、美麗的地方。這是中國北方唯一一塊農民利用乾淨的河水來灌溉，並同時種出米、麥的肥沃地方。這裡盛產豆類及蔬菜，同時更以發展養豬業成功而聞名，因此我們終能再有充盈的食物，而且每天能在兩岸長滿香甜忍冬草的乾淨河流中洗個澡。最棒的是，這個地方一直沒有空襲，我們似乎也安全了。

我們到達這個地區後沒多久，附近的鄉民邀請我們參觀他們一年一度的戲劇節慶，而整個節慶的舞台戲都是以河北省的「梆子」演出。「梆子」是中國古代一種地方戲曲，唱腔激昂高亢，帶有哀傷的哭調，伴奏樂器則是傳統的二胡、木笛，以及「梆子」得名由來的木頭響板。從這場舞台劇的演出可見共產黨有多聰明，利用傳統及地方士紳，將當地農民納入其羽翼之下。

戲的第一幕描述農民在國民黨控制下受苦受難。然後是對日抗戰時，共產黨的八路軍來了；共產黨進村時，地方上的人都怕得要死，並且馬上逃出村子，躲到鄰近的山裡。但是結果他們發現了什麼呢？共產黨的士兵們正運水清洗住家的庭院，餵養並保護人家養的雞、豬隻。當各姓族長了解這些軍隊是真正人民的軍隊時，他們都帶著妻兒及左鄰右舍回到村裡。地租減少了，工資提升了，學校及托兒所都開放給辛勤工作的母親加入。接下來是土地改革。當戲開演後，我彷彿從那些貧苦農民的眼中看到土地改革帶來的極度喜悅，因為專制的壓迫已經被推翻了。

戲在日落時開演，一直演到隔天的日出。當晨曦出現，而最後一幕戲結束時，這些莊稼漢站起身來，伸個懶腰，然後就直接下田——通常是連家也不先回的。

這些戲不僅是宣傳而已，也描寫這個村子確實發生過的事。而我更了解到，對成千上萬被壓榨、被輕視、被忽略的中國貧窮農民來說，有這樣的一個組織派遣年輕熱誠的城市學生，到農村來教導他們新的知識及歌曲，統合他們，讓他們有表達自己希望及需求的機會，並且在奮鬥中引導他們，是一件多有意義的事。中國共產黨真的為中國死氣沉沉的農村注入新生命，看到這樣，我更不想承認我與共產黨間正逐漸形成一個難以跨越的鴻溝。我渴望成為共產黨的一分子。

在滹沱河邊經過幾個星期的休養生息之後，我們終於接到再度出發的命令。收拾好行囊，離開山區之後，我們搭乘日本軍用卡車橫渡過河北大平原。我們沒有汽油做燃料，當地村民便協助我們將它改裝成燃煤的蒸汽車，使它能繼續載我們前進。再經過搭一段火車及行軍一天後，我們終於到達新居——一個位於太行山南端，深入山中的小村，我們將在這裡待上一陣子。太行山南起黃河，向北一直綿延到長城，形成河北省東部及山西省西部之間的自然邊界。

我們新落脚的地方其實是三個古老的小村落聚合而成——分別是西塞、東塞及牆市，遠在兩千多年前就已存在。這裡相對而言是頗為偏僻、安全，但是在這裡生活所面對的卻不僅只是飢餓，還得忍受極端乾渴，整個地區正逢乾旱。

山上南邊的斜坡，有一股斷斷續續的山澗，但是山澗的水少得可憐，因此我們每天都只能有一盆水做為飲用及洗滌。身體強健的村民每天清早就跋涉幾哩路，用扁擔挑回兩擔水給家人使用。至於村裡的老年人嘴唇都已乾裂，牛也渴得無精打采，被鞭打時也只是聳聳肩，拖著蝸牛般的步伐朝田裡走去。黃土表層都已經乾硬成塊狀，微風一來就吹起滿天塵沙。

我被分配和一家貧戶住在泥磚蓋成的小茅舍內，牆壁是藍灰色的山石砌成，屋頂覆蓋著土製的灰色屋瓦。我們恢復了無線電的傳送，並且迅速的再組成一個臨時性的新作業小組。

雖然飛機很少飛過這個區域，但是空襲警報仍很頻繁，而我也從未克服自己的恐懼。只要空襲警報一響，或是聽到飛機引擎聲，我便會衝出門，狂奔在村裡的街道上，然後爬到鄰近的山坡上將自己藏起來，我這種倉皇出奔的景象，幾乎已經讓村民見怪不怪，習以為常。有一次我在「逃」出村外時，便聽到一羣老農民聚在街上，邊吃午飯邊談笑的說：「瞧！老李又跑出來了。」

*　　*　　*

魏琳終於來了。

經過這麼長久的思念及夢想之後，當她出現在辦公室時，我幾乎不敢相信自己的眼睛。我早就向黨建議調她來任播音員，但我從未真的期盼上級採納我的建議！但她畢竟還是來了。

魏琳還是像以前一樣漂亮活潑，她依然是短短的學生頭及圓臉豐頰。看到魏琳我很高興，但高興中也帶著一層悲傷，因為我覺得她永遠不可能屬於我，而我也不能再讓自己故意去吸引她，使她違背等待未婚夫回來的誓言。

每天下午，我會坐在那曾是當地大地主所有，如今已成為我們辦公室的大屋子的石板院子內，聽她唸廣播草稿。下班後，我們會一起談笑、說笑，但仍會刻意保持距離。當我們之間有了太多歡笑時，她總會蹙眉不悅起來，而我也會立刻停止說笑。黃昏時，我們會和其他的同志一起說南道北，互相挖苦、嘲弄，有時也大家一起去爬山、戲水，或是唱歌；但我們從未有一次是單獨出遊，或是像情侶般的散步、交談。

我很難克制自己的感情。有一天黃昏，錢新、彭迪、胡筱薇和我四個人坐在那條清麗小溪旁的大石頭上，唱著「最佳歌曲百首精選」中的一些歌。當我們唱「在黃昏中」時，我想到自己永遠得不到回報的愛情，心中泛起甜甜的哀傷。錢新察覺到我臉上的表情變化，輕輕喊了起來：「大家快別唱，大家快別唱了，有人想起傷心事了。」她調皮的眼神流露出半開玩笑半認真的關懷，我臉紅了。

終於，在魏琳出現後約三個星期的一個早上，她遞給我一張小紙條。其實我一直在等著她某種形式的拒絕，當我看到她那張摺了好幾摺的紙條上寫著我們必須談一談時，我的心也一直沉下去。我確信她是要告訴我，我們之間必須更疏遠。

我依她所約的，在那天的午餐之後，憂傷的在我房間等她。她走進房間，然後走到房內另一頭的椅子上坐下，我則坐在炕上，等著她開口說話。

「我們必須談談，」她說，「我再也不能忍受我們之間這樣發展下去。而且這樣對我們的工作也不好。」

這正是我最害怕聽到的，「出了什麼問題？」我禁不住問道。

她哭了起來，豆大的淚珠從圓臉頰上流下。她雙手捂著一雙淚眼，啜泣的說：「我從來沒有想到我會同時愛上兩個人。」

當我們手牽手走出那個小房間時，每個看到我們的人似乎一點也不訝異。「你這個聰明的壞蛋，」我們辦公室另一個老單身漢——鄧光這樣嘲弄的說，「你真是老謀深算，故意以退為進。你算準要是你持續克制，那你們之間的關係會更緊張，最後你就會贏得勝利。」其實我並沒有這種意圖。但是一旦魏琳改變心意，我們之間的情感就以驚人的速度進展起來。

* * *

一九四七年十月，我和魏琳結婚。

我們按照規定，向組織申請同意。朱志成核可了我們的結婚申請，因而當魏琳告訴我朱志成曾私下警告她不要太接近我時，我不禁吃了一驚。朱志成告訴魏琳：「我們都喜歡這個年輕的美國人，並不是只有妳喜歡他。但是妳應該要知道，除了他自己告訴我們的資料之外，我們對他一無所知。我們並不是懷疑他，但我們對他真的所知不多。」朱志成也很嚴厲的警告魏琳不要告訴我這些事，但是他卻忽略了愛情的力量，因為魏琳立刻就來告訴我，我當時並未將這件事放在心上，打算以後私下找朱志成談一談就可以。那時的我春風得意，這種小事似乎無關緊要。

一羣好朋友自願當義工裝飾我的房間，婚禮聚會就在那裡舉行。那是個相當愉快、熱鬧的婚禮。廖承志更運用他的漫畫天分，戲謔的畫了一個戴眼鏡的外國人對著魏琳豐滿胸部垂涎欲滴的畫，上端還寫著兩句打油詩：

老外何須怨老天？
真愛注定結姻緣。

魏琳和我都被逼說出我們的戀愛過程，以及最後如何決定結婚。我們說的都很簡單，但是聽的人都加油添醋的故意醜化我所謂的「求愛策略」。那是個很熱鬧的夜晚，大家鬧了幾個小時，同事們一個接一個的講話、唱歌，或是一起做些室內遊戲。「我們只有今天晚上，而你卻有一輩子！」他們逗我，「不要不耐煩！」

但是自我們一結婚，大家對我們的善意卻逐漸消失了。幾乎就在轉眼間，我們引人注目的愛情及幸福，已開始招來別人的反對及抗議。即使是像錢新及胡筱薇這樣的好朋友也抱怨我們忽略了周遭的朋友，並且肆意公開展示我們的幸福，使得那些或是寂寞，或是單身，或是痛苦的人更加難過，錢新有一次便斥責我說：「你是媳婦進門忘了娘。」

我在中國共產黨人中的地位也變得日益突兀。一方面，身為唯一的美國籍黨員及唯一在該地區工作的美國人，我幾乎已經成了傳奇人物。各式各樣有關我的探險，我的工作狂熱，以及我獻身革命的故事被編造出來。我依然有我親密的朋友，尤其是彭迪夫婦，而我也依然是最受人歡迎的夥伴之一。但是在另一方面，我被黨視成陌生人的情況也愈來愈明顯。

例如，就在我們到達滹沱河邊的東西斗後，原本與高層領導一起吃小廚房的我，就突然的被移到階級較低的中廚房用餐——再加上一些肉類、蛋、水果，以彌補我在被降到較低層級用餐所遭到的損失。為了這件事我不安了好幾個月。我原以為和基層的人一起吃飯，正好可以證明我的革命自覺性，結果我發現，這一來我愛聽的內幕消息來源也告中斷。

再過了一陣子，我更發現自己已被隔絕於新聞部門的會議之外。有幾次當C．T．沈及陳龍不在，由我代理他們參加每日例行會議時，我發現會議領導們對我的出現並不是很高興。稍後，陳龍便接到不准我再參加那些重要會議的通知。我要求知道原因，我既然是個黨員，那為什麼我要受到差別待遇？然而我一直沒有得到任何坦率的回答。

我自己的一些行動，也使得情況更加惡化。雖然我急著想成為共產黨的一員，被他們接納，但是我實在是無法接受共產黨一些徹底壓制個人意志及欲望的要求。例如，我就反對黨要求所有播音人員必須隔離的住在離村子約二哩遠的傳送站內的規定，即便結婚的人也不能例外。唯有到星期六，那些結婚的人才可以回家睡一晚。我拒絕遵守這項要求，因此我開始每天傍晚下班後走路到魏琳住的地方，隔天早上及時的走回辦公室上班。

傳送站的政治指導員李山厚把我找去訓誡了一番。「無線電傳送站的安全規定所有的同志，」，他說，「尤其是個惹眼的外國同志，都不得在山間行走。」他並且進一步的警告我，這件事有關革命紀律，如果我違反了這項別人必須遵守的紀律，他們會對我及組織都感到憤怒。我並不為他的話所動。我對廖承志解釋，我必須在晚上訓練魏琳的英文。廖承志沒有說話，因此我就將他的沉默視為許可。

就這樣，我和魏琳一起快樂了一陣子。我們講些童言童語，彼此嘲弄、玩笑、歡樂。當聖誕節來臨時，魏琳發現自己懷孕，更讓我們樂昏了頭。然而幾個星期後，魏琳卻意外的流產，並且差點死掉，這件不幸也使我們沮喪到極點。

我的朋友及同事們對這件事的反應極為冷淡，他們認為都該怪我，因為我並未在魏琳懷孕時遠離床笫；他們並且認定，由於我缺乏自律能力，才發生流產這件意外。魏琳也開始向我抱怨，她的朋友現在對她愈來愈客氣，就像是在對陌生人一樣。

一天傍晚，當我從辦公室回到家裡，她早已躺在炕上準備睡覺。我進門時，她用手撐起身體，並用一種迹近錯亂的眼神看著我——一種狂野、怨恨、苦悶至極的眼神，接著她就哭了起來。

「怎麼了，發生什麼事？」我憂急的問著，並趕緊走過去安慰她。

「有邪惡的想法在我心裡，」她低沉的說著，「有時我想殺了你，真的想殺了你。」

那時我唯一能體會到的，她的情緒是害怕——怕她自己，而不是對我的怨恨。「好了，沒關係，你只是太累，太緊張了。」我安慰著。

毛澤東的戰略極為奏效，以致在一九四七年的春末，蔣介石的啞鈴攻勢遭到全盤挫敗，再也無力在中國任何地方發動大規模攻擊行動，共產黨軍隊同時也已經南下越過黃河，直逼長江及對岸蔣介石的首都——南京。

美國政府及大部分的媒體都極為懷疑共產黨所宣稱的勝利。但是經由和野戰軍統帥們的交談，以及從我潤飾及翻譯的新聞稿看來，我知道共產黨的宣稱是真實的。我的工作依然忙碌，有時候一整天處理有關戰事的報導之後，半夜還得爬起來處理最新的消息。對於扮演將這個歷史性的消息傳送到外面世界的角色，我深深感到驕傲——不管任何人是否相信、贊同我的觀點。

在擊潰國民黨入侵延安的軍隊後，毛澤東便率領了他的小型總部越過黃河，到山西省的西北邊區去休養並重組。一九四七年，毛澤東在那裡發動了思想改造運動。而這個思想改造運動事實上才是毛澤東這個大謀略家最主要的策略。經由這個運動，他可以將他個人的哲學、對人生的看法、對事情的分析、對問題的思考，以及如何執行決策等重要觀念灌輸給所有重要同志。思想改造可以說是一種意識形態的手術。經由思想改造，黨內同志便能夠真正的與黨的政策站在同一路線上——不僅是表面，而是完完整整實質上的。而思想改造運動的最終目的就是要製造出經過意識形態改造的同志。

在思想改造運動期間，我們新聞總部每一個人都必須閱讀理論論文、聽指導訓令，然後每個人都必須在團體面前，對自我的人生及工作做詳細的自我檢討。你必須檢討諸如：你成功的地方在哪裡？失敗的地方在哪裡？你性格及意識上有什麼樣的因素導致那些成功及失敗？你曾經經歷過什麼試煉及危機？你如何在這樣的壓力下自保？接著團體的其他成員將你的自我檢討分開，並逐項指出其中隱藏的問題及缺失。

我曾聽許多強悍共產黨老兵說，共產黨是絕對不可能被敵人的特務或間諜控制的。因為，在思想改造期間，任何黑暗中的事物都會被攤在陽光下無所遁形，他們如此說。毛澤東更是堅信，要真正了解一個人唯一可能的方式，便是在嚴苛的試煉中觀察一個人。若不如此，你就無從判別他說的是空話，還是樂觀的看法，更無法看出某個人的真正態度、意圖及性格。

我終於了解到黨的手段有多殘忍。我曾眼見許多高階同志在早期的思想改造運動中，遭到了嚴重而且永久性的傷害。有些被冠上間諜的罪名鎖在黑牢裡，遭到殘酷無情的訊問，以觀察他們是否會在壓力下認罪。原本精力充沛的部門主管左漠野受過拷問之後，就再也沒復原，從此成為一個憂鬱症患者，每天被嚴重的頭痛及失眠所苦。新華社的一個編輯江其深遭遇更慘，有一次我和他在同一個炕上睡覺，到半夜，他突然間夢到自己曾遭受的痛苦折磨而驚醒，然後便整個人跌落炕下，像個小孩般的開始哭泣及哀嚎。有人趕緊去將他的老婆找來，她來了後躺在他身邊，讓他的頭埋在她的胸口，並且輕聲的安撫他，直到他再度睡著為止。

我當然同情這些人，但是就某些方面而言，我也有點鄙視他們。雖然我不願放棄身為一個人應有之權利的想法使我成為一個不守紀律的黨員，但是我早期接受的哲學訓練卻使我相當肯定思想改造的功能，這種思想改造就如同是黑格爾辯證哲學的實踐——一個人必須清除掉個人的不良性格，才能將人性提升到更高點。

我認為黨有權要求黨員做自我檢驗及改進。而在戰時，我認為黨也有權仔細的清除掉內部的間諜及潛在間諜。如果有同志被指控是間諜——即便是冤枉的——我覺得他如果是個好的黨員，便該對這項試煉逆來順受。

我看過思想改造帶來的好處。通過思想改造的人，嗣後都更了解自己以及自己的短處，並養成了改正的方法。C．T．沈就很成功的通過思想改造，並且從一個吹毛求疵、愛講閒話的小官僚變成一個安靜、鎮定、有耐心的同志，對黨的政策能充分了解，對自己的部屬及人類的未來都有著真誠的關懷。

我們部門的第一次自我檢討是由副主管陳龍主持。他首先向大家陳述了他如何在念大學時加入了共產黨，然後他再報告他加入革命後至今的政治經驗。在他的自我檢討中，他強調了自己身為領導者的弱點——優柔寡斷。他將這些缺點歸因於自己讀書少以及父親的影響。陳龍並且說，他父親在印尼曾試圖協助入侵的日軍。

當他講完後，大家對他真誠的陳述給予讚賞，然後就開始大肆批判他的自我檢討。例如對於一些較不成功的經驗，他並沒有做深入的檢討；而對於自身的一些弱點，他也沒有勇氣去將其中的意識形態的根挖掘出來；而有時候，他似乎試著將一些更嚴重的問題隱藏在一些微不足道的錯失之後。

我渴盼著輪到我做自我檢討的機會。我想要檢討自己兩件事，我想要提升自己的自覺意識水準，同時去除那些造成我許多問題的焦慮及恐懼。而我私底下也覺得，如果給我機會，我就能向大家陳述我有趣而且值得讚賞的生活經驗。

然而令我訝異的是，自廖承志以下的每個人都不願意讓我做自我檢討。他們用各種藉口搪塞；例如我太資淺，這種檢討會讓我覺得太奇怪、負荷太重，而他們的傳統是不對外國同志做太嚴重的批評。最後他們終於讓步，讓我做個簡短的自我檢討。我檢討自己對空襲的畏懼以及我在女性方面的弱點。但當我檢討完畢後，卻幾乎沒有任何意見或批評。每個人都只講我進步了多少，在適應他們的生活方面有多大進展，以及我有多認真的工作。

然而我還是覺得很爽。

後來我聽說另一個和魏琳一起來的年輕女孩李梅，也被黨告知，如果她不願意的話她可以不必自我檢討，理由是她還不是個黨員。嗣後當她真的做了一次簡短而且實在的報告之後，她也未受到任何批評，只有一些泛泛的讚賞。

不過之後沒多久，我便聽說這個女孩被認為政治立場有嚴重的問題。在茶餘飯後的閒談之間，有些同志告訴我，最好不要參與那些被懷疑有重大問題的同志的自我檢討或批評；如果他們的問題不是意識形態，而是可能通敵的話，那你最好避免跟他們有任何瓜葛；否則你只會幫助他們更巧妙的偽裝自己的真實本性。

我從未把自己與她的情況聯想在一起。

* * *

一九四八年的春末，我們終於又接到再度開拔的命令，這時共產黨已收復延安，附近地區的國民黨軍隊也已被殲滅。國民黨僅存的精銳部隊都被牽制在北京、天津、東北以及上海、南京等地進行保衛戰。毛澤東、周恩來、劉少奇、朱德，以及其他的領導人，在石家莊以西的太行山裡設立了一個新的中央委員會，我們則奉命再回到滹沱河。

我們駐紮在毛澤東總部附近的小村落中，在那裡的幾個月時間，是我有生以來最悠閒的一段田園歲月。內戰已將近尾聲，雖然某些日子裡仍會有警報，而我仍急急忙忙的衝到附近的山裡或是躲到洞穴中；但在那時，即使是空襲的危險都似乎是很遙遠了。

在那個小村落內，我感受到我一直想要的那種強烈的歸屬感。我以前犯過的錯誤似乎都已被諒解及遺忘，我又再度成為他們之間的一分子。

我們每天在一起工作，晚餐後大夥兒走到村外，順著鄉間小道漫步，沿途碰到鄰近村落的居民以及新聞部門其他單位的同仁也出來散步。沒有人特別，沒有人自覺身分太高或太低，大家全都融合在一起。

傳統的週末晚舞會也恢復舉行。我經常參加這些舞會，並且再度見到毛澤東。由於勝利已經近在眼前，因此資深的黨領導經常進進出出的去參加高階會議，計畫如何取得天津、北京以及上海，並開始籌組這些城市的新管理架構，以恢復這些城市的經濟。

有一天大清早，我遇到了毛澤東。那時太陽才剛升起，我也才剛起身出門散步，我們住的村子位在兩排山脈中的谷地，中間有一條美麗的清澈小溪流過。那天清早寒冷多霧，天空籠罩著一層正午前會消散的陰霾。田裡的冬麥已經抽芽，土地聞起來豐饒肥沃，那是混合了泥土、水、農民用糞及灰攙合成的肥料的氣味。

走在窄窄的土徑上，我看到晨霧中有個身影踩著緩慢從容的步伐，雙手反握在背後走過來，那就是毛澤東。在他身後約四十碼處有個武裝的貼身警衛，手上還拿著毛的外套。毛澤東顯然並未看到我，他正跨越過田野，踏上畫界的田埂。

我走向手拿外套的那個警衛，「為什麼不把外套給他呢？」我說，「外面很冷。」那個警衛笑了笑說：「沒有用，他不會穿的。他們也是要我帶出來，但他就是不肯穿。而且他也不讓我靠近他，他怕那樣會嚇走農民。」

毛澤東走向一群蹲在田埂邊抽著長柄旱煙斗的農民，他們抬頭看到毛澤東走過來，但是沒有人起身或移動。毛澤東蹲到他們的旁邊。對他們這樣年紀的人來說，要如此蹲下來想必很吃力。那時他大約已經五十五歲了，身軀臃腫而僵硬。接著我便看到他開口說話，笑聲也不時的傳來。我知道農民不可能完全聽懂毛澤東那口濃重的湖南腔，毛澤東也不可能完全聽得懂農民說些什麼，但我覺得他們之間似乎頗為怡然自得。

在我看來，毛澤東身處戰亂之中，不以自身的安危為慮，實在是了不起。像其他的黨領導人一樣，他用「李得勝」的假名住在村裡，周恩來依然化名為「鬍公」，而劉少奇則被稱為「校長」。至於廖承志，我們則叫他「三〇二」——這是他在重慶，被國民黨祕密警察及美國海軍情報局關在土牢時的囚犯號碼。這裡每個人都知道毛澤東的真實身分，可是國民黨從來沒有辦法找到他。

這時毛澤東又回頭走上小路，我站在小徑上直到他走近，「早安。」我說。「你起得很早。」他回答著。

「我只是出來散步，你也很早啊！」

「噢！」他說，「我還沒上床呢！」

「為什麼呢？」我明知故問。

「打仗忙。」他回答。

那天早上稍晚時，我把碰到毛澤東的事告訴電台的一位戰地記者，他告訴我，毛澤東已經有兩個星期沒有睡覺了。他一直在戰情室構思戰略，並向部隊下達命令。

* * *

一九四八年，我終於嚐到了不計代價照顧錢新及彭迪夫婦的苦果。我開始覺得身體不對勁，到了下午及晚上就會發燒。幾位醫生來看過之後都找不到病因，直到專為黨領導看病的黃醫生終於為我診斷出別人所無法診斷出的：我兩邊的肺都有結核的跡象。

那時對結核病並沒有特效藥。我問黃醫生，我該怎麼辦呢？「這是考驗你在中國停留這一陣子到底吸收了多少。」他說。「如果你的反應是典型中國革命分子的反應，那你就不會為這個病煩惱操心。你會遵從醫生的告誡及醫方，同時完全忘記自己生病這件事，並且信心十足的認為自己可以克服這個病。」

我在醫院裡待了一個月，看書、睡覺，以及散步。我看了一些中國古典名著，例如水滸傳、三國演義等。有一天傍晚我在林外散步，迎面遇上了醫院的政委，他神色興奮，於是我問他：「怎麼回事？」

他告訴我黨中央的革命軍事委員會剛剛開完一項高層會議。贏取戰爭最後勝利的計畫已經擬定，而黨方面已將這場戰爭定名為解放戰爭。這時，人民解放軍正全力進攻國民黨的兩個主要陣地：山東省會濟南，以及控制東北進入長城、南下華北要道的錦州。

他大略勾勒這項最後決戰的戰略。他說人民解放軍將會攻取濟南及錦州，一旦拿下之後，林彪的東北軍將殲滅國民黨在滿州的主力，並解放東北全區，接著東北軍會長驅直下，越過長城進入華北，會合那裡的人民解放軍，然後解放北京、天津。最後，華北、華東，以及華中的軍力將會同南下揚子江，希望在江北將蔣介石的殘餘主力完全摧毀。

我那時的興奮是無法用言語形容的，我終於看到勝利在望。

當我身體康復回到新聞部門時，我迫不及待的將這個好消息告訴我所有的同事。這個消息確也造成轟動，但卻不是我預期的激動場面。每個人都目瞪口呆，認為這是嚴重的洩漏軍機行為。許多低階人員明顯嫉妒我，能夠在上級向他們發佈這項重要訊息之前就獲知這個消息。黨支部書記也因此批評我，並要求我在英語部門的團體會議時做自我檢討。

我又再一次踰越分際，做出不能為人接受的行為。

* * *

一九四九年初，黨中央宣布，將徹底解決思想改造運動所發現的所有問題。

有天我碰到戰地記者魯葉，他正氣沖沖的在辦公室走來走去，一邊大口喝水，一邊向願意聽他吐苦水的人發牢騷：「又來了，」他叫著，「他們又叫我再寫一次自傳。」他顯然很害怕。上一次的思想改造時，他被指控為間諜。

過沒多久，我也奉命重擬一份新的自傳。留著山羊鬍，以前在延安和我住隔壁的湖南人丁明，以他曾被指控為間諜的經驗，說他願意幫助我。我列舉出我過去的詳細政治背景，他寫下來，然後由我簽名。丁明說黨只是要澄清我背景裡的一些細節。

我並不像魯葉，我並不害怕，我反而歡迎這種清查。畢竟，我自認沒有什麼可隱瞞的。

* * *

幾天後，英語組裡的第二號人物陳龍，突然在早餐前走進我的住處與我閒談。他說由於我現在與他們共事了一段時間，在工作上也頗有表現，因此黨現在比以前對我有更深的了解。他鼓勵我繼續向前努力，不用為任何事擔心，如果我有任何問題或情況，可以向他報告。我向他說謝謝，並告訴他一切都很好。

又過了幾天，我在英語組辦公室加班，老韓也在。老韓是個舉止怪異的研究人員，他曾在國民黨的監獄中遭到酷刑虐待，因此精神有些錯亂。

我把老韓當作朋友，經常在一起談天說笑。但是那天晚上，他的表情卻極端嚴肅，「我一直在觀察你如何進行工作，而你很聰明，」他說，「你總是和我們同志建立私人交情，送他們小禮物或是幫他們學東學西。你認為我不知道你真正的企圖，但我一眼就看穿了，過幾天你就知道了。」

他是什麼意思?我那時想他大概又在發神經。然而他說的「我們同志」卻使我困擾，難道我不也是他的同志?

大約一個星期後的早餐時，我收到一份緊急命令:立刻到廖承志的宿舍報到。當我到達後，廖承志正站在屋子中間，手上拿著一張紙。「你被上級指派去進行一項特別任務，」他說，「半小時內會有人來接你，把你的行李盡快收拾好。」

當我還在想是怎麼回事時，廖承志給我看那張紙，那是中央委員會的組織部所簽發的一件文件。上面寫著:「中央委員會的一位負責同志將會去接李敦白同志，然後帶他到北京去執行一項特別任務。」

我將比新聞部門的其他人都早進入北京!我好興奮。共產黨方面一直在和國民黨方面協商北京的投降事宜，和平跟勝利近在眼前。很明顯，我想，這道命令意謂著我將被派去協助共產黨和美方談判、討論新政府和美國建立外交關係的事宜，我終於將擔任歷史為我安排的任務!這個想法令我狂喜不已。

我已經沒有時間向魏琳道別，於是我匆忙的草寫了一張紙條給她，告訴她我們很快就會在北京碰面。我收了幾件衣服，並塞了一些盥洗用具到小袋子內，然後再回到廖承志的辦公室裡等人來接我。當我和廖承志站在那裡閒談時，丁明匆忙拿著一份外電走進來，那是一份蘇俄塔斯社的外電報導，丁明用他高亢、顫動的語調唸出外電內容:「惡名昭彰的美國政府間諜，安娜·路易絲．史莊在莫斯科被捕。」

「真的嗎？」廖承志叫著，並把眼神投向站在一旁的我，「這有可能嗎？」

我愣住了。那個年長的安娜．路易絲．史莊是個間諜？那似乎是不可能的，但我卻沒有多少時間去細思，因為就在那時候，一個傳令走進來報告，吉普車已經來載我，車上還有石哲同志。我很高興聽到有石哲同行，他是一個年長和藹的老同志，擔任中央委員會城市工作部門的副部長，負責黨的安全組織。他會是我這趟到北京長遠旅程中的好夥伴。

在走向吉普車時，廖承志在離開延安後第一次真情流露的對我表示關懷。他把手搭在我的肩上一起往外走，並且告訴我，「不要擔心，小洋鬼子。每件事最後都會平順的，不要太過擔憂，不論發生什麼事，千萬不要像劉備進荊州城時那樣。」

那是什麼意思？在患結核病時，我從三國演義上知道了劉備的故事。但劉備在進荊州城後到底做了什麼呢？我絞盡腦汁也想不起來。

我感激廖承志的溫馨及支持，並且愉快的坐上吉普車的前座。石哲坐在後座，旁邊坐個滿臉笑容的年輕人。司機啟動了車子，然後我們就沿著滹沱河畔向著北京的方向駛去。

我們沿著蜿蜒曲折的河流左右穿梭，駛在路面壓實的窄窄車路上。路旁可以看到頭上綁著閃亮白布的農民，肩挑著兩擔水，長長的水桶就順著他們輕盈的脚步左右搖擺。在吉普車上，我仍然滿心愉快的幻想著我會在共產黨的新人民政府下扮演什麼角色，而坐在石哲旁邊，那個被我私下取名為「微笑中尉」的年輕人，却在此時大叫了一聲，「哎呀！」並且做了一個懊惱的手勢。

「我忘了帶熱水瓶了，」他說，「這趟旅程又長又乾，我們最好是回頭去拿。」

石哲滿臉懊惱的看著這個年輕人，「我想我們一定得回去拿，」他說，然後轉向司機，「掉頭載我們回灰石村，我們要拿點東西。」

我們順著來的路往回走，不久後吉普車左轉涉過仍是冬季枯水期的滹沱河，並爬上對岸朝著灰石村駛去。吉普車駛進村內的街上，停在一棟似乎是以前當地財主住的中國庭院的高牆外，「你在外面稍等一下，」石哲說著，然後與那個年輕的軍官跨下車，「我們一會兒就出來。」

我也樂於在外頭等著，因為那時我已經將全套禦寒冬衣穿上，我不想為了進去幾分鐘而將這些衣服一件件脫掉。

我坐在車上等。四、五分鐘後，那個年輕、滿臉堆笑的軍官又再出現，「石哲同志請您進來喝杯熱茶，」他說，「他碰上一些事要處理，可能要耽擱一點時間，進來你也會比較舒服。」

我跳下車，隨著他走進那棟宅院的大門。宅院的內部就像從外面看的一樣：典型的地方鄉紳的房子，單層的四合院。大門的左邊一排房子，右邊一排，大廳及主臥房則正對著我們，在院子的後方。

那個年輕的軍官招呼我走進左邊的房間內，房內有一張四方桌及一些木椅。「請坐，」他說，臉上依然帶著笑容，「他們馬上就會給你送茶來。」說完他就離開房間。

我等了大約兩分鐘，然後我就聽到有人——或是有樣東西——踩著屋外庭院上的石板路慢慢靠近。躂、躂、躂、躂，我好奇的等著，等著我的茶。然後門打開了，一個邊拍打著手上木杖的男人走了進來。他是個中年人，中等身材，穿著一件灰暗的毛料幹部裝。但最讓我注意的是他的眼睛，大得像銀圓一般，這雙眼睛不只是大，而且充滿強烈的情緒，那是一對痛苦、怨恨、憤怒、瞪視、控訴的眼睛。

接著他開始用低沉沙啞的聲音說：「李敦白，我們奉中國革命軍委會的命令逮捕你，你接受美國帝國主義的指示來破壞中國革命！」

第七章 黑暗歲月

大地在我脚下晃動，房子在我眼前旋轉。突來的震驚像在我腦門正中刺一刀一樣，我整個人蹣跚踉蹌。我？被逮捕？這不可能是真的。我凝視著那個人，卻說不出話來。

房間內突然起了一陣激烈騷動。六個彪形大漢一湧而上，搜我的衣服及身體。他們拿走我的私人物品，其中有個人甚至撬開我的嘴巴，並伸手進去檢查。搜查結束後，他們交給我一套棉內衣、棉襪，一件黑布夾褲及夾克。我穿上這些衣服，然後他們將我帶到庭院對面的一間房內，並把我留在那裡。

這間房間比原先那間小了很多，四面的窗子完全用木板釘上，不讓光線透進來。一座大磚炕佔去了房內大部分空間，門是木造的，上方則開了一個窺視口。有個警衛拿給我一個銅製的臉盆以及一條小毛巾。當他轉身要走時，我哭了起來。警衛竟出乎意料之外的安慰我，「喂，喂，」他說，「你怎麼了？是不是有什麼問題，組織不能幫你解決？」

說完後，他關上門並上了鎖，剩下我一個人獨自在完全的黑暗中。

那天是一九四九年，一月二十一日。

一小時後，我又被押回到原本的那間大房間。我坐在門右邊的椅子上，正對著一張桌子。桌子的另一邊坐著石哲及那個我私下稱為「微笑中尉」的年輕人，只是此刻他的臉上再也沒有一絲笑容。

石哲瞪視著我，「李敦白，」他說，「現在你面前有兩條路，而你必須選擇其中之一。」

「第一條路：完完整整招認你所犯下的罪。如果你能這麼做，我可以保證沒有人會知道你曾經來過這個小房間。我們的目的是要奪下敵人計畫用來砍殺我們的匕首，然後轉過來對付敵人。因此如果你把一切都招出來，那我們就立刻回到吉普車上，回到北京，你可以繼續擔任對抗敵人的光榮使命。而如果你心裡還有一丁點的真誠，如果你真的還有良知及人性的話，你就會選擇這條路。

「第二條路：企圖隱瞞自己的罪行，企圖掩飾自己的真實身分，繼續冒充革命分子，並拒絕說真話。如果你選擇這條路——而如我所說的，如何選擇在你自己——你就必須在這裡待上一段時間，想辦法應付我們。不過到頭來，你還是會說的，我可以向你保證。我們有許多讓人說實話的方法，許許多多不同的方法。請相信我們——不論你是如何輕視我們中國人——知道如何做自己的工作。我們有辦法讓任何人說實話——任何人，更何況是像你這樣的角色。」

「所以你盡可以選擇第二條路。不過我可以向你保證，」石哲拍胸脯、堅決的說，「你會受不了的。黨方面的原則簡單明瞭，坦白從寬，抗拒從嚴。你自己選吧！」

當他說這些話的時候，我了解到我的被捕，一定和安娜·路易絲·史莊在莫斯科被捕有關，只是我不確定這兩件事的關聯何在。

我依然無法相信發生在自己身上的事，「這完全是個誤會，」我結結巴巴的說，「我跟帝國主義、破壞或間諜完全無關。」

啪！石哲一拳打在桌上。「繼續說謊偽裝下去好了，看你會有什麼後果！你把我們當什麼？傻瓜？你認為我們會隨隨便便把一個外國人抓來這裡嗎？沒有真憑實據，我們會這樣做嗎？」

「錯誤總是難免，」我吞吞吐吐的說，「我不是說——。」

但石哲再度打斷我的話。「不管你是什麼意思，我可是告訴你，如果你決定試探我們，看我們有多狠的話，那你就犯了天大的錯誤。畢竟，」他用冷笑的口氣繼續說，「對你們美國人而言，沒有比自己生命更珍貴的東西了，不是嗎？你的生命、你的酒、你的錢、你的女人……。」

他這番嘲弄幫助了我，因為那讓我生氣起來。「那不是真的，」我說，「美國人能夠跟任何人種一樣的英勇，只要他覺得有理想可以去奉獻。看看中途島戰役中的那些英雄，看看那些和我同樣來自南方的英雄……」

「不要和我辯……」石哲大吼，雙手插在褲袋裡走過來走過去，然後用俄化德語重複一遍他剛講的話：「Dee－ah－lesh－fish」。

我又哭了起來，「這就像是一場噩夢，」我回答著，「而現在你又威脅要對我動刑。」我故意渲染他所說的「有許多讓人說實話的方法」，而我將無法承受。

「我從沒有這樣說過，」他回答著，「過去我們曾經犯過那樣的錯誤，但是我們絕不會再犯相同的錯誤。即使我們當中有人有時想要動粗，毛主席也不准。」

接著他們就把我送回那間小房間。

＊　＊　＊

我坐在炕邊。我想躺下來，讓自己快沸騰的腦子休息。

「啪！啪！啪！」有人在外面用力的敲門，然後一雙眼睛露在門上的小洞。「不准睡覺！」一個聲音響起。

「我沒有睡覺。」我抗議著。

「規矩點，繼續走動，要不就在炕邊坐好。熄燈後你才可以睡覺，白天不准睡。」

只准在這間漆黑的小房間內不斷走動？那誰能忍受多久呢？

我開始踱步。

從炕到牆大約是三到四步的距離。往前走四步、轉身，再往後走四步。我開始前前後後的走來走去。突然間一首古老的詩浮上我心頭：

走六步，一輩子；
走六步，兩輩子。

他們怎麼能夠逮捕我呢？他們怎麼能夠指控我是間諜呢？他們怎麼能夠將我關在這個黑暗的房間內呢？他們怎麼能夠將這些罪名加在我身上呢？他們怎麼能夠恨我又怕我呢？難道我對他們不夠開放和誠實嗎？難道他們看不到我對他們的愛及熱情嗎？此種做法一點也沒有人性。整個中國革命似乎在突然間變成一個龐然巨大、完全反個人的歷史機器，拒絕及鄙視所有人性的愛和信任。

但我並不是革命的敵人，我依然熱切的相信革命。我不恨黨，我愛這個黨，也愛它的目標以及它要改變世界的奮鬥。我甚至不恨這裡的人，即使他們壓迫我，毫無同情心及人性。他們會這樣控訴我，是因為他們認為是為了那些長久被壓榨、迫害的中國人民。我告訴自己，他們必須清除掉內部的敵人，只是我這個案子他們犯了錯誤，我並不是他們的敵人，我是他們的朋友。問題並不是出在黨或是黨所使用的方法，只是我不巧掉入了一個原本為他人設計好的陷阱，就像一隻麻雀掉入一個捕狠的獸夾中。

我告訴自己，這一定是個天大的誤會！但是接著我想到一件更可怕的事——如果黨冤枉指控我這麼可怕的罪名的事實傳了出去，那將對黨有不利的影響。那會損害了我所敬愛的毛澤東或周恩來在人民眼中的形象，甚而可能進一步造成國際風波。我不能讓這件事被用來對付黨及破壞黨的目標。我必須努力讓自己保持勇敢、理智及清醒，不僅是為了我自己，更是為了革命。

我很清楚精神崩潰是我面臨的主要威脅。

過去所曾聽說過精神受永久傷害的事件，閃過我心頭，我想起了那些在延安思想改造運動中受到嚴重打擊的人：渾身顫抖的江其深、神經兮兮的左漠野、驚弓之鳥的魯葉、憂怨哀傷的丁明。無論如何，我絕不讓自己受到像延安那些朋友一樣的傷害。他們最後在自己與他們想要服務的人之間造成一道不可跨越的鴻溝。他們痛苦、受傷，並且永遠不能復原。

我下定決心，這間小暗房將是考驗我自己及我所信仰的哲學的試煉場——而信仰終將獲勝。如果我能通過這個考驗，那也是來自對這些信仰充分的了解。我不屑成為那些精神受傷害的一羣。我將堅持到最後，堅持與人民同在一起，不論發生什麼事。

但是在眼前，我唯一能做的就是來回踱步。午餐時候，一個饅頭及一碗蔬菜從門外送進來。晚餐則是一碗小米稀飯。接著守衛拿了一盞豆油燈進來，掛在門的右上方。豆油燈射出陰森森的深黃色光芒，只夠使我看清炕緣和地板的界線。

我不停的走來走去，心頭思緒翻湧。我能怎麼辦？我能怎麼辦？最後警衛進來告訴我該睡覺了。我躺在那冷硬的土炕上，身上蓋著外套、棉布衣以及一床薄棉被。我雙眼凝視著那盞微弱的豆油燈，心裡仍縈繞著這難以理解，謎一般的遭遇；以及因為停下來喝一杯茶所開始的一連串無法想像的冤屈。而這杯茶之苦，竟是我這輩子前所未曾嚐過的，那苦味就一直停留在我嘴巴裡，無法除去。

* * *

一陣敲門聲隔天清早將我叫醒。守衛由門外推進一個臉盆、一杯水以及一把牙刷，我漱洗完畢後，他立刻拿走這些東西。早餐是一碗稀飯以及一些鹹菜。

我又開始來回踱步。走四步，轉身。走四步，轉身。我審視自己的情況。我的健康情況並不好，我兩邊的肺結核情況仍在。我極端的寂寞。因為無法忍受與妻子分隔一夜而不惜違反黨紀的我，如今竟要與所有人分離，天知道這種分離還要持續多久。更糟的是，我仍然害怕炸彈，而如今我卻困在一個無法朝防空洞移動半步的房間裡。

我必須做一些積極的事，我該如何說服我所面對的這一羣經過高度訓練、心腸冷硬的人，讓他們相信我不是間諜？

接著我做了一個決定。我決心依著他們的規則來打這場仗。我決定要相信黨。我覺得只要我每件事都說實話，黨就會諒解我，並給我公平審判。如果我把對自己有利的事情有憑有據的說明清楚，同時把可能造成他們有絲毫懷疑的任何小事全部交代出來，那我就能證明自己並沒有隱瞞任何事。

想好策略後，我心裡覺得好過些。我開始將自己的事拼湊起來。整整兩天，我在那間黑牢內來回不停的走動、思考、計畫、擔憂、悲傷。

第四天早餐後，門打開了，警衛將我帶出房間，跨過庭院來到那間審訊室。這次只有那個年輕的軍官獨自坐在桌子後面，警衛則背靠著門站立。那個年輕軍官姓蘇，有一剎那他那迎合人的笑容又回到臉上。「這幾天你都在想什麼？」他問著，就像是一個學校老師正在詢問一個剛放完假回來的學生一樣。

「我一直想著要表白我自己，就如同你們說的——實實在在的，不隱瞞任何事。」

「不要急著交代，」蘇很冷漠的回答。「你的第一個問題是要改正你的態度。態度如果沒有改變，你不可能把自己的罪完整交代清楚。我們上次談話時，你的態度非常非常惡劣。」

「我的改變就是我現在已經準備要說了，」我回答著，「而且我知道自己該說些什麼，不過我不懂你要我改變態度的意思，如果我承認了不真實的罪名，那肯定不會是個好態度。」

蘇憤怒的瞪著我。「誰要你承認任何不真實的事了？」他暴吼著，「我有要你這樣做嗎？石哲同志有要你這樣做嗎？我必須警告你，我們一直對你極為客氣，你說話最好也小心點，我們的耐心是有限的。」

「為了要改變你的態度，」蘇繼續說，「你必須研究並了解黨的政策：坦白從寬，抗拒從嚴。所以現在先不要想交代你自己的事，那是沒有用的。只要研究黨的政策，並努力改正你的態度，你了解嗎？」

「我當然樂意去研讀任何你給我的東西。」我說。

「就只要研讀這個簡單的句子，坦白從寬，抗拒從嚴。」

然後，我又被帶回那間黑屋內。

* * *

從那個下午直到晚上，我一直思索那條黨的政策，「坦白從寬，抗拒從嚴」。如果我是無辜的，那坦白就意謂著陳述我自己的無辜，並據此回答他們的任何問題，就不會有錯。而他們也不應該會只因為我不承認他們所指控的罪狀，就認為我是在抗拒。我該做的就是堅持立場。但是在另外一方面，他們已經把自身建立成唯一的權威，而他們的態度是，如果我們認為你有罪，那你就有罪，否認就是攻擊他們，而且就是態度惡劣。

會不會這次的逮捕根本就不是真的，只是一個考驗？或者這是更為嚴格及艱難的一種思想改造形式，用來考驗重要的新黨員，以強化他們的精神，清除他們的缺點，使他們能準備好在革命中承擔更重要的任務？如果是這樣，他們根本就不是在排擠，而是更完整的接納我。

我的心思因為這個想法而雀躍。但是如果這不是測試呢？如果真的是要將我排擠出黨外？一想到他們要排拒我，痛苦就像電流般的穿過我身體。我多麼想要成為他們之間的一員！他們為什麼會不知道呢？他們怎麼可以將我趕出黨外呢？

在那間小小的黑暗房間內，我的心思不停來回搖擺，一下子相信他們表面所說的，一下子又想從他們的言行中尋找弦外之音，看是否有比較令人振奮的解釋。搖擺不定的想法令我迹近精神錯亂，不知道什麼是對的，也不知道該相信自己的哪一種直覺才好。有時候，我會感受到他們的拒絕及惡意威脅的沉重壓力。而下一刻，我又往好處想，或許是自己杞人憂天，這些同志正希望並且祈禱我能通過這個忠誠考驗，進而從意識形態上改造自己，以進入黨的真正核心。我告訴自己，不論是哪種情況，闖過這關的唯一方法就是保持頭腦冷靜，要強硬——有禮貌，但是堅定——並堅持到底。

幾天後的一個早晨，我又被帶到審訊室，再度面對蘇姓軍官。「你說你要交代自己的事情，」他開始說著，「我們決定讓你說。不過我必須把話說在前頭，我們不要任何美化和裝飾，把事實源源本本的說出來，不要隱瞞，也不要誇張。要小心分辨清楚，什麼是你確知的事實，什麼是你想應該是個事實，以及什麼是你曾聽到或看到，但並不能真正確定的事實。並且牢記黨的政策：坦白從寬，抗拒從嚴。」

我從自己的家庭背景開始：不是無產階級，但也不是統治階級。我告訴蘇我的祖父和父親是多好的人，他們是如何為那些受壓迫人的權益而努力，他們在查爾斯頓有多受尊崇及敬重，以及我的家庭有多看重榮譽及真誠。接著我談到自己的教育過程。在念私立中學時，我就反對預備軍官訓練團，在北卡大學念書時，我參加了激進的學生運動，這完全是受到外祖父，一個猶太裔的蘇俄革命分子的影響；在十八歲時就參加美國共產黨，並且在南方從事勞工及民權運動。在陸軍時，我努力學習中文並得到前來中國的機會，而當我到達中國後，我就盡全力支持中國革命……

蘇很有禮貌的聽著，並且將我所說的每件事都寫下來。他特別問起我到中國後所作所為的詳細細節，我則盡可能詳細的回答。當我終於講完後，他叫我回到小暗房內休息一下，稍過一會兒，他會再有問題問我。

我心裡鬆了一口氣。他並未挑剔、嘲笑，或者駁斥我所說的任何事──包括我將自己描述成一個真誠的革命者的時候。自被關進來後，這是我第一次在黑暗的盡頭看到光亮。

第二天早上，我再度被帶到審訊室去面對蘇的詢問，他平靜的開口：「你很少提到你的人際交往。你應該交代一下，最好是列個名單，然後我們來討論討論。」

我想這應該是個好兆頭，這件事很容易。我的交友狀況毫無可疑之處，我甚至可以告訴他我所知道的，有關安娜·路易絲·史莊的任何事。如果她是間諜，我最好是讓他們知道我與她全部、但其實極為有限的交情，不過我還是不相信她是間諜，我也不相信共產黨竟會相信這件事。

隔天早上我再度被帶回審訊室，蘇開頭就問：「好了，從昨天開始，你都在想些什麼？」

「我已經準備好要談一些交友情況，」我回答著，「從安娜·路易絲·史莊開始。」

「噢，很好。」他回答著，「如果你想從她開始，那就開始吧！」他若有期待的拿起筆。

我開始說了起來：我們如何認識，是誰介紹的，離開美國後我曾在什麼時間、什麼地點再看到她，我們都談些什麼，以及我如何湊巧的在中國與她共同工作。

突然間，姓蘇的將軍將筆丟在桌上，一臉厭惡的瞪著我。「這完全在浪費我的時間，」他說，「你難道認為我成天沒事幹，就專門坐在這裡聽你的廢話？回房去好好想想，仔細而老實的想想我們一直告訴你的：坦白從寬，抗拒從嚴。我再警告你，如果你繼續這樣下去，你很快就會嘗到嚴酷的滋味。」

我嚇呆了。就在我以為我已經贏得他一些了解時，他又狠狠的給我一擊！

姓蘇的一定看穿了我的心事，他嚴酷的說，「不要只因為我沒有一點斥責或揭穿的將你所說的記下來，就認為我會相信一丁點你對我所說的廢話。你的態度是完全的不老實——而你應該知道態度對決定你的命運有多重要。你一直在逃避所有重要的問題，只告訴我們一些無關緊要的廢話，你以為我們是三歲小孩，隨隨便便就被你這種角色騙了？」

「看來你已經決定不給我任何機會了，」我垂頭喪氣的說著，「你一直在要求我，除非我承認自己是個間諜——但我真的不是——要不然就別想出去，你早就做好結論，並定了我的罪了，你只是一直要我附和你的結論而已。」

「住口！」姓蘇的對我狂吼，他的臉發紅，而他死灰的眼神中充滿怨恨。「誰告訴你我們早就做下結論的？你這是在誹謗中國人民，我警告你想想這個舉動會為你帶來什麼樣的後果。你知道我們的政策——我每天對你重複過十次。你最好再想想，並讓自己誠實一點。」

* * *

三天後，我再度被叫出小暗房去面對蘇。

我已有準備。我交代了一串我最可疑的交往及行為。我在史丹福大學唸書時一度想盡辦法要加入戰略特勤組（OSS），我有個表哥在為聯邦調查局做事，我在面對國民黨轟炸時極為懦弱，有損共產黨的形象，我在延安與那個女人交往時犯了道德錯誤。

當我說到聯合國善後救濟總署觀察部門的主管，要求我在共產黨解放區做一些情報蒐集工作時，我察覺到姓蘇的開始感到興趣，但是他非常謹慎的隱藏情緒，很明顯的是不想對我所說的透露出任何感覺。這次問話結束後，他告訴我將會給我紙筆，讓我將自己所講的要旨記下。

那個下午，我懷著一點成就感及一些解脫感的寫下自己所說的，我總算能交代出一些他們願意接受的事。

但是當我再度與姓蘇的碰面，他卻一臉不屑的拿起我寫的那張紙，「有時候，」他說，「有時候我們會要你寫下一些東西，那是我們覺得你並未說實話而是在隱藏一些問題的真相，或是我們覺得你藉由討論某件事情來隱瞞其他事情。而我們這樣做的目的只是再給你一次機會，希望你改正態度及說實話。但是你卻再度失敗，因此也喪失了這個機會。我們決定再讓你坐下來好好想想你的態度及黨的政策。回你房間去吧！」

我覺得悽慘。他們再一次給我一點希望，然後再斷然的將這希望全盤抹殺。我盡全力想成為一個革命同志，向黨交心坦白，也願意採取嚴格的自我檢討的態度。但是他卻不停的斥責我，指控我不誠實。

這不僅只是個悲慘的噩夢，更是個瘋狂的噩夢。沒有一件事有絲毫道理。我對孤寂以及精神錯亂的畏懼愈來愈強烈，並開始吞噬我的心靈。我飢渴的想獲得一些意義，一些邏輯，一些人類情感及了解。我的腦子轉個不停，在希望與絕望之間來回擺盪，來來回回，前前後後，不停的擺盪。

* * *

兩個禮拜在沉寂及黑暗中度過，而我心裡有一個巧妙念頭慢慢產生。如果我捏造個故事承認自己是個間諜，並且不牽連任何人的話，或許我就能獲得他們的寬恕。我可能會被送到極北或西陲的荒野去勞改。在那裡我們長年勞動，並贏得其他勞改犯及看管人的尊敬。總有一天，我能夠向所有人透露我的罪狀是假造的。而我會解釋說我這麼做是為了要保護黨的名聲，並且經由這樣，證明自己的忠誠及奉獻。

確信我這個計畫行得通，我走到門邊呼叫警衛：「報告！」

「嗯？什麼事？」守衛回答著。

「我已經想通了，我要認罪。」我說。

那天並未發生任何事。但是隔天早上早餐後，一個守衛遞給我三張信紙以及一枝鉛筆。「寫吧。」他說。接著他把我那副在入獄第一天就不見的眼鏡還給我，他還把門開著，使我能藉著一點天光寫字。

我坐下來開始編造，我是被派遣到共產黨的解放區內從事情報工作的故事。我必須自行設法將這些情報送回美國，給某個不知名的朋友，他自然有管道將情報傳給適當的人。我將這份「供狀」給了守衛，並等著看會有什麼情況發生。

隔天早上我又被帶到審訊室。我很訝異的看到姓蘇的和那個拿著手杖宣布我罪狀的人一起出現。拿著手杖的那人首先開口說：「小資產階級的最大特色就是，他們會透露一點、保留一點，然後再透露一點、保留一點。你想解決自己問題的唯一方式就是將全部實情說出，毫不隱瞞。你知道嗎？」

「是的，我了解。」我回答，為他溫和的語氣而鬆了一口氣。「所有的事實都在那份自白書內了。」

他搖了搖頭。「再回去仔細的想想，」他說，「很仔細的。現在是你以行動來解決你的問題的時候了。」

幾天後我又被帶回到審訊室。這次是姓蘇的和石哲兩個人，表情冷峻的坐在桌子後面。「你決定說實話了？」石哲說。

「是的，」我回答，「我已經了解黨的政策，而我願意全盤托出。」

「聽我說，」石哲說，「你必須一口氣全部說出來，包括你的人際關係，你的聯絡人，你如何完成你的任務，以及你在什麼時候踏出錯誤的第一步，你不會一下子就變成敵人的情報人員。唯有當你能清楚交代這些時，我們才能開始幫助你，拯救你，使你重新服務人民。」

我如墮冰窖。這個鬼囚室正在扭曲我的判斷能力。如果我是個間諜，那一定會有聯絡人以及傳送情報的方法。我怎麼可能不提任何人名就認罪呢？但提人名更是不可能。我說的任何人都一定會受害的。即使我隨便提一些早就離開中國的外國人，那這些人留在中國的朋友也會受到牽連。而說一些已死的中國人也不行，因為他們的親戚也可能成為我這錯誤指控下的犧牲者。

我沮喪的看著石哲。

他也看著我，冷肅的臉上帶著一點好奇的表情。「所以你是個特務了？」他唐突的問。

我點點頭。

他臉上奇怪的表情消失，代而起來的是一陣暴怒。「我見過各種特務，」他大罵著，「有的情報人員有自己的尊嚴。但你是個一點尊嚴也沒有的情報人員。」

他再度看著我，而我開始崩潰。「你說的是不是真話？」他問著。

我忍不住的大哭起來，我覺得自己的心都快碎了，我啜泣的搖著頭說：「不是，不是，那都是謊話。我不是間諜，我從來就不是，我也從來不會。為了贏回黨的信心所以我編了個故事。我再也不能忍受這件事了。你們就是一直要我去認一個我從未犯過的罪，而我無法說謊。我本來以為我可以，但我做不到。現在我完全不曉得該怎麼辦？」

石哲焦躁的站了起來，把手插進褲袋內，並開始在房間內走來走去。「我們可能要重新來過了，」他若有所思的說著，並停下步伐來，臉上帶著我第一次在延安歡迎會上見到他時的和善表情。「我高估了你的意識層次。我原以為你能了解我們在做什麼？我們難道曾經要你誇大或編造故事嗎？一開始時我不就告訴過你，隱藏事實是不對，而誇張也是不對的，我不是告訴過你嗎？」

「是的，」我回答，「但你也暗示如果我不認罪的話就會被拷問。」

「我們要你在這裡誠實的坦承自己，以便改進你的行為，改造你的意識形態。」石哲說，「這是對你有好處，是為你好。你應該能夠通過這次試驗的，但你對黨缺乏信心。」

我的精神頓時鬆懈下來。所以我的懷疑一直是對的——這是一場思想改造。這是一個我理應通過的測試，石哲從未真的認為我是個間諜，所以當我想認罪時他感到震驚及憤怒，此刻，每件事終於都明朗起來。「對不起，」我說，「我應該對黨更有信心才是。」

「算了，」石哲說，「有時候我們也不得不用較迂迴的方法，我們可能需要再慢一點來。不過可以確定的是你有問題，你有罪。你出去的唯一方式是對黨說實話。如果你不說實話，我們就不能清楚的了解你。現在，回去再想想。」

所以他們畢竟只是在試探我，他們只是要幫助我改造我自己，而我自己也願意的。我感到愉快而輕鬆，並且準備好迎接他們下個動作。

* * *

隔天早上，我感到神清氣爽，姓蘇的也再次露出笑容。「石哲同志指責我沒有幫助你，讓你有更好的體會，」他說，「從現在起，只要你需要幫助就讓我知道，我們可以談一談。當你覺得承受太大壓力時，我會幫你減輕這些負擔。」

我覺得陽光又再度從烏雲中露出來。而這種人性的溫暖及安慰正是我所需要的。

「從昨天以後，你都在想些什麼？」蘇問著。

「我一直為欺騙黨的事情而感到深深的歉意。」我回答。「我不知怎的竟會笨到認為黨在懷疑我是間諜。真不知這個念頭怎麼產生。」

姓蘇的咕嚕了一聲，並淡淡的笑了一下，就像是他不知道該怎麼回答般。

回到牢房後，我覺得石哲和姓蘇的似乎都不認為我是間諜；這使我整個人都輕鬆起來。那天晚上我睡得很好。隔天早上我踩著堅定但謹慎的腳步越過庭院，從現在開始將會是另一個不同的姓蘇的來面對我。我會告訴他我的問題，他會在我需要的時候聽我傾訴，他會幫助我。

但是當他從一堆文件中抬起頭來看我，當我看到他那張充滿憤怒的臉時，我感到腳下的泥土剎那間開始崩裂。

「李敦白，」他冷冷的開口說，「你自以為很聰明，是不是？你認為我們是一羣鄉巴佬，很輕易的就會被你這樣的聰明人騙了，是不是？我必須告訴你，過去幾天你對我們所做的，令人作嘔的表演已經完完全全失敗。沒有人會吃你這一套的。你知道黨的政策，而我必須再度告訴你，你只剩下有限的時間來改正你的態度、面對你的問題、解決你的問題。你最好仔細的再把事情想清楚。我們已經快沒有耐心了。」

我被帶回小暗房，整個人淹沒在絕望中。

＊　＊　＊

從那時候開始，所有外界的景物及聲音逐漸自我的世界退出。以前每天期待看到或聽到的小東西——例如吃飯時的碗、杯及湯匙、燕子的聲音、狗的叫聲，以及從遠處傳來的收音機音樂——都在我不經意中消失。我全部的注意力都轉向自我，想著我的焦慮、迷惑、悲傷，並不時的尋求這個恐怖噩夢的解答。腦中似乎有個破唱盤在轉著，不停的重複相同的問題，不停的重演拷問者的訊問。在那間幽暗而死寂的小牢房內，我來來回回的脚步更加的快了起來。

我從未畏懼過別人的粗話或咒罵。在以往，在美國南方身為一個勞工運動者時，我就曾遭遇過這些。但那時是面對敵人的辱罵，而現在卻是我的朋友，我所深愛、尊崇、仰慕，且一心一意想要服務的人如此的對待我。他們的誤解、抨擊，及威脅讓我感到殘忍，被他們懷疑及拒絕的痛苦幾乎令我難以承受。

幾天後一個我從未見過的人出現在門外，並經由門上的小洞對我講話。他有一口濃厚、我無法辨認的口音，「你的健康怎麼樣，李敦白？」他用粗率但關懷的口吻問著。

「噢，我還好。」我如此回答。

「你最好仔細的想一想，」他說，「我們已經解放北京，並且已經準備渡過揚子江。整個中國就快被解放了。你實在比蔣介石還要頑固。難道美國帝國主義這麼可愛，讓你無法背棄它？還是你對它的害怕超過你對我們的恐懼？」

接著他就如他突然出現般的突然消失。再過幾天後的一個早上，看守的人將門打開，手上端著一杯熱水及兩顆白色藥丸。「你最近有些小感冒，」他說，「把這藥吃了。」

「我沒有感冒，」我訝異的回答著，「我很好。」

「把藥吃了！」

我驚惶戰慄的將藥吞下去。而自此後我每天都被迫吃三次藥丸。

幾天後的晚上，我躺在炕上凝視掛在牆上的豆油燈。當我迷迷糊糊快要睡著之際，那跳動的燈火似乎變成一個小人兒，接著又變成一個舞者。我強迫自己閉了一下眼，而突然間的刺痛將我整個人痛醒，我直挺挺的彈坐在炕上，用手抓著自己的頭。我做了一個極為可怕的噩夢，一個橘黃色的火人在我的腦中跳舞、狂奔，攪得我頭痛欲裂。我的呼吸沉重、脈搏亂跳。我嚇壞了，但我怕什麼？什麼都沒有。不！不！不是什麼都沒有，我怕自己瘋了。

我不能靜靜坐著。我必須站起來走動。「報告！」我輕聲的叫警衛。

「什麼事？」

「拜託，」我說，「我現在不舒服，請讓我起來走一走。」

「你想幹嗎，走動？」他不悅的問著，「你馬上回到炕上睡覺！」

「但是我沒有辦法，我現在覺得很不對勁，請讓我走一會，然後我就會回去睡覺。」

「回到炕上睡覺，」他又說了一次，「如果你知道怎樣對你比較好的話，你就該守規矩點。」

「那拜託你叫一下蘇組長，」我哀求著，「他答應我要幫助我，請告訴他我現在需要他的幫助。」

我爬回炕上，而頭似乎是被緊上鐵箍般的一直作痛。我極為驚恐，但卻一直沒有姓蘇的影子。我必須站起來，我必須走動。但是我的脚一碰到地面，警衛就大叫：「回去躺下。」

「我要見蘇組長。」我說。

「他不會來的，你回到炕上。」

我再也回法忍耐，我大叫「蘇組長！蘇組長！」我期盼他睡在院內的某間房內，能聽到我的叫聲。「幫助我，幫助我，蘇！蘇！蘇！」

突然我聽到門鎖轉動的聲音。姓蘇的暴跳的打開門，站在警衛的手電筒光線後，他瘦長的臉因憤怒而扭曲。「李敦白，你在鬼叫什麼？」

「我非常的害怕，非常的緊張，我躺不住也睡不著。」

「你馬上安分的躺下來，不准在半夜製造騷動。」

「但是你說過要幫助我的，你忘記了嗎？難道你不相信我？我真的需要幫助，就是現在。」

「我並不是說我不相信你，我只是在警告你，」他亮出一副閃閃發亮的鋼製手銬，「如果你違犯紀律，我們只好用紀律來處罰你了。」

這是一個更新、更痛苦的傷害。姓蘇的曾允諾在我需要幫助的時候幫助我，但是現在他卻冷酷的拒絕，讓我掉進一個無底的痛苦深淵。

我強迫自己躺著直到黎明。但即使是在白天我仍感到萬分驚恐。這種事從未發生在我身上過。那些藥裡到底有什麼？

那天早上姓蘇的有點幸災樂禍的問我，「你昨天晚上大驚小怪的在吵些什麼？」

「我有很大的壓力問題，」我回答著，「可能是吃了那些藥的副作用。」

「副作用？」他似乎有些訝異。

就在這時候警衛拿了一粒白蒸包子給我。「來，」他說，「你最近吃得不太夠。」

這粒包子難道也是藥？我咬了一口。而突然間我整個人虛脫並癱倒在走道上，並且在還沒碰到地之前就不省人事。

接下來我只記得有三、四個守衛像抬著馬鈴薯麻袋一般的抬著我，而我像是發狂了一樣的笑著，並掙扎著要擺脫他們；他們非常的憤怒，把我抓得更緊。接著他們把我丟到炕上，然後鎖門。

我不知道自己在那裡躺了多久，在痛苦的噩夢以及幾乎一樣痛苦的半清醒狀態之間來回擺盪。我知道自己是誰，而且身體不舒服。但這是我唯一知道的事。在黑暗中，現實中的折磨與夢境中的折磨竟毫無接縫的結合在一起。

在那段日子裡，我有時候就裹著外套躺在地板上。守衛們為了要讓我鎮定下來，會用外套捂著我的嘴巴直到我快窒息為止。那時候我就像是又回到小時候，因為受傷等著縫合而躺在查爾斯頓醫院手術台上，不停的掙扎著要拿掉罩在鼻子上的痲醉罩，以避免去吸入那些辛辣的氣體。

接著毛澤東像瓶中精靈般出現在我面前，他的大臉嘲弄的瞪著我。我痛苦，我被閹割了，我赤裸而無助。而他幸災樂禍的看著我，似乎在品味我的痛苦。接著他變成一個有攻擊性的同性戀，用他那對詭異的女性眼神看著我，想要用暴力侵犯我，一步步的逼進。我不肯讓他得逞。

然後在靠門的一團影子中，我看到馬海德縮成一團的身軀。他也被去勢了。他躺在血泊中，驚惶萬狀的喃喃說：「李、李，你一定要答應……為了我的緣故……」。每次我拒絕他們，他們就砍殺馬海德。我聽到他的尖叫，甚至聽到刀子砍進他身體的聲音。我幫不上忙。我永遠不可能順從他們。我覺得噁心、煩悶，而空氣中更是充滿惡臭。

接著我又看到一隻猩猩。那是朱德——那位老司令官的臉，被硬塞進一隻猩猩的身體內。而他也正受著苦難，他原本慈祥的老臉變成了猩猩的醜臉，獠牙從兩片厚嘴唇中冒出，頭上則覆蓋一撮毛髮。接著那隻猩猩變成毛澤東，而毛澤東又變成猩猩，毛澤東又是撒旦，是邪惡的天才，是殘暴的怪物。當這個名字掠過我腦中時，它是最陰森、恐怖的字眼——毛澤東、毛澤東、毛澤東。

接著一切似乎慢慢清明起來，而我發現自己獨自躺在地板上。門邊則是我那件絲裡皮毛外套，已經被撕成碎片，領子被撕開，袖子被扯破；那堆破爛的「外套」大概就是馬海德、猩猩、毛澤東，以及朱德的身體，然後我又睡著。

但是噩夢並未停止。我變成舞王佛雷亞士坦（Fred Astaire），和珍姐羅吉絲（Ginger Rogers）翩翩起舞，從炕上跳到地板，再從地板跳回炕上，動作高雅而平穩，為了自己終於全然投入一首歌或一首詩中的滿足而狂喜。音樂和著我的每個動作，而我不停的跳著、跳著。直到我筋疲力竭的躺在炕上睡著為止。

接著魏琳出現，我們將彼此的身軀鎖在一起，而我被彼此擁抱時的那種全然心醉神迷的力道舉起、又摔落，然後我被狠狠的倒栽葱式的摔到炕上，一次又一次直到我萎倒在地板上，昏倒為止。

但是不論有多可怕，這些噩夢並未使我放棄。有時候我似乎看到我的朋友彭迪站在門外叫著，「快跑，快跑，」臉上帶著焦急，「繼續跑，」他大喊。頭上還戴著那頂陪他從延安走到太行山的尖帽子。他為我感到驚恐，而嘴巴似乎說著，「我們與你在一起，你一定要贏，我們都支持你；錢新也支持你，繼續跑，要贏，要贏！」

接著門外又有另一個聲音求我，那是周恩來的女兒孫維世，身上依然穿著我最後一次見到她的白上衣灰長褲，手臂也迅速的揮動著，她看起來鮮活、健康，可愛而友善。「周恩來要你贏，」她唱著說，「周恩來支持你，我們要你贏，加油。」

我的腦袋終於稍微清醒了一點，而清醒卻讓我看清我最大的噩夢便是自己還存在著。姓蘇的出現，他清晰而實在，不是幻影。「李敦白，」他不屑的說，「你是不是還有外國詭計要對我們使？你是不是還有更多外國歌劇要唱？」

姓蘇的在嘲弄我！我悲憤的瞪著他。

「你知不知道自己叫什麼名字，李敦白？你知不知道你是誰？你的頭腦現在清醒了嗎？」

我聽到他這些殘酷的字眼，接著我便又陷入昏迷。

幾個星期，幾個月，日子就這樣渾渾噩噩的過去，而每一天，每天三次，我都被迫吞食兩顆藥丸。

當我沒有陷入噩夢的糾纏時，我抑鬱的坐在炕邊。我還是可以聽得到喜鵲的吱喳，其他鳥類的叫聲，或是狗吠聲；但是不論是什麼樣的聲音，進入我的耳朵後，就變得憂鬱、痛苦、呆滯。

我一直處於瀕臨死亡，或等死的狀態，但我並不想死。我不想如此悲傷下去，不想只聽到悲哀的聲音，不想只看到焦慮、憂鬱、生氣的臉。我一點也不想要這些，但是希望在哪裡？希望跑去哪裡了？他們甚至已將希望從我身上奪走。

我再度陷入夢境。那是某個夏天，在南卡羅萊納州的蘇利文島（Sullivan's Island），我和鄰家一個漂亮小女孩在一起玩耍，她叫做「希望」。她有兩個姊妹，「信心」和「慈悲」。她們三個人立志成為修女，一輩子不結婚，我似乎看到「希望」的長髮、雀斑以及溫柔的愛爾蘭人的雙眼。她在呼喚著我，從遠處呼喚著我，但是她在哪裡呢？

然後「希望」寄給我一首詩。詩的字句從我迷霧濕潮的意識中清晰的浮現：

去承受起「希望」認為是無窮的苦難，
去寬恕比死亡及黑夜更黑暗的寃屈，
去抗拒似乎是無所不能的權力，
要去愛與承擔，去希望，直到「希望」到來，
在自己的悲哀中沉思，
不要去改變，顫抖或是後悔，
就像榮耀的太陽之子必須經歷的，
美好、偉大和快樂，美麗和自由，
伴隨著生命、愉悅、帝國，和勝利。

「希望」回來了！去抗拒比死亡或黑夜更為黑暗的權力！要抱著希望，直到「希望」從沉思悲哀中產生，在那裡就有力量，美麗和自由。沒有人能給你真正的自由，你的自由是來自從現在的苦難上，創造出自己的未來。所有問題的答案早就原本完整的在那裡，不需要再去尋思推理。「希望」幫我發現了解答，而「希望」本身就是解答。

有一天我被移出牢房，當我從那間黑暗的房間走出來時，我看到室外的顏色燦爛奪目，是我這輩子前所未見的。

他們將我放進一輛老式的日本軍用卡車的後座，並在卡車後面掛了一塊大帆布，使我看不到

任何東西，也沒有任何人可以看到我。

但是從大帆布的邊緣縫隙以及卡車周圍欄干的空隙中，我還是看到溫暖流動的田野，像是澄黃明亮的圖畫一般，而藍色的天空就藍得如同荷蘭青瓷杯的藍邊一樣清澈。每件事物都明亮，有如復活節的彩蛋一樣的色調美妙、奇異，但不真實，而且我無法集中精神的看任何事。我只能以一種消極的憂鬱向外凝視，並且想著自己將有什麼遭遇。

車子開了幾天後，我被帶到一座院落的一棟單層的小房子內，這棟小房子前有一棟單層、長長的磚造建築物，後方則是一堵高牆。小房子正門內的左邊有一間空房，正中間則是守衛們的起居室，而右邊的房間則被磚封死了。我被帶入左邊的房間內。房內有兩扇窗，一個在前，一個在旁邊，但是都已經被釘上木頭並貼上報紙。

在這裡，一連串新的噩夢開始。我看到魏琳像是聖母瑪利亞般的掛在牆上。她看起來非常美麗，但非常悲傷。她總是哭著，而一想到她總是令我心神俱傷，幾乎活不下去。那些警衛非常髒，具攻擊性，而且仇視我，就像我夢中的毛澤東一樣，其中的一名有同性戀傾向的守衛會趁沒有人在的時候想要侵犯我，但我全力抗拒，自那之後，他便會利用各種方法來報復我。

他們有時會將我帶到庭院中曬太陽，但我實在太虛弱了，而且頭暈得無法走路；因此我只能做的就是躺在走道上。有一天恰好是日蝕，而那些警衛趁我迷惑、頭腦不清之時，要我張大眼睛的盯著日蝕。愈來愈習於服從的我就照他們的話做。事後我發現到自己的雙眼浮腫的擠在一起，景物都在眼前跳動，而我的視力變得好模糊。

在那個房間內我似乎過了有三輩子那樣長，我根本無法分辨時間。我時而清醒，時而昏迷。而當我醒的時候，我又會做一些瘋狂的事。我總感到極端的飢餓，有好幾次我醒過來發現自己正在吃土蟋蟀。又有一次我竟將牆上的黏土膠泥撕下來吃，而且吃得津津有味。我聽到了守衛惡毒的嘲笑：「你是不是真的瘋了？讓我們看看你會不會吃大便。如果你吃的話，那我們就可以確定你是真的瘋了。」而當我醒來時，我看到自己正在吃自己的排泄物。

我知道我病了，我知道這不是真實的我，但我卻無法找回真實的自己。

有次，當某個守衛打開門對著我狂吼某件事時，我衝上前去用雙手推他。接著他們五、六個人衝進來就對我拳脚交加，並大罵著，「你竟敢攻擊我們的人，哼？你什麼意思？」每次只要我做一些狂野的事，守衛就用手銬將我銬起來。那是一種製作精巧的手銬，每次只要我試著掙扎使自己自由時，手銬就會「咔」的一聲將我的手腕銬得更緊。我大喊大叫，並乞求守衛將手銬除去，我扭著，轉著，想要讓手能自由，但這樣只有使手銬愈來愈緊，直到咬進我手腕上的肉為止。我昏了過去，而當我再度醒過來時，手銬已經拿掉，但我的雙手手腕卻割出血痕。

守衛不時的會帶進新的報紙來重新貼窗戶。房間非常灰暗而我的視力又很不好，因此大部分時候，我根本看不清報紙上寫些什麼。但是有一天他們用了一種不同的報紙來糊窗。這份報紙有著較大的頭條標題，而且是紅色的字。因而即使是在黯淡的豆油燈下，我仍看得到它的頭條斗大的寫著：中華人民共和國誕生。在我現在這種陰鬱，一切都模糊不明的情況下，這個消息讓我更加憂傷。因為它的發生並沒有我的參與，甚而這個我最盼望發生並且積極參與的事件，還是在我被活活關禁時產生的，我不知道這份報紙有多久了，我也不知道毛澤東在多久以前打贏內戰，產生新中國。

在那過後不久，很幸運的，我意識不清的情況逐漸好轉，而噩夢也逐漸消退。我依然有點暈眩，而情緒壓力所帶來的頭痛，尤其在夜裡，更是深深的令我擔憂。但我很確定自己已經逐漸熬過最壞的情況。

看管我的警衛也在這個時候開始像個母親般的關照我。「做事，做事，做點事。擦地板，洗衣服都可以。」看守的人提了一些水給我，而清理房間的工作確實開始協助我控制自己的心智。接著有一天，牢門被打開，而牢獄的典獄長也走進來，他叫做姚涙，是個細瘦、長臉，有個滑稽外表的人。「基本上，我們現在了解你了，」他說，「不要再擔心我們以前問過你的問題，現在都已經很明白了。」

他是不是在告訴我，我不再被指控為一個間諜？我幾乎不敢相信自己的耳朵。我的情緒已經過度的痲木而無法完全接受這個消息。

「不過你必須知道，」姚涙接著說，「我們還是必須了結你的案子，而這需要不少作業時間。在這段時間內，你還是不能出去工作或念書。」不過他說，在他們拘禁我的這段時間內，他們會給我一些閱讀及書寫資料，並且供給我燈光念書。

我用我痲木的情感所能表達的一再感謝他，他隨即離開。隨後牢房窗戶上的木板就立刻被敲下來，而我的小房間內湧進不可思議的光亮。守衛搬來一張書桌，和我第一個監獄中那間審訊室的木桌子差不多。他們也帶進一張凳子及一堆新聞報紙，我第一眼尋找的就是日期。這些報紙都是一九五〇年春天出刊的。

我竟已獨自在黑暗中度過一年多的歲月。

第八章

學著活下去

自此以後，一切都不同了。

每件事都不同了，除了我還是囚犯外。我可以看書、寫字，也可以走到牢房外曬曬太陽。守衛也換了人，原本會虐待我的那羣已經被一隊剛從東北下來，林彪所統率的年輕手下所代替；他們都很友善，而且願意偶爾和我聊幾句。不過我的行動仍是受到限制，我必須得到警衛的同意才能做我想做的事。我的案子也還沒有結案，雖然黨方面已經暗示了我不是間諜，但是我的罪名還未被正式撤消。

不過這些都不重要。重要的是，令我憂心的瘋狂舉動、噩夢以及憂鬱症狀都越來越消退；其他任何事在這個轉變前都顯得毫無意義。而能夠從這種痛苦中復原已經讓我夠高興了，環境的這些小限制是微不足道的；況且就算是那時將我釋放，我也沒有把握處理突來的自由。

監獄的典獄長暗示我，如果我放棄任何與中國的牽連，我可能獲准回到美國，但被我拒絕。這樣的想法讓我害怕，因為我無法確定自己回到美國後是不是還能夠活下去。我沒有朋友、工作、甚至家庭——我在美國一無所有；唯一會歡迎我的是那些反對中國的人。就我目前的情緒狀況來說，我知道自己將無法照顧自己、工作，以及做任何決定。當我從洗臉水中看到自己的倒影時，我並不喜歡那個自己。我的臉消瘦、緊張、繃得緊緊的，神情憔悴苦惱。眼前也不時的有藍色或紅色的光在跳動，使得一切都模糊不清。而太久沒有與人交談更使得我的口齒含糊不清，在這種情況下回到美國，我真的不知道自己會有什麼下場。

但是更重要的是，如果我就此離開中國，那我的名聲將永遠無法洗清，我會以間諜的罪名離開，我離開會被認為是一種認罪，而我將永遠不准再回到中國。我將永遠離開那些我深愛如己的人。我絕對不能讓這種事發生，不行，我必須留下來，恢復健康，恢復精神，並等到黨還我清白為止。

* * *

從報上訊息所拼湊成的世界，對我而言似乎是個遙遠而不真實的世界。以往戰時的臨時聯盟起了爭執。美國已選擇扮演國際警察及貨幣交換者的角色。中國也終於在百年動亂之後，再度和平統一於一個政權之下。新的共產黨政府正盡全力掃除通貨膨脹、貪污腐化，以及舊政權遺留下來的腐敗官僚體系；重組人民全力加入生產行列，使人人有得吃，有得穿，有得住。接下來的那個夏天，韓戰爆發，我為此更每天花下一堆工夫去研究人民日報上的統戰式報導，試著去了解這件衝突的真正原因。

我每天讀一份報紙，報紙上每條新聞我都逐一閱讀。看守的警衛每次帶進來的報紙都是兩個月一絡，當我讀完這一絡之後，我會寫張紙條要求再送來。後來他們也准許我看書，給我的第一本書是毛澤東作品精選集第一冊，那時才剛印行。我試著研讀這本書，但我卻發覺自己心智渙散，視力也過度衰弱，竟是無法集中心力閱讀。於是我開始運用各種方法重新訓練自己的心智，例如抄寫文字，或是記下似乎是對自己重要的事情。

我經常寫長長的信給我太太，並把信交給警衛代寄；我不太相信她會接到我的信，但是寫信讓我覺得高興。在心緒逐漸清明之後，我開始能夠再將她當一個人一樣的想著，而不是一個遙遠的幻想、一個女神，或是一股強烈情感。我寫信告訴她，我正在念書，我的健康很好，我愛妳，我希望妳很好。

我其實知道，當我出去之後，魏琳很可能已經離開我了，我知道我必須保護自己，我必須有心理準備。但是，我太寂寞了，並且我非常想念她。我一直想著她，只要情況許可，我就會向警衛打聽她的情形。她很好，警衛總是這樣向我保證，她很好，而且她在等你。

這些警衛都很好，他們會從自己住的地方拿一些餅乾給我吃，並跟我聊他們的女朋友及家人。他們並未將我當成一個囚犯，而是把我當成一個人一般的來交談。我自己也不敢與他們建立太深的交情，因為我怕他們會突然將他們的友誼無情收回；不過他們一些有愛心的小舉動確是對我的痊癒有所幫助。我的食慾增進，我開始睡得著，雖然偶爾還是會精神狼狽失措，但比起過去它們已經更少更輕微了，而我也能讓自己安定的面對這些驚慌失措。

我一直懷疑他們給我吃的藥使我陷入噩夢的狂境，但我也想這種心靈上的困惑也可能是逃避現實。當情況惡化到我所無法承受時，我便將心靈的開關關掉而陷入未知裡。所以那時我認為重要的是，要盡可能將自己再與現實聯結起來。

不過有一件事是我不願意做的——我不要忘記我遭遇過的這些事。我不願意傷口在刺未拔出的情況下癒合，以至於將來傷口隱隱作痛時，表面上看不出任何跡象。我要控制、開放、運作，及知道我的情結及記憶。我試著記住每件事。

我現在最關心的是活下來。

要活下來我必須使自己痊癒，而想要痊癒我必須為自己找尋一個目標，而這個目標必須是超越自我，是可以專注的，必須比這個小房間大，必須比我自己的情況更大，必須能夠幫助我更了解自己，並減輕這個可怕的痛苦。

我知道此刻我也不能讓自己生氣，但是在我的內心，憤怒與認命卻沸騰的拉鋸著。有許多日子，我都是在氣憤填膺的情況下醒來。他們怎能這樣對待我呢？他們怎麼能這樣對任何人？他們怎麼能就此將一個人與人世完全隔絕，而不管這個人其實並未作任何事，也未犯下任何罪？他們使我無法適應這個社會，無法適應我的生命。

我經常問獄方：我還要在這裡待多久？這種情況還要持續多久？但是每當我提到時間，每當我說已經一年了，已經超過一年了，我還要在這裡多久，他們總是漠不關心、輕描淡寫的帶過。他們會說，我們有些同志等了二十年，甚至超過二十年才結案，而當我們還必須對抗周遭這麼強勁的敵人時，你這一點時間又算什麼呢？每次我都會被訓一頓，但卻從無答案。狂怒焦躁幾乎要吞噬了我，但是我知道我必須控制我的脾氣，否則它將會害死我。如果我不控制住自己，我等於就是與自己作對，並且再度迷失在我自己的世界裡，我會被吸進自己的心靈黑洞裡，永遠無法逃脫。

我回頭檢視自己的宗教信仰。聖經故事以及一些聖詩給我一些安慰，但我並未就此信仰上帝。童年時所念的一些詩也在這時候給我一些幫助。我記起我姊姊依琳娜（Elinor）及妮爾姑媽（Nell）對我唸過的一首詩，而我唸到那首詩的主角阿布·賓·艾德哈默（Abou Ben Adhem），要求天使將他誌為「把我記載為一個愛他同胞的人」時，更感到深深的同情。

是共產黨幫助我差一點成為我一直想要做的——一個愛同胞的人。而也是在共產黨內，我覺得被愛、被接受。從小，我就一直奮鬥著要爭得別人接受。但是身為一個在南卡羅萊納長大的猶太人，我從未覺得自己完全被接納，不論我的祖父、父親的成就有多受人尊敬，我還記得曾在一些地方被斥罵或被趕出去。當我在美國南方從事勞工運動時，我為那些工人們平等看待我而感到驕傲，因為他們通常不喜歡大學生。而當中國共產黨接受我成為他們其中的一員時，我的感受更勝過驕傲。

我必須想個方法來忘記他們拒絕我所造成的深痛及憤怒，我想起另一首小時候念過的詩，這首詩幾乎是在我第一天被逮捕後，就一直等在心靈深處，等我發現它。那是我小時候生病時，姊姊及姑媽唸給我，是艾德恩·馬克漢（Edwin Markham）所寫的詩：

他畫個圈子將我圍在外——
異教徒、叛徒、該被嘲笑的東西，
但是愛和我有智慧去贏，
我們畫個圓圈將他包含在內。

這就是我應該做的事。共產黨很殘酷的將我排除在黨外，我應當想個方法，去畫一個更大的圓圈將他們再和我包容在一起。我要再將他們「愛」回來，我要讓他們無法拒絕我，我必須比他們更像是共產黨員。不論他們對我的囚禁是一項試煉或是一次思想改造，我都要用這種態度來面對。

第一件要做的事就是回顧我過去的生活，看看有什麼事是造成他們懷疑的主因。我一直猶豫不決，也沒有全心全意的奉獻。我想著我在延安的那件男女糾紛有多令他們失望；我想著我與劉少奇之間的爭執，以及當他說到身為一個黨員應該有的犧牲時，我是如何的執意不聽；我想著我是如何與他們爭辯列寧式的無產階級獨裁並不適合中國的情況，以及西藏的佛教徒和新疆的回民應當有追求民族自決的權利。

我特別會想到我對轟炸的畏懼，以及為了一點小危險而拚命狂奔。我了解到在延安的時候，我其實只是在「扮演」一個革命者的角色，我只想要享受成為他們之中一分子的快樂，卻不願意付出代價。我想我的被捕和安娜·路易絲·史莊被控為間諜有關。雖然我一再的堅持我不是個間諜，他們並沒有理由懷疑我，但我現在已了解他們是有理由的。我不是一個執著的革命者，我只是名義上的共產黨員。

中國人民接受了我，一個美國人，進入他們神聖的革命組織內，但我卻未能完全體會、感激這層意義，以及加諸我身上的責任。我的行為就是美國小說家湯馬士．潘恩（Thomas Paine）所描述的，美國獨立戰爭中的那些太陽戰士及夏日愛國者一般。我是有罪的，我的罪是——道德艮知感低落、自私、沒有投入的決心、投機主義者。從這個觀點看來，我認為他們對我的調查是有道理的，而他們對我的監禁等於是給我一個極為難得的自我訓練及改造的機會。

我了解，我寬恕，我感到鼓舞且精神振奮。我現在要學著成為一個守德的人，一個為人民服務的人。我找到一個明顯的目標，我會試著改掉那讓我害怕及躲避轟炸危險的狹隘自私。我不會再逃避了，我要像他們一樣。在延安的時候，我對自己的懦弱有罪惡感，但是我壓抑下來；不過在這個監獄中，我會面對我的罪，並將這個教訓變成一股力量，可以讓我成為一個較堅強、較好的黨員，一個更堅強、更成熟的人。

突然之間，我覺得自己的腦袋清明起來。我有與世界融合一致的感觸，我覺得我已丟棄了那些小小的痛苦，以及那些讓我與他人格格不入的私欲。我覺得自己正站在世界的頂端，並且與宇宙的普遍性及繁複的特異性和諧相和。我沉浸在一種高貴、美好的情緒中，而這種快樂的感覺讓我從頭到腳輕飄飄的。

對我而言這似乎是一種智慧的解放，一種對從出生到死亡一直陪伴著人、壓抑著人，對死亡及折磨的恐懼的解放。我一而再、再而三的將事情從頭到尾的想過。我不會再害怕，從現在開始我將會專注在自己的缺點上，我會嚴格的要求自己，使自己能轉變成一個成熟的馬克斯主義中國革命家，我必須每天二十四小時學著依據辯證哲學及共產黨理想而活。就這樣我還需要求什麼樣的充實人生？還有什麼樣的磨難及恐懼能撼動我？

我必須讓我的視界超越這個小小的牢房；我必須去了解這個大世界發生了什麼事——即使唯一的方法是經由閱讀他們帶給我的報紙。我必須完整的了解馬克斯主義，以能真實的看清及理解事情。我必須張大耳朵去聽，不僅是我想聽的，還包括聽我的錯誤。我必須學著去辨認什麼是對人民有益的，而什麼是對他們有害的。

就這樣，我解救了自己的生命。

我找到了我追尋的平靜，以及繼續在這令人發瘋的監獄存活下去的力量。當我打開心胸接受真理，那就是黨的真理；除此以外，我的心靈不再接受任何事，而我也不讓它有任何動搖。我把自己完整的、全部的、毫不隱藏的交給黨。我讓自己內部的抗議聲音沉靜下來。我封起自己的怒氣，並麻木了因他們的對待所產生的激憤。我將對個人的自我關懷視為一種自私的行為，並將這種行為丟棄。不論黨要求我做什麼我都會做——包括枯坐在這個監獄裡，滿心歡喜而沒有任何抱怨，直到他們準備讓我離開為止。

就像但丁所說的，「在他的意志裡有著我們的和平。」

* * *

一九五一年的夏天我被移離那小小的獨棟囚房，到一間監獄內。那是一棟舊式的建築物，我聽他們稱它為二號監獄。這棟監獄的內部像是個車輪，有個中心，而許多長廊則像是車輪的輻條，放射狀的向外射出。每條長廊的兩側是一間間的牢房，每間牢房都有一座紅門以及一個大鐵門，從外將門扣上。在每條長廊的盡頭有廁所，再過去則是一座大紅門，永遠關著並且鎖著。

我的牢房算是滿大的，差不多有五步寬、八步長。一扇門板架在低低的鋸木架上就是我的床，兩邊牆的高處各有一個窗戶，窗上佈滿鐵纜線。室內有個便壺以及裝清水的陶罐。他們也給我一個可以裝熱水的熱水瓶。

這樣的變動對我是個滿大的打擊。以前我所依賴的，每天可以講幾句話的警衛現在已經不在了，我現在完全是在一般監獄警衛的看守之下。更糟的是，我現在也不能穿一般的服裝，必須穿獄方發給的兩套黑色牢服，而每件牢服的背面都有中文縫上的「囚犯」兩個大字。我並未被上枷鎖，不過我卻經常可以聽到其他囚犯的腳鍊聲鏘鏜鏘鏜的，往走廊盡頭的廁所或是審訊室走去。

我也必須遵守監獄的所有規定。每天早上六點整警衛會搖起床鈴，我必須馬上起床穿衣，而警衛會迅速的遞進熱水讓我刷牙洗臉。大約半小時之後，他們會將早餐送來，通常都是一碗粥、一些泡菜和一個饅頭。

我也為自己設立了一些生活規章。早餐前我會做一次自己設計的體操，然後開始在房內繞著圈子，過幾分鐘就換個方向。早餐後，先念兩個小時的報紙或書；接著我就開始用警衛給我的一塊方布開始清理房間。我依然很衰弱，而且經常顛顛倒倒，因此我必須強迫自己將每個清理步驟先想清楚，首先拿抹布，然後拿水，接著將布浸濕。我用這個緩慢而有條理的方法，依序的擦地、窗戶、窗條，然後再擦我的身高能夠擦到的牆壁部分為止。有時候警衛會給我拖把，讓我再擦一次地板。

在我的意識漸漸清楚之後，我開始讀一些古典中國文學。我也開始學著用筆墨練習寫中國書法，我開始自修中國音樂的簡譜，因而學會唱那些印在報紙上的統戰宣傳歌曲。而從報紙上，我也學會了一些有關工業及農業的知識，例如如何讓棉花或麥子豐收的種植祕訣，或是如何操作切煤機及運煤工具。

日日夜夜，我的生活幾乎就是一成不變的過下去。我唯一的樂趣是抓機會偷窺外面的世界。我的牢門上有個大約三吋寬、兩吋高的小洞，而一塊布由外面蓋住洞口。它的目的是讓警衛可以監督我的情況，而有時候警衛掀開掛在小洞上的布監看一下我之後，他並未再將布完整的蓋住整個洞口。這時候我就可以偷看到走廊的情形。不過我必須非常小心，因為有時候警衛會再回過頭來監看我，抓我有沒有在偷看外面。但是很幸運的，我每次都可以看到外面的走廊及其他的警衛。

從報上所讀到的一些早期人民共和國的社會變動狀況，也經常立即反映在監獄的變動中。例如有一次我在報上看到有關掃除迷信及崇拜偶像的新聞，新聞中提到一個教派，這個教派在表面上是對一位類似戰神的神明進行詭異而祕密的崇拜，但他們實際的罪謀則是組織一個對抗共產黨政府的團體。在我看到這篇報導後沒多久，我就看到一羣屬於這個教派的和尚出現在監獄中。我經常可以聽到這些和尚的首領譴責自己的罪行，大聲表示對人民政府的忠心，以及坦承有罪。這些和尚在晚上都會像我一樣的被關在牢房內，但是在白天他們則是坐在敞開的牢房門口做火柴盒。

幾個月後，我又在報上看到全力掃除妓院的消息，而且這次他們將在北京的所有妓女和老鴇都逮捕起來。不久之後，我就在監獄中聽到女人的聲音。我有點興奮，我可以從小洞看到女人、女孩在走廊上縫補、洗刷衣物。她們有的很漂亮——或者只是似乎很漂亮，因為我幾乎已經有兩年半沒有看過女人了。

* * *

一九五二年年底，我與一個「敵人」交上朋友。

剛開始我一直在牢房的一面牆上聽到「叩！叩！」的敲牆聲，不過一段時間之後，我才了解那是有人試著在和我聯絡。我根本不敢回敲，萬一被人抓到我在打訊號的話，一定會被嚴厲的處罰。他們會將我的書拿走，也必會將我重新關進黑暗中。這種的畏懼使我想都不敢想。但是，沒有人作伴的生活更難以忍受。

於是我決定冒險，我決定回敲。

一開始我只是隨便亂敲，只是讓對方知道我在聽。過了一陣子，在確定看守的警衛沒有注意我時，我便試著用摩斯密碼將我的訊息敲出去。我絞盡腦汁的回想起我從一本廉價偵探小說上學到的摩斯系統，輕敲一下，那代表A，長長的一下，那代表L；我就這樣的送出幾個字。接著就有一串又快又急的聲音敲回來，而正是摩斯密碼。不過很不幸的，我幾乎已經全部忘記這個系統，因此我也不曉得它的含意。由於這個方法行不通，因此我只得開始想別的聯絡方式。

幾天後我又想出一個利用流行歌曲的旋律歌詞來聯絡的方法。我從報上得知一個對付反革命分子的運動正在積極進行，共產黨正在圍捕淪陷在大陸或是奉派潛伏的國民黨特務。我猜想我的鄰居很可能是一個國民黨員，而當時國民黨內有一首非常流行的歌曲叫做「教我如何不想她」，於是我將第一段的旋律敲出去。

他很興奮的敲回來，而且是整條歌敲回來。

接著我又敲一些美國流行歌，而他也知道。為了要知道他是誰，我敲出湯米．朵西的名為「誰？」的歌。「誰將我的心偷走了……」，我一直重複的敲著，並且強調「誰」這個字。一陣國民黨的黨歌傳了回來。

為了要讓他知道我是誰，我敲了「起來」這首著名的共產黨歌，而牆上則傳來一陣似乎有些失望、憤怒的敲擊聲。

我知道他的意思。我又敲出一首第一次世界大戰時的著名芭蕾舞歌劇，意思是告訴他，我們在這裡有一段長路要走。我們像這樣的敲來敲去四、五天，直到我覺得這樣繼續下去實在太危險為止。

* * *

我整個人變得完全沉迷在閱讀中。我覺得唯有經過讀書及學習，我才能將自己從自私及罪惡中解放出來。「要純淨！」，「要科學！」，「要成為革命分子！」成為我的座右銘。

我從閱讀毛澤東的文章開始。他寫著，在一個階級化的社會之中，所有的思想都來自某一個階級；因此任何一種思想都必會有該階層人的特質。從這裡我了解了一些我罪惡的根源，我的出身有錯，我生在一個錯誤的階級。而更重要的是，我來自一個帝國主義國家。我的出身與革命的牽連本就極為薄弱，因此我必須比別人更加——而不是較少——有奉獻的決心。

我必須研究真正革命分子的行為，為自己找到學習的榜樣。對我來說這也是一件順理成章的事，因為在小時候，當我在母親憤怒之下，或是被其他較大小孩欺侮而退縮，我就會很快的讓自己陷入童話故事的幻想中，把自己想像成勇敢的武士——一個正義的成功捍衛者。而現在我就必須為自己的生命找到一個這樣勇者的形象。

我閱讀尼克勞斯．奧斯特夫斯基（Nicholas Ostrovsky）的早期蘇俄名著——鐵如何鍊成鋼（How the Steel Was Tempered）。這本書我的朋友梅益曾將它翻成中文，它幾乎可以說是全世界所有年輕革命者的範本，以前在伯明罕的時候我也曾看過。但這次我非常仔細的閱讀它，我試著讓自己模仿那個年輕的革命英雄——貝爾．科建清（Pavel Kochagin）；試著強迫自己，將自己融入一個犧牲、奉獻的革命家模子中，讓自己在回顧過去生命時，不會後悔曾浪費時間精力在無用、自私的追求上。而科建清即便是在下身癱瘓之後，他仍然找到幸福及生命的意義。難道我不能在我生命的軌跡上也做相同的事嗎？

我也開始回想一些我所知道的、可以學習的模範：喬．蓋爾德斯（Joe Gelders），那個心臟有毛病，但是仍勇敢的站起來對抗三K黨，追求黑人人權的白人物理學教授。老梅森（Old Man Mason），這個宣稱他自己是個天生的共產黨員的磨坊工人。還有何姆．派克（Homer Pike），那個北卡羅萊納州工會運動的組織者，他被工廠老闆的兒子謀殺，臨死前躺在我懷裡的最後一句話也是要我好好照顧他工會的人。

從報紙上，我也選了一些中國的楷模。韓戰時一個年輕的中國士兵，名叫邱守雲，寧願直挺挺的被美國彈火燒死，也不願為了滅去身上的火而滾來滾去的暴露同志的位置。我必須變成跟他一樣的奉獻，一樣的對自己的生命及生命中的任何問題毫不在意。

同時，我也為變成真正馬克斯信徒及毛思想信徒的知識基礎努力打根基。從監獄的小圖書館內，我選了一本蒐集毛澤東所寫，但並未廣為流傳的有關哲學辯證的文章，其中兩篇「論實際」以及「論矛盾」的文章，是毛澤東討論其本身與史達林政治差異的立論基礎。

一九三〇年代初期，史達林曾經安排讓自己選定的人取代毛澤東成為共產黨的領導人。這項在第一次國共戰爭中所採取之行動的結果是，共產黨完全的軍事潰敗，並且開始了流竄半個中國的「兩萬五千里長征」。

長征期間，毛澤東重新掌權，並且開始有系統的分析軍事及政治思想。他的結論——最主要是認為決策必須來自對實際情況最為了解、最為接近的人，而不是來自一個遙遠的領導者——已經暗示了中共與蘇俄間的嚴重分歧將要來臨。毛澤東告訴他的幹部不要聽命於莫斯科，同時也不要將馬克斯及列寧思想直接運用在中國。

我從毛澤東的文字中看到一種追求真理，並將真理用來服務人羣的動力。當我讀到毛的「論持久戰」（On Protracted War）一文時，我確信這人是個天才，毛這篇分析中日戰爭的文章寫於一九三八年，當時中日戰爭開打不滿一年，還要再打七年，可是戰局的發展竟與毛的推演驚人的吻合。

我從毛澤東對中日相對力量的解析，更看到他那驚人的自律、推理的心智能力，和蒐集、研究實際事實的強烈嗜好。日本有優勢的軍事、經濟和政治組織；但是卻缺乏長期作戰的人力及物資，同時還須面對世界輿論的道德控訴。中國很弱，但是卻是個大國，而且有應該作戰的理由、有忍受長期消耗戰的能力、有強力的國際支持。而我也看到毛澤東是如何的創造、訓練那種能贏得這場人民戰爭，所必須的軍事、政治及經濟組織，這場戰爭卻是國民黨不能也不願意去打的。

我尤其被毛澤東人定勝天的堅強信仰折服。毛澤東認為他可以做任何事，只要經由為自己設定一個合理的目標，並且分析環境中有利及不利的因素，然後依此發展出一個改變自己及環境的合理計畫，就可以達成目標。

以前我日復一日的躺在牢房的地板上，畏懼著自己是否即將死去，害怕著那一口氣是不是最後一口氣，擔憂自己是不是已經死了。現在我學會了運用毛澤東的方法，先分析自己問題的根本，然後再設計出一個方法、策略以及步驟來實現目標。研究了毛澤東的思想幾乎讓我自己變成毛澤東思想的盲目信徒。

於是智慧和無知崇拜就這樣手攜手同時到來，仿似在作弄我一般。

我運用報紙上的新聞時事來記錄時間。一九五三年初，報紙頭條宣布了史達林的死訊，接著又報導了赫魯雪夫接掌蘇聯政權的消息。我那時候壓根就沒有想到這件事會是我被釋放的許可票，而是直到數年後中國方面的官員告訴我，我才知道自己被逮捕完全是來自於蘇聯的命令，並且與同時期安娜．路易絲．史莊在莫斯科被逮捕有牽連。顯然史達林那時候非常害怕太接近中國領導者的外國人，因為那將會消滅他的影響力，甚至在最後可能將世界輿論焦點從他身上轉移到中共身上。因此他下令將我和安娜以間諜罪名逮捕。這些事情及其他一些相同的陷害都是在史達林死後才被透露出來。但是在那時候我並未將自己的被捕與史達林做任何聯想，因此他的死訊也未讓我想到任何被釋放的可能性。而事實上，我的釋放也沒那麼快到來。

* * *

從一九五三到一九五四年，我都在不停的閱讀及研究，並且全部都用中文。我閱讀亞當．史密斯（Adam Smith）以及大衛．雷卡多（David Ricardo）的古典經濟學理論。我也研讀了馬克斯全部三冊的資本論。我贊同馬克斯的經典見解——勞力是人與自然間的創意結合，而人類為了個人目的改造自然，財富就在這個過程中產生。我從資本論中吸收了一個觀念——人的本質是被勞力這項基本行動所代表的。我也理解了馬克斯認為，一個人的真正人生只有在食物、遮避住所、衣物等基本需求不再是拚了命掙扎才能得到之後，才真正開始。從馬克斯的論點，我學得了自由必須能排除人與人間的離間及疏離。資本主義社會已經創造出人類前所未知的自由及財富，但是同時也造成勞力付出者無法享用勞力的果實，並造成了人們被自己所創造的物質完全控制的傾向。

我也認同馬克斯所有自由是相對的，這使我了解到就我目前被監禁獨囚的情況而言，唯有想清楚自己被幽囚的原因——即便它是大錯特錯的——才可能享受某種程度的自由。

當我從報紙上讀到一些外國傳教士在河北省所犯下的一些罪狀時，我禁不住大哭起來。當其他外國人對他們做了這樣的事時，我怎能責怪中國人懷疑我呢？有一次一位監獄官員前來看我，我忍不住信誓旦旦的告訴他，我對革命永遠忠誠不會改變。「不論你們將我關在這裡多久，」我說，「如果我死在這裡，而你們將我的心挖出來看，那你會發現我的每條纖維都是純紅的。不論發生什麼事，我都不會抗拒你們對我的定罪。」

那個人受到我的情緒感染也激動了起來，他馬上對我保證：「組織現在已經完全了解你了，我們了解你，所以這點你儘管放心。」

* * *

一九五五年四月四日早上大約十點，一個守衛打開牢門的鎖走進來，「有個人要跟你談談，」他說，「跟我來。」

大概是醫生來檢查身體吧，我這樣想著，要不然就是另一次的問訊，再不然就是換牢房。我跟著他走出牢房，走到走廊的盡頭、經過廁所，並走過了那個總是深鎖著的大紅門。紅門在我們走過後又重新鎖上，而在門外有兩張椅子面對面的擺著，其中一張椅子上坐著一個我從未見過的人。「請坐。」他開口說，並指向另一張椅子。這是六年來，我第一次坐在一張真正的椅子上—

歉。」

一張有靠背的椅子。

守衛站在我的身後，「這是凌雲局長。」他說。

「李敦白，」凌雲開始說，「我們花了許多時間及精力調查你的案子。我們發現你是一個……」，他遲疑了一下，似乎無法決定該叫我同志或是什麼，「一個好人。你一直被誤判而且因此被關。你一直承受了相當的痛苦，我代表人民中央政府及公安部門，在此為這項錯誤向你致歉。」

我頓時腦中一片空白，並痛哭起來。

我為正義的最終到來而狂喜，但我卻不忍聽到「抱歉」這兩個字。我必須讓自己從逮捕我的人的立場來看這件事，否則這一切就沒有任何意義，而我也就無法在過去那個小世界中存活下來。這也是為什麼我能夠讓自己嚴守紀律、能忍受這麼多的原因——我不希望讓他們因逮捕我而被恥笑。我當然也希望還我清白，但我不要他們有罪。「不！不！」我堅持，「不要道歉，調查我是對的，因為組織不了解我，所以才控訴我。」

凌局長有一點不悅的看著我說，「你對自己的遭遇可以有自己的看法，而你的行為也一直很好。我們能體會你的感受，但你是被冤枉的，這是一個錯誤，而且是一個客觀的事實。你現在可以自由的離開這裡了，你還有什麼問題要問嗎？」

「只有一個問題，」我回答著，「魏琳現在怎麼樣？我的太太現在好不好？」

凌雲直視著我，用他一貫實話實說的態度告訴我，「魏琳訴請與你離婚，並且已經再婚了。

她等你等了三年，但是一直沒有你的下落。然後她大病了一場，於是她的朋友勸她再婚。她現任丈夫在外交部工作。」

在經過這麼多年的等待及幻想、經過這麼多夢見她又看不到她的痛苦，再加上這麼多期望見到她的激情，在這些之後，他的話應該是個痛擊的鐵鎚才是；但是我並沒有如此感覺，甚至沒有任何感覺。經過六年的幽囚之後，我已經認命的認為自己早已失去每件東西——甚至連我的老婆留下我獨自一人的嫁給別人的想法也早已失去。我唯一的反應是呆了一下，我想著，「為什麼這些年他們一直告訴我她還在等著我？為什麼他們不告訴我真相？」但這短暫的疑問一下就過去。

「我們相信你能理智的面對這個問題，」姓凌的說。

「不必擔心這個，」我說，「我已經不再是當初被關進來的那個人了，我已經知道什麼才是真正重要的，個人的事對我來說已經是次要的。」

凌雲贊同的點點頭，「現在我們走吧，」他說，「我們已經為你找了一個可以暫時待上幾天的地方，然後我們會為你做一個較長久的安排。」

我轉頭看向走廊我的牢房，「我必須回房拿我的字典及文件。」我說。

警衛長拉住我的手，「我們會幫你把所有東西都拿出來給你，」他說，「你不會想再進去那個房間的。」

第九章

美麗新世界

就這樣，我的世界在一轉眼之間又全然不同。我成為自由人，而新的生活就在我面前鋪陳。但是我卻沒有正常情況下應該有的狂喜反應，我仍小心翼翼的控制自己，因為我還是滿心疑慮。

在獄中的時候，我一直擔心自己將永遠無法回到外面世界，去過正常的生活。我似乎已經習慣了監獄的例常生活，習於聽命、被照顧，習於僅有一點點的交談、一點點的需要，和一點點的情感。我不知道自己是不是還能夠適應外面正常但複雜的世界。在某個監獄官員的宿舍用完中飯後，我決定至少要到外面的世界去試一試。

在被軍用卡車送到現在這個監獄幾年後，我才從別人口中得知這個地方是北京。現在我終於有機會看看這個圍繞在我周遭多時的城市。我心中激動的走向大門，走出大門時還不停地將眼光瞄向站在門口那三個持槍配刺刀的警衛，沒有人阻止我。我現在已經換穿上一般中共幹部的制服，列寧裝、白襯衫和一條長褲。我走向外門，一個小小、平凡的門接著一堵樣子平凡的牆。我走出這道門，六年了，我又再度回到外面的世界。

我向街頭走了幾步，再回頭看看那個曾經是我的「家」的監獄。站在人行道上，它僅僅一箭之遙的距離，而那間曾經埋葬我們許多人的龐大監獄幾乎已看不見。我能看見的，只有監獄長廊上的醒目屋頂——魚鱗狀的紅色屋瓦，屋脊下方有扇天窗，為裡面的黑暗走道提供光線。

我轉頭看向這條滿是小販叫賣的街道，它叫做東官胡同。街上有將豆腐擺在白木板上叫賣的小販，有賣著北京人最愛吃的豆汁兒的老婦人，有挑著小孩玩具及象徵吉祥的紙獅賣的，有賣紅棗、糖葫蘆的，有賣鈕釦、線、布匹的。我走過這羣人，直到來到一個通往市中心的小門為止。

我走過這個小門，而當我到門的另外一邊時，我整個人突然間手腳冰冷，在我面前就站著一個身穿制服的警察。我的心臟狂跳、腳步踉蹌。我站在那裡不曉得怎麼辦才好，然而他只是看了我一眼，就轉身去指揮交通。

我繼續的向前走到蘇聯展示大樓，我一眼就認出它那尖尖的頂端，那是我在報上看過的。這棟建築物是由蘇聯捐建給中國，以紀念它對中國的經濟援助。它外面的海報宣傳著一項有關當代國畫大師的作品展覽。我順步踱進去，並試著專心的觀看這些畫作，但我仍是無法定下心來。就在隨意左右瀏覽之際，我注意到一個很英俊的男人正全神貫注的在看一幅作品。細看之下，我認出那是一個老朋友——張家口新聞中心的總主筆，鄧拓教授。

我很快離開那，因為我不知道該跟他說些什麼，而我也不知道別人是怎麼看我，或是我准許跟別人說什麼話。驚慌失措之餘，我只得趕快回頭逃回安全的監獄大樓內。

第二天早餐後，監獄部門的主管送我到黨中央的組織部門安排往後的工作。我滿心期待，我認為我往後該走的路就是工作和研究。如果我專心的工作並且經由不停的研究增進我的了解，那我或許能再度找到平靜及幸福。但如果我被恐懼擊垮，那我一定會死。這就是呈現在我眼前的事實，非常簡單。

我們坐上一輛巴士駛出監獄，不久後我們在一棟位於西單北大街——北京最繁忙的十字路口——的灰色、幽暗大樓前下車。人潮不停的在這棟黨部大樓進進出出，衣服顏色不是藍就是灰，只有少數綴一點紅或黃。大樓內則是一群群書記、檔案人員、稽核、人事調查員及任務分配幹部。就我目前仍無法適應太多活動的意識狀況而言，所有的一切似乎都非常忙碌而且令人迷惑。

我們爬過兩段階梯、經過數道門，直到一間辦公室的門口為止。我們打開門走了進去，突然間一個似熊般的龐大身軀從桌子後面跳出來，將我整個人擁抱著離開地面，並且趴在我的肩頭開始啜泣的說：「你的表現太好了，不要再想過去那些事。那些現在都結束了，而且不會再發生。對了，你是不是還記得我？」

我隨即認出他那張像農民般紅潤的長臉，長長的濃眉、大大的眼睛，以及高高的額頭。「韓勁草，」我說，「我當然認識你。」韓勁草是我在張家口認識的朋友，他也在新聞部門工作。他現在將頭髮中分，披向兩旁，使他那像熊一樣的外表更加傳神。我們從一開始就互相欣賞。

陪我一起進來的監獄主管這時候也目瞪口呆的站在一邊，他很明顯的嚇呆了——我竟然有朋友在高層。他看起來似乎在擔憂，不曉得哪一天我會如何報復他。

「我是不是還有黨員資格？」我問韓勁草。

「當然，」他回答，「而且還是中國共產黨一位優秀而完整的黨員，你坐牢的時間也算為黨服務的年資。」

「那工作呢？」

「你想要做什麼？我們可以幫你找一個舒服的地方好好休息一陣子，我們也可以給你足夠回美國的旅費，或者我們可以給你找份工作，給你錢在中國或是到國外旅遊。不論你想做什麼，選擇權都在你身上。」

「我想回到原來的單位，和同樣的人做相同的事，」我說，「而且就是現在。」

「現在狀況有些不同了，」韓勁草說，「通訊社和廣播電台現在已經分開成兩個獨立組織了。中央宣傳部門會有人來和你討論這件事。」在過了六年非人生活之後，我突然之間似乎又身價暴漲。中央廣播事業局及中國的主要新聞單位——新華社，都在爭取我加入。我也知道自己如此熱門的理由，因為在那時要找一個中、英文都流利的外國人很困難，而要找一個同時也是黨員的外國人更難——因為這意味著這個外國人可以信任，可以從事敏感的統戰宣傳事務。

接下來的幾天，我一直和延安時期的兩個老朋友面談。其中一個是鄧拓，他現在是新華社的主管，另一個是梅益，他現在掌管中央廣播事業局。鄧拓試著用老交情來打動我，他說我的老朋友陳龍、彭迪、錢新都在新華社工作，而廣播事業局則沒有我認識的人——沒有一個，除了魏琳以外，她現在似乎已經高陞成為正式播報員。每個和我談話的人都小心謹慎的避開這個話題，深怕我會因此生氣。

梅益則是以責任來遊說我。廣播事業局是屬於內閣級的機關，掌管中共全國的電台網路以及國際性的北京電台。「我們非常需要你來潤飾英文原稿，並訓練我們的播音員和編輯，」他說，「新華社已經有外國同志在那裡工作了。陸定一同志本人對你的案子非常關切，並希望你能愉快的安定下來。」我記得那個嚴肅寡言的陸定一，在延安認識他時，他是中央宣傳主任。現在他不僅是中央宣傳部門的部長，更是政治局委員兼副總理。

一個中央宣傳部的官員告訴我，「廣播事業局非常需要你，但是陸部長怕你在那裡會不快樂，因為你的前妻在那裡。」我告訴他，其實我並不在乎和魏琳間發生的事。如果她當初決定等我，那我現在當然也會和她在一起，但是既然她決定要去過她自己的生活，我也不會再去阻礙她。我確定自己可以和魏琳沒有嫌隙的一起工作。就這樣我們決定，我在五月一日之後，開始在廣播事業局工作。

* * *

五月之前的時間，我就暫時住在紫禁城城邊的北方中國飯店，那是黨屬的一個招待所。我練習自己一個人搭公車，我練習一句一句的與人交談，我試著對付突如其來的驚慌失措。我在穿制服的人面前特別儒弱、膽小，總害怕他們會隨時向我下命令。我也因為怕不小心觸犯規定，而經常猶豫不決。後來，招待所的櫃台告訴我，我是他們第一次碰到的，如此循規蹈矩的客人——總是會在出招待所的時候告訴櫃台，我要去哪裡，我會在什麼時候回來。過去六年，我連上廁所都必須獲得准許，積習是很難改的。

我依然無法忍不住不去想他們是不是正在對我進行某種測試。在我正式報到上班的前一天，我受邀在紫禁城外的天安門廣場觀賞五月遊行。遊行的情況就完全像是我過去數年來在報上所看到的一樣。剛開始我還覺得滿有趣，但當遊行進行一陣子之後，便越來越覺得無聊。遊行中有來自陸軍軍校、政府部門，以及黨部的隊伍，也有代表工人團體，以及作家藝術團體、社區代表、農民，甚至是清潔工人的團體。每個團體都負責製作了精美的花車，以及露天表演節目來展示他們在一九五五年的目標，和他們在前半年所完成的績效。

遊行完畢之後，河北省的一位副省委書記載我回到下榻的招待所，他在車上問我對遊行的看法，我遲疑了一下，想著該用什麼樣的形容詞才好，他卻率先的說：「不是很熱鬧，嗯？」他淡淡的說，「有些無聊，不是嗎？」

「一點也不。」我反對的說，我覺得遊行多采多姿而且令人興奮。我懷疑他是不是猜出我的真正感覺，所以要套我的話。不知他是否是在蒐集我的言行情報，以便存入我的檔案做為我有仇視態度的證據？

我已經從外在的牢籠中解放出來，但是我心裡的牢卻依然存在，而且強固的存在。

一九五五年五月二日早上八點三十分，一輛車抵達北方中國飯店，載我到梅益位在廣播事業局的辦公室。我被送到局長辦公室，在那裡有一個長著梨形臉、背後紮著一條粗黑辮子的年輕女祕書接待我。她帶我進入梅益的辦公室，並在我身後站著。

「這是王玉琳同志，」梅益邊說著邊從桌子後站起身來招呼我。「她是我的機要祕書。」我

●我第一次被監禁是因被誤控為美國間諜。被放出獄後，我進入了中央廣播事業局，並在其所屬的北京電台中的英語單位任職。在這裡我遇上了一個叫王玉琳的女孩，我聽到她──不像我的前妻──義正辭嚴的說，不會只因為丈夫被關，就與他離婚，「要不然，愛是什麼意思？」不久後，我們就結婚了。

和這位祕書輕輕的握個手。她看起來能幹，但擔任這麼重要的工作未免太年輕了。她倒了一杯茶給我，然後離開房間。

「除了黨的領導單位同仁以及你所屬的黨支部之外，沒有人知道你過去幾年在哪裡。」梅益開始說，「為了你好，我們不能讓這個訊息洩漏出去。當你填寫這份人事資料時，自傳那一欄你就不要填。如果有人向你問起，你就讓他們來找我。不要和任何人討論你的背景。就說這是機密的黨情報。」

「為什麼？」我問，「我的背景並沒有任何祕密啊。」

梅益搖搖頭說，「你不知道這些人是什麼樣的人。你的過去歷史已經都被檢驗過，而你也被證明是清白的。但是如果有人知道你出身美國陸軍，並且曾為聯合國工作的話，那他們會提出各樣的問題，並且在你背後散布各式各樣的謠言。你沒有必要揹著這個黑鍋到處跑，所以就將這段經歷留在自己心中吧。」

我玩味他話中的含意，兩人沉默了一陣子。我想著，我的事算是暫時結束，但卻不會真正永遠結束。

突然間我聽到辦公室外傳來一陣爭論聲音。在我進來時，外面的辦公室有三個人：那位祕書，王玉琳；一個肥胖的老婦；一個賊頭賊腦、留著小平頭的年輕人。我聽到應該是王玉琳高亢激昂的說：「嗯，我看她一定是很笨，才會不知道她的丈夫是不是一個敵人的間諜。」

我豎起了耳朵，他們正在講著我的事。

接著我聽到一個男聲，「但是你不能責怪他太太。畢竟她等了他三年，而他卻整整被關了六年。」

「你會怎麼辦，如果你的老公突然失蹤而妳必須等六年？」這個聲音一定是來自那個老婦人。

那個辮子姑娘的聲音又再響起，「怎麼辦？如果我愛他的話，我會等他，六年、十年、二十年——不然，什麼才叫做愛？」

對一個年輕的中國女孩來說，王玉琳的論調是非常不尋常的。黨的一般制式反應是，如果說你的丈夫是間諜，那他就一定是個間諜。而黨的一般慣例是，如果你與你的配偶分開三年並且黨都沒有聽到他的任何消息的話，你就可以立刻離婚。在共產黨，真愛是沒有太大力量的。

我還想多聽一些，但是爭論卻逐漸的小聲下來。梅益似乎沒聽見什麼事的繼續他的話。「你的黨員資格也是一樣的情形，只讓那些需要知道的人知道就好，別人要猜就讓他們去猜，但不要直接明白的告訴他們。」

我沒有接腔，於是他繼續說：「我們不希望讓你連活得像個一般的中國人，都還會再發生像以前一樣的老問題。」他還告訴我，我的待遇會像所有的高階官員，會有高級的住家，會有較好、較精緻的餐飲，並且隨時都可以使用廣播事業局的車輛及司機。

我沒有任何意見。

「讓你享受全然外國專家的待遇及地位是非常重要的，」梅益說著，「你必須在局裡的外國廣播部門建立起你的權威及分量，那個部門的黨員不多，英語組連一個也沒有，你會是唯一的一個。」

我確信他必能看到我聽到這個消息時的驚訝表情。

「你會參加一些領導幹部的會議，也會參與編輯會議，」梅益繼續說，「我正在向中央統戰部中請准許你參與高層政策宣達，以及閱讀中央委員會的機密電報。獲准應該只是時間問題，所以請你和我一起耐心等待。」

我點點頭，也慢慢試著去消化他所說的話。現今的情況似乎與以往大不相同。我現在已經被領進黨的內部圈子，而且第一次被當成一個通過考驗的黨員同志看待。以往我甚至不知道有中央委員會機密電報的存在，然而現在我卻將有這個特權來讀它。

「切記，其他外國同志，包括蘇聯同志在內，都沒有你會擁有的這些機密資料，」梅益繼續說，「更不必提那些基層黨員以及低階的幹部了。你很快就會了解什麼樣的人會得知什麼樣的情報。你絕對不可以對這些情報資料掉以輕心，你必須守口如瓶。而我相信你都知道這些的，對吧？」

「是的，」我說，「不要擔心，我知道怎麼處理這些事。」

我們的會談就到此結束。當梅益送我出他的辦公室時，他向他的祕書點點頭，「王玉琳同志可以幫助你進入狀況。當你需要幫助或支援時，你就找王同志。」

走出去時，我向她笑了笑。她有著明亮、誠直的眼神和堅毅的嘴形。她穿著一件兩邊微微開叉的藍布旗袍、短筒白襪、黑布鞋。我喜歡她的外表，但我並不想要追她——或是任何人——來滿足我的個人需求。

隔天是星期二，我住進了廣播事業局的官員宿舍。就像其他高幹一樣，我的住處有一間客廳、一間雙人床的臥室、一條鑲邊的新棉被、一間浴室，以及一個大衣櫥。我的辦公室就坐落在紫禁城北邊的油條胡同，離我被監禁了六年的監獄只有四十五分鐘的路程。

我的辦公室在一棟正對著紫禁城西牆的舊大樓內，是個長方形、有點幽暗的房間。在那個星期二早晨我進辦公室半小時後，當我還在整理我的辦公桌時，王玉琳拿個公文夾出現在我面前，「九點三十有個編輯會議，」她用一種談公事的口氣告訴我，「請在你的名字上畫押。」

在那份公文上，印著將參加此次會議人員的名單。已通知過的人則在自己的名字後簽個「知」，意謂我知道了。我找到自己的名字被用手寫的擺在那些名字的最後，我也在自己名字後簽個「知」字。我的心情非常興奮，但也非常緊張，我不知道自己是不是能表現得宜。畢竟，我仍是不太穩定，我的聲音也還沒完全恢復，而且依然不時會驚慌失措。

九點三十分整，我走到在梅益正對面的會議室。會議主題是有關農村公社的事，一位編輯首先做了簡報。在簡報中他特別說，毛主席強調參加公社都必須是農民自願的。最窮困的農民可能第一批加入，而中階的農民，也就是那些在大部分年收裡保持收支平衡的農家，則不應該強迫參加，唯有在他們認為這樣做能使歲收增加的情況下，才讓他們加入。那位編輯解釋說，毛主席認為這樣的過程大約需要三到五年的時間。

這樣的簡報非常重要，因為我們所有的報導都要根據黨的政策。所有有關農地合作的廣播必須闡述所有毛主席的論點，必須讓聽眾了解這項政策的精華及成功之處。對這一點，我們沒有一個人有問題，因為我們都將廣播及報紙視為教導人民有關黨政策的工具。

我非常仔細的聆聽所有討論，因為我要徹底了解黨的政策。但同時我也禁不住要注意到王玉琳，因為她總是拿著公文進進出出的要梅益及其他資深領導同志簽名。我對她呈報資深幹部時那種沉穩的自信非常欣賞。我想著，多直的腰呀，還有多美麗的頭髮呀，編成兩條烏黑油亮的長辮子。

在會議中我發了兩次言。第一次，我建議在對國外的廣播中，應當特別強調此次農地合作的自願性質，因為大部分的外國人都認為在共產國家中所有事都是高壓強迫的。第二次，則是向他們報告在五月一日遊行的前幾天，我接觸到一個參加遊行觀賞的貴賓，她名叫郝江夏，是來自某一家紡織工廠的模範工人。我已經邀請她到英語部門來做一次訪談，以便向國外廣播。

我原本期待我的點子會受讚賞，然而我面對的卻是一片死寂。沒有人有任何反應。過一下子，梅益才慢條斯理的向與會同志解釋，因為我是第一天上班，所以我並不熟悉這裡的作業方式。他說任何訪談都必須事先計畫，並獲得相關當局的准許，不能因為某個人一時興起就安排。

這仍是我以前遭遇到的問題：個人和集體對立。現在我了解到，必須更注意才是。

星期天是我們的假日。星期六傍晚，當我正在交通車上等著車子發動送我們回宿舍時，王玉琳突然從車門探頭進來，「李敦白，」她說，「星期天早上不要出門，我會來幫你整理你的新家。」然後轉身就走。

車子開動，而車上的那些副局長們則毫不客氣的開始嘲笑我，「李敦白，你膽敢給我出門，」他們一羣人裝著女聲的叫著，「你在家等我，知道嗎？」

我並未將他們的玩笑話當真。我猜想應該是梅益知道我不會開口要王玉琳幫忙，因此指示她來幫我。而當她隔天早上十點到達時，她卻十分認真。她檢視我的臥室、客廳，及衣櫃，而她並不喜歡原本的樣子。於是她開始重新安排我的家具擺設。然後她重新整理我那天早上才摺疊、打理好的雙人床。我原本用我在監獄中所學來的陸軍式的整床法整理，她則將枕頭打鬆，將鑲邊的棉被蓋在床上。她將我在衣櫃裡的衣服全部拿出來，重摺、重疊，並將每樣東西重新掛好。

到每件事都完成的時候，已經將近中午了。「馬英昆和他太太賀潔心邀我們一起去划船，」王玉琳說，「你想不想去？」

「好啊！」我回答。

馬英昆是廣播事業局資材部的管理組長，也是以前在鄉下認識的朋友。賀潔心則負責管理機密檔案室。我還記得一九四八年在西塞村參加他們婚禮時，她還是個瘦瘦的、小女孩般，哭泣著的新娘，如今不曉得他們日子過得怎麼樣。

賀潔心似乎很能適應城市的生活。當她和老馬走進我的住處時，她已經是個比以前高一個頭、更高貴的魁梧女人。他們告訴我，他們已經有了兩個小孩了。我們搭車前往那個位於以前北京御花園最北端的公園，我們在那裡租了一條船，然後愉快的繞著湖面划了約半小時，邊划邊玩鬧。然後，老馬突然間將船划到南岸，跳上岸，接著又把他老婆扶上岸。當他們爬上岸邊，朝街上走去時，他們也邊回頭向我們喊著，「你們兩個現在必須自己去還船了。我們還有事要辦。」

我和王玉琳頓時目瞪口呆，原來我們兩個是被設計了。玉琳的臉色陰沉下來。她對著逐漸逝去的老馬的背影喊著：「該死！」她說老馬總是愛惡作劇，「等我抓到他時看我怎麼修理他。」

「沒有關係，」我說，「我們只要繼續划我們的船，玩得愉快就好了。」

「我知道，但是他回去會在我們背後亂說我們一起去划船的事。」

「管別人講什麼幹嘛？」我聳聳肩的說。我不在乎，但是她在乎。她才二十二歲，可不想因此傳出隨便交男友的名聲。不過事實上，從她輕鬆、同志般的態度看來，很明顯的她並不感覺到與我出遊會有什麼異樣的壓迫感。我畢竟已經三十四歲，又是一個外國人，禿頭，又有一眼幾乎瞎了。我在她眼中年紀一定很大。而對我來說，我的感情已經枯槁到不想去追女人，我只是很高興能夠找到一個好的新朋友。

我們繼續聊天、划船的過了大約半小時。然後我將船交回，離開公園。接著又在街上散步，直到靠近北方中國飯店附近為止。那裡有些小販叫賣北京的特產。其中有一種東西吃起來相當辛澀，不過當玉琳買一個請我時，我仍是笑著接下來。

我那時想著，這是個多美好的國家。年輕人不用付費，就能自由的、不繳任何費用的在保持良好的公園、遊樂區遊賞，能夠從街頭小販那裡吃到上千種不同的小吃，能自由的看電影，到小餐館吃美食。我很高興我周邊的所有跡象都顯示，當初自己投入共產黨，並在監獄內艱苦的待上六年以便再加入他們，是正確的選擇。

我在監獄的這段時間內，整個中國和北京都有了不少的改變。現在的北京已經和當初我往張家口順道經過時的北京大不相同，更和曾經困擾我的戰時上海完全不同。街上看不到特別的警力，也沒有我以前在昆明及上海的餐廳內總是會看到的「勿談國家機密」的標語。街上也見不到小偷、娼妓、乞丐、餓殍，沒有衣衫襤褸的人，也沒有人因為找不到工作而挨餓，或是他們的苦力付出僅能獲得一小碗飯。街上的垃圾和滿地殘渣也都不見。街上很乾淨，小販也都整齊的排列成有次序的市場樣子，到處瀰漫著一股安定和信心。是的，現在的北京已經與我在一九四六年經過時大不相同。

共產黨現在仍忙於強化他們對這個六年前贏來的國家的控制。就如同我在五月遊行上所看到的，他們對大型工業的控管已經比我入獄前大幅成長。現在共產黨完全掌握整個國家的工業生產，包括以前被英國人在唐山經營的開蘭大煤礦。在廣播事業局的高階層會議時，我也聽說農改正在全國各地如火如荼的進行著。接著我也看到共產黨如何將小生意人帶進這場改革中。走在北京街頭，我偶爾會看到一些「資本家」在街上遊行，他們敲著鼓、打著鑼，或是帶著標語、綁著布條的慶祝這種逐步的社會轉變，慶祝他們的私人企業逐漸轉變成國營企業。有一次會議中，我聽到梅益轉述黨的第二號人物，劉少奇的一段嘲笑商人的話。他說，那些資本家白天在街上跳舞，晚上則回家抱著老婆痛哭。我確信，雖然他們個人會覺得損失了自己的事業，但是整個國家會因此獲益，而他們自己也會成為更好的人。

我在延安時期的老朋友也都不同了。第一個最大的不同就是，我們不再擠在小山洞中，一起過苦日子。一個以農村為基礎的革命組織已經轉變成一個以城市為基礎的政權。毛主席也不再僅是深山裡的一小羣頑強革命分子的首領，而已是一個統治將近五億人口的大黨的主席。我那個溫文的朋友周恩來已經貴為總理，並且是世界級的外交權貴。我在報上看到他和尼赫魯（Nehru）、狄托（Tito）、蘇卡諾（Sukarno）等統領會談，或者是參加在日內瓦舉行的越南問題和談的消息。

我入黨的兩位保證人如今也都是高階政府官員。王震將軍已是國務院農墾部部長，而瘦長的李先念現在也是政務院財政部長。所有的最高階官員都集中住在中南海的高級住宅區內，再也沒有溫馨的週六小舞會，或是在泥濘路上的不期而遇。

即便是一般故舊，現在也都攀上掌權的位置。如果能在初期就加入延安的組織，那幾乎就能保證每一個人都可以飛黃騰達。我的老朋友彭迪及錢新夫婦，已經是新華社的駐外特派員。江震中，那個我在一九四五年時第一次和蘇梅津在他店裡進行祕密會議的上海金錢交易商，而且後來與周恩來一同出現在延安機場的生意人，現在是廣播事業局資材部門的主管。

在我到廣播事業局工作後沒多久，我終於第一次有機會和魏琳見面。每個人都為這件事替我做心理建設。她一直病著，他們說，她有肺結核，而且開過婦科大手術。梅益甚至警告我：「她已經不再是你以前所熟知的那個女孩了。」然而我們的會面依舊是緊張而傷心的。我幾乎無法相信那就是魏琳。我最後一次見到她時，她還是漂亮、豐滿、圓臉的學生樣，活潑而有趣。但她現在看起來蒼老，生命的樂趣似已遠離；並且她的表情使我困惑，嘴角淡漠、眼神冰冷，我覺得我在監獄服刑的那段期間，一定有什麼可怕的事情發生在她身上——不只是身體的，也是精神上的。

第十章

比紅更紅

自我從監獄被放出來後，我所做的每件事都被一個動機強烈驅使：我要證明自己是個忠誠的共產黨員，我最想的是向黨當局證明我已經改變了，我要他們看看，我不再是個有缺陷、搖擺不定的儒夫，而是一個真誠的黨員。這其中部分原因是，身為美國人，我覺得有責任不讓美國人成為中國革命中的一個汚點。另外一個原因是我也害怕再度坐牢。我私底下盤算，如果我能顯著的「紅」得徹底，我就能避免未來被懷疑及攻擊的可能性。梅益要我不要透漏背景資料的警告，敲中了我心中的驚慌，我害怕組織對我的猜忌永遠不會終止。

不過我之所以會這麼積極的求表現，最主要還是來自我的堅信。我看到我周邊的世界遠比以前更好，而我想要使它更好。我依然追求歸屬感，而這項欲望並未因自己的被監禁而減弱，反而更加強烈。他們再度接受我使我又驚又喜，更何況是以這種前所未有的信任及榮譽來接受我。我真的滿心感激，並且想向他們證明他們的信任並未錯置。我不會再遇到危險退縮、不會在火線下逃避，我不會再破壞黨的原則。從今而後，我暗自立誓，黨最優先。

這樣的奉獻精神不難維持。我在周邊所有人身上都看到相同的決心。黨的威望達到最高峯。每件事都是「我們」、「我們的」、「是我們」，而不是「我」、「我的」、「是我」。我們的政策，我們的政府，我們的廣播，我們的人民解放軍，我們的黨。

黨員有政治特權，但是黨員並沒有任何物質上的特殊享受。黨員對衣物及個人所有應該較不注意，他們應該要超越這個境界。一個女同志如果重新剪裁她的幹部服裝使它更迷人的話，她將招致批評。別的同志將會問她：為什麼妳要標新立異呢？這就是共產黨，但我認為這也就是孔子的理論。中國共產黨接受所有孔夫子的學說，然後將之染成紅色。

想要獲得黨員資格非常困難，而且需要自律及奉獻的精神。每個黨員都被派給最艱難的工作，並且應當工作最久。他們會經常在晚餐後，或是星期天再回到工作單位。經常在星期天的下午，我都見到廣播事業局的新聞室內，滿是黨員以及那些想要成為黨員的人。

這個中國共產黨是個有理想、有決心的團體，很難加入，一旦被開除更是身敗名裂。我曾聽到一些大學畢業生說他們不想加入，因為他們不能接受這樣的紀律。不過對大部分的人來說，他們的主要企圖心還是想加入共產黨。經常會有人接近我們這些黨員，並告訴我們，他們想要訓練自己、讓自己被黨接受成為黨員。許多人都明白而且心甘情願的要讓自己通過各種試煉，以成為黨員。

共產黨雖然建立了政治上的獨裁，但是為了要穩定自己的權力基礎，黨也試著用民主的方式來解決一般的日常事務——從我們吃的食物開始。在過去的兩年中，政府開始直接向農民購買主要的農產品，並用糧票的系統分配這些農產品。而為了要確使國內的每個男人、女人、小孩都能獲得他個人應有的一份，重要農產品如五穀、食油，及布都是每個月分配一次。如果有人結婚，那他們會獲得配給額外一百呎的布來做棉被。當他們生小孩後，他們可以再獲得五十呎布。肉也有票，每個月每個人都可以低價買進一定數量，而在高價時則沒有購買數量的限制。

這種系統似乎接近以前我在美國南方從事勞工運動時，所奮鬥爭取的理想。每個工作單位經由民主式的討論決定單位中的個人每個月需要多少米糧。他們稱這為「自報公議」。就像在將近十年前，當我還是聯合國觀察員時，我所親眼看到共產黨分配救濟物資的方法一般，現在的分配系統也是在一連串的公開會議下進行。例如有個編輯在輪到她報告她的需求量時，她說她一個月需要二十六磅的米糧。

「但是妳懷孕了，」一個同事說，「妳需要比較多的營養——二十六磅是絕對不夠的，妳應該拿三十磅。」在經過一連串的討價還價之後，最後與會同仁同意她應該一個月拿二十八磅的米糧，然後這個數字會往上報，以便所屬的黨委會決定。

又如黨在決定農地改革的政策時，是由黨中央委員會先設定大原則，再過來的幾個星期則是在各農村舉行討論會，讓每個農家、農民都有發表自己意見的機會。根據這些討論的結果，中委會再制定一個新的草稿，再送回給農民討論。這個草稿來回經過無數次的修改，最後再由黨做最後決定。

從報紙上我得知這樣的民主程序在每個村子、每個辦公室、每間學校、每個礦場、每個工廠裡進行。這種由人民自己決定政策，然後再交還給人民執行，並在執行過程中修改的方式，已經使得成千上萬的人民蒙受其利。

而我就在這裡，就生活在這一片勞動階級過去被視為塵土，但如今已為主人的土地上。我更可以想見那個早夭的木仙的父親——拉黃包車的李祿山，現在終於能夠溫飽，能坐在這樣的討論會中，抽著他的水煙斗，慢條斯理的在這裡或那裡加一點意見。那個促使我留在中國，那種不人道的不公平最後終於獲得改正。我為身為中國共產黨的一員，而且是唯一的美國籍黨員感到無比的驕傲。

就如同所有優秀的黨幹部所想的一般，我認為我的工作不僅只是做我自己的事。我在晚上教授有關政治經濟的課，並且在課後做個別輔導。我們會討論諸如「為什麼社會主義經濟會比資本主義經濟體制好？」的議題。但是黨不僅是關切經濟或是其他專業的問題，而是關切一個人生活的每個層面；因此身為一個好的黨員，我們會被期盼是一個政治方面的老師、婚姻方面的輔導、心理專家、財務顧問，也是一個聽告解者。我就經常花上數小時的時間在聽別人述說他和丈母娘之間的問題，或是該如何為他們的小寶寶找護士，或是幫他們從這個住家搬到另一個新家去。

問你的問題小、大，或是極為私人的都有。一個年輕母親的小孩死於一種罕見疾病時，她很焦急的跑來找我，又悲傷、又怕她的下一個小孩也會這樣死去。我安慰她，並提供她醫學訊息使她安心。當某個男人試著在精明的大城市女朋友，及可愛、單純的鄉下未婚妻之間選擇時，我會花上數個小時的時間來告訴他一個好婚姻的必備條件。當一個女人跑來告訴我她沒有得到一個夠吸引她的工作時，我會教訓她什麼是對責任的奉獻。

＊　＊　＊

在廣播事業局工作不到一個月，我就發現黨本身其實對已經具黨員資格的人更加謹慎。有一天，我坐在桌前審閱即將在傍晚廣播出去的草稿時，王玉琳走進辦公室遞給我一份那天下午召開高層黨會議的備忘錄，我則仍如往常般的簽了個「知」，表示我已經知道了。而在那個下午，所有部門裡的高幹都集合在大會堂裡等候簡報。我們推推擠擠的走進去，每十個人一排的坐在桌面油油的木桌前。

溫清澤，負責國際廣播的副局長，神態嚴肅的站在講台上。他極為凝重的宣讀了一份報告。報告內容主要是傳達包含毛主席、劉少奇、總書記鄧小平、公安部長羅瑞卿及北京市長彭真在內的五人小組所達成一個重要決定。這份報告說，從解放後到現在，黨已經很成功的將一些最顯眼的間諜、國民黨的同情者及國民黨特務成功的清除掉。現在則是已經到了進行更重要行動的時候了——清除那些深藏在組織中，等待機會反擊的反革命分子。

在大會堂中的每個人都知道，報告中所指的惡名昭彰的反革命分子就是最近被揭露抨擊的胡風及他的黨羽。胡風是黨員，但他經常強烈抨擊黨對藝術家、作家，及學者的嚴密控制，因為他認為這樣會壓抑他們的創作。幾個星期前，在他送一張洋洋灑灑的批評信給毛主席後，黨就將他以試圖在文化工作的名義掩護下奪取權力的罪名逮捕。

現在這份報告要求每個組織從這個經驗中記取教訓，並深入調查每個可疑人物的背景，以便揪出諸如胡風這樣的間諜及特務。統戰組織，包括廣播事業局在內，必須要更加小心，因為這是敵人隱藏的最敏感目標。

一面聽著，我的焦慮就一面不停增加。這份報告下令要求黨部官員再度調查每個人的背景。梅益曾經警告我不要透露我的背景，我該怎麼辦？我會發生什麼事？我的肌肉開始緊繃，但我竭力控制自己。我不想表現失常，我趕緊轉頭看四周，心裡疑惑著「有沒有人在注意我？」

就像當初在牢裡一樣，我現在也覺得自己一定做錯了什麼讓自己覺得有罪的事。但是當我看了人民日報登載一篇胡風寫的文章，旁邊並有毛主席的批註後，我卻想不出他為什麼被扣上反革命的帽子。人民日報社論強調從這一篇文章上，就可以知道胡風和他的黨羽就是反革命分子，我卻怎麼樣也看不出來。他的文章是在批評毛主席和他的政策，但除此而外，我真的看不出還有什麼。而這種無法看出反革命分子的危險，可能就是我的意識能力太低；我必須將所有的疑慮都考慮在內。「一定有一些證據是他們沒有刊登出來的，」我這樣想，「不論你怎麼想，黨所說的就是真理。只要閉嘴接受就是了。」

幸好後來事情的發展，讓我不必為這次的檢查擔憂，不僅是我的背景不必接受檢查，甚而檢查別人的工作也落到我的身上。在每個部門、單位，及每個層級都組成委員會來處理這件事，但是由於英語單位除我以外就沒有別的黨員，因此檢閱其他同仁檔案的工作就落在我身上。這樣的安排讓我心裡輕鬆了許多，因為我猜想如果黨將我視為可疑的對象的話，就不會將這樣的工作安排給我。但我還是不能掉以輕心。我心裡有個獨特的想法，如果我很積極的參與這個運動，那我就可以避免再被黨誤解，同時我也下決心要秉著良心做這件事。

我們要檢查的都是那些過去有不良政治紀錄的，例如是那些在念書時曾參加過三民主義青年團的；或是那些父母親是大地主，或是資助國民黨的資本家；或是有朋友是前述之類的人；或是有朋友在台灣或是國外。我們也要找出那些腦中隱藏反革命思想，或是曾經暢談反革命標語的人。

被懷疑有可疑政治背景的人幾乎包括了所有英語單位的主要人員，因為他們大部分來自舊政府統治時代的大學，而且許多人都有「複雜」的關係牽連。廣播宣傳部門的主管以及公安部門先做了一次初步檢查，然後再交給我兩份可疑人事檔案。

每一個人都有一份機密的人事檔案，而這個麻紙做的檔案的普通外觀幾乎讓人輕視了它的重要性。檔案的裡面是一疊手寫或油印的文件，以及用別針別在一起的許多相關資料。這些個人資料的蒐集並不困難，因為每個黨員都負有觀察、監督同事的責任，並把任何對黨不滿的跡象記錄下來。如果一個原本被訓練來做文書的人因為在鐵工廠做事而不高興的話，他的同事就必須將這件事向黨報告，讓相關單位輔導他，使他能夠愉快的擔任在革命中應當扮演的角色。又如某人為了未被升遷而憤怒，其他人也應當向黨報告以便改正他的態度。

很少人會認會這樣子打小報告是不對的。因為這種事是對黨應負的責任，同時對那些會因此而受益的朋友而言，這也是應該的。我固定的向黨支部書記報告我部門裡所有同事的情況，也會向梅益報告外國研究小組的情況。我確信我的這些報告也會在他們的人事機密檔案內。而只有高階的黨員可以查閱，或是下令給相關人員查閱。不過當事人則從未看過這些資料。不論這份黨員機密資料中有什麼，它都關係到他的未來——甚至他的生命。

我所負責的兩個人都是英語單位的幕僚，並且家庭背景都不好。其中一個曾是國民黨空軍的情報人員，並且被懷疑仍在進行情報工作。另一個則是被一個政治犯指控也是反革命分子。這兩個人在工作上也都有瑕疵，一個是不回答聽眾的來信，任其堆積如山，另一個則是在廣播時犯了重大錯誤——他在播放捷克黨魁高特伍德（Klement Gottwald）的死訊悼文後，竟然再接放了一段響亮的狂笑聲。當初他曾辯稱這是一時疏忽，但這仍是他工作上的缺失。

我花了一段很長的時間去閱讀他們兩個人的機密檔案，有時甚至必須走來走去或是不停的喝濃茶，以保持清醒。我為被賦予這樣重要的工作感到高興，同時也相信自己可以做得很好。在閱讀完他們的檔案之後，我向上級建議讓我先和這兩個人私底下談一談，告訴黨對他們的控訴，並讓他們有個解釋的機會。最後，這兩個人都被證明是沒有問題的。曾經在情報部門工作的那個並未從事任何間諜工作，他的確曾經在情報部門裡的地圖室工作，但他從未受過任何間諜訓練，並且也沒有任何的資料顯示他從事過間諜活動。而另一個被監獄政治犯攀連的，我們認為純粹是那個政治犯為減輕罪狀而故意說謊攀誣。

其他單位的案件就沒有這樣的簡單順利，任何人如果被懷疑隱藏反黨的思想或活動的話，那他將會被更大、更高層的組織調查。一個案子就是有關英語單位的三個年輕黨員——一個名叫陳宏貴的播音員、他擔任翻譯員的太太古怡婷，以及他兩個人的好朋友及老同學，另一個名叫魏美清的翻譯員。

這三個人都是來自背景不良的家庭，而且都是上海聖約翰大學畢業。當他們私底下的談話內容公開後，情況對他們就相當不利了。陳宏貴聽說曾經抱怨過辦公室太靠近那些到附近旅遊地點郊遊野餐的遊客，而無法專心工作。他還有一次在公開場合抱怨，他對高階黨員坐著豪華轎車疾馳而過，車窗簾幕緊閉的無視周圍歡迎之人羣的情況非常不能接受。

他們三個人也承認，有一次他們一個朋友問陳宏貴如果在廣播的時候大喊，「給我自由！」會有什麼結果？陳宏貴說廣播室的監控人員會馬上將麥克風關掉，並且將在播音室門口左近的警衛叫進來。這般的對話已被認為是計畫在北京電台的播送裡傳播反動訊息。

這個案子和我會有關聯是由於這三個人都喜歡閱讀英文作品——這被認為可能會有意識形態上的問題，因而我就被黨要求檢閱那些英文書的政治屬性。他們主要是看柯斯特勒（Arthur Koestler）以及摩克漢（Somerset Maugham）的作品。我從未讀過柯斯特勒的《黑暗的正午（Darkness at Noon）》，但是從書評上我知道那是一本抨擊蘇聯的書。而摩克漢則是一個頹廢主義者，因此我認為他們三個人可能也是喜歡書中的頹廢精神。不過他們真正被認為有罪的原因是，雖然外表上他們都沉默而有禮，但是骨子裡卻是很驕傲而且認為自己很特別——就是有那種在革命之前經常看得到的富家子驕氣。即便是在調查的過程中，他們仍是非常自信、目空一切。

事實上他們似乎不把整個調查行動當一回事，一直到廣播事業局採取法律行動之後。公安部門申請搜索狀，並且搜查了他們的房間。雖然被控的這三個人並未有任何暴力前科，但是公安部門仍非常小心的處理這次搜查，在那些公安出發前，我甚至聽到其中有一個說，「我們最好把槍也帶著。」不過除了他們早已供出的那幾本書之外，公安也沒有發現什麼。

最後，陳宏貴被宣判為反動分子的黨羽之一，他、他太太，及他們的新生寶寶，和另外幾個共犯都將被送到東北苦寒之地的勞改營進行勞改。從此以後，我再也沒有見過他們。那時有一部很受歡迎的電影是描述一個退伍老兵如何在東北隻手創出新樂園的故事，因此廣播事業局還有很多人認為他們的結局還算是不錯，還有希望在。不過並沒有人真正知道這般的流放生活到底是怎樣的情形。而對我而言，我只是認為誠直的農場勞動將會對他們有所幫助；因為我自己以前也曾經想過，為了黨的好，我寧願挨流放歲月之苦，他們也應該這樣想。

*　*　*

就新工作而言，我在許多重要方面都比在延安時更有權力。我對黨政策逐漸的更能了解也更能掌握，因此我判斷新聞的能力——不僅是文法上的，同時也在政治內容上——都比以前更好。每個新聞都必須根據黨的政策，我們並不是在報告新聞，我們是在傳達政策。

我也是部門內少數幾個能夠接觸到真實消息的人，這些消息都是來自機密，而且限制流傳的文件。最低一層的資料叫做「參考消息」，內容包含選擇過，從諸如紐約時報及華爾街日報翻譯的，安全而適合低階幹部閱讀的外國消息。次高一層的資料叫做「參考資料」，是一本有四十頁厚的期刊再加上另外一本小一點的。這兩件每天出刊兩次，傳送給較高的官員看，例如是中央部門的主管及省級書記，還有我們統戰部門的人。這份資料裡面的消息可能包括較為重要，較具爆炸性的外國消息，例如外國領導人以及作家對中國的政治攻擊。

然而真正有關國內，或是國際實際現象的消息則是刊登在一本大小、厚度都如讀者文摘，名之為「內部參考」的文件內。這份文件是由統戰部發行，並且只分配給經過選擇，而且必須知道的人。即使有時候人民日報上大肆宣揚豐收及農民興奮的消息，你卻可以在「內部參考」上看到某處有穀物歉收，或是哪裡有洪水氾濫。

同時還有一些極機密資料是唯有經過選擇，而且准許過的高階黨員才可以閱讀的。諸如省部黨委會的重要決策、黨中央的政策更改、行動、批評、處罰，或是新結盟的消息都存放在這個機密等級。這些消息都稱為紅字頭文件，只可以在機密文件室內觀看，只有獲得特准的人才可以進入機密文件室查看，獲准看的等級還有不同。

機密資料共分成四個等級，甲、乙、丙、丁。在廣播事業局工作的七千名員工中只有一個人有資格查閱丁級的資料，那個人就是梅益。他是屬於部長級的人，另外還有一些在他之上的黨中央委員會及政治局成員也可以查閱丁級資料，少數中央委員及政治局成員還可以查閱有關外交及軍事的情報。

由於梅益獲准觀看的資料過於敏感——其中還經常包括中央委員會的開會記錄——這些資料都是由機密的摩托車運送給他。這些精挑細選的摩托車手通常是前陸軍軍官。廣播事業局有我們專屬的資料運送人員，他可以直接騎車在我們辦公室和中南海間來回往返。

甲級的資料則是每個部門內的小組長都可以看的，例如廣播事業局內的法語單位組長。獲准閱讀的層次其實和個人的管理層次有關係。共產黨內最低一級是第二十二級，而獲准閱讀甲級資料的，則是第十七、十八級。乙級，也就是我的層級，包括較大部門的主管；而這一級也同時是高階幹部羣的最低一層。丙級則是副局長及以上的人員才可以調閱。個人獲准的層級會隨著個人升降而不同，事件的分級也會因事件本身的改變而不同。我有時也獲准閱讀丙級的資料，但是大部分的時候我只獲准閱讀乙級的資料。

我從未請求獲准進入文件室，因為也從未有人如此做過。但是有一天，上級來一通電話通知我的身分已沒有問題，我已獲准進入文件室。當我到達那裡之後，當值的櫃台檢驗我的層級，然後將屬於我這個層級可以閱讀的資料交給我。

在文件室內我發現了許多可以正確處理我的工作的重要資料。在一個有關元首級人物，例如印尼總統蘇卡諾的來訪資料中，就會記載他為何來訪、他可能向中國要求什麼，而中國又可能可以給他什麼等議題。

資料中也同時報導這些元首來訪應有的統戰語調：熱切、自然中立、冷淡。我總是很小心的閱讀這些資料，以便使自己了解如何處理類似消息的報導，以及例如當有些播音員被派遣前往北京郊區的中印人民友誼自治區，去採訪一個普通農家有關中國對印尼人民深刻、溫暖的友誼時，我當如何教導播音員注意應有的態度等。

即便我是如此忙碌著黨、忙碌著我的工作，我依然未曾忘記過王玉琳同志。由於她是梅益的機要祕書，因此她也和我一樣經常要忙碌到晚上九、十點。因此，她和我幾乎已經養成每天下班後就聚在一起的習慣。我們會在下班後一起到北京的街上找看看有沒有好東西可以吃。有時候我們會繞到北京的主要幹道，長安大街上一家叫做「蘇家小館」的小餐廳吃點心。玉琳總是會幫我點一道冰凍杏仁豆腐再加上山楂果凍，她說這東西吃起來像是冰淇淋，不過她自己從來沒有試過。至於她每次都點她最喜歡的，一碗冰紅豆湯。

有時候我們會到辦公室轉角的一家名為「仁成」的餐廳，來兩碗上面漂亮點綴著雞肉及牛肉片的熱粥。偶爾梅益也會加入我們一起來這裡，有時候我們也會走段遠路到西單，吃有名的北京鴨卷。有時他會開玩笑的說，「一定會有人向公安部的人檢舉我私會外國人。」有時候我們甚至會走到長安大街的盡頭，在皇宮大門外的四川館子來碗熱呼呼的擔擔麵，而我每次總是吃得又是咳嗽又是眼淚鼻涕的。

我和玉琳總是邊走邊聊天，她的率直和無產階級的背景令我欣賞。她的父親是個中國家具廠的木工，她在北京附近出生，但是到四歲左右時由於日本人的侵略，她們整個家庭就逃到鄰近山西省的山區裡。

在這次逃難之後，她們家更加窮困，而她父親在逃難時又把工具傢私掉了，使得謀生更加困難。在共產黨獲得勝利之前，玉琳必須出門撿破布賣給製布鞋的人；有時候則和父親坐在街旁的一張紙上賣火柴。情況更糟的時候，整個家庭都只能吃野草。她也告訴我，她一個名叫培昆的小姪兒甚至被賣給戲班子，以讓整個家庭可以短暫的不再挨餓。

在共產黨接收大陸之後，玉琳到高中就讀，她也是她們家族中的第一人。她是個績優的明星學生，並且在十五歲的時候加入共產黨。她很固執，爭辯的時候總是堅持己見，並且在認為自己是對的時候絕不退縮。高中畢業後，她的勤奮和快速的學習能力，再加上她單純的工人家庭背景，使她自然而然的成為廣播事業局的最佳工作人選。

每次吃完消夜後，我都送玉琳回到她住的金城旅社。那原本是間老式的中國式招待所，但是現在已經被轉換成我們部門的幹部宿舍。由於她工作性質的重要，以及她經常必須加班到深夜，她破例擁有一間個人的小房間，但是我通常只是很有禮貌的送她到走道，然後就回家。

這樣的情形持續了幾個星期之後，我的朋友溫清澤把我拉到一旁，要我和他單獨的走一走、談一談。身為僅次於梅益的事業局第二號人物，溫清澤是個和藹、有活力，而且對每個人都很親切的人。在延安我們是鄰居時我就很喜歡他，而且知道他是個誠實且單純的人。

「我注意到你和王玉琳同志已經變成好朋友，」在散步的半路上他如此的開口，「我很了解她，所以我必須先告訴你，她非常不喜歡別人和她談結婚的事，因為黨曾允諾將她送到莫斯科去學習並訓練她成為一個電視工程師。而且，我注意到以前如果有男孩子追她的話，她馬上就會拒絕他。」

「不過我並沒有任何企圖，」我抗議的說，「我們只是好朋友。」

他不管我的抗議，只繼續說，「聽我的勸吧。我知道你們美國人會寫情書，但我要告訴你，在任何情況下千萬不要寫情書給玉琳。因為那會將她嚇跑的。不過也不必太過擔心，她會慢慢習慣跟你結婚的這個想法，只要你不太躁進或太纏著她。」

和玉琳結婚？直到那一刻，當溫清澤提醒我的時候，這個想法才浮上我的心頭。而突然間我了解自己其實是想與她共度餘生的！我們一起快樂、爭論、歡笑、打鬧。她可愛又有活力，直接而不做作。而更重要的是，她是一個良好、堅定，有著完美無缺的無產階級背景的黨員。她是梅益的私人祕書，而且獲准閱讀最機密的高層資料。我於是想，我應該可以信任她，讓她協助我筆直的走在這條政治的狹路上。而我也需要這樣的夥伴協助我遠離一些麻煩。

那天晚上，我坐下來給玉琳寫情書。我告訴她，我很高興我們成為朋友，我告訴她我希望這個關係可以繼續下去發展成一個堅定的愛情，甚至到最後我們能結婚。我在辦公室的桌前完成這封情書，將它封在信封內，然後在回家前將信放在她的書桌上。

第二天早上，幾乎就在我剛坐在辦公桌前辦公的同時，我聽到熟悉、強而有力的腳步聲走進我的辦公室，來到我的桌前；我似乎可以想見到她挺直的腰，高抬的頭，和走路時背後那條桀驁不馴的烏黑辮子。玉琳站在我桌前，靜靜的放下一張紙條，然後就轉身離去。紙條是由兩頁紙合在一起，玉琳將它摺成一吋寬，並將它扭成螺絲釘的樣子，據說這是游擊隊摺疊紙條的最常用方式，因為收藏容易而且必要時可以迅速的吞下嘴裡。

我忐忑不安的解開紙條開始閱讀。「親愛的李敦白同志」，它開頭這樣寫，而當我看到「同志」這兩個字時，我知道自己有麻煩了；

我從沒有想過你提的那種關係。除了同志和朋友外，我從未想過我們之間會有別的什麼。既然現在你有了別的想法，那對我而言最簡單的解決辦法就是完全終止我們之間的關係。我希望你從此一切順利。

王玉琳上

P．S，既然我昨天同意你今天晚上陪你到孫逸仙公園，我還是會遵守我的諾言。

那天晚上在孫逸仙公園的花前月下，我們決定了一切。我向她求婚，她接受了；我們在六個月後結婚，那是一九五六年二月十一日，中國的農曆年假期。

北京的冬天非常美，但也很冷，非常的冷。從西伯利亞狂嘯而下的冷風呼呼的吹過門、窗；而當下雪時，每家每戶都必須到街上來掃雪。我們都穿著毛衣、外套，而衣內則穿著衛生褲、衛生衣。辦公室內有一台老爺暖氣散出一絲絲微弱的暖氣，恰恰好僅夠將最冷的寒冷擋住，因此我們在室內甚至都必須穿上一層層的衣服。

和玉琳結婚後，我們經常一起出門坐電車，只是為了觀看城市的景觀。細細的雪將原本巨大、粗糙的建築物線條柔柔的淨化，也將原本像是火柴盒外觀的工人宿舍的尖刻角度消去。有時候我們也會漫步在仍圍繞著北京城的城牆，並對著城下的護城河丟石許願。北京仍有著帝制時代所遺留下來的許多老城門，在西單及東單都有許許多多紅色、金色鑲邊的拱廊迴道。而街道在兩旁庭園房舍的推擠下則像是一條小巷子，公車就在一邊的階梯和另一旁的門檻間擠過。

有時候夜深時，我們會跑到外面的小吃店去吃臭豆腐和餛飩湯；或者到北海公園，或是我們定情的孫逸仙公園散步。不過我們大部分的時間花在享受安定的家居生活。結婚後我們就搬進了第三〇二號住宅區，那是在廣播事業局幹部宿舍內的一棟制式的四層樓磚造建築物，離我們工作的辦公室只有幾步路。

以我長大的美國南方生活背景及標準來說——南卡羅萊納的房子都有厚厚的地毯、大大的廚房，前後都有放著鋼琴的客廳，玄關門邊的亭廊長滿紫藤，前、後都有大大的庭院——我在北京的房子算是寒酸的。但是照中國的標準來說，它卻是高級豪華的。從它的大小及設備——我們有熱水供應，而這只有中國的高階領導才有——來看，住在裡面的人一定有特權。

玉琳為我們準備早餐，通常是粥加上醃菜、醬瓜，配上一顆梨子或橘子。她也學會和我一起喝咖啡，中午我們就在辦公室的福利餐廳吃，晚上玉琳就會煮一頓豐盛的晚餐，諸如北京蔥油餅、雞肉、排骨，或是來頓水餃。

我們的房子靠著街上，因此這個城市的聲音圍繞著我們。我們可以聽到各種小販的叫賣聲從窗外傳進來，有賣豆腐的叮叮節奏的叫聲，有磨刀子小販推著工具小車的喊著，「磨剪刀啊！磨菜刀哪！」這些聲音總讓我回想起童年時在查爾斯頓的商人叫賣聲。在剛黎明的第一個小時，大夜班的工人剛下班回家，或是要上特別早班的人剛出門，我們就可以隔著窗戶玻璃聽他們討論著籃球，或是乒乓球的比賽結果。中國人的傳統似乎並不認為，在別人想睡覺時大聲說話是粗魯的舉動。

冬天時，我們的午休時間較短，從中午十一點半到下午約一點回到辦公室。有時候我會在辦公室睡覺，但是大部分的時間我都是回到約兩百碼遠的家裡。冬天北京的空氣中總會飄著異味，有人家取暖燒煤所散放出來的辛辣味，再加上不時出現的戶外廁所的臭味和街上小販所賣的烤肉香。

在我們結婚之前，玉琳計畫到蘇聯去受訓。但是在我們結婚後，她放棄了這個計畫。但是她仍獲得了接受技術訓練的機會。她被調到技術部門，擔任音效工程師，終日與一個德製的轉輪錄音機為伍。她為此很高興，因為就像她的父親一樣，她打從心裡面是一個工匠，現在的黨工工作並不是她喜歡的。

現在我們不論在家或是工作上都很愉快。不過，我們的婚姻還是令許多人不高興。首先她的父母親就根本不贊成她嫁給外國人。不過我很幸運的是，她的父親在我到她家求婚之前，就在我家附近的公共澡堂看過我；「他非常有禮貌，並且似乎對每個人都很好」，在他最後終於首肯我們婚事之後，他如此的告訴玉琳。而她的母親則是在玉琳百般懇求之後才答應，但是她的父母卻都不願參加我們的婚禮。

梅益也曾試著勸服我不要和玉琳結婚。「你才剛回到黨組織，你必須慢慢來，」他說，「你們兩個很喜歡彼此，而她也是一個很有能力的人——甚至可以說是最好的。但是我以前曾經見過許多像你們如此相愛的異國情侶結婚，但是最後卻都會發現彼此之間的文化差異實在太大。隨後這段婚姻開始無聊起來，而你們兩個人也都開始不滿，並且影響到你們的工作。就像是你想談莎士比亞而她想看國劇，這會使兩個人都開始厭倦。」

我的上司，趙杰，也是基於相同的道理反對我們結婚。趙杰是個瘦瘦的、有著氣喘病的老人，他經常是眾人嘲弄及開玩笑的目標，但是他的重聽實在太嚴重，因而他也搞不清楚是怎麼回事。不過他仍覺得有責任要勸阻這項婚姻。「當兩個人的教育背景相差太多時是一點都不管用的，」他說，「你是進過大學的人，而且品味較高。玉琳即便有很強的能力也還只是個普通的中國女孩子，你最好是想辦法脫困。」

脫困？這是我最不想要的。就文化及教育的更深一層意義而言，我覺得玉琳和我有許多共同的興趣，而且她有許多可以教我，或是與我分享的。我很確定我們可以繼續享受在一起的喜悅，並相處得很好。但是上級的同意是非常重要的，因為玉琳的工作是機密性的，而沒有上級批准，她是不准嫁給外國人的。因而黨委會必須寫封信證明我是一個好黨員，以便這樣的規定不必用在我身上。

在與玉琳商量時，我也告訴她一些對我們婚姻不利的因素，因為我要她知道她嫁給什麼樣的人。我們有十二歲的年齡差距，我有過兩次失敗的婚姻，這些對一個年輕的中國女孩來說都可能很難忍受。同時我也對她解釋說，我的南方人文化及猶太種族背景都可能是個問題。

「什麼是猶太？」她反問我。

同時還有魏琳的問題。在我和玉琳訂婚後沒多久，魏琳所屬的黨支部祕書，同時也是她的指導人就傳給我一個訊息：魏琳想和她的第二任丈夫離婚，並和我再度結婚。那個黨支部祕書勸我接受這個建議，這樣就可以恢復以前那個快樂的家庭。

我拒絕了。我解釋說，如果魏琳以前等我，那我也會一輩子都與她在一起。但是她選擇了不同的路，因此我也使自己完全忘記了以前的戀情，也不再愛她，更不會考慮與她再婚。而更重要的是，我並未告訴那位黨支部書記，我一點也不喜歡變成現在這個樣子的魏琳了。

魏琳自己也曾對我的選擇表示意見。她說她曾經聽說王玉琳是個很會惹麻煩的人，而且無法與上司相處。「太過個人主義，太過自我。」她說。我太了解魏琳了，所以我並未完全相信她。但是我還是有點困惑，所以我去找溫清澤，並問他是怎麼回事。他搖搖頭說：「王玉琳絕對是個好人。她是有意識形態的問題，但絕對不是個性上的。」就這樣，我不再去想魏琳說過的話。

但是魏琳並未完全自我們的生活中消逝。我每天工作都會遇見她，有時候在從家裡到工作的往返途中，我和玉琳會一起碰上她。在我們婚後的幾個月，一次這樣的碰面造成了玉琳的痛苦。那次我和玉琳正手牽手的走在街上，當我看到魏琳從遠處走來時，我毫不思索的就將玉琳的手放開。她茫然若失的在魏琳經過後問我：「你為什麼這樣做？」臉上更是烏雲密佈。

「我只是想，她看到我們這般快樂一定會很傷心，而我不想傷害她。」我說。

玉琳開始哭了起來，「不是的，你還愛著她，而你並不像愛她般的愛我。你對她比對我還要在意。」

玉琳一直哭到深夜，而我不論說什麼都沒有用。隔天早上情況好了一點，不久後我們就又和好如初。然而我依然感到鬱悶，因為我的笨拙，以致自己無法找到適當的言語來向她解釋我有多愛她，和她對我有多重要。

我感到，由於玉琳，我才能擁有這個平靜的心靈。其實她並不知道，我依然非常害怕第一年在監獄的痛苦折磨，已經使我的心智完全失控。我很害怕每次的驚慌及掙扎都是為此。我很怕自己再度神經失常，並再度掉入那個恐怖、黑暗的噩夢世界裡。在人羣裡，在深夜裡，當驚懼不由自主的開始時，我會感到一陣陣的冰冷。

是玉琳伸出手，拉住我的手，將我帶出那個世界。由於她的愛、關懷，對事實堅定的信仰，以及沉穩的實事求是精神，將我一天天的帶回正常生活。當我真的感到驚懼來臨時，唯有想著她，才能穩定我，使我平靜，讓我知道還有另一個世界，一個真實、堅定、舒服的，我可以回去的世界。

第十一章

黃金歲月

一九五六年，當歲大豐收，農產品堆滿商店的貨架。夏天，店家必須將多得放不進店裡的西瓜擺到街上，使得大家紛紛開玩笑說他們是希望有人去偷才這麼做。在十月及十一月，我們可以吃到從中國西北運來的金黃柿子。葡萄則是豐收到人們開始互相調侃絕對不接受葡萄送禮。那年冬天，我們可以吃到從湖南、廣東及福建賣來的橘子和柳丁。一些好幾年沒吃過蘋果和梨子的人，在那一年則會水果多得吃不下。

我想，一個民主式的社會主義已經在中國開始了。而黨在各方面也一再獲得成功。例如在一項甫結束的國際會議中，中國與印度、印尼，以及緬甸的關係都獲得重大改善。中國共產黨不再孤立，相反的已獲得優勢的世界權力。揪出反動分子的運動已經結束，因此緊張的每日會議也不再有。整個社會似乎也在同時間散發出一股解放、輕鬆的氣息；每個人似乎也更有朝氣的工作著。或許這股氣息是來自於使眾人提心吊膽的新運動可能不會再有，但是我覺得這種社會現象更證明了這些運動是正確的，它們的確掃除了壞掉的因子，並且將其他的好因子釋放出來。

農民公社將那些過於窮困而無法獨力買牛、工具，甚至肥料的農民集中起來，因而使這些農民能夠豐收。而藝術方面要獲得相當的自由，應該也是時間早晚的問題。北京和上海的老爵士俱樂部已經重新開張，而年輕人也在晚上到這些地方，在激昂的小喇巴及輕柔的薩克斯風聲中跳舞。國劇及雜耍團也開始重新演出，舞台劇及電影更是繁盛發展。

我們所有人也都參與了全國性的公共健康運動。有一天，我們整個辦公室的人就全體出發到人民醫院去做血液檢驗，而上級所秉持的理由是，這是一種檢驗出癌症的新方法。過不久，一個高級官員告訴我，事實上我們去做的是一種名為瓦爾塞曼氏反應檢查法（Wassermann test），是檢驗梅毒的。玉琳知道後的反應讓我吃驚，「他們從不告訴我們實情。」她抱怨的說。我非常訝異，她難道不應該是那個忠貞、不會動搖的黨員嗎?她為什麼會說出如此異端的話?

婚後我就很快發現，我對玉琳在一個很重要的方面做下非常錯誤的判斷。我的妻子，一個肯奉獻，信仰堅決的無產階級共產黨幹部，事實上心裡有她自己獨特的想法。這並不是說她不是一個忠貞的黨員，她確確實實是!她親眼看到共產黨為這個國家、為她的家庭做了什麼。她能堅定的體會到責任及義務的重要性，就如同工匠對自己的作品要求完美一樣。但是，她與我不同的是，她並不完全相信黨所說的每一件事，她也對黨的政治教條厭煩、沒興趣，所以在成為廣播事業局第一把的音效工程師之後，她終於很高興可以不再每天與人辯論黨理論。

有時候我甚至會對她低度的社會主義意識感到心寒。有一次，我們一起去看一齣北京京劇「搜孤救孤」，所演的是有關中國古代某王朝的王儲因為奸臣篡位，被丟棄成為孤兒，最後又被假裝忠於篡位者的忠臣所救的故事。從戲院出來後，我對她抱怨的說；「這個故事真是爛透了。一個小皇帝？在我們現在的社會主義社會裡誰還會對他大驚小怪？誰管他發生了什麼事？他們這些人只是一堆壓榨者及掠奪者，將工人階級壓在下面。他們怎麼還可以讓這個小皇帝成為故事的主角，並博取觀眾的同情？」

「胡說八道！」玉琳反駁著，「這些是古老的傳統戲劇。難道我們應該將所有珍貴的藝術遺產全盤丟棄，只因為它們大部分是有關皇帝、妃子，或是大臣？你已經被教條化，而這是變愚蠢的肯定跡象。」

這就是我那位無產階級妻子？我不禁拿出男子氣概回辯，我絕對是對的。但是玉琳一步也不退縮，因此爭論一會兒之後，我們只好換話題。我知道當她堅信某件事時，絕對不可能說服她改變。不論我如何的嘗試，用盡各種方法，她依然保持著那副我第一天就注意到的頑固嘴形。「不要想改造我，」她會這樣說，「以前已經有人試過，但是從沒有人成功過。」

＊　＊　＊

冷戰逐漸成為全世界的新氣候，美國也逐漸加強撲滅內部共產主義的行動。中國與美國的關係日趨緊張，因而每當我們在公開場合提到「美國」這兩個字時，很少有不再加上「帝國主義」這幾個字。不過就個人而言，美國人在中國還是相當受歡迎的，而大部分中國人都與他們相處得很好；因為這兩種人都有相同敏銳的幽默感、對朋友都一樣的直接，並且不會偽裝。同時就像是我在延安時期所發現的一樣，中國人非常喜歡美國的東西——美國的電影、書、音樂，只要它們不要太頹廢。

在北京的美國人也都喜歡中國人。他們有些是為了逃避在麥卡錫（Joseph R. McCarthy）主導下對親共人士的迫害，例如珍．沙克．哈帝斯（Jane Sachs Hodes），她和她在大學任教，同時也是個生理學家的丈夫，包伯．哈帝斯（Bob Hodes）及三個小孩一同逃到中國的原因就是他們的左派觀點。現在他們夫妻兩個人都在北京生活、工作。事實上除了蘇聯人外，美國人是在北京中人數最多的外國人，一共大約有十二個人——再加上配偶及小孩大約有三十餘人——大多是教英文，或是從事英語出版品的工作。

但是在外國人和中國人之間仍是有一道高牆。除了像是我和哈登（George Hatem）這樣的人以外，大部分外國人還是被隔離在他們所喜愛的中國世界之外。中國共產黨對待外國人的方式就像是千百年來中國人所一直用的——運用他們的技能，因此在北京的外國人大部分是教師、語言專家，或是科學家；對他們十足十的客氣——但完全將他們隔離。

我所屬的黨支部書記張華，曾經向我解釋過廣播事業局制定的與外國人交談應遵守的原則——只可以說人民日報刊載過的，而不要斷章取義，不要隨便詮釋任何事。我也從機密檔案室中讀過相關的命令，上面說任何一個中國人如果想要和外國人會面，他必須先從他的工作主管那邊獲得同意，並且在事後向上級報告。因此中國人都不太願意與外國人交往。如果你向上級申請，申請可能會被拒絕，同時你也會被列入可疑名單上。

然而在北京的美國人並不知道他們被孤立的這項規定，他們因而焦躁不安。有一次我就看到包伯·哈帝斯大發雷霆。「這簡直是對我存在的一種危害。例如當我手上的工作進行很順利，而我向我的中國夥伴要求幫助時，有人就會突然要他們集合起來開政治會議，他們就會放下手邊的工作，然後每一個人就不見了。他們從來不會告訴我他們去哪裡，或是我要等多久，我手上的工作就此停擺，我必須乾坐在那裡玩手指頭，要不然就是乾脆下班回家。」

然而，他們還是深愛中國，深愛中國人，深愛社會主義，並且將這些當成理想一樣的奉獻。他們都跟我一樣，認為一個新中國已經在他們周圍蓬勃發展。不過為了要應付這種被孤立的感覺，他們便組成了一個讀書會，共同研究政治理論，分享彼此的關懷及問題，交換他們能夠獲得的那一點點資訊。

其中一組是在每個星期六的下午，中國人的工作單位參加政治研究課程時碰面，碰面地點通常是在古和平門北邊，一對名為裘許和米莉恩·洪恩夫婦的家中。裘許是個左派的英國醫生，他太太米莉恩則是一個立陶宛籍的護士。這一組人中也包括了大衛和伊莎貝兒·克洛克（David & Isabelle Crook）夫婦，這對夫婦是馬克思主義信徒，男的是英國人，女的則是一位長期在中國教書的加拿大傳教士的女兒；另一個組員法蘭克·蘇（Frank Su）則是原本在菲律賓做小生意的華僑，現在回到祖國來貢獻本身技能，他的太太索妮亞（Sonia）則是逃過納粹暴權的奧地利籍猶太人；還有一些是嫁到中國來的洋太太，像是愛妮·克拉瑪（Ione Kramer），她來自威斯康辛州，原本是一個年輕的記者，嫁給一個中國籍的化學家老公後，便隨著他回到中國。

受邀參加這個讀書會後，我常期盼禮拜六聚會時間的到來，部分原因是又可以用英文說話、討論，我自己的英文在那六年只能說中文的獄中歲月後，已變得很生疏。另外一個原因是，我很快就在這個聚會中獲得超然的地位。其他外國人都迫切的想要獲得外面的任何一丁點訊息，而我所能獲得的資訊，以及明顯是圈內人的地位，使我很快就成為這個團體裡的重要人物。當然，我不會告訴他們真正機要的消息，不過我提供的訊息絕對是正確的。

不過參加這個聚會的最主要原因是：我覺得這是一個好黨員應盡的義務。在共產黨內，每個黨員都會要求自己與非黨員進行社交工作，散播正確的消息、贏得他們的交情——當然也包括讓黨知道他們的動態。在報告給梅益知道後，我就成為這些在北京的外國人的核心人物。

一九五六年的某一天，我終於為他們帶來一個重大消息。那天他們星坐在椅子上，不時的彼此交換眼神、耳語，或是啜飲著咖啡，而當我從椅子上站起來說話時，空氣中似乎充滿了期待。我告訴他們，毛澤東正準備在幾個月後進行一系列重要的公開演說。而在最重要的第一篇「有關正確處理人民間矛盾」——公開向人民演說之前，我和幾個科學家、作家、政治人物一同在一間祕密播音室內先行聽了這次演講的草稿錄音帶。

我告訴他們。毛澤東對中國現有情勢的分析和我們所見到的蓬勃景象完全相同。他並且說中國目前已進入一個民主社會主義的新階段。針對類似胡風這種反革命分子的掃除運動，已經至少解除這些社會公敵的武裝並且提升了人民的意識。韓戰對中國的威脅也已經結束，現今的國際情勢已較以前鬆弛。中國已經為建立社會主義經濟打下厚實的基礎。而同一時期匈牙利所發生的革命，也充分顯示了一個官僚、遲鈍、不民主的黨領導體制會造成什麼危險。

毛澤東並且認為中國已經造好了進步的條件，因為中國現在是由人民在做民主專政，也就是舊共產主義中的無產階級專政。因而現在應當是強調民主專政中的民主——大多數人的民主。從現在開始，大部分的衝突或是「矛盾」將不會是對敵人的，而是發生在人民之間。而這些衝突及矛盾將會用討論或是輔導的方式來解決，不會有任何強迫。

我邊看著我的筆記本，邊告訴他們說，想要有正確的政治態度，那個人就應該支持黨的領導階層和社會主義路線。但是毛主席也明白表示，只要不違法，反對領導的立場或是與他們爭辯並不是一項罪惡。在屬於人民的中國並沒有所謂的意識形態的罪，也沒有思想的罪。我告訴他們我很歡迎這項運動。這樣的民主，中國廣大的農民才可以自己討論他們自己的政策，或是用豆子投入碗中的方法來選他們自己的領導。這種真正的民主也正是我在史丹福大學進修時，理論上最正確、也最吸引我的民主。

「當然，」我繼續引述毛澤東的話，「這樣的民主只適用在人民身上。」但是在社會上仍然有一小撮敵人想要破壞我們的社會主義祖國，這羣人必須被消滅，對他們，我們不用民主，而是用獨裁。所以總結來說，就是對人民、對大多數人用民主；而對一小撮敵人則是用「獨裁」，毛澤東並且說，這樣的民主遠比任何西方國家都還要民主。

當我完成我的報告之後，珍．哈帝斯是第一個提出問題發難的人。在美國時，她就是一個衝勁十足的人權鬥士。「但是該由誰來決定誰是敵人，而誰又是人民呢？」她要求解釋，「如果你只是依靠自由心證來判斷一個人是敵是友，那麼今天的革命分子明天就可能會被說是敵人；

而這樣的保證民主對大多數人民又有什麼好處呢？而說僅有一小撮敵人會被獨裁又是有什麼好處？」

珍所問的正是我被監禁時，在沉寂中自問過無數次的。當我被視為敵人時，我也想過這個令我痛苦的問題。但是我現在知道用什麼答案回答她。我告訴她，是黨決定誰是敵人，而黨會用它的智慧來做出正確的選擇。我們對中國的黨領導應該有十足的信心，他們不會譴責任何他們不確定有罪的人。

我的觀點獲得一頭「少年白」的法蘭克·蘇和他太太，也有一頭灰白相間頭髮的索妮亞，完全的贊同。他告訴大家在上一個政治運動時，黨也有一陣子對他有誤解，但是現今這個誤會已經解釋清楚，而黨現在也對他很好。索妮亞也補充的說，任何一個人如果被毛主席認定為是壞人，那這個人鐵定就是壞人。

艾利（Rewi Alley）則不以為然的抱怨起來。他是紐西蘭籍的詩人兼工程師，性格有點反覆無常；表面上對黨是百分之兩百的支持，私底下卻極為個人主義。他說，他過去收養過許多中國小孩，現在都已經長大，其中有幾個在反胡風運動中被誤控為反動分子，他這段話的暗示極為明顯——不要太肯定黨不會冤枉人，尤其是那些和外國人有牽連的人。

我知道他所說的話在某些方面是對的，要不然為什麼我會在上一次的運動一開始，就擔心自己會不會再度被指控？不過我依然回答他的問題，我告訴他，在社會主義的中國，國家是屬於人民的；因而在這種情況下，國家會有什麼動機去對一個並未犯罪，或是根本不是敵人的人倉促定罪？當然了，錯誤總是難免的，而一個好的人民就應該認清這點——如果不能，那他就陷入敵人的陷阱了。

* * *

在我和玉琳結婚的第一年，她的父母就逐漸接納我。她的父親住在離我們幾條街遠的一棟磚造建築物裡，並且經常騎著他那輛保持得油亮乾淨的上海製「永久牌」腳踏車來拜訪我們。她的母親則住在離北京有四小時車程，玉琳長大的地方——石家莊。我和她的母親從未碰過面，因為她和玉琳的三姊及三弟住在一起，並忙於照顧他們的小孩。但是一九五七年初，當玉琳拍電報給她姊姊，要她陪她母親坐車來北京時，她母親隨即興沖沖的趕過來。六個星期後，我們的第一個小孩出生。

我的岳母大人從一開始就和我相處得很好。她只曾對玉琳悄悄的問起：「他頭上的頭髮好像不太多？」玉琳便對她解釋外國人並不像中國人一樣，能夠讓頭髮長得這樣牢靠。從她母親到我們家以後，我每天吃的似乎都是山珍海味，我岳母的手藝就像是舒伯特手下的古典名曲一樣。我一直叫她「媽媽」，因為我從她身上找到我在年輕時所一直盼望的那種溫暖、體貼的母性。

當媽媽發現我對她的手藝愛吃得不得了時，我很快就成為她心目中最好的女婿，並且非常的「寵」我。如果我發現自己吃得太胖想要減肥時，她會皺著眉頭反對我的決定。同時她會開始埋伏在門邊或是角落，準備好一條炸好的、裡面塞著豬肉的茄子，等我出現時她就會說，「敦白，拜託你幫我嚐嚐這個味道怎麼樣？」然後就把它塞進我的嘴巴。有時候她會拿又薄又脆的蛋餅，有時候是可口的蝦片，有時候則是骨頭甦得都可以吞下去的糖醋排骨，有時候會是一顆去了皮的蘋果、一粒梨子，或是一個甜柿子。「減肥，」她會有點嘲弄的說，「那是胡說八道。你如果不吃、睡正常的話，怎麼有辦法努力工作？」或者她會說，「敦白，人是鐵飯是鋼，吃得壯一點。」

在解放之前，我的岳母甚至沒有自己的名字；她那個時代的女人也沒有幾個能有自己的名字，因為女人取名字沒有什麼意義。小時候她的乳名叫做「阿福」，代表好運氣；但這其實是個荒謬的諷刺，因為女孩一生下來，就是件不幸。我的岳母從未進過學校，因此她並沒有所謂的學名。在她嫁給她表哥、我的岳父，王漢清之後，她就被叫做「王李氏」——意謂嫁給姓王的李姓女子，她甚至不知道自己的生日。

她過去的生活充滿不幸。五歲時就被纏足，四根腳趾擠成一團，腳骨也斷裂；同時兩腳也被長長的布向後纏著、綁著，維持斷裂，以便永遠不再成長。這種殘忍習俗造成她永久的痛，使她必須一輩子顛顛危危的走路。幾年後她告訴我，她的家庭非常貧困，以至於在解放前，她只碰過一次蘋果。那次還是在她婚禮的時候，她的家人向一個家境不錯的親戚借了一顆放在桌子的中間，旁邊則擺滿了歡迎賓客的核果、甜點。「那顆蘋果一天過後還是在原來地方，」媽媽說，「沒有人敢拿過來咬一口。第二天一早，我只好將蘋果送回親戚家，並感謝他們借蘋果給我們。」

孔夫子訓示女人要「在家從父，出嫁從夫，夫死從子」。媽媽有一次就告訴我，當她踏進那個她生平第一次見面的新郎的家裡時，她是如何的被凌虐及毆打。她的婆婆是她丈夫的後母，將她當成奴隸一般。有一次她服侍婆婆用湯，卻不小心的灑了一點在那個老女人的衣服上，那個老女人當場就搶下她手上的湯碗，並砸到她的頭上，媽媽接下來記得的事就是血從頭上不斷流下來，然後她就倒在地板上暈了過去。

玉琳的名字是承繼了她姊姊的。她姊姊比她大了十二歲，並且在就學時取了玉琳這個學名。我的岳父是個好學的人，因而決定為每個小孩取個學名，不論他們有沒有上學。我的太太在五歲之前也都還沒有名字，直到她姊姊死了之後才承繼了玉琳這個名字。她姊姊是個聰慧、漂亮的女孩，原本已經和一個當地的有名中醫師訂下婚事，但是日本軍閥卻就在這個時候佔據了他們村子。一個年輕的日本軍官穿著鐵亮的高統軍靴，帶著他如狼似虎的手下，踏進了他家的泥房門。

媽媽從門口已經看到那些日本兵，也立刻將家裡年輕的女孩藏在屋後。那些日本人一闖進門就吵著要「姑娘！姑娘！姑娘！」，媽媽則一面後退一面搖著手，她試著用手勢告訴他們，這裡沒有姑娘，一個都沒有。

但是那個軍官在房間內發現了一張玉琳姊姊的照片，於是他和他的手下開始毫不留情的毆打玉琳的母親，並狂叫著，「姑娘！姑娘！」玉琳的姊姊受不了媽媽的哀嚎，終於從房間裡跑出來，而那個日本軍官就在玉琳母親面前一再的強暴玉琳的姊姊，其他士兵則抓住她的母親，看著他們的長官強暴，並等著輪流欺凌那個滿身血污躺在地上的玉琳的姊姊。她姊姊從此未再復原，不久後就死了。這個最受媽媽疼愛的女兒的死，讓媽媽神智不清了將近一個月，她甚至跑到街上告訴人家：「你知道嗎？我的二女兒就要回來了。」

即便如此，媽媽仍是要工作。剛剛繼承玉琳這個名字的小玉琳和她父親賣香菸的錢根本就不夠養家活口，更何況日本兵及國民黨士兵經常是拿香菸不給錢。媽媽找到的工作是在一家日本軍醫院當打雜女佣。忍耐著內心的怨恨之火，恐懼著那些醫生、護士及傷兵所冒出的陌生語言，她必須擦他們的地板、清他們的床舖、抹他們的嘔吐物、幫他們換衣服。而且她還必須拖著日本軍人肥重的屍體、走下狹窄的樓梯到外面等軍車。「這是最痛苦的事，」她會說著，而接著她會嘆口氣，並改變心意的說，「不，把培昆賣掉才是更痛苦的事。」培昆是玉琳長女的兒子，五歲時被賣給一個京劇團，換來幾袋糧食。

「你知不知道那個可憐的小培昆最後怎麼樣了？」有一天我這樣問媽媽。

「我們把他找回來了，」她沉靜的說著。「人民政府成立後，培昆的母親把這件事告訴了南京市長。黨就在全國各大報紙上登廣告，而最後我們把培昆找回來。」

「那他現在在哪裡？」

「他在西北的一家大軍工廠裡擔任工程師。她的母親和他、他老婆、小孩住在一起。他在工作上獲得許多獎章及表揚。」

媽媽將她生命中發生過的好事都歸功於黨。她找回了她的孫子，她擺脫了恐懼，她擺脫了貧窮——甚至擺脫了那段折磨她的婚姻。當她在中年時決定她再也無法和她的丈夫相處時，她就和他離婚。古老媒妁的婚約已經為這些正直而頑固的人製造了許多悲劇。而當共產政權建立，並且強調女人一樣有平等的地位時，媽媽讓每個人訝異的為自己取了一個名字，她對解放軍的戶籍登記員說她叫——「李大女」，身形瘦小的媽媽利用這個機會跟自己開了一個小玩笑。

媽媽照顧著我和玉琳，直到一九五七年三月三日，玉琳的陣痛開始。我們急忙的趕到北京聯合醫學院附屬醫院，醫生要我先回家，然後我每隔一個小時就撥一次電話到醫院查詢情況。但是一直等到隔天下午，醫院的護士才在電話中告訴我，「你已經有一個八磅半的寶貝女兒了，而且母女均安。」

我趕到醫院，並且立刻去看玉琳。「她很漂亮，」玉琳說，「去看看她，跟你長得很像。」還好她說得並不是真的，我的女兒並不像我，而是像她美麗的母親。隔著嬰兒房的玻璃，護士走到一個搖籃前，抱起那個包在襁褓裡的小可愛，然後走到我的眼前讓我隔著玻璃看。她真的和她的母親長得一模一樣，她大大的眼睛直視著我，打了個噴嚏。

我和玉琳決定為我們以後的每個小孩的第二個字都取為「曉」，它的雙關意義可以說是「黎明」，也可以說是「知道」。另外一個同音的「小」筆劃只有三劃，是小孩取乳名時很普遍的字，第三個字我們決定為她取個「勤」字，意謂勤勉。所以這個小孩就叫做曉勤——她知道勤勉。

然後，百花齊放運動開始了。

毛澤東的「正確處理人民內部矛盾」的演講中，有一段是呼籲中國人放心批評黨，不用怕遭到報復。他要使胡風事件後心靈嚴重受創的知識分子再回到黨的懷抱。「百花齊放」，他這樣的告訴作家和藝術家。「百家爭鳴」，他如此告訴科學家和學者。要人們真正挺身而出的批評可能要花上一段時間，但是當人們開始站出來之後，結果就相當驚人。幾年間累積的挫折突然間就爆發出來，報紙、期刊，和學術雜誌開始登滿批評黨的文章。

每天早上我們到辦公室的第一件事就是打開報紙，你很難相信一經解放後的評論力量會有多強，因為報上幾乎都是刊滿批評的文章。前雲南軍閥龍雲，現在是反蔣介石聯盟的榮譽會員，會抨擊黨靠攏蘇聯造成西方資助斷絕。一個名為「民主聯盟」的黨主席宣稱，執政不應只是共產黨的專利，而應當由國內各黨輪流。而該聯盟的另一位成員羅隆基則要求黨的委員會應當從校園裡撤出，以維護真正的校園民主。一位北京大學的教授甚至警告黨，如果黨不修改它的執政方式，那在南斯拉夫發生的共產黨員在街上被殺的事件很快就會在中國上演。

這個批評運動也擴散到政府部門。整個北京市政府部門的建築物內，到處都可以在牆上或是門上看到大字報，而且大字報的批評也更加的尖銳——也更加的指名道姓——不只是批評黨的政策，也抨擊個人。在我們廣播事業局，大字報也開始在樓下的牆上出現。當大字報擴散得更為厲害時，專屬的大字報區就出現了，人們可以在上面寫他想寫的。例如有一篇大字報就指名道姓的抨擊部門內的某個主管，說他高傲、自大、看不起羣眾，是一個積壓稿件的官僚，還有另一個人寫道，他在某天看到這名主管居然在上班時間在孫逸仙公園散步。

當這些知識分子——學生、白領階級、作家、編輯、教授，以及詩人——羣起抗議時，其他人卻反而有些鬱悶的在一旁觀看。對大多數的北京市民來說，這些批評黨的人並不是爭取學術自由的英雄。相反的，大部分人認為這些人是自私、不知感激的城市知識分子，要求民主只是用來奪取黨的領導權的手段。一般大眾認為黨的領導對其本身權益極為重要。郊區的農民認為如果這些知識分子掌權，他們就會失去他們好不容易獲得的土地；工人也擔憂他們剛爭取到的一天工作八小時，及將會失去較高的工資。

工人對這些問題的反應是可以預期的。當北京大學教授那篇警告論文在人民日報上發表之後，他在北京大學內的住家就必須有公安保護，以免那些憤怒得衝到他家前要求理論的工人攻擊他。在我的部門內，印刷工人也拒絕上機，因為他們不願去印那些受邀到節目中來陳述個人意見的評論學者的講稿。「我們在解放之後才開始被當人看，」他們說，「我們絕不會去印這些攻擊黨的講稿。」我有一次就碰上梅益匆忙的趕到印刷單位，想要親自說服他們。

就在各種批評如火如荼展開的時候，我問我的岳母對這件事的看法，「媽媽，妳覺得這些報紙上的評論怎麼樣？」我說。

「他們說些什麼？」她問。

「他們要求共產黨應當與其他政黨輪流執政；教授應當能自由的管理學校而沒有黨委員會的干擾；農民應當可以在自由市場上無限制的賣糧食、食油、棉花。他們認為地主應當也有一樣平等的地位，而那些被譴責為敵人的人應當洗清罪名。」

「放屁！」媽媽輕蔑的說，「他們說的都是放屁。那些地主是想再爬到我們的頭上，好再度壓榨我們。想都不要想！他們的心是黑的，不是一般人紅色的，即便再過了一萬年，這些人的心仍是黑的。他們已經習慣騎在貧農的頭上，如果他們獲得平等，農民又會被踩在土裡。」

不過最奇怪的是，黨和所有的黨員則都沉靜的面對這些每天的攻擊。事實上，我曾接到黨對我這個層級以上的黨員所下的一個指令，要求我們保持安靜，不可與這些抨擊爭辯。幾個星期過去了，而黨方面依然沒有反應，我們也依然不准和抨擊者討論這些批評。

我感到非常困惑，我認為這些批評是錯的，我和我岳母一樣認為這些人是自私而且誤導羣眾。我相信毛澤東所說的，革命唯有在鬥爭中才能成長及發展，因此我認為這些批評應該有適度的回應和爭論，就像毛主席所承諾的民主式的意見交換。但是當我向梅益抱怨時，他卻要我保持安靜。他告訴我一定會有回應的，當時機到了，我們就會回答他們。

回應的時候終於來了，但卻完全不是我所預料的方式。

七月，在我向梅益抱怨過後的幾天，我到辦公室，在人民日報上讀到一篇重要的文章；在報端左側從頂到底的欄位——也是黨通常預告政策的位置——大大的標題寫著：「為什麼是這樣？」文章表面上只是在說一個老人公開抱怨這些對黨的批評是不公平且不知感恩圖報之後，他就不斷接到威脅的電話及信件。但是當我迅速的翻譯這篇文章以做為今天廣播用時，也了解了其中的訊息。毛主席答應過的大辯論終於要開始了。經由渲染這些批評黨的人其實不能接受別人批評的文章作開頭，黨終於要開啓我期待已久的鬥爭大門。我想雙方都可以從這場鬥爭學習。

那個下午，我這個層級以上的黨員受命參加一項特別會議，聆聽黨對這項大辯論的指示。黨中央委員會已經設立一個兩人的特別委員會——毛澤東本人和黨書記鄧小平——來負責這項運動。批評黨的人被定位為右派分子，而每個組織都必須選出自己當中的右派分子來參加這場大辯論。最主要的辯論議題也已經確定：如果沒有中國共產黨就沒有新中國，是不是真的？這個主題也是右派分子最常唱來譴責黨的一條歌的歌名。其他的議題還包括：除了社會主義外，中國還有沒有其他路可走？政府獨佔了農民穀物及棉花的買賣，是對是錯？對付潛藏的反革命分子的運動是對是錯？

幾天後，英語單位的主管張華要我下班後留下來，幫他過濾英語單位的同仁個人檔案，以便找出右派分子。右派分子的標準是：曾經挑戰共產黨一黨專政，曾經攻擊黨的外交政策，積極鼓吹西方的民主政治，反對黨的農業政策，或是清除反動份子運動的人。除此以外，被認定為右派分子的人還必須是將這些思想籌畫成一個政治計畫，並用有組織的方法來推動這個計畫。

在一間很少使用的會議室內，我和張華將所有的個人資料攤在一張桌子上。這些個人資料成篇累牘，記載包括每個人在會議中說些什麼，寫過什麼樣的大字報，別人對這個人的態度報告等等。經過一番仔細的審閱後，我和張華有了明顯而相同的結論：在英語單位裡的人，沒有一個符合黨右派分子的標準。

「嗯，」我告訴張華，「如果我們一個都找不到，那更好。我們可以只觀察別的部門是怎麼做的，並向他們學習。」

張華搖搖頭，「我們一定要有個右派分子，」他說，「這整個過程的目的是要改造那些資產階級知識分子。我們必須重重的打擊一個這樣的目標，完全的否定他，使他被鬥臭，臭得臭氣衝天；然後其他人就會很警覺的在意識形態上完全避免成為這樣的目標，這就是大型政治鬥爭的目的。我們一定要找到一個活生生的目標。」

我的心突然間如墜冰窖。剎那間，我恍然大悟。這根本不會是一場民主的辯論。這只是又一次的階級鬥爭。我們根本不可能用毛澤東口頭上所說的方式來解決人民之間的矛盾，因為毛澤東自己就已經認為那些批評黨的人不是真正的人民，而是敵人。我心裡忍不住起了一絲疑慮，而這股懷疑打破了我對共產黨的忠誠盾牌。「黨在人民間製造這樣的對立情況還會維持多久？而毛澤東所承諾的真正民主什麼時候會實現？」

張華是我的朋友，我知道他是個講道理的人。「你自己告訴過我，」我說，「這次找右派分子不會有配額的規定，也沒有任何的指示說我們一定要達成，只要有知識分子就一定有右派分子的結論。」

他再度搖搖他那顆像是橄欖球、又長又圓的頭，「如果沒有對一個活生生的右派分子進行鬥爭，就絕對沒有辦法去教育及領導英語部門，」他說，「我們再看一次人事檔案，看看有誰是夠資格的。」

我們找到唯一一個合邏輯的選擇——捷洛．陳（Gerald Chen）。這是一個很牽強的選擇，而我們兩個人也都不喜歡這個決定。捷洛已經被黨公布為準黨員，而我們現在卻必須攻擊他為右派分子。但是他已經是我們能夠有的、最好的選擇了。

他的真名是陳偉柳，他用捷洛這個英文名字是為了紀念他曾在西方世界的生活。他的父親是支持共產黨的重慶生意人，陳偉柳在加拿大長大，並且住在英迪柯博士（Dr. James Endicott）——一個在中國教過書，是當時知名的左派牧師——的家中，因此他一直和加拿大左派分子有密切交往。共產黨政權建立後，他在滿腔愛國心的驅使下回到中國，想為自己的國家做點事。

捷洛的個人資料裡顯示，他曾經數次回應了批評黨的右派分子的觀點。他認同黨的委員會應該退出校園，因為這些人根本就不知道該怎樣管理學校。他也曾說過，他聽說黨購買農產品對農民是一種壓榨，因為這樣農民就不能自由的買賣。他也說過黨清除反革命分子的運動有些過了頭。而他被指控的具體行動就是意圖推翻現有的英語單位主管，以擁立該單位的副主管——一個加拿大華僑牧師的浮華兒子，而且還不是個黨員。

面對這樣的指控時，捷洛．陳緊張得發抖。但是他完全不承認這些指控，「我不是右派分子。」他堅持，而且似乎沒有任何事可以改變他這個想法。

英語部門的人因此對他大吼大叫，對他寫譭謗信，不停地責問他，然後再嚴厲斥責他的回答。這份辯論跟全國各地進行的辯論一樣，是場鬧劇。他們先蒐集了一些微不足道的證據，宣稱可以將捷洛．陳定為右派分子，但是先決條件是：他必須坦誠認罪。但是他就是不承認，「我不是右派分子。」他不停的重複著。

最後我被指派去和他溝通。我邀他到我們辦公室附近的玉淵潭公園走走。當我們散步在公園的一個人造湖周邊的小徑上時，我告誡他要看清事實。我告訴他右派分子又分成好幾個不同的等級，如果他堅持不認罪的話，他將會被控為是最糟的右派等級，並且被送到工作農場——其實就是監獄；但是如果他認罪，他就會獲得最寬大的處置。他還是會被送到一般的農場，但是那裡的待遇較佳，而且他可以回家看望家人。「十年後，所有這一切將被遺忘，甚至沒有人會知道你經歷過這次審判，我向你保證。」

捷洛淚流滿面的向我堅稱他是無辜的，但是他也逐漸了解，他沒有別的選擇。他終於承認他是右派分子，並被送到河北的一個農場。

我未曾忘懷我也曾經陷在完全相同的情況裡——被指控犯了我並未犯下的罪。我頭痛驚慌的老毛病才剛開始消退，現在又再度發作。我的前額總感到似乎被熨斗壓過，氣氛不對的時候我的心就狂跳，而且我老是隱約有惴惴不安的感覺。我心裡突然閃過一個令我震驚的可怕想法——這種恐懼就是他們控制人的方式，而這種恐懼深植入我的腦中。但是我很快的壓抑了這種想法，我很清楚這種不忠的思想最好想都別想。

我的憂懼一部分是來自為朋友挺身而出——即便只是小小的挺身。我的直屬上司，那個又聾、又神經質、又有氣喘毛病的老人趙杰，因為在參加中央黨校時所講的話，而被視為右派分子。「我和他一起工作兩年了，」我向那兩個來這裡為控告他的案子找資料的調查員解釋，「我發現他對黨一向很忠誠。」

「他最大的毛病只是，」張華也插嘴進來，「他有重聽而且經常生病，所以他往往會暴躁和沒耐心。」

我同意的說，「他有點古板，不太喜歡人家背後說他閒話，但是他從來沒處罰過一個意見與他不同的人。」

那兩個調查員帶著一種故示恩惠的假惺惺態度。其中一個翻開筆記本說，「讓我讀一些他的言論給你們聽，」他指出日期、時間和地點，並說出趙杰在前述時地，和另一個中央黨校的學生爭辯的論調：「農工出身的幹部同志，不見得比其他出身的幹部更具社會主義意識。」

他們兩個人故作同情的笑著，其中一個說，「只要看他對農工階級有多痛恨就夠了。農工階級，中國兩個最基本的革命基礎呢！這難道不夠完全剝開他的所有偽裝，讓人看清他的立場？」

張華和我兩人對看了一眼，根據我們所玩的這場遊戲的規則，趙杰的結局似乎已經注定了，但是我們還是要試。「那似乎還不足以將他定為一個右派分子。」我說。

「那只能說他的態度自大，」張華接嘴說，「是可以改正的。」

那兩個調查員蹙著眉頭否決我們的話。這兩個人的典型是我們所熟知的——痛恨知識分子的農民。他們談吐粗俗，他們的農村服則是邋邋遢遢，每隔幾分鐘他們之間一定有一個會走到痰盂邊，大聲的清清喉嚨後再吐出一口痰。

「你們是不是在說中央黨校的農工階級同志，是在迫害他？」其中一個調查員不高興的說，「你是不是認為我們對他不公平？」

一聽他講這句話，我和張華就知道我們輸了。我們趕緊用不同的方法表達了我們對黨的忠貞，以及我們對黨校的信賴，並說是因為我們不知道在那裡發生的事情，所以我們只好說我們在這裡所看到的有關他的情形。

趙杰最後被控為右派分子，並且極不光榮的被掃地出門。

根據共產黨對友誼的看法，黨就是人民最親密的夥伴。當在對朋友的義務及黨的義務中有衝突時，永遠要把黨擺在前面。我們每個人都知道這一點，而且也能深刻的感受到這點。在這種情況下，黨就完全會影響我們所交的朋友。當我初到北京電台報到時，梅益在他對我的談話中就要我不要和階級比我低的人做朋友。「你要和編輯委員會，或是領導階層的幹部交朋友，」他說，「不要和下階層的人親近。」

當某個人升官後，不再和原來的老朋友交往是很平常的事。而更重要的是，就像清除反革命分子運動所證明的，親密的友誼只會讓你面對搞小團體，洩漏黨機密，或是被控將個人友誼之愛置之於黨愛之上的種種指控。而且如果你和某些人過度親密，很有可能他們有一天會在壓力下出賣你，或是你會被迫出賣他們。

雖然如此，但也不見得每個人都接受黨的「黨比個人友誼重要」的教條。當我告訴玉琳，趙杰被掃地出門送回老家去時，她略帶挑釁的問我：「你去看過他沒有？」

「我當然沒有去看過他，」我有點生氣的回答著，「他是個右派分子，沒有人應當去看望他，你知道這個的。」根據黨的規定，任何人都不應該去探望右派分子，除非是公務上的需要，而公務也還要獲得相關單位的許可。趙杰在人民日報工作的老婆，是他在世上唯一可以交談的人，而她也是唯一跟他有關聯的人；如果沒有他老婆，那趙杰就完全孤立了。

「但你不是一直告訴我，趙杰是你的朋友，」玉琳如此說，「你以前也告訴我，他是一個多好的人，他有多關心你，以及他有多努力去克服重聽為他帶來的麻煩。」

「是的，他是我的朋友，」我回答，「但是你不能因為一個右派分子是你的朋友，就去探望他。」

「既然這樣，那我想這樣也談不上是什麼真正的朋友了，」玉琳淡淡的說，「如果他視為朋友的人還不能幫助他，那他還能依靠誰？」

我感到慚愧，也被她要求我講義氣的話弄得左右為難；最後我還是去看他，可是我也沒開口說要幫他。我仍覺得自己是非常脆弱的，如果我將頸子伸得太長的話，我害怕我會再度被砍頭。

* * *

因此當廣播事業局的反右運動最後鬥爭到我的朋友溫清澤頭上時，我又盡力想遵循黨的路線。他當初勸我不要寫情書給玉琳，結果促成我向她求婚。像許多老幹部一樣，他的健康不佳。當年他在上海被國民黨關在牢裡時，有隻耳朵凍僵，掉了一大部分，只剩下耳根，此外，他有脊椎結核感染的毛病，非常痛苦，但是他依然保持一貫的樂觀態度，他負責所有的國外廣播，梅益不在時，就由他代理。

在百花齊放運動剛開始時，我曾經跑去找他，對他領導國外廣播的工作方式提出強烈批評。我認為這是身為共產黨員對高階或是低階黨員應盡的責任，同時我也將報復的憂慮放在一旁；況且，我知道他這種人不會對善意批評加以反擊。

不過梅益在統戰部門的上司周揚，卻要他對付溫清澤。結怨的原因是，從來不曾攻擊或是誣告任何人的溫濟澤，卻對周揚的觀點提出批評，使得當權的周揚無法忍受；因此溫清澤就和另外兩個國外廣播部門的副主任同時被指控為——陰謀在電台奪權。

我一直相信改造的功能，而我也認為溫清澤在工作態度方面，確實有許多問題應該澄清。但我卻不相信他會陰謀犯罪，因此當我看到梅益時，我忍不住這樣告訴他，「你們所知的判斷這些人的方法就是只有這樣。」梅益回我說，「你太天真了。」

但我並不覺得自己天真，我也參與了鬥爭溫清澤的大會，我也跟別人一樣大聲指責。這是第一天，我參與迫害一個人——一個我相信他絕不會對黨不忠的朋友，我還掩耳盜鈴的告訴自己，他的情感上對黨是忠誠的，但是他的思想卻是反黨的，但是我逐漸變得鬱鬱寡歡，並且為黨的前途擔憂。

「我不相信這些被指為右派分子的每個人都陰謀反黨。」我每天工作回家後都這樣告訴玉琳。

她聽到我的話就開始生氣，「如果你不認為他們有罪的話，你為什麼每天都去參加他們的鬥爭會議？」

我喃喃的說，「我總是要想辦法應付。」我知道她是對的，但我卻無能為力。我的懷疑和我想為黨做事的熱忱扭曲在一起，疑慮也同時和忠誠攪在一起；教條、自尊、直覺、疑懼、確定、利他、自利，和自我犧牲都一起在我內心鬥來鬥去。在這些思緒的奴役下，我像塊冰被凍住，無法動彈。

第十二章
冒進

掃除右派分子運動的黑暗陰穢宛如一根矛，將我在監獄中為了保護自己所建的忠誠護盾擊裂了一個小縫。如果給我一個安靜的環境並且再多一點時間的話，裂縫或許會更快的加大裂開；而我也就能從裂縫中看清，共產黨用來構築一個更新和更好世界的方法，其實是和它的目的背道而馳。或許我們這些人也就能看清，一個坑害人民互相對立的政府是不應該被縱容的，而或許在歷經似乎永無止境的階級鬥爭後，我們的倦怠與嫌惡或許會轉化為厭棄這種愚行的實際行動。

但一切就如毛澤東所計畫的，我們沒有任何一個人能單獨思考，也沒有任何一個人有時間反思，因為反右派分子運動雖然很快的開始，也很快的結束；但不到幾個星期後，一個新運動的風聲已經騷動了整個北京的天空。毛澤東那積極、不安定、不停追求的心智，不容我們喘息。他不停地思考、計畫、籌謀、分析，他準備進行一個他從未試過的大改變。離我上一次見到毛澤東雖已超過九年，然而即便隔了這麼久，他的夢想仍然可以接觸到我，令我動搖，他以一個遠比我們所能夢想到的，更美麗、更戲劇化、更令人興奮的遠景抓住我們。

我們不僅僅只是計畫要建立一個共產社會，我們現在就要建立。共產主義的真義是，各盡所能，各取所需，但是這種理想世界只有在民生必需品豐沛、夠用，以致於印錢來買會太浪費，以及人民的教育程度已經高到使人超越狹窄的自我需求才能實現。大部分人都認為由像這樣的社會主義世界進步到共產世界，必須是緩慢、逐步，而且要講求方法；但是毛澤東說，這想法是錯的，共產世界可以在我們有生之年達成。

一九五八年初，梅益向我們宣讀了毛澤東在人民大會上的一篇演講。那篇演講裡，他還沒有用上「大躍進」這三個字；但是他想傳達的訊息卻清楚響亮。他認為，就像我們過去擊敗日本軍閥及國民黨，就像我們改變了中國的農村，並將土地還給農民一樣，現在我們也能夠轉變中國的經濟。他並且說，打贏這場戰爭的祕訣和以前一樣：給老百姓一個有燦爛未來的遠景，這個遠景並應允他們可能比他們所想像的更快實現。

三年多前，毛澤東就已經開始試驗這個理念的初步大綱。那時他說，我們的生產應該多、快、好、省。而現在，他就要將這個理念有系統的實踐。他認為要求自己及他人做出個人最大的貢獻，我們就可以完成我們以前想都不敢想的事。他認為，一個有力量的經濟有兩個最高統帥：米糧及鋼鐵，我們應該盡最大努力來讓這兩個統帥來領導我們的經濟。

「如果努力拚三年，我們就能完全改變中國鄉村的面貌，」毛澤東大聲疾呼，「在這三年中，我們可以築堤挖渠、拓寬農地，以便進行機械耕作。我們可以從海邊、沙漠取得新生地，推廣科學耕種技術，抑制土壤流失，並進一步推廣農村的電氣化和工業化。我們可以超越任何工業

●（上）在「大躍進」運動中，每個人都在毛澤東的號召下熱切的參與，想把中國帶入一個新紀元。我加入了廣播事業局的土法煉鋼工作，玉琳則在天安門廣場協助建造人民大會堂。我並且和一組同樣來自廣播事業局的自願軍，一起在北京附近的山上種了好幾個星期的樹。

●（右）一九六〇年代初期，上班時間內強制性休息並做體操運動，仍是共產黨工作倫理中重要的一環。在那時，大躍進運動的失敗事實雖尚未被揭露，漸成氣候的共產黨官僚體系正在扼殺個人的創意及新觀念。

國家。『在十五年內趕上英國的鋼鐵產量』，你們覺得這樣的口號怎麼樣？會不會不真實？不可能？想一想，我的同志，對我而言這似乎是可以做到的事。」

如果這場戰爭勝利了，那它將為中國經濟帶來最基本的改變。而要達成它的方法就是將人民的意志力解放出來。國家計畫委員會不再嚴格控制每件事，而計畫也不會是只有一個，是會有兩個、三個，甚至四個。由地方依國家計畫大綱的向自己挑戰，提出超越的計畫。

毛澤東這樣做不僅是向中國人民提出一個挑戰，同時也再一次打破中國共產黨與那個遲鈍、墨守成規、而且獨裁的蘇聯老大哥的關係，毛澤東要使這場革命依中國自己的方式進行——也就是他自己的方式。他同時也想向世界證明，他可以使中國更成功的現代化，而且是以比那個又重、又笨的蘇聯灰態更刺激、更有創意的方法現代化。

毛澤東也對「一些同志」的批評置之不理，他們反對「多快好省」的口號，同時將毛澤東這項舉動稱之為冒進。起先我並不知道這些人是誰，但是會後，我的老朋友蘇梅津告訴我「一些同志」包括周恩來和陳雲。毛澤東為此很生氣的說：「我不要再聽到任何人說『冒進』這兩個字。」他並且說，「人就像是原子，當原子爆發的時候，它所散發出來的力量是十分驚人的，我們也就可能做到我們以前所不能做的事。」所以最大的關鍵就是要去引爆人類精神中的原子。

我完完全全贊成，我原有的所有疑慮和恐懼都一掃而空。這些年一直不斷的階級鬥爭畢竟還是如毛澤東所保證的，它是有目的的。我以前就全心全意的支持個人應完全投入共產的理念，而現在，毛澤東發出的訊息是，自此將輪到共產來支援個人的發展。

一天就可以抵得上二十年！巴黎公社在一八七一年喊出的口號從現在開始就是我們的！我覺得廣播事業局的每一個人幾乎都和我一樣，對這個新世界的遠景非常興奮。事實上，以往的革命之火已經快要被官僚體系及障礙重重的日常例行工作完全撲滅，而在解放後將近十年，像我這樣的熱情革命分子也被死氣沉沉的日常生活折磨得毫無志氣，一點也不像是以前躲在山中的熱情革命家了。因此，有誰還會冷漠到願意再像以往一樣的過日子呢？

不久以前，在北京電台的英語部門，我的同事在八點踱進辦公室，拿起一份人民日報及參考消息，將茶杯倒滿茶，就又喝茶又看報的晃到九點。九點過了一點點，文章才開始從打字機出來，而整個房間也才開始有了打字聲。接著在十點整，外面庭院的擴音機會播放出做體操運動的制式音樂，每個人就放下手邊的工作到外面庭院做運動。

其實真正做運動的沒有幾個人。大部分女性同志都會急急忙忙的衝到附近的國營商店，以便排到一個好位置，為家裡買一些需要的肉及蔬菜。因為那時沒有冰箱，你只好每天買，再加上國營商店的上班時間和你一樣，你只好利用這個時間去買，所以婦女同志們並不叫做體操為「中間操」，她們叫它為「中間菜」。

中午休息前再工作一個小時，接下來就是個一到兩小時的午休時間。大部分同事的家都太遠無法回家午休，因此就乾脆橫身躺在桌子或是椅子上睡覺；少數更為刻苦拘謹的就趴在桌子上，睡到開始工作為止。

下午再去買一次菜，再工作一個小時，下班前花半小時和同事開開玩笑、彼此嘲弄一番，一天就算是過去了。在這樣一算之下，我發現我這些同事一天平均工作只有四個小時。珍·哈帝斯非常不滿，這些中國同志未能像她這個美國同志般的在社會主義下熱心工作，而我只得語帶歉意的向她解釋，「低營養水平、住得太差、睡得不好、太擁擠、沒熱水、太吵了。」

但同時還有一小撮人——他們稱之為積極分子的人——卻是從早忙到晚，使所有節目能夠每天正常播出的全部作業，幾乎是要靠這些人。他們長時間工作，完全樂在工作，為自己所做的感到驕傲，同時有完成節目、使節目準時播出的工作銳氣和征服精神。

這就是我們過去一直有的問題：少數工作過度的自願軍被一羣好吃懶做的人圍繞著。

「大躍進」整個改變了這個情況。每個人都變成積極分子，我們覺得自己是抵擋不住的，我們開始計畫偉大、令人興奮的方案；原本是五到十年後才打算開播的一批新語言節目，我們提前開始；我們會在二十四小時內回答每一位聽眾的來信；我們開始播送全新、活潑的戲劇節目；也開始訓練翻譯員去寫稿，訓練撰稿人去做節目，並且開設語言、採訪，及有收到我們廣播的國家的相關政治、文化，及習俗的課程。

每一個人都參與生產性的體力勞動，畢竟，大躍進的目地就是要製造出全新的、在各方面都活躍的共產黨員。不論是從事工業、農業、商業、個人專業、軍事活動、學術研究，每個人都要能應付裕如。所有人也都決定每天認真做體操，並且組成一個合唱團學唱歌。我們也舉辦了競賽，看誰在國慶日十月一日前能夠念最多頁毛主席的各種論文。

我們熱烈參與，使得北京電臺的會議室充斥著以前我在美國南方從事運動時，所看到的激昂景象。每個人都逐一的站起來向大家宣言，要盡最大的努力使中國大躍進。一個組長就說她一定要改進她身為組長及編輯的本位工作，同時會盡快完成個人工作，以便隨時支援播報員。蘇梅津也站起來說他會每天下班後留在辦公室，好好改進自己的文法，並且會仔細研讀組長和我在他草稿上所做的訂正。我則向大家承諾我會在夜班同志上班時來辦公室，給予必要的協助；同時自願在每篇文稿上寫下詳細的評論，使得原翻譯人知道是哪裡錯，以及為什麼錯。到了那年的春末，北京電臺有四分之三在晚上都還有人辦公，甚至有時必須勞動高階黨員，在深夜將這些人趕回家。

玉琳和我為眼前發生的事深感興奮，因此我們用一個小小的方式來紀念。當我們的二女兒在六月誕生時，我們將她命名為曉東，意謂她知道東方，以及東風——就如毛主席所說，東風將壓倒西風。

大躍進的奇蹟在各地發生，故事充斥報紙版面。在東北的鞍山鋼鐵廠，自從生產工人服膺毛主席的要求參與管理後，生產量就增加了兩倍。人民日報上也有一次大篇幅報導「向大慶學習」，內容敘述在大慶油田發生的類似故事。在北京電臺，我們也被上級要求要發掘、並強調類似的成功範例。

因此在七月的時候，我們英語部門的全體同仁，就搭了三個小時的車到天津近郊的一個小村落，去參觀這個將穀物生產量提高三倍的自治農村。

我們由一羣經過良好訓練的年輕嚮導接待，其中一個穿著藍色無褶幹部褲、一件滾邊白襯衫，並戴著一頂大草帽的年輕人向我們簡報了這個自治農村的情況和它的成就。

他告訴我們，這個公社之所以能完成這項奇蹟，完全是依照毛主席的指示。村民們將眼光及目標訂得高，並運用科學化的管理。而成功的祕訣就在於密集種植，就像用人海戰術對付敵人般的將麥子種得密密麻麻；如此一來，濃密的麥稈就會驅走害蟲，使野草無法生長，並將埋在地底深處的濕氣引到地表來。

但是在簡介完他們預期的大豐收，年輕人像想到什麼不高興的事，停了一下，「不過這附近有一些人卻是冷眼嘲笑我們的成就。」他說。他並且警告我們，對那些散布謠言、對他們成就質疑的人要特別當心。接著他就帶我們實地參觀那個產生奇蹟的農田。我們眼前所見的雖也稱得上是驚人的成就，但與我們原先所期盼的有一段差距。那塊豐收的農地並不是該自治農村的全部農地，甚至不是大部分，它完全擠在一畝大小的地上，大約是六分之一公畝。

不過，我仍是站在那裡，深深為這片高度過膝、麥穗已經呈黃色的麥田所吸引。麥田裡每隔六呎遠近，就會有一塊長長的木板橫跨整片田，而幾條長繩則以縱長的方向將所有木板串連起來。村裡的小孩在麥田兩側用力拉動繩子，使得麥子像波浪般的搖動起來。一個戴藍色幹部帽的小孩告訴我，如果不這樣做，麥子就會因過於擁擠而缺水、缺陽光，最後枯死。

我對這個小規模的實驗產生一絲懷疑，但是我立刻就將這想法拋開，因為我更加的關注這個現象給整個中國所帶來的啓示；只要想一想，如果其他地方也這樣做，中國一年可以生產出多少麥子！就算只有二〇%農村運用這個方法，收穫的穀物多少人也吃不完。這將實踐了公社可以供應無窮無盡食物的諾言，而一個食不盡、住不缺、穿不完的共產世界就在不遠。

＊　＊　＊

那年夏天，北京入夜後似乎比白天還要炎熱。白天儲存在街上及泥磚屋內的熱氣，晚上就在街燈下像波浪般襲來。我和玉琳經常在晚上，推著竹製嬰兒車中的兩個女兒，走在那些熱氣蒸人的小巷子內。沒有人會待在屋子裡，每個人都出來坐在自己的泥造、或是磚造的屋前，用草扇或是竹扇搧風。玉琳對一些人為了求涼快而不顧一切的作法，非常不滿，「我恨死那些女人穿著內衣坐在大街上。」她恨恨的說。

而確實，他們那些人就是這樣做的。這些北京後巷的小姐，一年大部分時間裡都會為了是不是要露個小臂，而左思右量個老半天；現在卻就是坐在那裡，除了一條及膝、又大又蓬的印花內衣外，什麼也沒穿。而當我們帶著責難的眼光走過去時，她們也毫不讓步的把你瞪回去。這就是習俗的作用，使得原本詭異的事正常化。例如在當時，甚至就算是北京最端莊的小姐，在陰丹士林布旗袍的分叉露出一大截印花內褲，也算是無傷大雅。

那時的燈泡又小又昏暗，再加上家裡早起的人需要早睡，而早早熄燈，因此街上的街燈就成為夜間的活動中心。老人們通常穿著一件背心、褲腳捲到膝蓋，坐在角落開始玩起象棋，身後就會圍著一羣看熱鬧的「軍師」，中國人叫他們做參謀。有些人則是圍聚老式的說書人身旁，聽他講著一段又一段，有關三國演義及水滸傳的精采情節。學校如果還開著學，那每根街燈下都會有一、兩個或是一羣學生，靠著燈柱讀書或是寫功課。

在熱鬧的夜市，晚上則是到處飄著煎、炒、煮、炸的香味。有賣羊肉涮鍋的濃麻油及醃大蒜的刺鼻香味，有賣熱豆腐車飄來又辣、又脆的胡椒味，還有洋蔥在鐵板上油爆著的甜香，以及芝麻餅在鐵格子裡烤著的新鮮蒸氣味。

夏天則有特別的冷盤來消暑：辣味四川涼麵；由細條黃瓜及甜蒜作配料的綠豆粉條；一大碗冰綠豆粥；由山楂皮泡水釀成的，有點酸卻飽含維他命的混合冰飲；像紙般薄的米餅，裡面捲著核桃、蜂蜜、棗椰，以及一種涼涼的藥根。

在那個炎熱的八月，北京電臺的每個人——編輯、翻譯、播報員、文字撰述——都變成鋼鐵工人。之前我們都獲知了一九五八年度鋼的目標產量，是一個驚人的數字。去年，整個中國的鋼產量是一千一百萬公噸；今年目標是一千八百萬公噸，而這中間的差額，絕大部分要靠農村以及都市的工作單位土法煉鋼來補足。

北京電臺黨委會也要大躍進，辦公室畫出了電臺南方一塊空地給我們。空地恰好靠著環繞北京城的護城河，原本是要用來建造中國的第一家電視臺，現在卻成為堆放一堆又大又笨重的不知名金屬設備的地方。這些金屬設備的原先管理者在費盡心思讓有關方面付錢買下後，就將這堆東西放在這塊空地上，任由風吹雨淋日曬。對我們而言，在建起我們自己的小煉鋼爐來處理這些生鏽的爛鐵時，也不免有些激動的感受。我們正從那些浪費公帑的官僚手上接下這個燙手山芋，而我們所生產的鋼將會送進一個更大的熔化爐，使中國的鋼產量超過英國。

我們的土法煉鋼爐是由灰色的磚頭搭成，大約有肩膀高，長八步，寬五步，內圍有黃色的防火磚，東面有又長又低的開口。火爐旁邊有一堆金屬原料。黨要求每個人自願捐出一些鐵器，贊助這項愛國的鋼鐵生產的口號已經傳到每個人耳中，我們也因此收到了不少鐵鍋、鐵盆，以及一條又長又重的鐵鍊——原本用來在電臺的某個倉庫外圍起一個堆放器材的圈子。我和玉琳也捐了一個飯鍋。

我們總共有八個人，每個人輪值到火爐口做任何需要的工作。我第一次輪值時，有人就給我一根鐵棍和一副可以穿到手腕的粗皮手套。「攪拌它。」是我聽到的第一個命令。

「那是什麼？」我問。

「鋼。」

我握緊那根鐵棍，將它伸進火爐口，並且開始攪動那堆躺在火焰上、白熱閃亮的物質。抓著長鐵棍攪動火爐裡的那堆鋼是件很辛苦的事。不過在明滅不定的火光下，我們還是很愉快的邊唱歌邊工作。英語部門裡有一些英文較好的同志能夠唱幾條英文歌，我們總是一起唱著這些歌，而我對自己能身在那羣並非只是坐而言，而是實際起而行的人而深感激動。

隔一陣子便會有人送來冷飲及鹽片，以免我們脫水。在隔壁的庭院裡，玉琳和一羣女同志則忙於建起她們自己的生產設備，她們叫它「三八婦女煉鋼爐」，以紀念國際婦女節。據說毛主席本人也每天記錄我們朝目標進展的情況。

我們接著唱起大躍進歌：

社會主義好！
社會主義好！
在社會主義國度裡
人民最有力！
他們說能做什麼——
他們就做！

火爐工頭交給我一副護目鏡，「戴上它，」他說，「注意看火勢，當整個火爐都閃著純紅時，就是將鋼倒出來的時候。」

我全神貫注的注視了幾分鐘後，便大叫：「可以倒了！」

工頭給我一根尾端帶著鋤的鐵棍，「將鋼鏟出來。」他說，並將一片平鐵板放在火爐的火口下。我也開始將那堆紅色的閃亮東西鏟到平鐵板上。我有些訝異，因為這堆東西並不是流質的，也不像我所曾見過的鋼，或是其他任何金屬物；它看起來就像是一種粗糙、顆粒狀的黑土。

「這就是鋼？」我問。

「這就是鋼，」工頭回答我，「我們現在要將它送去再提煉，當它再提煉之後，就會是好鋼，一開始都是像這個樣子的。」

八月底，我帶著玉琳、曉勤、曉東一起到北戴河的海濱度假村度假一個星期。我們坐火車往北越過長城，從窗外景色的變換，我們察覺到這陣子來的社會改變。田野的景觀已經和我上次經過這裡時有相當大的不同。以前，大部分粗重的農事都是由男人來做，不過現在，我只能在田裡看到女人、小孩和一些老人。原因很簡單，所有健壯的壯丁都響應毛澤東的呼籲，到山裡去找尋更多的鐵礦。

當夜幕低垂時，我們可以看到火爐的紅光點綴了整個田野。每塊田塊、每個山坡都閃著可以將鐵化成鋼的火爐光，而這些地方也許幾輩子來都從未生產過一片鋼。我和玉琳都很驕傲能夠是這個偉大循環——從往山裡找鐵礦的農民到在大鋼鐵廠裡，將我們生產的怪東西變成鋼的強壯工人——中的一員。我和玉琳說，有了更多的鋼，我們就可以造更多的紡織機器和更多的種田工具；而有了更多的機器和工具，我們就會有更多的衣服和食物；到那時我們就會笑現在的人還要用票來買衣服和米。

我度假回來後沒多久，梅益突然告訴我安娜．路易絲．史莊就快來了。她即將回到北京定居。我的第一個想法是，不要讓她知道我曾經因為她在莫斯科被捕，而被關進監獄。我寫了一封信告訴周恩來總理，建議我們兩個人都不要告訴她我被關進監獄六年的事，我認為在她這個年紀，實在應該避免再受這樣的震驚；而且她已經對蘇聯式的社會主義非常痛苦的失望了，又何必再動搖她對中國社會主義的信心呢？

快到九月底時，安娜．路易絲．史莊終於到達，並且住在北京飯店的套房裡。玉琳和我都受邀參加周恩來為她舉辦的餐會。我們搭電梯來到她房門前，我敲了敲門，史莊的高大體型就出現在房門前。

「安娜．路易絲，」我大叫著，「真高興再看到妳。」

她拉起我的手，「周同志一直在告訴我，你為了我所受的苦，」她說，「以及他們對你在牢中守分的行為有多驕傲。」

我看了看周恩來，「我們『中國』共產黨」，他說，強調中國兩個字，「不能因為犯下了一個傷害朋友的錯誤，就把它當成祕密不說出去。我已經告訴史莊同志發生在你身上的事，那是我們的錯，而你的表現很好。」

我可以感受他話中的責難語氣，但也對這個不怕為黨承認犯錯的正直男人深深感到驕傲。

周恩來在席間也告訴史莊有關大躍進的故事。毛主席現在正巡迴全國各地考察最近新的組織——人民公社。在人民公社裡，除了要集中所有人的勞力，以及使得工作起來更快、更有效率之外，更是要丟棄那種使許多人，一輩子都在做同一件事的無意義分工。因而在公社內，每個人都必須學做每件事，每個人都要輪流做醫生、記賬員、工人、農夫、老師等。

人民公社已經為它的成員提供免費伙食，甚至有些公社已經開始提供免費的毛巾、牙刷，以及牙膏。周恩來很技巧的避免明指蘇聯的說：「毛主席正努力要用一種革命的方式去建立社會主義世界，而不是用普普通通的方法。」

以前在延安洞穴內掌管媒體部門的「廖胖子」——廖承志，也參加了那場晚宴。他現在已經是國會裡外交事務辦公室的副主任。自從他搭著我的肩送我上了那輛將我載到監獄的吉普車之後，這是我們第一次碰面。晚餐就像傳統的中國宴會一樣，在主人及客人站起來互道再見後，就突然結束了。戴上帽子、往門邊走去的廖承志把我拉到一旁，「是你出來到社交場合走走的時候了，」他說，「你何必死守著那個電臺呢？」

為了讓我重新進入較公開的社交生活，廖承志很快就幫我安排參加一場正式晚宴，晚宴的貴賓是一個中國的老朋友，同時也是墨西哥前總統的卡雷第紐斯（Lázaro Cárdenas）。坐在廖承志的那輛紅旗大轎車裡往晚宴的途中，我問了廖承志那個存在我心中快要十年的問題。「一九四九年的那個早上，當你送我去搭那輛我以為會送我到北京的吉普車時，你對我說『不要像劉備進荊州一樣，那每件事就都會沒問題』，這是什麼意思？我實在想不出來，因為我不知道劉備進荊州到底發生了什麼事，所以，答案是什麼？」

「他垮了，就是這樣。」廖承志咯咯笑的說，這就是他給我的唯一答案。

* * *

在大躍進運動剛開始時，就有人傳言，剛結束的反右派分子運動將會是中國最後一次類似的大型階級鬥爭，但傳言歸傳言，某些人照樣搞個人之間的小鬥爭。

例如，建議箱運動所引起的鬥爭。我們部門所屬的黨支部，計畫提出一份獎賞，給提出最能改進我們工作之建議的同志。我們部門內一個名叫江梅泳的廣東小女孩——那個冒著被孤立及掃地出門危險，在捷洛．陳被打為資產階級右派分子時還慨然嫁給他的小女孩，認為這是她出頭的好機會；她要藉由獲取這項獎賞向黨證明她的勤勞及忠誠。有一天晚上她熬夜將建議寫在紙上，然後投進意見箱裡。

當魏琳聽到這個消息時，她非常的生氣，因為她覺得一個落後的非黨員，又是一個右派分子的老婆怎麼可以贏得這麼重要的比賽。身為黨部小組長的她立即展開行動。她把組裡的最新進黨員周紅從床上拖起來，要她立刻回辦公室寫建議書。於是這兩個女人通宵打拚，小江是一個建議接一個建議不停的寫，睡眼惺忪、腦袋又不靈光的周紅則拚命在後追趕。到了早上，小江顯然贏了這場比賽。

但是這場勝利卻幾乎使小江付出極慘痛的代價，因為魏琳藉此控告她是陰謀讓黨丟臉，並計畫對小江進行一次鬥爭會議，小江則揚言她寧可跳河自殺，也不肯出席鬥爭大會。

我聽到這個消息後極為震怒，便跑去找黨領導委員會，向他們抗議魏琳的陰謀。鬥爭大會因此而取消，至於那些建議也很少付諸實施。

＊　＊　＊

同時，我們正在改變北京的面貌。

一九五九年初，報上就宣稱政府要在十月一日，也就是中華人民共和國的第十年國慶之前，完成十項重要建設。這些建設都是非常宏偉堂皇的，包括一個全新壯觀的飯店，一座新火車站，一個中國歷史博物館，一個有關革命歷史的博物館，整個建設計畫最主要的是一個巨大的會議廳，就將建在北京市中心。全國性的設計大會廳比賽已經展開，而每個人的關注程度就像是美國人關心橄欖球比賽結果一樣。設計圖從全國各地湧來，有四川小孩寄來的模型，也有中國最老、最有名的建築師所寄來的。黨為此設立了一個委員會評比各地寄來的設計圖，並選出最後優勝。

最後的模型決定後，人們就開始每天談論。你隨時可以在街上聽到有人讚嘆的說，這棟建築物將會有多大多雄偉，它將會有個可以容納五百人的大型宴會廳，有一個可以容納上千人的會議廳，中國每一省都會有一個專屬於自己的豪華接待室，每個省的接待室都會用不同的顏色，並用該省的土產品來裝飾。大會廳裡的柱子會用從雲南運來的大理石，每個位置上都將裝置同步翻譯，所運用的技術將會是最先進的。這樣的龐大計畫，使我不敢相信他們能夠在這樣有限的時間裡完成，因為直到四月，還沒破土動工。

這將是我們每個人的會堂——人民大會堂。因此更重要的，我們人民要靠自己來建它。除了少部分的技術工人做一些技術性的工作及監督外，大會堂將完全由自願的勞力來完成。每個鄰近社區、每個工廠、每個工作單位都派出工作小組，首先是清除天安門廣場附近，然後是將附近的街道擴寬。玉琳也花了一星期的時間在屋頂上工作，回來她兩眼炯炯有神、熱血澎湃的告訴我他們的勞動精神、唱歌，及同志愛的故事。這再一次的證明了，中國人若是團結一起工作，能化不可能為可能。

* * *

一九五九年六月一日，我搭著和平號列車從舊北京火車站往南出發，接下來的兩個星期我會不斷的造訪公社及工廠，以便為北京電臺製作一個有關大躍進運動的報導。這是第一次我再度回到，那個十三年前我曾以聯合國觀察員身分造訪的地區。從火車的窗戶向外望，我可以看到社會主義，以及大躍進運動如何的將這個國家拉出悲慘的命運。我們越過一片又一片搖曳著金黃色麥子的冬麥田野，這片地區仍是和我以前當觀察員來看時一樣的乾旱頻仍，而且有些麥田生長不佳。麥田周圍可以看到新建好的灌溉渠道，這是大躍進時在羣策羣力下蓋好的。

火車到達武漢時，我不禁記起我上次來武漢的情形，以及我們如何等了好幾個小時，想要從河一邊的漢口到河另一邊的武昌。那時候，火車必須一節節的拆開，然後靠船隻一節節運過去。這一次，我們的火車直接駛過新建好的橋，越過長江。鐵橋上的四十八節鐵欄干邀請了從中國各地而來的藝術家設計形狀，而沒有一個欄干形狀相同，有鳥形、花形、葉形、鹿形。這是一個美麗的建築結構，用中國的物資、設計，及建築工人很快的建成。

我跟一個住在武昌這邊、離鐵橋不遠的河邊的一個八十歲老漢聊天，他告訴我他這大半輩子一直夢想有橋跨江而過，他並且發過誓，如果真有一天橋蓋好了，他會光腳走過這條橋。

「你真的這樣做了嗎？」我問。

「沒錯！」他得意的說。

在第一個完全由中國人自力建造的興安大壩起建時，我看到當地人是如何熱心積極的參與大躍進運動，又如何蜂擁的參與水壩建造工程，想讓這個能轉動渦輪、為當地提供電力的水壩早日完成。年輕的男女在岌岌可危的新壩頂、頂著太陽推著手推車跑來跑去，似乎一點都不在乎酷熱及危險。

「我可不可以問他們為什麼推著手推車跑來跑去？」我問。

「當然可以。」我那個年輕的嚮導回答著。他叫鍾寶西，是一個聰明的年輕工程師，他把最近的一個工人招過來。

「你為什麼要跑？」我問他，「沒有人要求你，對不對？」

「沒有。」他微笑的搖搖頭，並將一條原本綁在推車上的毛巾拿下來擦汗。

「那你為什麼要跑呢？」

「我們有個社會主義子民大競賽，」他說，「我們這個隊挑戰同團裡的其他隊伍，獲勝的隊伍再和隔壁團的勝隊比賽。等到冠軍隊伍產生後，全體工作人員會集合起來為他們鼓掌歡呼。冠軍隊的每個人都可以收到一條印有壩名的毛巾。」

「做的比較快、比較多，領的錢會不會比較多？」我問。

「這個工程不會，」他回答，「但是壩建好後，我們的農田就有水灌溉，也可以防洪。」

我從武漢搭機進入湖南省會長沙——毛澤東的故鄉。從飛機窗口望下面的田野，我不禁為人民公社帶來的巨變讚嘆。原本肥沃的紅土已不再劃割為一小塊、一小塊的小田地，在公社的管理下，小塊小塊農田已經整合為一大片的農田，上面則種滿綠油油的作物。

經過土地改革鬥爭的大地主也分到自己的土地，並在人民的監督下耕種。我在考察的途中，就經常看到這些地主在跨出家門的時候，還要搖一搖門上的鈴，向著空無一人的大街大喊：「我要到北邊田裡挖番薯。」

以前待在這附近的外國人也都走了。例如利用貧農的小孩來為自己磨麥，以求得豐衣足食的奧地利傳教士，在一九四九年之後就被趕回歐洲去了。趁著大饑荒，無視千萬人處於挨餓狀態仍囤積穀物的投機客也完全消失了。我也聽說許多這樣的人在土改運動時都被活活打死，但是只要一想到他們對別人所造成的苦難，我就一點也不為他們的命運悲哀。就像歐闢，那個盜賣救濟物資的腦滿腸肥的傢伙，聽說就是被槍斃的。

我也開上了十三年前曾走過的路，那時路上被難民擠得寸步難行，到處都可以看到餓死小孩的屍體。這次，我是朝著離長沙有三十公里的長橋人民公社走去。在公社裡看到則是健康的小孩在乾淨的園子裡玩耍，大人在農田裡工作。每個人看起來都吃得很好，我也看到公社裡有學校，有每個人都可以免費吃飯的公共食堂，更有為老人設立的老人之家。

在一間新蓋的磚造辦公室內，公社領導告訴我他們的成就。米的產量從一九五八到一九五九年，增加了不止兩倍，以前他們年收成兩期稻作，但是現在可以種到三期；他們現在最大的問題是沒有足夠的地方儲存糧食，不過他們已經盡力趕建穀倉來解決這個問題。

那個人民公社廚房煮出來的又熱又辣的湖南菜，是我這輩子吃過最好的一頓。有一道是紅辣椒炒肉絲，還有一道是花生辣椒醬炒雞丁。與十三年前我在這附近修道院所吃的那一頓豐盛早餐不同的是，我完全心安理得的享受這一餐。這些食物是人民自己生產、自己烹煮、準備給自己吃的，而且每個人都有豐富的供給。我寧願想，現在這些勤奮工作、生活安定、豐衣足食的人們，就是以前那些伸長手中的碗向人乞食的可憐難民，我也真願黨能永遠滅去他們恐懼的眼神。

我並不是唯一造訪這個人民公社的人，公社的領導告訴我，我恰好錯過彭德懷將軍和湖南省長一起視察這個人民公社的機會。我知道湖南是彭德懷將軍的老家，我想他到這裡應該也是和我一樣，為了要親眼目睹，並記錄大躍進的成功。

當我到達毛澤東那個已被轉換成博物館的長沙老家時，我決定寫一首中文詩來紀念我這次造訪。畢竟毛澤東自己也說過，在這個新世界裡，每一個人都可以是詩人。我寫的是一條路的今昔對照：曾經是遍地死屍的恐怖景象，如今則是載運蔬果糧食進城的推車穿梭往來。

黃土路上盡餓殍
小小推車載豐饒
猶記昨日如地獄
何期今日多美好

在這次的考察之行當中，我完全陶醉在大躍進的成功中，因而當我回到北京後，我滿心熱切、渴望的想要將我此行的所見所聞告訴我的同志及全世界。我們的副局長金釗要我準備一系列演講稿，對外語廣播部門的幾百名同志做此行的報告，並隨後在北京電臺上做一系列的廣播，我立刻坐下來動筆。

幾天後，當我的稿子和演講準備得差不多時，我去找梅益，想聽聽他的意見。我滿心期待的走進他的辦公室，同時也給他帶了一瓶當時相當有名、而且藥效著稱的藥酒，我知道梅益喜歡這種東西。我開始談論此行的所見所聞，並詳細的告訴他我的演講及廣播計畫，但是令我十分訝異的是，梅益聽完我的計畫後只是陰沉的說：「這件事我想你最好是過一陣子再說。」

我頓時啞口無言，「但是我所要說的每一件事都是非常令人興奮、有關地方上成功的消息，我想要告訴每個人我所看到的成就。」

梅益表情非常嚴肅的說，「現在並不是評斷大躍進是非功過的好時機。有些同志已經對這個運動提出批評及質疑。中央的領導階層現在已經在研究這個議題，所以你最好不要隨便說你看到的事。」

第十三章 大饑荒

症狀從一九六一年底開始，首先受到感染的是老人及小孩，但是不久就波及大多數工作人口。有人頸子開始腫起來，而且一天到晚病奄奄無精打采。有些人說這是一種病毒感染，會使人拖著因壓力而彎曲的腳出門，從而使得整個城市的步調慢了一半。老一輩中較迷信的說這是因為星相做祟，甚至有人說是水有問題。似乎每個人都寧願相信這是種無法解釋、沒有肇因的疾病。但是一個月一個月過去，想要再欺騙自己造成每個人病奄奄的真正原因卻也越來越難——那是營養不良所造成的。

從一九六〇年底，我們就看到商店裡的食物逐漸消失。首先是肉越來越少，而且越來越貴。接著是水果少得只剩下又蛀又爛的蘋果，最後是什麼水果也沒有。員工食堂裡的食物也越來越少，晚到的人經常沒有東西吃，甚至有時食堂裡僅供應粥，連一點飯、菜都沒有。有一天我和玉琳傍晚出去散步，想找碗豆腐或是擔擔麵來吃，卻發現所有的小販都不見了，整個夜市也關起來了。

接著食物的配給開始減少，同時脖子腫大的症狀也開始。原本是三十磅米一個月，然後二十八磅一個月，到二十五磅一個月。在每次組會議時，每個人都會彼此詢問沒有東西的時候該怎麼辦。但即使北京人已經承認其病痛來自飢餓，大家仍避談飢餓的成因，報紙上只是報導說：「三年天災」。到處都有洪荒或是旱災，收成一直很不好。

然而黨對黨員的要求依然堅定，周恩來已經下令所有黨員禁食肉類三個月，以確使辛苦付出體力工作的勞工能夠吃飽；也不准黨員排隊購買新鮮蔬菜，因為一排隊就表示菜不夠給所有的人，這個時候黨員就必須將這個權利讓給非黨員。劉少奇則一再搬出他最喜歡的孔夫子的教條，有教養的人要最先吃苦，最後享樂。

我和玉琳認識的一個名叫方彩蘭的印尼華僑，有一天就被抓到身為黨員，卻在排隊為她的三個小孩買甘藍菜。一個星期之後，我參加了一個大會，會中她為自己有失黨員顏面的行為聲淚俱下的公開道歉。個人或許可以這樣大聲譴責，但是如果有人想要批評黨或是毛主席本人的話，他們是絕對不會大聲公開的。沒有人敢問大躍進運動所帶來的豐收到底怎麼了？也沒人問破紀錄收成為什麼也能造成饑荒？

黨方面的領導對這自有一番說詞。他們告訴我們，如果我們在挨餓，那得全怪蘇聯。因為不論我們以前曾有過什麼豐收，都被蘇聯修正主義分子拿去享受了。在大躍進運動結束後的兩年，北京就和莫斯科撕破臉決裂了。

其實以前還在延安時，我就發現中共和蘇聯並不如一般人所想像的，因為有共同政治意識形態而採取接近的路線。其實雙方的緊張、對立關係可以回溯到好幾年前。建黨初期，蘇聯扶植的一個叫王明的人曾一度將毛澤東趕出權力核心。史達林及他的黨羽嘲笑毛澤東的中國策略及方針，而且也毫不避諱他們對毛澤東的不信任，史達林後來甚至將武器供應給國民黨，卻不是給共產黨，蔣介石和蔣經國都在莫斯科受過訓練。後來，當中華人民共和國建立後，毛澤東將個人尊嚴放在一旁，遠赴蘇聯求助，但是所獲得的也遠比所要的少很多。我知道毛澤東仍為了這件事而耿耿於懷，我也從周恩來在延安給我翻譯的文件上得知，中國排拒蘇聯企圖獨霸的野心，更私下的鼓動東歐抗拒蘇聯。

然而自從我一九五五年從監獄出來之後，中國就一直處在一種到處逢迎蘇聯「老大哥」，並接受老大哥大量技術援助的情形下。較大的工作單位大部分都有一個蘇聯專家常駐指導，在我們廣播事業局就有一個名叫巴冰哥（Babinko）的蘇聯人，擔任首席蘇聯顧問。報紙也經常報導一些中國管理人及技術官僚，由於忽視了蘇聯顧問的意見，以致生產配額落後的故事。而不論是哪個工作單位有蘇聯專家，該工作單位就必須成立一個辦公室，以便鉅細靡遺的記錄下蘇聯老大哥傳授的「智慧」，並做為將來研究參考。

韓戰期間，蘇聯大量供給武器裝備給中共，在一九五〇年代，它們也對中共投入了數以千萬計的經濟援助。當時的中國完完全全依賴蘇聯——這世上唯一願意幫助它工業化的國家——的經援、軍援，和技術援助。

表面上，中國人公開表示他們愛蘇聯。收音機裡最常放出的音樂是一條叫做「北京——莫斯科」的歌曲。「史達林頌」被翻譯成中文，而中國各地的合唱團競相學唱這首有輓歌味道的悲傷歌曲。北京更充斥著蘇聯文化，莫斯耶夫（Moiesseyev）舞團和紅軍歌舞團曾在北京共同演出，著名芭蕾舞者烏蘭歐瓦（Galina Ulanova）也在中國巡迴各地演出天鵝湖。

但是在私底下，許多中國人厭惡所謂的蘇聯顧問，部分原因是來自於蘇聯顧問遠比其他國籍的外國人享有更多的特權。有蘇聯顧問的工作單位必須為他準備一位翻譯，必須為他訓練一個能提供諸如俄式羅宋湯、史卓若夫牛肉（Strognoff beef）、基輔雞（Kiev Chicken）等蘇聯菜的私人廚師。他們不僅吃、住得好，連辦公室都是最享受的。在廣播事業局，巴冰哥擁有整棟大樓內唯一一間有地毯的辦公室，即便是梅益的辦公室也比不上。

即便是自奉簡樸的中央委員會也關切來訪的蘇聯客人。例如那次首席芭蕾女伶烏蘭歐瓦在廣東，因為得知自己吃了當地人最愛吃的蛇肉而嘔吐之後，中央委員會立刻就下了一道命令，要求今後不得對所謂的「老大哥」或是「老大姊」饗以蛇肉，除非事先通知他們。

蘇聯人本身的行為也招致中國人的反感。大部分的外國人，像我一樣有資格使用公務車，不過美國人和歐洲人作風較民主，不介意和別人共乘或是坐前座和司機聊天，有時候還會利用這項特權來幫助其他同事。蘇聯人就不一樣，他們的車子通常是在市區內呼嘯而過，而這些蘇聯人神態驕傲的坐在專用司機身後，有時甚至將車上的黑簾布拉起，以擋去沿途中國人的窺探眼神。我自己有一次親眼見到一個低階的蘇聯專家在友誼飯店的門口階梯大發脾氣，只因為那時公務車繁忙，他被要求和另一個蘇聯人共乘。

這些蘇聯顧問的那些體型重量級的老婆們，更是大肆張揚的在北京最好的百貨公司及對外專賣店裡採購。他們總是故意擺出趾高氣揚的姿態，使那些原本驕氣十足的中國店員心生畏懼，他們會用輕蔑的口氣叫著「同志」，以吸引那些繁忙店員的注意，而其輕蔑的程度就像以前我經常在美國老家聽到一些白人，在叫一個成年黑人「喂！小子」來為他服務一般不屑。

但是由於政府公然諂媚蘇聯，一般人也不敢公開表達個人對蘇聯的不滿，他們害怕這樣的不滿會被攻擊成社會主義意識太低。我自己在這方面倒是沒有什麼不滿好隱藏的，身為一個前美國共產黨員，我原本就迷戀蘇聯，並將中蘇結盟視為當然。當然我也相信中共在這種結盟中必會是個較為次等的夥伴，但是以我看來，蘇聯既然是社會主義的第一個誕生地，它就自然而然是社會主義世界的老大哥。

不過在一九五九年的一個大晴天，我聽到一個極機密的消息，讓我明瞭中國對蘇聯的基本態度其實和表面上大不相同的。那天，接替玉琳做梅益機要祕書的朱水之打了通緊急電話給我，要我在十分鐘之內到地下室的大錄音室報到，去聽一項重要宣示。以前一般時候她只是拿個公文夾夾張簽到通知來通知你，這次用電話，一定是有重大事情發生。

長久以來，我已經習慣參加類似這樣的高階、極機密會議，而參加這些會議所獲得的資訊就像黃金一樣的珍貴，因為在進入北京後，那個曾經有效率的帶領我們平安穿過太行山的共產黨，已經變成了一個極端繁複和笨重的官僚組織，而想要安然的和這種官僚系統打交道，最重要便是要掌握資訊情報。

那天早上我前往報到的大錄音間，原本是專門提供兒童節目、音樂表演團體，或是其他需要大空間的廣播使用。我從自己在二樓的辦公室走下階梯到大錄音間，那時門口已經站著一個警衛，我給他看我的紅皮通行證，正面有我的照片，背面則有我的姓名、國籍，及登載為外國專家的頭銜。這間大錄音室原本可以容納上百個人，不過那天房內卻只擺了將近二十張椅子。我四下環顧那些已經到達的人，有負責國內廣播的副局長顧文華，還有負責國際廣播部分的另一位副局長金釗等人，幾乎每個出席的人都是十三級以上的幹部，從這樣的出席陣容看來，這次的訊息一定非常重要。以往我偶爾奉命參加在我等級以上的會議，這回就是如此。

房內的椅子窄窄的從後往前面排，兩旁留下極寬的走道，身後則是空無一人的舞台。我們都坐下，習慣性的將黑色或深紅的筆記本打開放在膝蓋上，手中拿著原子筆或是鉛筆等待。這時候梅益匆匆忙忙走進房內，就直接站在我們前面。我坐在後面往前看，梅益顯得高大而威嚴，他細長的臉則木然而無表情。不過我們都看得出來他在克制激動的心情，因為當他站在前面等著開口向我們宣布時，他的眼皮就像蝴蝶翅膀般的開闔個不停——這就是他心情激動的象徵。

「今天，」他開口說，「我將向你們傳述一份有關世界局勢的重要說明，這是最近毛主席在黨最高領導的擴大會議時發表的。」據我所知，這種擴大會議的與會人員將包含中國六大分區——華北、東北、華東、西北、西南、及中南的中委局領導，及上海或天津等大城市的黨書記，再加上統戰宣傳部門的重要成員，而最後這一點，也就是梅益參加這項會議的原因。

「這項情報極端的重要，」梅益一邊說，一邊做出他一貫的強調手勢——一雙手斬向另一個伸手的手掌。我們不得做筆記，也不得在走出這個房門後說出任何一句會議內容——這種會議的標準要求——甚至不能洩漏我們曾經開過會。任何一個人如果被查出洩漏情報，將會立即失去黨員資格；而這樣的警告不是隨便說說，因為共產黨最擅長追查洩密者。我那時想，或許這就是以電話通知而不用簽名方式的原因吧。

梅益拿出他的小筆記本，開始向我們宣讀毛澤東在最高黨領導會議中所說的話。毛澤東認為，世界局勢遽變，從現在開始，中國面臨的不是只有一個主要敵人——美國帝國主義，而是兩個：美國帝國主義和蘇俄修正主義。當時這個消息確是令人震驚，因為那時整個世界——包括我們——都還認為中國和蘇聯是親密戰友。

梅益繼續的唸著。毛澤東也認為，可能我們最大的威脅會是來自赫魯雪夫以及他所領導的修正主義分子，甚至有一天蘇俄會和美國聯合起來在聯合國對付我們。共產世界將開始進行兩極化的運動，到最後，每一個人都必須選擇是要跟著北京走或是跟著莫斯科走；有些人可能會被這樣的說法嚇到，因為這就是說社會主義陣營會分裂。不過，毛澤東認為這是一件極好的事，因為對付修正主義的戰爭就是為世界革命的勝利做準備。

像梅益這種人在宣讀高層指令時，習慣採取一種標準的官腔官調，以缺乏人類感情的平板聲音來強調訊息的重要性。不過這次的宣布根本不需要如此強調，這個消息也是我幾年來參加過的類似會議中，最具爆炸性的一個。梅益在短短幾分鐘內，完全改變了我們過去幾年來所依存的世界觀，而我們也幾乎無法相信這個訊息的含意。但是周遭我所能聽到的反應，卻僅是幾聲咳嗽和腳跟移動的聲音。這些老油條的老幹部，雖然聽了毛澤東的話後心裡一定在想著如何應變，但是表面上絕不露痕跡，因為幾年下來在嘗過黨政策總是朝令夕改的痛苦經驗後，他們已經學會不對任何事表露出好或是不好的反應。

我們魚貫從大錄音室出來，回到我們的辦公室，一路上沒有人開口說話。即便是後來又碰到，我們也從不討論毛澤東的宣言。因為辦公室裡聽過這件事的人太少，而且每次若是知道的人在一起，旁邊一定還有一些是層級不夠、未能獲准知道如此機密事件的人。

我也從未告訴過玉琳。

在那之後，北京與莫斯科之間的無數歧見開始一點一滴的浮現檯面，毛澤東與赫魯雪夫間的爭辯也更趨尖銳。這兩個領袖的世界觀在許多基本面都有重大歧異，不過骨子裡其實就是毛澤東民族自尊與那示恩、採高姿態的蘇聯相衝突。就像他與史達林的衝突一樣，毛澤東一點也不對赫魯雪夫低頭，兩人的衝突也就隨著時間愈演愈烈。

我曾很意外的目睹這樣的衝突。那是在一九五九年的十月三日晚上，在慶祝中華人民共和國建國十週年的晚會現場。那天整個白天都是相關的慶祝活動，以延續兩天前有史以來規模最大的閱兵活動。

晚會是在新蓋好、佔據著天安門廣場中央的人民大會堂舉行。這個雄偉的會堂由自願軍花不到一年的時間建造，並如期開幕以配合國慶的相關慶典。因此當天高潮就是在人民大會堂的大型晚會，以接待來自世界各地賀節的貴賓。晚會中有來自中國各地的民俗表演，而全中國最棒的雜技團，更是以他們能擺出各種不可能姿勢的柔軟身軀贏得滿堂彩。穿著流亮絲旗袍的女服務生也在大會堂裡像蝴蝶般穿梭，為與會的貴賓別上玫瑰花。

我和一羣外國專家一起坐在樓上的包廂，可以俯視下面摩肩接踵的中國官員和來自其他社會主義國家的代表。中場休息時，我和一位來自新加坡的印度裔教授一起到外面的大廳伸展筋骨。這個大會堂真的就像人家所說的那般壯觀，內部極端寬敞，白色大理石階梯鋪著紅色的地毯，再搭配旁邊高達幾層樓的大理石石柱。舞臺下則是會議室，而進出它的大門則被木雕的屏風擋著。我在大廳裡看到蘇聯的資深理論家，索斯羅夫（Mikhail Suslov）愁眉苦臉的走來走去，而高棉親王施亞努（Sihanouk）則在一旁走過，不過最讓我吃驚的是看到北韓的首領金日成，因為我從未看過一個如此胖的公眾人物，他又大又圓的肚子和他肥嘟嘟的脖子天衣無縫的連在一起，他的樣子和他的照片一點也不像。

我朋友和我正在享受這種與各國政要名流共聚一堂的滋味，在我們身旁的兩道門卻突然被人用力撞開，毛澤東及赫魯雪夫一左一右，一個高大挺拔、一個又矮又胖，大踏步的從後門走出來；兩個人的憤怒也從他們鐵青的臉色上一覽無遺。赫魯雪夫皺著眉頭，並且帶著不屑的鄙夷神色，瞪著周遭我們這些人，彷彿全中國的人都對不起他似的。至於毛澤東所表現的盛怒，則是我前所未見的。毛澤東一向城府深沉，將喜怒控制得很好，但是那一次，他在生氣，卻是每個人都看得出來的；他的臉繃緊且佈滿憤怒的黑氣，他周遭的空氣彷彿被這種氣氛凍結似的冰冷。他們兩個人比肩的走著，不過其間的冷漠卻有千里遠，接著一句話也不說的回到他們的座位。

我那時還無法會意我所看到的究竟是怎麼一回事，直到不久之後，中央宣傳部部長陸定一才告訴我一點那天發生的事，而幾年後，毛澤東本人也親口證實了這件衝突。在慶祝國慶那次會面中，兩位共產世界的領導幾乎在每件議題上都嚴重對立。例如赫魯雪夫那次到北京，恰是在他與美國總統艾森豪大衛營會談剛結束之後，而毛澤東認為赫魯雪夫此舉可說完全背叛了共產陣營；赫魯雪夫也曾在新德里與尼赫魯（Nehru）會面，毛澤東因此指控他鼓動印度攻擊中國邊界；而有關第三世界的革命運動，毛澤東認為應當資助，因為這樣可以使美國忙得團團轉，並進而使世界保持和平，赫魯雪夫卻害怕這樣會讓局面不可收拾，導致世界大戰。

這件事後大約六個月，毛澤東及赫魯雪夫之間的決裂就公開化。一九六〇年夏天，蘇聯毫無先兆的將在中國所有工作單位的蘇聯專家撤回。於是突然之間，工程師走了，技師走了，顧問走了，所謂的老大哥在一夕之間從中國消逝，他們也盡可能帶走了所有的技術及裝備。

即便是那些想要留下來的也被迫離開中國。廣播事業局的巴冰哥同志就曾向梅益展示過一封他想要留在中國繼續履行合約的信，不過並沒有獲得同意。

這些技術專家一走，中國的工業就開始衰退；不過更糟的是，據黨中央領導告訴我們，蘇聯開始提出一些不合情理的要求。他們說，在中蘇決裂之後，蘇聯就要求中共將韓戰時蘇聯提供的軍援完全償清。他們並且說，史達林提供的軍援當初根本就沒有提要回償的事，但是現在既然蘇聯人提出這個要求，中國雖然窮，卻也不願意欠任何人錢：「我們會還這筆債——大部分是糧食——不論這樣會有什麼後果。」他們更一而再、再而三的告訴我們，如果我們挨餓，那都是蘇聯的錯。

不過，極少數的中國人知道真正的原因，其他人就只是挨餓，餓到數以千萬計的人在農村餓死。即便餓死，他們還是不知道真正的原因：不是收成不好，也不是蘇聯——即使這兩件事都可能是因素——而是大躍進造成！

憑著一股熱忱，全民動員建造了道路、水壩、水利渠道、人民大會堂、後院的土法煉鋼爐及橋樑，卻也摧毀了中國的農業。就像我坐火車往北戴河時看到的，中國大部分農田都只剩下無法勝任農事的老弱婦孺來耕種，因此穀物開始敗壞，人民也開始餓死。

我知道其實毛澤東自己也對一些過度激情，而將大躍進的政策執行得過火的同志頭痛不已。我曾聽過一捲他在南昌會議中對黨中央領導們所做的報告之錄音，承認確有農民為了採採礦藏而荒廢耕種及收割農作的情事，同時毛澤東也說，許多大躍進的成果都是誇大不實的。

嗣後我也聽說了有關這些成就的誇張程度，甚至還有人蓄意欺騙。例如我在天津左近看到的那個示範自治公社，就被揭穿是一場騙局——那片麥田中密密麻麻的麥子都是從別塊田裡移來的，以便集中展示。毛澤東對這種現象也有一套說辭，我也很輕易的接受他的說法；他認為這是地方上過於熱情的地方幹部誤解他所造成的問題，他並且警告，如果這些誇大、不實的分子還不自制，「所有中國人都將死盡——就算不死全部，也要死一半。」我自己覺得他是在誇大問題的嚴重後果，以便約束那些不實的同志。我們都同意毛澤東所解釋的，問題的發生來自於對他的政策的誤解，沒有人敢去評斷大躍進政策本身的對錯。而梅益在我探討大躍進的巡迴採訪回來後，對我突如其來的警告也顯示了一個大改變又要開始——對大躍進的迷熱及瘋狂就像它突然冒出一樣，不久後也突然消失。

即便我們感受到大躍進有問題，但是那時我們一點也想像不到問題會演變到後來那麼嚴重。因為最嚴重的受災地區都是發生在偏遠的鄉村地區，所以我們這些生活在都市裡的人根本無從了解，我們唯一知道的就是情況有些不對，而黨裡的領導就像是山裡的老虎般，只在深山裡咬來咬去。我們也不知道到底他們在爭鬥什麼，不過我們都知道，當老虎打架時，最好保持距離。

過了一陣子，我們才聽到毛澤東版的鬥爭緣由。那次梅益有點氣喘吁吁、卻又有點顫抖的向我們報告剛剛結束的資深黨領導會議。這次在廬山召開的黨領導會議中，有些資深黨領導勇敢的向毛澤東及大躍進運動提出批評，其中的代表人物就是我在湖南採訪大躍進運動時，與他擦肩而過的國防部長彭德懷；那次他並不是在例行視察，而是在有系統的蒐集大躍進的躁進對國家經濟傷害的證據。彭德懷也在一封措詞婉轉的致毛主席信中暗示，這些問題肇因於毛澤東個人的小資本主義幻想，更令人驚訝的是，這次幾乎所有的黨領導都對彭德懷觀點表示贊同。

毛澤東曾說過歡迎別人批評，但是當別人真的批評，他卻暴跳如雷。即使彭德懷是十大元帥之一、是韓戰時中國軍最高統領，即便他有朱德及陳伯達——毛澤東身邊的意識形態大將——的支持，這樣的以下犯上依然使得彭惹禍上身。毛澤東指控他——彭德懷元帥，利用大躍進的問題做武器，試圖篡奪中國的政權。

因此梅益那次傳達給我們的訊息是十分冷酷且震撼的。直言不諱的彭德懷被撤職查辦，由狡猾的林彪接替國防部長；其他的黨領導被迫道歉。事件結束後，我在廣播事業局的文件室裡讀過一篇朱德元帥寫給毛澤東的求饒信，我甚至聽到一卷周恩來的自我批評錄音帶，這個自我檢討一共在整屋子的黨領導前進行兩天。在自批中周恩來對自己懷疑大躍進運動感到抱歉，並將之歸因於他出身的背景限制——一個來自舊帝國的小官家庭。

雖然政治上已因鬥爭而獲得平靜，但是大躍進的後果實在太慘痛了，讓人不能不正視。它的政策及建設雖已逐漸的被遺棄，但是它所留下的最悲慘遺產——大饑荒，正逐漸吞噬著整個中國農村及城市。

* * *

在大躍進結束以及大饑荒剛開始的這段時間，我待在中央廣播事業局的時日其實不多。

在一九六〇年初的某一天，梅益將我叫進他的辦公室，蹙著眉頭的告訴我，中央委員會已經將我調借去執行一項特殊任務，我將會加入一個任務小組，這個小組負責將毛澤東選集第四冊翻譯成英文，同時還要重譯在五〇年代即已譯過印行的前三冊。

毛澤東選集新版本的印行，在當時的中國是件驚天動地的大事。梅益很不願意我被調離，但對我而言，這是件極其光榮的事。我對於身為這個精英翻譯組中的一員，並負責將毛澤東的思想傳達到外面世界的任務，感到興奮不已。對於能暫時脫離現在的廣播事業局工作，我也覺得很高興，因為我已經感到厭煩。令人心智痲木的廣播內容以及無法容忍的官僚體系，已經將我在延安時期所幻想的、擔任中國對世界的聲音的偉大心志消磨殆盡。

大躍進運動的出現，將我在打右派分子運動時所浮現心頭的抗拒及疑慮，暫時壓抑下去。但是經歷這些時日後，我的思想問題又開始困擾著我。我經常懷疑運用如此殘忍的階級鬥爭，目的究竟何在，而它何時會結束？而在大躍進運動剛結束後，我和一個好朋友竟同時成為鬥爭會議的目標，更使我的疑慮達到最高潮。

造成彭德懷撤職的廬山會議結束後，反右傾機會分子的運動接著開始。任何一個曾對大躍進表示過懷疑的人，都可能被打成右傾機會主義者。在廣播事業局，他們的第一個目標竟是我溫和的朋友丁一嵐——一個有能力、仁慈的人，卻有著近乎愚笨的老實。她最大的錯誤是在黨會議時向所有人公布她的日記。而在她的日記中，她很焦慮的批評衰老的毛澤東已經失去控制自己的能力，愈來愈專斷獨行，甚至失去聆聽別人意見的能力。因而在鬥爭大會後，她被遣送到河北的一處農社去進行一年的勞改。

差不多在同一段時間，我也寫了一個批評的備忘錄，攻擊外國新聞廣播。任何聰明人都應該知道這並不是批評的好時機，我卻忍不住要抨擊廣播局低劣的廣播品質，以及刻板、官僚的領導風格，至少這樣做讓我覺得一吐心中塊壘。不過，當我因此遭到陷害時，我仍無法相信這是事實。那天早上我毫無預警的走進會議室，卻發現我的同事、部門的一些小組長，已經準備好攻擊我了。他們說，如果我認為廣播事業局的領導們是錯的，那黨也就是錯的，因為所有的領導都是在黨的授權下做事；他們更指控我，我對領導的攻擊是想奪權，是有野心的。我試著反駁，但是沒有用，因為在他們沒完全準備好之前，根本不讓我為自己辯護。

這是我出獄後，第一次遭到這樣的指控，而以往驚慌失措的老毛病又再度爆發。那天我回家吃中飯，玉琳的一番話使我鎮定下來。「堅持你的原則，」她說，「不管他們說什麼，你只要告訴他們真話就對了。」

那天下午，我再回到會議室，再面對同樣臉孔的一羣人，但是周遭的氣氛卻已大不相同。會議的主持同志竟然聲淚俱下的要求我原諒他們，我獲救了，不過不是我爭辯的結果，而是天降神兵陸定一。這位統戰部部長聽到我被鬥爭的風聲，便氣急敗壞的打電話給梅益，要他立刻停止對我的任何鬥爭。

我雖再度獲救，但是餘悸猶存。我想，這又是另一個黨已經官僚腐化的明證；這個令人窒息、愚蠢、內鬥不已的官僚組織，不僅曲解毛澤東的政策，同時使我們努力使這片土地變得民主、教育普及及富庶的目標無法實現。

* * *

翻譯小組第一次會議是在前法國大使館裡舉行，那是一棟位在北京王府井大街南邊前公使特區裡的高級建築。當我走進這個滿佈厚地毯、雕花家具，和金框名畫的建築物時，我其實是走進一個比我原先那個一成不變、官僚、互相譭謗的世界還要封閉的世界，我不可以告訴任何人我在哪裡工作，而別人也不問。如果有人注意到我已經不在廣播事業局時，我只能告訴他我在別的地方工作，別的都不能說。

我們這羣人真可以說是精銳：有中國最傑出的學者、經濟學家和英語人才。小組一共有十四個人，其中九個中國人，五個外國人。小組的領導是C．Y．W．孟，一個資深的經濟學者，我和他在一九四六年秋曾一起從張家口逃往延安。他是當時中國的首席美國經濟專家，並且說得一口流利的英文。排行第二的中國籍組員是唐明照，他以前是紐約地區的左派積極政治分子，現在則負責中央委員會聯絡辦公室的英語工作。

其次則是傳奇人物冀朝鼎，他是個學者、收藏家、政治家、人道主義者，也是個書法家，李約瑟（Joseph Needham）在劍橋所寫的一系列有關中國科學和文化的書，就是用他的書法為封面。他異母弟弟，外交部最佳的英文翻譯——冀朝鑄，後來也加入了這個小組。其他中國成員包括：蘇永英，前外交部的美洲——大洋洲小組的組長；吳文燾，外語新聞的主任；錢鍾書，牛津大學院士以及研究莎士比亞的中國權威；邱凱安，外交部翻譯組的組長，也是牛津大學畢業生；陳翰笙，中國知名的歷史學家；以及來自外語學院的程振求，他也是牛津大學畢業，並擔任整個小組的祕書及處理所有雜務。

除了我之外，小組中還有兩個美國人。一個是來自維吉尼亞的法蘭克．柯（Frank Coe），是個馬克思經濟學者，在羅斯福總統新政（New Deal）時期及二次世界大戰時，他都在美國財政部裡擔任要職，嗣後成為國際貨幣基金（International Monetary Fund）的執行祕書長。不過為了反抗麥卡錫調查，他選擇流亡中國。另一個則是他的密友艾德勒（Sol Adler），他在英國出生，曾是知名的劍橋經濟學家，二次世界大戰為美國財政部工作時，入了美國籍。

組裡面的英國籍成員是沙皮諾（Michael Shapiro），他曾是倫敦的史德布尼市

（Stepney）的共產黨籍市議員，現在則是新華社的外國專家，負責潤飾英語新聞稿。還有一位是艾波斯坦（Israel Epstein），他是左派的中國史專家，同時也是「重建中國月刊」博學的資深編輯；他出生於波蘭，嬰兒時期被帶來中國，在天津的美國學校裡長大。

我們一起工作了將近兩年，每星期六天、每天八小時，共翻譯出近五百頁的毛澤東選集。包括一九五一年到五六年間曾在英國印行的第一冊到第三冊，內容涵蓋對日戰爭結束前的所有毛澤東著作；新的第四冊則是包含從國共內戰到中華人民共和國開國之間的重要文件，例如毛澤東有關人民民主專政的論文，他對美國國務院對中國問題白皮書的討論，以及一些重要的軍事文章。

我覺得自己好像是被選來翻譯第五本福音書一般，我們就要將中國革命成功的整體經驗完整的傳送到世界的其他地區。因為毛澤東急著發表這些作品，所以我們奉命日夜趕工。毛澤東已經看過全部中文稿，而中央委員會也認可同意。中國人想將毛澤東推舉為當代的列寧，社會主義世界的正牌領袖。一九三〇年代，史諾就曾首次推稱他為中國的列寧，但是在現今中共已經與蘇聯決裂的情況下，中國人更迫切渴望將毛澤東塑造成超越赫魯雪夫，成為世界社會主義的發言人。

我們不是原始譯者，負責翻譯初稿的另有一個中國人小組，在北京郊區的一處賓館工作，和我們不在一起，他們都是從外交部、廣播事業局及新華社調來的一流好手。不過我們的層級高過他們，我們的正式名稱是「定稿小組」，負責潤飾，對於譯稿的風格、正確性、清晰度及譯筆是否忠於原著，我們有最後決定權，我們都可以質疑並改正任何有疑問的地方。我們的組員中如孟、唐、冀等人，都是部長級的官員。

身為小組祕書，程振求負責每隔幾天就開車到郊區去拿中國人小組最近完成的翻譯。他們的進度永遠在我們之前。初稿譯者翻譯時是根據謄清的正楷中文手寫稿。他們各自用不同的打字機寫稿，打出的字體也是五花八門。我們則根據已經裝訂成一本本的打字譯稿來修正，同時也參考中文原文。中國人小組是奉命將毛的作品逐字直譯，他們的表現也很稱職，不過譯稿的文體及用字措辭往往不夠恰當，要不就是把毛的觀念翻成英文時有時不夠精確。

我們的任務就是補救這些缺失，程序非常簡單，首先，我們所有人圍坐在長桌旁，每個人面前有一杯濃濃的中國茶，組長老孟坐在桌首，將今天的工作計畫先向大家公布，然後開始討論。

討論方式是先兩個人一組，逐字逐句的審閱中國組員翻出的英文草稿，並挑出其中個人認為有問題的部分；而在我們分組討論時，擔任祕書的程振求則負責將我們討論的記錄下來。分組討論結束後，則再由各組向全體人員報告該組討論的結果。各組報告結束後，全體工作人員再重複最初的逐行、逐句、逐字討論，並針對彼此發現的問題辯論，在如此繁細的討論之後，如果一天能完成半頁討論，我們就會慶幸那天進度不錯；不過通常我們一天只能完成幾行的討論，尤其是碰上毛澤東那種哲學式的筆法，有時一天下來只能完成兩行。

這種討論方式，也經常讓我們陷入口角。

我們爭論的原因部分來自於英文教育背景的差異。老孟、冀朝鼎，及唐明照不是曾在美國待過，就是有一堆美國朋友，因此他們的英文也就比較美國化；而相反的，牛津大學出身的學者比較接受英國式用法，例如他們在形容詞方面的運用較我們精準，但是在間接引用句方面則不像我們那樣揮灑自如。

在其他方面，我們則往往分裂成兩個陣營：直譯派及意譯派。像是冀朝鼎，他是我們之間最佳的統戰文字高手，他就是意譯派，強調如何使翻譯出來的英文讓西方讀者覺得流暢、引人入勝、有說服力。唐明照和蘇永英則較不注重文體，而重視其中的政治內涵。蘇永英就經常為了一個字或是一個句子與人爭論不休。以前他在紐約華僑日報的一些老同事就告訴過我，蘇永英常常為了一字一句的意義與人僵持爭吵，讓報紙幾乎沒辦法印行。

我也是組裡面一個比較麻煩的一分子。我主張直譯，對於自己在兩種語言的政治言語和精準運用上，我深具信心；因此對自己認為絕對能正確表達毛澤東本意及風格的翻譯，我絕不輕易退讓；有時候別人的譯法也相當正確，而且文體較佳，但我總認為不夠精準，不惜長篇大論爭辯。

唐明照有一次就對我大發了一頓脾氣，並罵我「做了件非常差的翻譯工作」。不過我認為外界所讀到的，應該是完完全全符合毛澤東的原意。有次我們正在討論如何翻譯毛澤東一句非常複雜的句子，我忍不住說，「翻譯的東西不應該比原文更清楚或是更不模糊。」當場招來許多白眼。我猜想他們是對我居然抨擊毛澤東作品的清晰度感到不悅吧！

有時候我們會問毛澤東本人的意思，我們請老孟代傳信息，他則透過中央當局往上呈報。不過他給我們的回答，並不是每次都有用。有次我們問毛澤東一段有關土地改革的文字：「不要殺太多人，而且不要毫無目標的瘋狂亂殺。」我們於是問，多少人算是太多？他的回答——如果多殺了一個人，那就是太多——這根本就不是一個答案！

有時候我們為無足輕重的事吵得最兇。當我們重翻毛澤東的「論矛盾」一文時，我們就為了如何表達「矛盾」這個字句而大吵一頓。一個「矛」（spear）及一個「盾」（shield）才合成「矛盾」（contradiction）這個字。但因為中文一向沒有制式的複數形式，所以到底是「矛盾」（contradiction），還是「許多矛盾」（contradictions）呢？

包括我在內的一派認為「矛盾」隱含的涵意是「處在矛盾狀態中」，或是「矛盾的一般觀念」。文章主旨是在闡述宇宙中充滿許多矛盾。並非闡明矛盾狀況的本質。因此，文章題目用單數形式，我們可以接受，但不能同意內文全部使用單數。另一派則認為「矛盾的觀念」是毛澤東文章中的重點，因此單數形式是唯一的選擇。在爭論數天毫無結果的情況下，我們終於決定根據文章中這個字的每個個別用法，來決定是單數還是複數。

有時候毛澤東也會引用一些地方俚語，更將我們搞得天翻地覆。例如他在一次演溝中呼籲所有幹部，演講切勿冗長瑣碎，用了一個湖南俚語來形容：「就像懶女人（lazy woman）的裹腳布，又臭又長」。絕大部分的組員同意用「slut」來代表懶女人（lazy woman），我卻認為這個字在美國代表著「娼妓」或是「蕩婦」，改變了毛澤東的原意，因此不能接受。如果毛澤東的原意是指英文中的「slut」，那他會用一個相當的中文俚語，例如「破鞋」或「野雞」，因而我堅持最合適的字是「slattern」（舉止隨便的女人）。

牛津字典的解釋支持用「slut」的人，但是韋氏大辭典卻支持我的論點。大家情緒都變得非常激動，爭得面紅耳赤。

為了要贏得這場爭辯，我不僅不時運用「程序發言」阻擾會議，同時更遊說了一羣在北京的美國人，包括法蘭克·柯的難纏老婆露絲（Ruth）表態支持我。

翻譯毛澤東的作品是件趣事。中國的理論家如陳伯達，文章一經深入分析，其邏輯便土崩瓦解，毛澤東的文章則不然，邏輯嚴謹緊密，理路精純，他的啓蒙思想來自孔夫子，高中時就普遍涉獵諸如洛克（Locke）、盧梭（Rousseau）、法蘭克林（Benjamin Franklin），以及傑弗遜（Thomas Jefferson）等人的作品，並在一次世界大戰後接受馬克思與列寧的思想。在他的政治生涯中，毛澤東一直夢想著建立一個更新更好的世界，而在這個新世界中，人類可以了解——也更有能力控制——自然的法則及那個統治自然的社會，放棄個人的欲望。「自由就是對需求了解，並運用這種了解來改變世界」，是他最喜歡的一句話，「服務人民」更是他經常掛在口邊的告誡。除了是個冷酷、現實的政客及統帥外，他也是個有夢想、有抱負的人。

不過，在我內心深處那個長久以來一直被壓抑的特異思想，也因為這次的翻譯工作，而以更巨大的力量浮現。我開始從毛澤東的文章中看到我以前從未看清的東西。他強調質疑每件事，強調研究、強調自我倚賴，強調測試所有定義，以及根據事實來計畫及修正行動等思想，在我看來已不僅是一種政治，更是對我個人的衝擊。

從監牢中被放出來後，我把死心塌地效忠黨視為唯一目標。但是在我翻譯的毛澤東作品中，他的論點與我的想法完全相反。他倡言人要堅持為自己認為是對的東西奮戰，不要順從錯誤的領導，要自己去測試及判斷每件事，不要盲從。

我曾翻譯毛澤東最有名的一段文字，他要求所有共產黨員分辨「像遵守紀律般的服從領導，以及像奉行原則般的追求真理」。在翻譯這段文字時，我特別用了「obedience」這個字，從中國的原意來說，就是「服從」。

唐明照激烈反對我的譯法，他認為，我壓根就不了解毛澤東理論的最基本教義，他解釋說，所有黨員都必須遵守黨教條的要求，服從黨的決定，即使個人認為是錯的也不得公開反對，然而每個黨員依然必須堅守己見，並且一有機會，就應該不停的在黨內向上級反應力爭。因此唐明照認為「obedience」這個字過於被動、悲觀；而且這個字無法兼顧到個別馬克思信徒對原則的奉獻，以及領導者及被領導者間應有互動的雙重意義，所以他建議用「compliance」（較積極、有承諾意味的服從）來代替，唐明照的意見獲勝。

自從這件事後，毛澤東選集中任何有關「獨立思考」的章節，都活躍的跳出文章向我召喚。「一個共產黨員應該對每件事都問『為什麼』」，他如此寫著，「絕對不可以盲從」。而從毛澤東的政治活動過程中，我也觀察到他確實以身作則，他首先對抗史達林，接著是赫魯雪夫，雖然多年來這些鬥爭除了黨內高層外，並未公諸於世。我終於徹悟，要做一個真正毛澤東的學生，必須要有批判的想法，以及為維護真理，雖千萬人吾往矣的勇氣。

整個翻譯小組雖然爭辯不斷，但是在如此緊密的空間下一起工作，有時必須結合起來以支持共同的想法，有時又要彼此辯論，然後一起吃飯，這些都使我們很自然而然的變得親密起來。有時我們也一起休閒，結伴去看平劇或是歌舞表演。

我在那個時候也受冀朝鼎的影響，迷上了中國古董家具，這個書法家不僅深愛這些古董家具，更收藏了許多完美的精品。那些明代的美麗家具，深深的影響所有偉大歐洲設計家的審美觀。例如在美國查爾斯頓老家，我母親用來美化家裡的薛萊頓（Sheraton）以及赫伯懷特（Hepple White）格式家具，就深受明代家具的流線造型及優雅雕刻的影響。

那時北京的古董店裡還有一大堆精緻家具，但是冀朝鼎非常害怕這些精美文化遺產會被那些外國外交官們買光，然後再連同他們原有的家具一起運回他們自己的國家。他的家裡到處都是古董家具──桌子下面還有桌子，床下還有茶几，家具一件件的四處堆著。只要他能力所及，他就會買一些完整的古董家具，並鼓吹他所有的朋友效法他。到最後他甚至計畫將他個人的收藏捐贈給紫禁城中的故宮博物院。

我對家具一向沒什麼興趣，但是在冀朝鼎的指點下，我也愛上了手工精緻的明代家具。下班後我經常和冀朝鼎去逛古董店，例如老馬可波羅店、劉立昌古董家具店，以及在昌文門外的古董家具倉庫。

我欣然同意老冀的計畫。我會在經濟能力範圍內，盡可能的買下我能找到的好家具，玉琳和我就會將這些家具擺在家中，並向來訪的外國朋友展示這些中國古典文化之美，讓他們驚喜讚嘆。等時機成熟，我們也願意將這些家具捐贈給博物館。

我還是協助老冀實現其計畫的理想人選。我的家遠比大部分中國人的居處寬敞，而且我是外國專家，薪水遠比任何中國人薪水高，包括毛澤東及周恩來在內。我的同事一個月大約賺八十元人民幣——相當於美金三十七元，而我的月薪則是六百元人民幣。但就像在延安一樣，我的需求一向很簡單，所以我省下不少錢，有能力去購買數千元計的古董家具。

玉琳將我蒐藏的擺滿整間房子。我們買了一座又矮又長的三斗餐具櫃，櫃子後緣上方有蛇一般彎曲盤蜒的木雕模子，並向兩旁如手臂般的彎曲在櫃子上。我們找到一張黃色紫檀木打造成的高腳琵琶桌，它雕工精細到看起來就像是一段節、目分明的竹子，而在三呎外，你也絕對看不出它是紫檀木做成的。在客廳以及餐廳的角落，放了幾張八邊形的八仙桌，以及四對雕工繁複的椅子。這些是我見過的最美的家具。有時當我深夜回家，身心俱疲時，我就會在朦朧光線下坐下，靜靜的享受這些藝術作品寧靜的高雅和美麗。

* * *

但是法國大使館牆外，以及我那典雅住家外的世界就沒有那樣美麗了。到了一九六二年底，我們翻譯毛作的工作完成，我歸建到廣播事業局，被迫開始面對大饑荒的殘忍現實面。在翻譯小組時，雖然我們也發覺為我們準備的特別餐一天比一天差，但這些每天由專任廚師為我們準備的食物已經遠比外面來得豐盛。但是現在在廣播事業局，我親眼看到其他人營養不良的情況。

廣播事業局有超過三分之二的人，因為體內缺乏蛋白質而感染水腫症。在我歸建後沒多久，許多人就病得只能隔天上班，只要有人的腿上或臉上開始浮現腫脹的斑點，並頭昏想吐，他們就會被送回家去休息。

英語單位開始輪流上班。每個人工作一天，隔天躺在床上恢復氣力。在那段日子裡的任何一

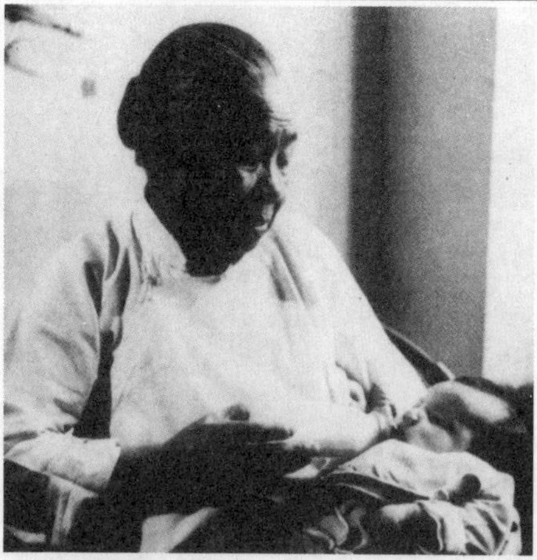

●（下．左上）我們最後一個小孩，也是唯一的兒子，一九六六年出生。照片中抱著他的，一個是他爺爺，他住我們附近，是個木匠。另外一個是他奶奶，她和我們住在一起，幫忙帶我們的小孩。玉琳的母親就像所有古老中國的傳統婦女一樣，纏著小腳並且沒有真正屬於自己的名字，玉琳的大姊在抗戰時被日本人姦殺；她們全家在戰爭時都經歷了一段可怕而艱困的歲月。

●（左下）玉琳和我及三個女兒，在北京住所中拍攝的全家福。由於我的地位，我們過著舒適的特權生活。我們的房子內到處都是我所蒐集、價值不菲的明朝家具。後來我又把這些家具捐給故宮博物館。

天到辦公室，你都會發現新聞室裡的椅子有一半是空的。這樣的景象讓我回想起一九四六年與新四軍躲在山區裡的日子，那時有很多人都患了瘧疾，每次會議都只有三分之一到一半的人參加。

玉琳那時正在外語學院學英語。有一個週末她也是臉腫額腫，手腳浮脹的回到家。她的米糧配額已經減少了二〇％，肉類則已從學生伙食中完全取消。她和她的同學每天僅靠不足一磅的米及一些白菜維生，而水腫最嚴重的病患每天再緊急加配給一湯匙的大豆。

人們碰到面就用指頭去按別人的前額、臉頰，或手臂，這是測驗水腫病情的一種方式。如果指頭壓下，肌肉陷下去，指頭離開時肌肉馬上恢復原狀，那表示就一切正常。但是如果你有水腫，那指頭離開後就要過一陣子肌肉才會慢慢恢復原狀。

人們有什麼就吃什麼。某個週末，我和玉琳就跟一羣人到野外，花了一早上的時間用長竹竿將樹上的葉子打下來，然後將這些葉子拿到廣播事業局的員工食堂，讓他們用這些葉子代替蔬菜，加米熬成粥或是和麵一起煮。玉琳對這種事可稱得上是個專家，因為在日本人佔據的饑荒年代裡，她小小年紀就必須和母親、姊姊一起到野外找可以食用的野草來餵食全家人，而這是她一輩子也不會忘記的。

令人驚訝的是，所有人依然對黨維持忠誠，幾乎沒有任何的貪污腐化或是任何的抱怨，即便是那些曾因黨的指控而受苦的人依然堅定跟隨著黨。例如捷洛·陳，他原被打成右派分子而下放到農村勞改，在大饑荒最嚴重時，獲得黨的准許到香港去探望親戚。「這可能是我們最後一次見到他了。」在他離去時我這樣想著。然而他回來了，而且就在他應當回來報到的那一天。

玉琳也是一樣。雖然她身體明顯不舒服，仍是頑固的不願意接受特殊待遇。身為外國專家，我享有的食物配給比她豐富得多，足夠讓我們兩個人避免營養不良，所以有好幾次我都打包了一些水果、麵包及熟肉給她，但她不肯接受，「我是學生黨支部的書記，」她以責備的口吻說，「當別的學生、老師都在挨餓時，我怎麼能享受特別待遇呢？」

我本來一點也不想再回到廣播事業局工作，我覺得自己已不再有衝勁及熱情，所有的創造力也都被澆息了。造成這種現象的原因並不是饑荒，而是因為我所面對的，仍是當初那個我急於想離開的，令人窒息的官僚體系。

而在經過翻譯小組的洗禮後，我竟也「除卻巫山不是雲」的將那種精英式的工作方式帶入廣播事業局。舉例來說，如果有十六頁的中文需要翻成英文，我就會將這個工作分開來，讓八個人負責，每個人翻譯其中的兩頁。不過在這八個人中，可能有四個人的翻譯能力奇差，因此他們送回來的翻譯就完全不能用；但是我又不能將他們的譯作丟棄不用，因為那樣會被攻擊成不民主。於是我只得大刀闊斧的修改他們的文章，改得到處都是圓圈、紅線，或批評意見；但是這樣一來，翻譯的人又會覺得自尊心受損，抱怨他們的原始譯稿被改得只剩兩三句。

「把工作交給較優秀的翻譯員吧！」我這樣的向部門組長爭取，「這樣會比較有效率，而且工作也會做得比較好。」但這個建議永遠未被採用。上級的說詞是，組織必須隨時訓練新人，不過他們這麼做也是為了保持組織裡的和諧，免得被抨擊為偏愛某個同仁。因此，我們老是在做些蠢笨的事——拿到一些沒有用的文章，卻還要假裝它是有用的。

其實在周遭，我也能看到一些有才氣、熱心的人，願意嘗試寫一些有趣的廣播稿，但是他們一次次遭到拒絕，上級會告訴他們，「這是敏感題材」，或者「這是外國人無法了解的」，或是「我們不曉得這樣做好不好」。

離開監牢愈久，我的腦筋也逐漸活絡起來，我也發覺自己不再願意昧著良知去說諸如黨所說或所做的任何事都是偉大的話，面對每天的廣播，我也逐漸發覺其實我們的報導很沒有內容，甚而大部分的經濟消息都是不實的，我覺得我們就像是官方御用的電台，每天的報導都是那些大官動態，例如毛澤東會見某個世界領袖，周恩來到機場迎接貴賓，或是劉少奇主持會議等。

而我自己呢？我禁不住愈加懷念以前在美國南方組織勞工運動的日子，不論是教導工廠黑手馬克思經濟學，疾呼白人女工要起來支持他們的黑人姊妹罷工，甚至為了自己的理想而被關在監牢中的日子都使我感念不已。我曾經是個設法改變世界的人，以感動人心、激勵靈魂為職志，是一個行動派、組織者、改革家、教育家。而我現在在這裡算是什麼？一個搖筆桿的小官僚，我不想將餘生浪費在廣播事業局，翻譯農作物產量等雞毛蒜皮的小事，我要跟廣大人民接觸，要到真正有行動的地方。

第十四章 核心圈內

我的老朋友廖承志果然說話算話，為我提供了一條走向外面社交世界的道路，在他的幫助下，我開始成為一個公眾人物。他不僅將我帶入資深黨領導的社交圈內，更為我打通一條捷徑——讓我在黨的活動中，扮演更有影響力的角色。

對於非正式的為黨從事政治工作，我已經頗有經驗；梅益一向贊成，並且支持我對外國人讀書會的工作。不過由於我在廣播事業局的任務關係，我一直不太願意深入參與這些外面的活動。廖承志知道這件事，便悄悄的向權力高層報告，並從權力高層處獲得授權，要我做一件以前從未有人做過的事：扮演一個勇於冒險、獨立的黨工，盡可能去擴大中國共產黨在北京外國團體中的影響力，然後由這些外國團體去影響全世界對中、蘇共這場霸權角力的判斷，並進而爭取到各地革命分子的認同及效忠。

我對這份新指令自是高興不已，我覺得自己再度幹起正事，並再次扮演一個重要而有建設性的角色。

黨那時的確需要像我這樣的人。與蘇聯決裂，已經危及中國與其他國家自解放以來辛苦建立的結盟及合作關係。因為當蘇聯撤出中國，其他人就必須選擇：與蘇聯一起走，或是留下來繼續做中國的朋友。蘇聯專家撤離，已經使中國工業遭到嚴重的傷害，如果再失掉那些翻譯、潤飾、訓練語言的外國專家，那會使統戰工作更加艱難。因而對中國政府而言，能否盡可能的留下盟友，並使那些外國專家繼續在中國生活、工作，就變得相當重要，所以當黨艱苦困戰，想將共產世界的效忠對象由蘇聯那邊拉過來時，我也開始了一場維持外國專家對中共效忠的戰爭。

當然，有些人是注定無可挽回的。那些與蘇聯有密切關係的，諸如東德人及西班牙人，在蘇聯撤離時也立刻打道回府；約旦籍阿拉伯人也撤離，迫使廣播事業局的阿拉伯語單位只得趕緊從西北請來一個回教神學家，接替翻譯及潤飾的工作。不過其他國籍的人則騎牆觀望，例如加拿大人及澳洲人就猶豫不決，有的想跟中國，有的想跟蘇聯。還有一個名為祖確第（Giorgio Zucchetti）的義大利共產黨黨員，原本被黨命令撤回義大利，但在我向他保證中國會給他一個職位後，便拒絕了義大利共產黨的要求。

我的工作就是像這樣，不論任何國籍的人想待在中國，我就必須維護、培養、拉攏他們的忠誠。

梅益也熱切支持我的新任務，因為我的任務如果成功，對他的績效也有很大幫助。而更重要的是，影響力與資訊可以是一條互通的雙向道。如果我隨時向他報告在北京的外國人圈子的動態，他就可以利用這些訊息做他的晉陞之階。

梅益雖然仍是我的上司，他卻給我完全自由行動的自主權。「部門內沒有幾個人能夠像你一般的自由談論，或是像你一般有影響力，」他這樣告訴我，「所以，儘管去做你認為是應該做的。」他並且說，我可以照自己的意思去解釋黨的政策，只要我覺得該做，就直接去做，「如果你做錯了什麼事，我們頂多是說說你而已，讓你知道下次要做得更好。如果你要找我的時候我在開會，那要我祕書即刻把我叫出來。如果英語部門對你的外務感到不滿，我會出面處理。」

與蘇聯決裂，也同時讓我對中國的權力核心有了不同的觀感——而且是我從未有過的觀感。在決裂之後，中共黨部就發表一系列編號的論戰文章，攻擊赫魯雪夫諂媚西方世界，是個修正主義者、擴張主義者，更是一個帝國主義者。而由於中共領導人相當懷疑自己的媒體或是外國的媒體，能將這些敏感的議題翻譯得很正確，因此他們組成了另一組精英人員來翻譯。

以前翻譯毛著作時，還有幾個外國人在翻譯小組內，但是這次，我通常是唯一在做最後修正工作的外國人。在夠資格做這類工作的外國人中，我是唯一的黨員，因此黨才把這種機密工作委託給我。而我們所翻譯的，並不是一般瑣碎的議題，這其中牽涉到中、蘇共間的重大鬥爭，而他們所爭的不僅只是控制全世界的革命，更包含爭取第三世界的龍頭地位。同時中共領導人的內部也利用這次機會，來調和折衷他們對這些重大議題的歧見。

這次翻譯論戰文章，其機密程度甚至遠勝於翻譯毛著作的工作。翻譯的地點是在新華社，我的進出都是由一輛窗幕低垂的車子接送。我和其他被認為清白可靠的翻譯員在新華社內的一間隱密辦公室內工作，而除了辦公室之外，我不准走到大樓內的其餘區域；如果在新華社碰到認識的朋友，我也不可以告訴他們我在新華社做什麼；我們也不准到新華社的員工食堂吃飯，所有的中餐及晚餐都是裝在一個琺瑯質的盒子送來的。

開始翻譯後，我立刻了解為什麼要如此保密。以前在翻譯毛著作時，我們所接觸到的稿子都已經經過黨中央委員會批讀、修改及認可，但是這次我們拿到的稿子卻都是直接由撰稿人那裡送來。當我們翻譯陸續送到的修正稿時，我可以看到中委會領導人各自以其獨特的筆跡，在稿紙上訂正、修改、爭論及對立，那種感覺就像我也參與了他們的辯論一樣。通常毛澤東的意見會一點一點的出現，直到最後將原本的內容完全推翻為止。

舉早期的一篇名為「論尼赫魯的哲學」的論戰文章為例。它的內容是討論有關中印邊界的衝突，目的是要證明中國路線——不是那個已經變成修正主義的蘇聯路線——才適合第三世界。當我們接到這篇稿子時，就立刻開始進行翻譯，但是之後沒多久，陸續的修改意見就開始傳來。

這篇文章經過了二十餘次修改才定稿。其中周恩來的批註意見審慎含蓄，書法也是工整、拘束、圓潤，他的筆跡規矩易讀，每個字都端正排列在中式稿紙的方格內。周恩來時而支持某一邊的論調，時而支持另一邊。

劉少奇，這個毛澤東的副手及欽定接班人，寫起字來像個文書，大部分的字都循規蹈矩，但偶爾也會別出心裁，縱情的龍飛鳳舞一番。

毛澤東的字則是典型的行書體，筆劃粗細分明、濃淡有致，一勾一勒也都各適其態。筆跡最容易辨認，但是有時候卻最難看懂；因為他每個字的大小參差不齊，有時候一個字會不及四分之一吋高，有時候則會有一吋半大，跑出格子外。

經過一篇篇的修正稿後，愈來愈多的稿子逐漸佈滿了毛澤東誇張花俏的筆跡，等定稿出來時，在我眼中那幾乎全是毛澤東的手筆。原稿文氣唐突武斷，了無新意；修改後變得精巧微妙，諷刺嘲弄更加深刻，行文技巧也高明許多。原稿是對尼赫魯不關痛癢的表面攻擊，定稿卻是一篇以關心為出發點、義正辭嚴的文章，這比正面攻擊更使印度領導人恨得牙癢。

＊　　＊　　＊

到一九六三年的夏天，大饑荒的惡劣情況逐漸的改善。廣播事業局的員工食堂開始供應足夠大家吃的食物，米糧配給逐漸恢復，而買米跟麥所需的糧票也愈來愈少。玉琳的臉雖然還是水腫，但也慢慢在改善，她的學校所供應的伙食也慢慢出現一些豬肉及青菜。

那年夏天，當我們在週末的傍晚出去散步時，我們注意到關閉了將近一年的一些餐廳也重新開張，供應簡便但充足的餐點，到那個夏天快結束時，夜市裡的小吃攤也再回到街上。

大部分人雖對蘇聯仍感到憤恨難消，不過在內心裡，我們其實都享受著那時這一股意料不到的寧靜。大規模的政治運動已經遠離，不論領導人是否還在搞權力鬥爭，反正都是在暗中進行。歷經一連串攻訐及驚嚇的羣眾不會問太多問題，也不會對平靜有太多好奇，每個人都將這個平靜視為天上掉下來的禮物，只要好好享受就好。

我的家庭也開始擴充，現在我和玉琳已經有了三個女兒。最小的女兒在一九五九年出生於當時的中蘇友誼醫院，但在中蘇共決裂後就更名為友誼醫院。她誕生的時候正是全世界為第一枚人造衛星的升空而目瞪口呆，並對火箭的威力極端著迷之際，所以我們叫她做「曉昇」，用昇這個字來代表「上升」。曉昇打從出生就是個意志堅定、衝勁十足的小女孩，像個小火箭似的。出生時，玉琳還沒來得及進產房，她就在檢查室呱呱落地。

一九六三年時，玉琳仍在學校就讀，她每週在學校住六天，只有星期六晚上到星期天中午在家。每當她在家的時候，我們就像小孩般的嘻鬧在一起，她很喜歡吃瓜子，而且就像大部分中國人一樣，最喜歡在看電影或是看戲嗑瓜子。她能將瓜子擺在牙齒中間，然後一口就咬破瓜子，將瓜子仁咬出，技巧出神入化。每次我想學她，瓜子仁就會掉在地上。「可憐人，」她會故意用低沉的嗓音在我耳邊說，「來自科技那樣發達的國家，竟然咬不開一粒瓜子。」然後她會咯咯的笑著，嗑開一些瓜子放在我手上。

放假時，我們會到天壇公園的商店閒逛，為小孩子們買紅獅狗玩偶和紙老虎，我們也會童心未泯的站在有名的回音壁兩端，從其他傳話人潮的大呼小叫中，設法辨認出我們的聲音。玉琳將臉靠在牆邊，對著另一端的我小聲說話，我則搖著頭表示我沒聽到。她於是再耳語一次，我又再度搖頭。這時候她就會退到牆外，對著我大叫，「我說，『喂，李，你能不能聽到我？』」，接著她會回到牆邊再試一次。突然間我從那片又長又彎的回音牆聽到她說，「李敦白是個笨蛋。」我立刻佯怒的直起身來，向著她的方向瞪她。

玉琳笑彎了腰，「你看，」她洋洋得意的說，「你能夠很清楚的聽到我吧！」

玉琳不在家的時候，媽媽就擔起撫養孫女們的重責大任。晚餐後，我看她拿著一隻長柄掃帚掃地板，而她的小孫子就會拿很小掃把跟在她後頭，而媽媽總是滿臉疼惜及鼓舞的看著她的小孫子。媽媽絕不准我們打小孩，或是大聲的責罵她們。「她們太小了，她們不懂。」她說，「你不能光是責罵她們，你應該讓她們能保持自己的天性，然後循循善誘的教導她們，讓她們走上她們該走的路。不要讓她們哭，不然她們會哭得沒完沒了。我小時候的日子太苦了，我絕不會讓她們吃苦。」

我們的二女兒曉東，在兩歲的時候差點死於一種突如其來，原因不明的抽筋，全靠媽媽才使小孩子平靜下來。「不要擔心，」當我們驚懼萬分的趕往醫院時，媽媽平靜的說著，「小孩不會在新中國時代死亡，曉東會好的。」

我的每個女兒都在滿三足歲時，就開始上托兒所。每個星期一大清早，她們那位住在離我們不遠處，一條小巷子的土房子內的外公，就會騎著他的腳踏車來，將他三個寶貝小孫女載上腳踏車——一個放座椅上，一個放車身橫槓上，一個放在車把手上，然後他就牽著腳踏車將三個小孫女送到托兒所，一路上對孫女們講述三國演義的故事。

托兒所的正對面有個駱駝驛站。這個站是從遙遠西北的新疆一路蜿蜒南下，經過沙漠，及延安黑暗洞穴的駱駝運輸線的終點。即便現在已經是新中國，駱駝仍需不辭勞苦的長途跋涉，來到摩登、繁忙的北京。

北京市現在又活過來。週末，我們全家人會一起出外散心，搭上藍色車頂的東德製電車，到附近眾多公園中的任一個閒逛。這些公園排列對稱、整齊，在嚴寒氣候時是相當沉靜，不過現在卻滿是各式各樣的活動：有各類特技及馬戲團表演；有自行用大鼓、琵琶或伴奏，演唱中國民間史詩的說唱藝人；有人唱著流行的政治歌曲，卻在政治抒情歌的掩護下偷偷流露出情歌的浪漫；也還有變魔術，和玩雜耍的。有一次在紫禁城旁的工人文化宮內，一個年輕的魔術師將一個鈎子、一段釣線和一個鋁錘丟向我，然後就從我褲子的右前口袋裡拉出一條還在跳動的小魚。這個戲法，至今仍讓我百思不解。

少女及少婦花枝招展的穿著裙子及洋裝，男人則穿著短袖襯衫及便鞋。到處都擠滿了人：老人搖著鳥籠；年輕人為了帶家鴿到遠處放飛，騎著腳踏車從身旁擦身而過；單身老人把手背在身後，慢條斯理的邊走邊哼平劇，走過老遠吟哦聲仍依稀可聞。

孩子們是北京的國王及王后，冰棒則是夏天時孩子手中的權杖。每個家庭，包括我家在內，都必須先跟家裡的小孩「協商」，問他們是不是要買冰棒，如果要，那要買幾枝。賣冰棒的四輪小車幾乎無處不在，推著小車的通常是中年婦女，或是年老的老人或老婦，這樣的兼職可以使他們為家裡多掙點錢，車子裡裝有香草的、奶油的，以及山楂口味的冰棒，包在厚厚的棉布內以對抗熾熱的太陽。

那是我和家人最快樂的時光，大饑荒已經離去，我們對前途都抱著很高的期望。

* * *

當我到廣播事業局上班時——通常是在早上——我會盡可能將所有的工作，擠在最短時間內完成。但是我的心並不在此。我不像早幾年前對修改文章那樣用心，也懶得費神使節目更有意思，一來沒人感謝，二來那幾乎是不可能的。

現在一天工作中最令我感到興趣的是從十一點半開始，那時會有個拉丁美洲籍同志載我到友誼飯店吃中飯，我的政治工作也從那裡開始。

友誼飯店有專為外國專家所設的大型餐廳，是個搞小圈圈、說閒話，及炫耀人際關係的地方。有一桌屬於馬海德博士和他的德國籍博士朋友穆勒（Homs Mueller）、穆勒的日本太太，及另一個新加坡朋友查特．林（Chet Lin）、林的澳洲籍太太等人；其他桌子則被非洲、亞洲、阿拉伯，以及信奉毛主義的拉丁美洲人分佔。有智利人、巴西人、哥倫比亞人，烏拉圭人、一個落單的巴拉圭人；阿根廷人、祕魯人、委內瑞拉人以及玻利維亞人。還有那些在未見面就可以感受到他們那種自傲自大走路方式的古巴人；以及有著深邃、高雅眼神，帶著神祕浪漫色彩、安靜有禮的海地黑人。信仰馬克思主義的西德人那桌，總不乏硬幫幫的幽默、一堆肉和馬鈴薯，以及成堆的啤酒瓶。

進入餐廳後，我先與最需要跟他談話的人坐在一起，然後再轉到別桌去，說我認為需要說的話。有時候我們會將幾張小桌子併成一張大桌子，然後一大羣人就一起邊吃邊聊天。

我們會說起有關赫魯雪夫的笑話，其中一則是有一個蘇聯人因為在街上大喊「赫魯雪夫是個大白癡！」而被判了十年又兩天的徒刑。這個犯人問法官，為什麼會判他這樣奇怪的刑期？法官回答說：「兩天是因為你侮辱我們的領袖，十年則是因為你洩露了國家機密。」一說完一夥人哄堂大笑，樂得猛拍大腿。

不論說笑話或是說故事，都是要為我的政治工作先行搞好氣氛。我非常認真的看待、執行我的工作——向這些外國人私下透露蘇修主義犯下的罪行。例如對拉丁美洲人，我會告訴他們，蘇聯如何運用自由世界對古巴的圍堵禁運制裁，迫使古巴陷入在經濟上及政治上都必須倚賴蘇聯的情況，還有蘇聯如何藉同意購買古巴被禁銷的糖來壓榨古巴的經濟血脈做回饋。

對於非洲人，我會告訴他們蘇聯如何討好他們國家裡的反動分子，以便賣武器給他們及爭取他們在聯合國的選票，卻又拒絕支援真正非洲革命分子所需要的槍藥及資源。對美國人，我則強調有關革命原則的議題，並且嘲笑莫斯科人對住在當地的外國人，以及對經過當地轉機要到中國或越南的外國人，那種可笑的對待方式。

這是一種精細的工作，我必須很準確的知道該說多少，要推出多遠然後再撤回，耐心的等待別人向我開口要更多的資訊，而其中最基本的關鍵就是在我自己對毛澤東以及毛式的馬克思主義的了解。「你自己想想，」我會告訴來自他國的同志，「沒有必要一定遵守這條路線或是那條路線；事實都擺在你眼前，你自己做決定，一個好的共產黨員必須學會自己動腦筋。」

沒有人告訴我該說些什麼。不過其實到那時候，我認為我對中國共產黨路線的了解已經比許多比我還資深的人更深入；我更誠摯相信我曾告訴過外國同志們的一切都是真的。

然後在一九六三年的八月，我突然的被推升到一個更為顯著的地位。那天我正坐在廣播事業局的辦公室內，丁一嵐從門口探頭進來。她在上次打倒反革命分子運動時，因為膽敢在日記裡寫說大躍進運動令她擔心毛澤東的神智情況，而被下放到農村勞改。最近她才剛被釋放回來，正在復健當中。

「我有個好消息要告訴你，」丁一嵐說，柔和的臉龐閃著明亮的光芒，「毛主席要接見你。你最好現在就上路，不然你會遲到了。」

我沒有時間回家梳洗或換衣服，不過其實也沒有需要。「外面已經有車在等你，車號也已經向中南海報備過了。」

我腦中一片空白。毛澤東為什麼要見我？我絲毫沒有一點頭緒，但是我知道那一定是很重要的。而從我被監禁之前我就沒看過他。

我認識在門口等我的司機。他有特別通行證，可以驅車直入中委會所在的中南海。我們的車子快速開過街道，轉進中南海，直到勤政廳——一個堂皇高雅，牆壁鑲嵌木板的大廳。一位侍從等在門口，陪我走過一條兩旁都有接待室的長走廊。在其中一間接待室前停了下來，他示意我進去。那間接待室不大，大約僅容六個人舒服的坐著，兩旁各有三張椅子。我進去時，法蘭克．柯已經坐在裡面抽著雪茄煙。我和他在毛選集翻譯小組時就已經認識了，他是美國籍的馬克思經濟學者。

「怎麼回事？」我問。

法蘭克回答說：「毛澤東現在正在接見一些非洲游擊隊的領導人，稍後他需要我們協助他回覆一封威廉斯（Robert Williams）牧師的信。」威廉斯是北卡羅萊納州幕諾（Munro）市的黑人牧師，他是一個真誠的鬥士，為黑人權利而戰，並贊成黑人武裝自衛，以對抗三K黨及濫用私刑的暴民。

「毛澤東要我們先看過那封英文信，然後他要聽聽我們的意見。」法蘭克回答我。而就在他說話的當兒，一位外交部的官員就帶著那封已經用英文打好，毛澤東稍待要看的信走進房間，他還告訴我們，這封信將在當天晚上經由新華社傳送出去。我和法蘭克立刻坐下來，匆忙的修改內容。信原本就翻譯得不錯，只有一些不通順的地方需要潤飾。我們唯一建議的修正是，在毛澤東所提出的，爭取平等的美國少數種族名單中再加上美國印第安人。

接著我們就被護送到主要會議廳，毛澤東親自在門口迎接我們，他與我們握手，輕聲的說，「謝謝你們光臨。」他的外表就像我印象中的一般，或許還要更好，因為戰爭的壓力已經遠離。他的頭髮依舊烏亮而沒有一點灰白，他的柔和眼神依舊像以前在延安時一樣，令我感受到有種男女不分的怪異特質。

非洲來的貴賓則已經集合在大廳內，就站在開著的門裡面。他們大約有二十人，其中沒有一個來自獨立非洲國家，他們都來自不同的國家主義組織或是游擊隊。他們之中一半以上的人仍是穿著傳統服裝；寬鬆的長袍，再搭上耀眼的紫色、金色，或綠色的布圍在身上，有幾個還戴上頭飾來配合。我知道其中有幾個正在中國接受軍事訓練。以前我認識一個臉圓圓的年輕學生告訴我，他從人民解放軍那裡學會了如何使用小型武器、手榴彈、地雷，以及引爆裝置。

整個大廳擺設成標準的中國式會議格局，一排沙發椅給身為主人的毛澤東及幾個最重要的貴賓坐，兩邊的沙發給次一級的貴賓坐，最後再有幾排較小的椅子給其他與會的人，包含祕書及記錄等工作人員。

大廳內還有一個木製台階，那是用來做集體攝影的——我們每個人都「被迫」排成列照團體照。照相時，毛澤東向所有人保證這些照片絕對不會公開，因為其中有些游擊隊領袖是祕密參加會議的。說完他就坐在中間；我和法蘭克則被指引到旁邊的位置。

「本人謹代表中國共產黨及中華人民共和國，」毛澤東以制式的外交開場白說，「向所有與會的朋友及來自非洲的武裝同志表示歡迎，」他停頓了一下，繼續說：「首先我要向大家宣讀這封信，」那就是我和法蘭克剛剛完成的信。而這個時候，會議廳內每個人手上都已經有一份裝訂好的信件影本。毛澤東開始讀這封信，但是第一句剛唸到一半，他就突然停下來，抬起頭用一種質疑的眼光看著那個擔任會議祕書的瘦小女人，「我看每個人手上都已經有一份文件了，我還需要再唸這整個東西嗎？」他說。那個祕書很慌忙的向他說不用。

然後毛澤東就輕鬆的躺進沙發裡，並點了一根煙。會議後，法蘭克告訴我他算了一下，在一小時的會議內，毛澤東抽了八根煙。

「我知道你們在非洲的鬥爭非常艱困，但是你們已經獲致相當的成功，」毛澤東說，「往後還有很多仗要打，不過非洲已經活起來了，你們讓世界都知道你們的存在。在中國，我們對非洲知道的並不多，然而在你們為獨立而奮戰並且有進展之際，你們的國家讓你們前來這裡，並讓我們知道你們英勇的存在。現在，在我繼續說話之前，我想聽聽看你們的看法。」

一個南羅德西亞（Southern Rhodesia）的使者站了起來，他是個肩高膀闊，身材魁梧的二十幾歲年輕人，「我有個問題想請教毛主席，」他開口說，「每天晚上，當我躺在叢林時，我很憂慮。您知道我在擔憂什麼嗎？我並不是擔心那些白種的殖民主義者，不是獅子，也不是犀牛，我擔心的是，以前我們總是可以看到克里姆林宮上那顆燃燒的紅星，以前蘇聯總是會資助我們；但是現在夜空中再也看不到那顆紅星，而蘇聯也不再資助我們。相反的，他們將武器賣給我們的壓迫者。而現在我心裡擔心的是：在中國天安門廣場上空的那顆紅星，會不會消失？你會不會將武器賣給我們的壓迫者，會不會放棄我們？如果真的這樣，那我們就完全孤單了。」

我覺得這個年輕人的擔憂是理所當然的。赫魯雪夫由於畏懼全面性的核子戰爭，放棄了原先支持武裝革命的政策，傾向與美國尋求協商、折衷。

毛澤東吸了幾口煙，「我了解你的問題。」他說，「蘇聯現在已經變成修正主義分子，並且背叛了革命。我能不能向你保證中國絕對不會背叛革命呢？現在我無法給予你這樣的承諾。不過我們現在正努力設法讓中國免於貪污、官僚化及修正主義。」

「我們已經採行了一些方法，」他繼續說著，「我們試著教導我們的幹部，去仔細聆聽廣大民眾在說什麼。我們運用許多有系統的手段，例如要求每個軍官至少要當一個月的士兵，要求辦公室的幹部同志一年至少有一個月到農村去，使他們不致與廣大羣眾失去接觸，使他們能夠知道中下農工的生活。我們也提倡讓工廠的工人參與工廠的管理，讓管理經理參與體力勞動。但是這些方法是不是就足以讓我們不會成為修正主義者？不，我不認為這樣就已經解決這個問題。」

我很好奇，這樣聽起來，毛澤東似乎也正擔憂著我所擔心的問題：官僚及成長停頓。

「我們也感到非常困擾，」毛澤東繼續說，「當我們試著告訴我們的兒孫，卻發現他們並不了解革命的痛苦及艱難，以及要有什麼樣的犧牲才能達成我們今日的成就。我們也擔憂，他們並未感受到革命繼續下去的需要。我們也害怕中國會停止成為一個革命國家，並且變成一個修正主義國度。如果這種情況在一個社會主義國家發生，後果要比資本主義國家更慘，一個共產黨就會變成法西斯黨。我們已經見到這種情況在蘇聯發生了。我們了解這個問題的嚴重性，但是我們還不知道要如何應付。」

毛澤東又回答了幾個問題，接著他轉身面向我，讓我吃了一驚。他說：「這裡有個好朋友叫李敦白。李敦白同志，請你站起來好嗎？」

我站了起來。

「現在請大家看著他，」毛澤東說，「他是個美國人，是個白人，你們會不會怕他呢？」聽到這句話，大廳中的非洲人都爆笑出聲；毛澤東也跟著笑，就像我記憶中在延安看過的一樣。「沒有必要怕他，他雖是個美國人，但他是我們的朋友。他了解我們，我們也了解他，他是個優秀的共產主義國際鬥士。」

我繼續站著，毛澤東也繼續說，「了解這一層，對你們來講是非常重要的。你們知道蔣介石吧？他是個中國人，他也跟我一樣是黃皮膚，但是蔣介石這個黃皮膚的中國人卻是我們的敵人；而李敦白，這個白皮膚的美國人，卻是我們的朋友。所以，並不是所有的白種人就是我們的敵人，因此盡可能的聯合愈多的朋友是十分重要的。我們中國有句成語的意思是這樣的，將敵人的圈子盡可能縮到最小，將朋友的圈子盡可能擴到最大。」

我讚賞毛澤東所說的。他認為國家主義雖然不錯，但有限制，而種族主義更是革命的毒藥。他話語中所傳達的只是一個基本訊息：只有能將各國、各種人聯合起來的馬克思主義，才能解決你的問題。

隔天回到廣播事業局後，幾乎一整天裡，都有同事興奮的指著人民日報上有關那次會議報導的來找我，而我就在報紙上，在那篇報導中。

自那次以後，我每年都會晉見毛澤東、周恩來及其他領導至少一或兩次。由於現在已是在大城市中，一個有體制的新政府裡，我們的會面也就不像在延安洞穴時那般的輕鬆。不過在許多方面，我們的關係卻比以前更為親密。我在監獄的日子測試了我，證明了我的忠誠，並讓我與他們最好的革命分子有相同的經驗。我可以很清楚的感覺到，自己真正是他們之中的一分子，而這在延安時卻還都談不上。

有時候我們的會面是在社交場合。例如安娜．路易絲．史莊在十一月的生日舞會，是那一季的社交盛事。中國人仍然敬愛史莊，最高領導人中有幾位仍是每年都參加她的生日晚宴。

這類社交場合，通常也正是毛澤東透露一些消息或政策的時候。一九六四年一月的某一天，他做東邀請了所有參與毛選集翻譯工作的人晚宴，算是致謝。晚宴的地點就在勤政廳，上次我和他及那些非洲人會面的地方。

法蘭克．柯、艾德勒、艾波斯坦，和我四個人，再加上也一同被邀請的史莊一起在下午兩點鐘到達。那時毛澤東已經站在大廳門口，等著迎賓，他的旁邊則站著來自中央聯絡部門的英語單位的齊榆（Qi Yu）——一個緊張兮兮卻很有才能的翻譯員。毛澤東逐一向我們握手致意，並問候我們每個人的太太。

我們會面的地方是間長方形的宴會廳，它的家具陳設和任何地方的宴會廳都一樣：又鬆又軟、鋪著蕾絲椅罩的沙發，每張沙發前擺著小茶几，以及放置得很技巧的瓷製痰盂，牆上還掛著一些小幅中國山水畫，房間的東端則被深紅色的絨布簾遮住。

那些椅子擺成半圓形，毛澤東坐在中間，史莊坐在他右邊，其餘人平均的分坐在兩旁。

毛澤東首先熱情的向史莊致意，「當妳在延安，轟炸剛開始時，妳想留下來，但我們都不讓妳留下，」他向她說，「我們錯了。如果妳那時留下來，妳就不會在莫斯科被當成間諜逮捕，並遭到那麼多的麻煩。而我們也就不會給他造成那麼多麻煩，他是被妳的案子拖累的，」毛澤東向我這邊點了下頭，「在他的案子裡我們犯下了極大錯誤，他是個好同志，我們卻錯待他。」

「我有段很好的經驗。」我說。

毛澤東認為我瘋了似的看著我。現場在那一剎那也靜了下來，而突然間一種似曾相識的感覺又回到心頭，這種感覺最早是在延安浮上我心頭——毛澤東這個人不喜歡我，一點也不。「是的，」他說，口氣讓我覺得有點冷淡，「你有過坐牢的經驗。」

他轉過身子，然後向鄰近一個有點緊張，臉上毫無笑容的人比了個手勢。「赫魯雪夫說我總是說一堆空話，」毛澤東說，「現在我想向你們介紹我的空話部長，康生同志。」康生則以一種自大，甚至可以說是睥睨的眼光環顧房內眾人。我以前從未見過他，對他在這個宴會中出現也不頂喜歡。他看起來冷酷、孤僻、心機深沉，疑心重，而且似乎只會向毛澤東拍馬屁、灌迷湯；但很明顯的，他又極受毛澤東寵信。而毛澤東介紹他也很明顯的是要誇獎他。毛澤東並且告訴我們，雖然陸定一是統戰部部長，但由我協助翻譯，即將付梓問世的論戰文章卻由康生負責。

毛澤東又將話題轉到赫魯雪夫身上，並且透露了一項驚人消息。「赫魯雪夫曾祕密來訪，」他如此說，而這是我們之中任何一個人都未曾聽過的。毛澤東轉身對著艾波斯坦說：「那次我就坐在現在這個位置，他就坐在你現在坐的位置，我們交談。赫魯雪夫說，中蘇共黨之間的關係必須再加強。」

毛澤東停了一下，點了一根煙，「然後他提議中蘇雙方合組一個中蘇太平洋艦隊，如果我們同意，赫魯雪夫說蘇聯就會提供我們船隻以便組成這支艦隊的中國部分。而中國必須同意讓這支艦隊使用大連港，同時在大連港畫出一塊區域給蘇聯海軍使用，並由蘇聯指揮官管轄。該區域也必須掛上蘇聯旗，此外我們還必須指定其他兩個海港來供蘇聯使用。」

我們都被這道消息震住了，但仍保持安靜，「他們還要求飛彈基地，」毛澤東繼續說，「他們要求我們給予飛彈基地，使他們能讓蘇聯飛彈將目標對向美國在日本的飛彈基地。」他繼續說的時候，眼裡閃過一道光芒，「所以那時候我就告訴他：『如果我給你全部的中國海岸線及我們所有的港口，你覺得怎麼樣？』」毛澤東在這裡停了一下，然後說出最後的重點，「赫魯雪夫很疑惑的看著我，然後問說：『但是如果你這樣做，那你該怎麼辦呢？』我就回答說：『噢，我呀？

我就會回到延安，再當起游擊隊的首領，並組織游擊戰。不過我想應該提醒你，歷史上證明我們中國人一向都能將侵略者趕入海中的，而我們就會將你趕入海中。』」

毛澤東說完後仰天大笑。然後以一種虛偽的神色轉頭環顧整個房間，「你們知道嗎？」他說，「赫魯雪夫非常生氣的對我說：『但是這種同志愛，就是我們與東歐兄弟之間的正常關係啊！』我告訴他：『我們已經觀察到這一點，這就是我們不想讓它在中國發生的原因』。」

毛澤東點燃了另一根煙。「赫魯雪夫要我們完全遵照他的遊戲規則來進行戰鬥，但是，」他邊搖指頭邊說，「一個人絕不可以依據敵人的原則來打仗。在對日抗戰時，我們就經常說，『你打你的，我打我的』而對抗修正主義分子時，我們的做法也是這樣。任何思想退化的人都會有共同問題：他們高估自己並低估人民的力量。」

在這些談話之下，有些東西深藏在毛澤東的內心。這些東西不停的推動他，讓他永遠不休息，永遠不滿足。他不停的將話題轉回六個月前，在與非洲人的會議中我所聽到的，而這個話題就是革命。這似乎是個一直環繞在他心頭不去的話題。

「有些人認為一旦你到達社會主義境界，革命就算是結束了。」毛澤東接著說，「千萬不要相信中國的每個人都是支持社會主義的，這並不真實，我們這裡還是有人反對社會主義，雖然不多，但他們畢竟存在。我不相信革命是有終點的。從社會主義到共產需要革命，而即便是我們達到共產主義後，還是有革命。對我來說，革命永遠存在，即使是在一萬年後，要不然像我們這樣的人該做些什麼呢？我們全都失業了。」

再一次，毛澤東又將頭向後仰，發出狂笑。不過我知道他十分認真，而且已經決定阻止中國走上修正主義路線的唯一方法就是再來一次革命。但是如何革命呢？什麼時候革命？對付誰？

就在這當口，毛澤東發現他老婆江青從那個深紅色的布幕後走出來，「啊，江青同志來邀我們去吃晚餐了。」他邊說邊起身。這時候布幔已經拉開，露出一張給我們晚餐用的長桌。毛澤東自己坐在長桌的一端，江青坐在另一端。我們邊吃邊聊的又談了好幾個小時，但是江青卻只是面對她的丈夫，整頓晚餐都靜靜的坐著。

第十五章
豐年

我福星高照。接下來的兩年，我離核心圈愈來愈近，奉派擔任敏感且微妙任務的次數越來越多，而我的努力也使我愈來愈受賞識與歡迎。

在各個方面我似乎也都炙手可熱。毛主席親自點名，要我組成一個工作網去翻譯並推廣安娜·路易絲·史莊所寫的《從中國寄出的信》（Letters from China）這本書。我單槍匹馬展開旋風般的行動，在北京組成一個翻譯網路，每一種主要語言都吸收了一名翻譯員；有會說阿拉伯語的葉門人，有會翻北印度話的印度人，還有法國人、義大利人、葡萄牙人、印尼人、馬來西亞人、泰國人、日本人、阿爾巴尼亞人，以及一個會翻塞爾維亞語及克羅埃西亞語的南斯拉夫人。

從那時候起，我們就有了一個頗具規模的網路，協助中共在許多國家中培養反蘇聯共產黨徒及左翼國家主義團體。我們同時也是一個策略性洩密的有效管道，例如有一次外交部部長陳毅就「機密」的告訴史莊，中共在哪三種情況下會運用武力介入越南戰爭，並要求史莊保守祕密。其實陳毅明知史莊雖然忠於共產黨，卻控制不了自己傳播新聞的天性，正好是把消息傳給美國當局的最佳管道。

這些外僑有許多人成為我的朋友。其中有一個是來自非洲尼日共和國的虔誠回教徒阿莫度（Amadou），他進入友誼飯店餐廳時總帶著一只銀錫壺，裡面裝著聖水。他身材高，總是穿著顯眼的白袍，對每個經過的人都會鞠躬欠身，很有禮貌的喃喃說著，「你好，你好。」他有時也會舉辦一些清雅的茶會，並邀請我的女兒去參加。馬利歐．亞倫西比亞（Mario Arencibia）是智利人，負責將中文翻成西班牙文，他在智利是個著名的波利樂舞曲歌者（bolero singer），經常唱歌給我們聽。我也常邀這些人到我家參加讀書會，研究毛思想理論以及當前重要的議題，結束後我們會一起說說笑笑，享用玉琳或媽媽準備的大餐。

除開這樣的聚會，我在家的時間愈來愈少。攻擊赫魯雪夫的論戰文章一篇又一篇火急送來，使得每天長時間翻譯這些文章的我承受極大壓力。我被同仁視為翻譯高手，速度快，但下筆時依然小心核對，為的是我對翻譯極為講究，務求找出中英文間的正確對應字眼。

中央領導的工作時間使我壓力更大。

大部分的中央領導仍然保持在延安時的工作習慣——從晚上九點開始工作到隔天黎明。他們大部分就跟毛澤東一樣，患有失眠症——僅需要一點點睡眠。通常他們會在凌晨三到五點就寢，睡到午飯前起床，下午進辦公室工作，晚餐則與一些外國貴賓會餐，再工作到深夜。他們的隨從、祕書、傳令、護士，以及像我一般的翻譯就必須調整生活習慣配合他們。

白天我通常一整天在翻譯這些論戰文章。下午五點左右，當我準備休息吃晚餐時，一份新版文稿就會突然送達，然後我又必須從頭開始。新版本如果像雪片般不停的送來，我就必須不停的趕上這些修改的進度，完工後才能拖著踉蹌的腳步回家睡覺。

由於經常不在廣播事業局的辦公室，因此局裡的編輯及翻譯員便常會慌亂的四處找我，要我幫忙解決一些特別隱晦的句子，白天他們通常找不到我，所以只得在晚上打電話到我家，有時候甚至在半夜。鈴，鈴，鈴！我睡眼矇矓的拿起電話，聽到那頭慌慌張張的劈頭就問：「美國眾議員針對司法部門的支出設立了一個『Oversight Committee』（監督委員會），『Oversight』的意思是不是忽略、沒有抓到？這是不是說這是個專門抓錯誤的委員會？」

鈴，鈴，鈴。半夜一點鐘。「這裡寫著：『I thought they were putting me on』（我想他們是在開我玩笑），那是什麼意思？『這裡有個報導說，一位法官在某方面是『Competent authority』（相當權威），這兩個字是什麼意思？古巴飛彈危機之後，一位華盛頓官員說，兩邊現在正是『Eyeball to eyeball, and the other fellow blinked』（互不相讓，第三者認輸）」，打電話來的人認為他們大概知道意思，但是他們沒有把握。

這段期間，玉琳並不經常在家，因為她一星期仍必須有六天住在學校。不過當她週末在家裡時，對這種電話干擾就很生氣。「這些人難道不知道該怎麼查字典嗎？」有一晚在第三次電話吵醒我們的睡眠之後，她終於發起牢騷來，「他們就是懶。」

但我忙的不只是翻譯工作而已。藉由我組成的翻譯網路，我不僅成為北京名人，也變成美食家及戲迷。很多人都想與我結交，除了想獲知政治內幕消息外，也因為我對北京附近許多風景名勝及吃喝玩樂的地方都很熟悉。夜復一夜，週復一週，我不斷應朋友之請在各餐廳安排飯局；這些朋友中有拉丁美洲人、義大利人、法國人、義大利人；當然了，最常見的還是美國人。在這個沒有廣告的共產國度裡，外國人想要知道哪裡有好餐廳的唯一方法，就是向我這樣的內行人請教。我不僅知道地點，我還知道每一家餐廳的拿手菜。

例如我總是建議我的外國朋友們到兩家較為人知道的北京板鴨店，而不是最著名的「全聚德」連鎖板鴨店；因為這兩家的風味比「全聚德」還要棒。有時候我也建議他們到金魚胡同一家很棒的上海小館，店名「三桌」，因為店裡面就只有三張可以坐十五個人的大桌子。

有時候我會選「新疆餐廳」，在那裡可以吃到戈壁沙漠的回族麵包，和沾醋吃的滷白鱒魚；有時也會在「東昌園」，大嚼它捲上大葱及醬汁的山東大餅；還有著名的位於王府井大街上的回人餐廳——「東來順」，據說那裡蒙古火下的炭火鍋從未熄過。在東來順你可以涮一盤薄如紙片的羊肉，伴著捲上甜蒜、包心菜絲及菠菜的小煎餅，以及又香又脆的芝麻餅。

偶爾我會帶人去看京劇，或是去聽較不拘風格，常以喜劇形式演出，曲調較為通俗的地方戲。聽戲時，我會為客人們詳細翻譯介紹劇情，諸如一個愚笨的翰林學士如何因他貧賤妻子的協助，而免於斯文掃地；又如漢朝的有個儒生如何拒絕背叛主君；或是王寶釧如何苦守寒窯十八年，而薛平貴在試探她之後發現她始終貞節等等的故事情節。我也經常帶著一羣外國人去頤和園泛舟，逛紫禁城，或是爬上西山探訪寺廟，遇到碑文，我就無比自豪的向他們解釋其中的典故。一份重要的工作，一個親密的家庭，一羣好朋友——日子過得再快樂沒有了。

深宮內院裡領導們的惡鬥仍持續著。大躍進運動雖已結束，但仍餘波未平。大躍進的錯誤終於使毛澤東自食惡果，並決定策略性的讓步，讓所謂的「第二梯隊」領導人出頭，他辭去中華人民共和國國家主席的職務，由較重實際的劉少奇及鄧小平共掌大權，設法回復社會秩序。

* * *

在這同時，一項新的政治運動——「四清運動」——也已展開，在中央廣播事業局，這項運動就像以前幾個一樣，先選出幾個人來做為批判的對象，再接以冗長的鬥爭大會及自我檢討。除了抓貪污瀆職、奢侈浪費，這項運動在外語廣播部門最主要的目標其實是打擊「資產階級個人主義」——也就是那些頭抬得高高的不理同事的人。

在此之前的幾個月，我不在廣播事業局的時間比在的時間還多。我認為自己在外面的政治工作十分重要，不可以被打斷。然而當「四清運動」一開始，上級規定每個黨員都要參加，我也奉命回到工作崗位。不過我對自己所扮演的新角色之重要性深具信心，因此我採取了一項大膽的決定：我拒絕廣播事業局黨委會的要求，我拒絕回去參加運動。

他們想改變我的心意。有時候當我清早在廣播事業局稍一露臉，魏琳就來跟我搭訕，試著勸我下午回去參加會議，我拒絕了她；黨支部助理書記葉繼東也會抓著我，講相同的話，我置之不理。最後部門主管孟傑復（Meng Jie Fu）也警告我，廣播事業局的黨委會已經下最後通牒，要求我和其他黨員一樣回到單位裡參與「四清運動」。這可不是兒戲，如果我拒絕奉命，一定會遭到黨紀處分，但是我依然拒絕。我對這些運動厭惡到極點，我痛恨浪費這些時間，痛恨這樣的恐懼和不公平。我告訴老孟，我外面的任務太多了，如果我有時間，我會再回辦公室參加。但我從未參加。

我不僅規避黨的命令，甚至公開向它挑戰。我寫了一封信給梅益，詳述我對北京電台的種種不滿及抱怨。我告訴他，問題不在真正在做事的個人身上，而在於領導階層的心態。廣播事業局這樣的結構，使得決定控制新聞的不是真正有實學的記者，而是那些黨官。梅益將我的信交給大家傳閱，還附了一張語氣刻薄的字條，他寫著：「即便是極端不同的意見，聽聽看也無妨。」

不過，即便我大膽挑戰黨組織的威權，在內心裡我仍是一個堅定的共產黨徒。離開監獄愈久，我雖然愈有勇氣根據我看到的事實向黨挑戰，但我仍無法向自己的信仰提出懷疑。

過後不久有一天，我在廣播事業局的機密資料室內翻閱文件，碰巧看到毛澤東在一份文件中對四清運動在鄉間所下的注解，這份文件是一封機密電報，上面載明了什麼是毛澤東認為的四清運動的真正本質。所謂四清，不僅是要根除貪污腐化，更是要再度搞活階級鬥爭，那份文件中並描述了一個河北省的小村落，如何經由將犯過錯誤的村落幹部視為階級敵人，從而解決了貪污腐化的問題。文件上有毛澤東的親筆評注——「階級鬥爭，」他寫著，「只要你能掌握住階級鬥爭，它立刻就會產生效用。」

在我念毛的評注時，我的頭腦突然又浮現反抗的思潮。是的，階級鬥爭會很有用，但是它對不對呢？原有的大地主階級已經被推翻，農村幹部及農民間幾乎已看不出任何差別，甚而農村裡的幹部常要比那些農民還要努力工作。而所謂貪污，也不過就是一些芝麻小事，例如接受小禮物。經由階級鬥爭的號召激起農民的仇恨，短期可能有效，但這不啻是鼓勵暴民動用私刑！階級鬥爭難道真能解決鄉村的貪污、政治冷漠、不平等及暴虐專制嗎？但是這樣的想法才剛浮現，我立刻把它壓抑下來。「你懂什麼！」我生氣的自問。這是毛澤東的言論，這也是黨中央委員會的政策，難道你會比他們更懂這些政策嗎？

在這層自我檢查之下，藏著我舊有的恐懼。我知道我的疑問是一種異端思想。我從經驗中得知，黨有許多讓人說實話的有效方法。如果現在黨要我說出內心違背黨訓的想法時，我一定不敢有所隱瞞。不論我的心裡面有什麼，我就會講什麼。如果我想保平安，唯一方法就是在自己的異端想法尚未發展成完整概念之前先將之壓抑下來。事實上，整個意識形態控制系統所倚靠的，就是像我這樣的大多數人，因為眼見一小部分易受害的個人遭到無情鬥爭，而產生極度的自我壓抑及禁制。我明知其中奧妙，但仍然只想要走對政治路線，以便保平安。到目前為止，我對黨所提出的質疑都只是針對其做法，而不是針對黨教條。

我全心全意的相信——我想我一直是如此想的——一個有理想的個人應該願意為了大多數人的福祉做犧牲，因為那是最崇高的行為。當玉琳抱怨我的工作時間太長時，我也一直試著說服她相信這點。

雖然她大部分的時間也都在學校，但是週末她就將時間全部給家庭。而我近來照顧家裡的時間卻愈來愈少。我的週末像是一般日子一樣，不是出去開會，就是在翻譯，再不就是陪著一羣朋友去新餐廳吃飯。

「你應該對這個家多用點心，」玉琳會抱怨，「你已經好幾個星期沒有跟孩子在一起了。」

「我是想和家人在一起，」我爭著說，我確實也真的這樣想，「只是最重要的，應該是我們的工作；你沒有想清楚這點。」我如此回答。

對於玉琳的這些埋怨，我一直認為是她政治意識持續退步的跡象。任何人都不應該將個人及家庭擺在第一順位，我們都應該為大局及人民工作，人民遠比家庭來得重要。

但是，她不相信我這套。

有一天，我們邀了一位錫蘭朋友坎達．莎瓦蜜（Kanda Swami）到王府井吃午飯。席間，玉琳向這位高大、黑黝、穿著白袍的男人大吐苦水，「我真的很氣他，他難得在家。每天都是工作、工作、不停的工作，即便是星期六及星期天，他不是在工作，就是跟他的外國朋友在一起。」

後來輪到我生氣了。我覺得我的行為不但不應該招致批評——尤其不應該在公開場合——反而應該被讚賞。比起她來，我是更投入、更執著、也是更好的共產黨員，我認為她的小心眼抱怨並不是革命分子應有的。雖然她有無產階級出身的良好背景，嘮叨起來卻像個平常婦人。

* * *

十月份某一天，上級通知我被選派去執行另一項重要任務。如果我願意，我將成為一項重要國際會議的中共代表團成員之一，到越南去支持越南人民的獨立戰爭。

願不願意？這不僅是我正被黨培養來接受更重要任務的跡象，更是我長久以來的夢想——扮演一個國際性的角色，代表中國向世界陳述它的立場。我將以一個真正美國革命分子的立場，反對美國政府不道德的錯誤立場。我認為越南人這場抗暴除惡戰爭，就像一七七六年美國愛國志士發動的獨立戰爭一樣，同時我聽說美國領導者談起越共時的口氣，與當初英國統帥談起華盛頓與他的士兵們的口氣如出一轍。我也認為越南人打的是一場對抗無端侵略的正義之戰。

到達越南後，我更是如魚得水的盡展所長。胡志明要我介紹一個年紀很小的越南男孩給所有與會人員，這個小男孩被美國的燒夷彈燒得滿身是傷、面目全非。對這個身穿藍褲、白挺襯衫、脖子上圍著紅圍巾的小男孩，我真的感到萬分同情，他的臉上布滿燒夷彈造成的傷疤。「由他身上的疤痕可得到證明，」我說，「唯有支持越南人民的鬥爭，並將壓迫者趕出他們國家的人才是真正的朋友。」

我對越南共產黨的一切也感到震驚及幻滅。我認為越共在許多重要政策上欺騙了自己的人民，而對盟友也是不誠實、百般利用，我覺得這些人，不如中共值得信任。

幾個月後，我和安娜·路易絲·史莊再度造訪越南，有個機會去探視美國戰俘，這是史莊的主意。她認為她或許可以協助這些戰俘，幫他們傳訊息回美國老家。

我們並未進入戰俘營，而是在接待室由越共一次一個的帶進兩個人來與我們會面。這兩個人外表看起來陰晦、倦怠，非常緊張，兩眼充滿驚恐，而且心神不寧。他們立正站在為他們準備的小桌子前，直到有人下令才坐下。然後他們拘謹的坐著，靜等別人訊問。

安娜·路易絲首先開口說話，「我們來這邊探視你們的狀況，」她說，「並設法安排幫你們傳送一些訊息回家，」聽到這句話，他們的臉為之一亮，其中一個說出他太太的名字及地址，「告訴她我愛她，」他說，「就說我狀況還好，身體也健康，而且會一直活著等到能夠回家，和她再聚首的那一天。」

另一個戰犯則問「Rittenberg」先生是不是也在來訪的團體內；我吃了一驚，立刻向他表明身分。他說他知道我，並在越共給他們的一些期刊裡看過我的文章。

接著安娜．路易絲又問，當他們初到越南時，是不是知道自己將執行什麼樣的任務。他們兩個人都說，上級告訴他們來越南是要執行日內瓦協定中有關中南半島的和平條款，並且協助南越政府對抗北越的侵略。

「你們可曾看過日內瓦協定？」我問。

他們兩個人都說沒有，我接著又問他們，對於為了執行一個他們一無所知的協定，而轟炸一羣無辜人民的做法會不會感到奇怪？

其中一個神色尷尬的沒有回答，另一個則坦然說出心中的想法。他說在他到達越南後的所見所聞，與先前美國政府對他灌輸的大不相同。原先他認為美國人來這裡是要保護盟邦及朋友，但在到越南之後沒多久，他便開始懷疑當地是否真有人喜歡美國人。在被北越共黨逮捕後送往戰俘營的途中，越共帶他看那些在美軍空襲下摧毀的農場、學校、醫院；那種悲涼的景象讓他一直抑鬱著。他對越南人沒有惡感，現在他唯一想的就是回到美國老家。

我們接著問他們受到什麼樣的待遇。

在警衛監督之下，其中一個謹慎而又快速的回答，我們受到的待遇還不錯，他說。當我們生病時，就接受醫療；每天有二十分鐘可以到室外做些運動；他們也給我們一些近期的報章雜誌閱讀，使我們能了解外面世界的真實情況，及修正自己的態度。

不過對我和安娜．路易絲來說，他想傳達的訊息卻極為清楚，他想告訴我們，他們受到嚴密控制，每天只能有一點點時間到室外走走，而除了越共覺得他們可以閱讀的統戰報導外，他們沒有別的東西可讀。

我們想，我們至少可以幫他們傳遞一些消息。但是等我們回到北京，中共卻拒絕讓我們在中國境內做這樣的事。

＊　＊　＊

一九六五年在一片希望及清平的景象中展開，饑荒已經遠離，每個人的肚子又開始飽飽的。豬肉——貨真價實的豬肉，而不是豬油塊——又在便當盒中出現，米糧也再度富庶充足。到了年中，商店裡又再擺滿水果、蔬菜，大排長龍的景象也不復見。學校及診所的情況大幅改善，報上的經濟消息也都一片榮景，工廠的生產量也不斷上升，整體的景氣呈現復甦。

每個人的心情都輕鬆許多。大躍進運動已經結束六年，因此大規模羣眾運動所造成的盤查及侵擾的陰影也自大部分人心頭消退。「四清運動」在城市中進行的相當溫和，真正嚴重受害的只有少數。再一次的，每個人都感覺追查敵人的時代已經過去，終於又可以放心表達個人意見。毛澤東一年前也發表一項聲明——從現在起，人民不應被貼上左派或右派分子的標籤，而每個人都應該覺得，對人攻擊、貼標籤的時代已經過去，我們已經進入一個團結一致的新紀元。

中央廣播事業局也是氣象一新。曾因自行進行翻譯工作而遭批評的蘇梅津，又再度拿出字典苦讀英文。我每天也快樂而忙碌，督導安娜．路易絲的信件翻譯及推廣的進度，繼續為中央委員會做官方文件翻譯，並且每天到廣播事業局做任何我能幫得上忙的事。對於新的政策及自己的新角色，我愈來愈有信心。

不論看到什麼樣的新發展，我總感到正面而積極。

有天我走進新聞室，看到兩、三個人圍在一個名叫李小冬的播音員身旁，他們正在閱讀一本紅皮的書，「這是毛語錄，」其中一個女孩子說，「我從一位在軍中的親戚處得來。」她說這是軍中首度鼓勵士兵閱讀毛主席的語錄，而不光是聽闡釋語錄的政治演講。聽說這是林彪的主意，要讓所有軍隊人員直接研讀毛主席的論述，以往的口號是「向黨學習」，現在則改成「向人民解放軍學習」。

我一向佩服林彪是個傑出的指揮官，但在心裡面我對他仍有猜疑，而且從一九四八年我在一場週末舞會上第一次看到他，就一直如此。林彪形容枯槁，面色慘白，沒有什麼威嚴可言。他給我的印象是傲慢自大、野心勃勃。有一回在新華社的總社，我看到一份中央黨部東北局出版的東北日報，那時林彪正是東北局的第一書記。在那份報紙頭版的最明顯位置上有篇社論，強調每個人都應該向毛主席的戰略思想及林彪同志的戰術思想學習。

我以前從未看過任何一位領導——不論是其他元帥、理論大師，沒有任何一個人——將自己提升到與毛澤東平行的地位。這種社論如果沒有林彪的支持是不可能刊登的，我覺得他這種自我膨脹的做法不得體。

話說回來，這個新方法似乎頗有價值，或許他畢竟不是個壞人，我認為要求人們——尤其是一般人——自行研讀毛澤東的思想是個好主意。

接下來則是江青提倡的戲劇改革。江青一直積極的參與藝術活動。她在加入革命之前曾是上海的一個女演員。在延安的時候，她就邀請我去參觀她的實驗電影工作室。而最近，她則忙於製作以當代為主題的平劇。

她在一篇刊登於報紙上的文章中抱怨，所有的戲劇、芭蕾，及音樂都仍然以陳舊題材為基調，仍然著重描寫帝王、將軍、大臣或是閨女的事蹟，她主張要有更多描寫當代主題、工農兵鬥爭，及革命榮耀的戲劇作品。她親自策畫了八項作品，包括兩齣芭蕾舞劇及六齣北京京劇。

我滿欣賞江青的一些新藝術創作，例如「紅燈記」是敘述有個鐵路工人的革命家庭及他們在罷工時所遭遇到的苦難。我認為這樣的文化改革是好的，不過並不是每個人都同意我。有一次我碰到在上海時的老朋友蘇梅津，他是一個京劇迷，最近才去過黨副主席陳雲的家。「陳雲剛從一份內部文件上讀到有關江青創作的事，」他說，「他認為新的創作戲曲只有一個問題，那就是舊的戲曲比較好。」

由於毛主席現在已經多少隱身幕後，因此一些保守派同志正積極推動更為實際的政策。毛澤東已經好幾個月未曾公開露面。事實上，他不在北京已經有一段時日了，而這也正是一九六五年十一月的一個風雨天，我和玉琳一起出現在北京機場的原因。我記得那天大雨滂沱，狂風呼嘯，但我和玉琳卻情緒亢奮，因為我們要到上海去見毛主席。

至少我們如此期盼著。毛主席這個人永遠讓人猜不透。我們去上海的目的是參加安娜．路易絲．史莊的八十歲生日宴。中國人一向敬老，而八十高壽更是人生重要的里程碑；因此中國官方為她舉辦了一場生日宴會，而玉琳及我，再加上其他十幾個她在此最親近的朋友就受邀參加她的宴會。上級也告訴我們，毛主席在壽宴中很有可能接見史莊及我們之中部分的人。

但為什麼會是在上海呢？

中共報紙對毛澤東不在北京的事自然是隻字不提。事實上，我也是閱讀美國報紙時才注意到這個消息，那一陣子的美國報紙到處都是談論毛澤東神祕失踪的事。不過即使我注意到了，我也不以為意；因為對美國新聞界關於中國的報導，我向來評價不高。

毛主席會在上海，一定是因為最高領導階層有些風吹草動，事情就是這麼一回事，但我們又何必為了這種事傷腦筋呢？不論如何，我和玉琳都很高興，玉琳尤其興奮，她從未親身見過毛澤東，甚至從未坐過飛機。

為了這趟旅程，玉琳花了好大工夫才找到合適的衣服。她已經懷了我們第四個小孩，有了六個半月的身孕，正是為什麼中國人管孕婦叫「航空母艦」的絕佳範例。當時的中國也沒有專門設計的孕婦裝，因此她只能換穿大號外套掩飾她日漸隆起的肚子。不過去見毛主席可不能隨便穿件外套，最後玉琳只得向法蘭克．柯的老婆露絲借了件銅色的孕婦外套。由於她的褲子扣不上，只好在外套底下用條棉布帶綁住。

史莊壽慶的正式主辦單位為我們一羣人包了一架專機。玉琳和我、安娜．路易絲．史莊、艾波斯坦、法蘭克．柯、艾德勒，艾利，智利籍藝術家范杜瑞利（José Venturelli）以及他太太迪莉亞（Delia）、美國籍作家舒曼（Julian Schuman）及他太太唐娜（Donna），還有一對美國籍老師大衛及南茜．密爾頓（David & Nancy Milton），再加上喬治．哈頓博士以及廖承志都一起登上這班專機。

到上海的整段行程，飛機一直是在風雨中前進，機身不停的搖擺晃動，行李也不時從頭上的行李架上滾出來。一路上，我們的手不是護住頭部免得被行李砸到，就是抓緊扶手以免被甩出座位。

這趟飛行途中，玉琳好悽慘。我不能怪她，因為這是我搭過的最顛簸坎坷的一次飛行，甚至比我那次在半夜搭機飛越喜馬拉雅山進入中國的飛行還要糟。高亢的情緒，她的身體狀況，再加上可怕的飛行天候，都一起在她的胃裡面作怪。幾乎是從飛機起飛的那一刻起，她就開始嘔吐。她先用她的嘔吐袋，再來是我的，然後是喬治．哈頓的，最後連安娜．路易絲的都用上了。廖承志看到玉琳的狼狽情況，趕緊走到空厨區去拿了一杯水。但是沒有一樣東西管用，玉琳就這樣一路吐到上海。

到達後，我們下榻在錦江飯店。那是上海當時最好的飯店，可是它戰前的高雅品味早已消褪。絲絨地毯破舊不堪，沙發及椅子上也印著千百人靠過、坐過的明顯痕跡。

沒有人知道毛澤東是不是會有空，或是他確會接見我們。為了填滿第二天早上的一段空檔，主辦生日宴的單位安排我們參觀鄰近的一間捲鋼廠。就在我們坐著紅旗轎車到達那裡沒多久，一個祕書從廠後方辦公室上氣不接下氣的跑來告訴我們，一通電話剛剛打到廠方，說毛主席已經準備要接見我們，並要我們立即返回飯店。

毛主席將在飯店左近的一個社交俱樂部——錦江俱樂部接見我們。我們在上午十點三十分左右到達時，毛澤東已經在門口等候，他已經認識法蘭克、艾德勒、艾波斯坦、哈頓及我，問候時逐一叫出我們的名字。當他走到玉琳前面時，我看得出來玉琳非常的緊張。拜見毛澤東並不僅只是晉見一個國家主席，那就像拜見上帝一樣。當你看到毛澤東時，你看到的是中國之父及人類的解放者。

毛澤東馬上化解了玉琳的緊張。「我以前沒有見過妳，沒錯吧?」他說著，並握著玉琳的手，直視著她。在那一刻我又看到毛澤東那種使所有人注意到他的談話對象的天賦本事，那種天賦使整個房間都靜下來注視他們。「妳是哪裡人，」他開始問，「妳父親是誰?妳什麼時候加入革命的?」在短短的幾秒鐘內，我看到玉琳就很自然的站在那裡，以乎只是跟一個姓毛的普通人聊天，她完全放鬆，並且毫無保留的與他開始聊天。

在毛澤東以及隨行人員帶領下，我們陸續走進一間會議廳。室內的三面牆上各靠著一列沙發椅；椅子上經常看到的蕾絲椅罩及掛在四周的紅色絲絨使得整個房間充滿華麗氣息。

毛澤東在正式場合以國家元首出現時，他嚴守外交禮節；不過在其他場合，他就比較不拘小節。這回，他就沒有坐在較近那面牆正中央的椅子上，而是坐在中央靠左邊的椅子。然後他就掏出一盒「公雞牌」的雪茄菸來。我們其他人則必恭必敬，帶著緊張心情的坐到沙發上。毛澤東確實善於解除緊張的氣氛，他搖一搖手上那根細長的雪茄，「你們之中抽菸的人多，還是不抽菸的人多？」他說。

沒有人回答。

「這裡誰抽菸，誰不抽菸呢？」

室內更加沉靜。

「我告訴你們怎麼辦，」毛澤東說，「有抽菸的人將菸拿在手上舉起來，不抽菸的人就將手放下。」他轉頭掃了一下房間，並數著有菸的數目，有菸的並不多。「不抽菸的人佔大多數，」他說，然後他將頭轉向廖承志，乾笑數聲的說：「似乎這一次我又是在少數人這一邊。」

我們每個人都禮貌性的笑起來，原本冰冷的氣氛也就解開了。但是由於我是坐在毛澤東身邊的有利位置，因此我能夠看到房間內所有人的反應；我特別注意到人民日報的社長吳冷西，以及中央宣傳部副部長姚溱，在聽到毛澤東那句話時，竟是臉色轉白，並且停止記錄，緊張的坐直身子。毛澤東話中必定有什麼含意令他倆驚懼，而這整個氣氛也有些詭異。

毛澤東再度環顧室內，「我們該談些什麼呢？」

法蘭克．柯回答說，「談一談世界局勢。」

「首先，我想先聽聽你們的看法，」毛澤東說著。但是沒有人開口，「不，不，不，」我們一起喃喃的說道：「我們要先聽您說。」

接著，毛澤東便坐起身子吐口菸，並仰頭看著天花板。「好吧！」他終於開口說，「看來你們已經事先開會決定好，要用什麼法子來對付我。你們決定了對付我的方法就是，除非我先說，不然沒有人開口。」說完他就將頭仰後的大笑起來。他的笑就像是個嬰兒在笑一樣，而他身上的每個部位似乎也都在笑。他是真的很開心，但是當我舉目四望，卻發覺其他人都沒笑。

毛澤東就開始談論世界局勢。他的心智比起一年前我看到他時，似乎更充滿衝勁，但似乎也極易受驚嚇。他的話題環繞全球，從一個國家到另一個國家，從這個議題到另一個議題，似乎毫無次序。他談到印尼，那裡才發生過一場針對蘇卡諾（Sukarno）的跟隨者及印尼共產黨的大屠殺。「一九二七年，我們的黨差點被蔣介石趕盡殺絕，」他告訴黨內一位印尼代表，「那時我們的人數比你們現在還少，二十年後的現在，我們已經掌有政權。」他也談到拉丁美洲，還談到伊拉克的卡辛（Abdul Karem Kassim）如何靠左派贏得政權。「在現今的世界，東風壓倒西風，」毛澤東如此注解，「如果被壓迫國的人民能夠遵循一條正確的革命陣線，團結奮戰，他們就一定會獲勝。」

他的談話只有一個中心主題：整個世界已經進入革命時期。他告訴我們，世界已經改變了，權力均勢已經變得對人民有利，只要人民採取主動的行動，站起來，團結而戰，你就能贏。他也一再的說：「最糟的是世界像一潭死水。如果世界像一池死水，你就必須想辦法激起水花，否則就不會有進步。路線對了，只要奮鬥到底就能獲勝。」

不過，毛澤東也說，不要擔憂會失敗。「不要認為你永遠不會犯錯，」他說，「別以為中國共產黨不會犯錯，這裡就有一位我們犯錯的見證，」他指著我向安娜·路易絲說，「他原是我們的好朋友，但是受妳案子的牽連，我們將他關進監獄，並且將他關了很久，這是我們的錯。」

在他說話的時候，我注意到毛澤東的侍從們似乎從未休息。他們不停神色緊張的四下張望，似乎無法確定毛澤東接下來要說什麼。毛澤東持續講了一個半小時，直到一如往常的，江青出現。一如以往，江青依舊扮演沉默矜持的女主人，身穿一件翻領黑色外套，樣子有點像女舍監。「哈！江青同志要來邀請我們去用午餐了。」毛澤東也一成不變的說。

在午餐時，毛澤東跟我們提起他與蘇聯總理柯西金（Aleksey Kosygin）的會談。柯西金在前往越南的途中順道與周恩來會面，並在回程中拜會毛澤東。蘇聯和中共打筆仗時，人民日報往往會將蘇聯的批評全盤照登，但是蘇聯真理報（Pravda）對中共所批評的卻隻字不登，而中國人因此毫不留情的嘲笑蘇聯。

「當柯西金來拜會我時，他說『我們別再打筆仗了』，」毛澤東回憶著，「我就回答他說：『我不了解你為什麼要求我們停止論戰。你們有全部的馬列思想，而我所有的只是空談。』」然後他就又頭向後仰的笑起來，「而我也接著告訴他，我會停止論戰——但是唯有在一萬年後，絕不會少一天。」

我半開玩笑半試探的問他，「如果蘇聯表現良好的話，你會不會同意在九千九百九十九年的時候停止打筆仗？」

毛澤東正伸出筷子要挾一盤桌子中央的醃黃瓜，聽了我的話後，他將筷子停在半途，轉頭，張大眼睛——幾乎是瞪視——的直視著我，嚴肅的對我說：「不行，我們不能這樣做。當你做了一項承諾，那你就必須堅守承諾，即便是面對敵人，如果你承諾要跟他打一萬年筆仗，那你就必須信守，所以一定是要一萬年，一年都不能少。」

我有些吃驚，毛澤東竟會利用我這個小玩笑說了一番不可對敵人妥協的大道理。從他的話我獲得一個結論，他企圖強調對整個世界「不妥協」。而也一如往常的，我發覺到，不論我對他說任何事，都會立刻碰釘子。

在那頓午餐的後半段，毛澤東變得相當暴躁。那是我前所未見過的，「別再看錶了，」他怒斥廖承志，「你這是想趕我走，我還沒有吃完呢！我還沒喝飯後茶，抽根煙！」他瞪著廖承志，而廖承志這個一向極有勇氣的人，此刻卻像小羊般露齒苦笑，低下頭，垂著肩，就像個挨罵的小學生。

毛澤東繼續說話，但在幾分鐘後，他終於把煙熄掉，猛的站起來說：「得了，得了，廖承志不停的給我時間壓力，我要走了。」說完他就立刻走了。

毛澤東前腳剛走，唐明照就跑進來。「我有好消息，」他興奮的說，「周恩來總理今天晚上要從北京來這裡，為安娜．路易絲舉辦一場生日晚宴。」

總理也到了上海！這可不尋常。但是我們仍很高興，因為我們又能拜見周恩來，我們都回到飯店的房間休息等待。

那天晚上六點，我們被專車送到上海市最主要的宴客禮堂。在門內迎賓的是周恩來、華東地區兼上海市黨部第一書記及上海市長，此外還有將近二十位地方官員，例如郭沫若博士，他是名作家、考古學家，兼中國社會科學院的院長。

周恩來款待我們的宴會廳極其寬敞，裡面擺滿了餐桌，還有個舞台正對著大門。席次的安排有點奇怪，因為除了我們之外，周恩來也同時宴請一團日本青少年，他們來這裡是考察日本人到大陸觀光的前景。這一團青少年大約有兩百名，卻被安排坐在大廳的周圍較不重要的位置，似乎不很受重視。我們這一羣人則被安排坐在靠中央面對主桌的四五桌，安娜．路易絲坐在主桌周恩來的右方。

晚宴充滿了笑聲與歡樂。中國人確實敬重仰慕安娜．路易絲，而她自己也特別喜歡周恩來總理；每個人都舉杯敬祝她工作順利，郭沫若也開玩笑說，安娜．路易絲其實不是八十歲，只有四十多歲。

甜點送上來時，當地的陸軍合唱團就魚貫的走進來，而廖承志則向大家宣布他們將為我們演唱歌曲。他們選唱的是「長征組曲」，這是一首頗為悲壯的歌曲，由現任共軍總政治部部長蕭華指導完成，蕭華也是周恩來的親密戰友。我以前在收音機上聽過這首歌的片段，但是從未一次全部聽完。

隨著一個年輕軍官揮動指揮棒，合唱團的歌聲響起。一節又一節，他們唱出了共產黨為逃避國民黨追擊，一路越過青康藏高原、越過乾旱草原的著名事蹟。

唱到一半，周恩來忽然從主位上跳了起來，「你們為什麼漏唱了一節？」他大吼。

指揮的年輕軍官滿臉疑惑，而我們也頓時瞠目結舌。

周恩來站在原位又吼了一次，「你們為什麼漏唱了一節？翻越雲南大雪山的那一節。你們為什麼不唱？」

那個年輕指揮似乎被嚇呆了，他手足無措的說，「我們不知道，對不起。」

「不知道？」周恩來叫著，「那一段是蕭華同志本人親自寫的，你怎麼會不知道？我要你們立刻唱那一段。」

那個指揮則滿臉困窘的回答說：「但是我們從來沒有排練過。」

「管你有沒有排練過，」周恩來說，「我們還是要唱。如果你不能指揮，那我來。」說著他就大步走到合唱團的面前，以手充當指揮棒，一張口就冒出一道清越的男高音。這一段歌詞描述的是共產黨在攀越中國西南的大雪山時，所遭遇的慘重損失。

指揮面無表情的僵站在一旁。但是當周恩來開口之後，合唱團也跟著周恩來唱了起來。不管那個指揮先前說過什麼，顯然他們都知道該怎麼唱，而且跟著周恩來從頭唱到尾。

當這一段唱完後，周恩來回到座位。他看起來相當憤怒，而那個指揮似是滿腹委屈。這首組曲嗣後還有十幾段，但是我們沒有任何人是真的注意聽，每個人都在沉思我們剛剛見到詭異的那一幕，為什麼周恩來要如此的生氣？那一段詞曲，到底有什麼重要呢？

不久，這種詭異的氣氛更四處瀰漫。

在原本平靜的池水表面下，在一般人所看不到或了解不到的深處，有些怪事蠢蠢欲動。在接下來的幾個月，報紙上總是登滿一些若有所指，但卻又不甚了了的攻訐文章。一些舞台劇、大銀幕，甚至音樂性的文章中更是到處可見攻訐評論的字眼，但就像我們在上海所看到那幕奇異景象一樣，表面上的文章指的是一回事，骨子裡卻又指另一回事。但它們到底是什麼意思呢？沒有人真的知道。

從文件室的一份機密電文上，我對上海所發生的那一幕有了一點概念。蕭華的朋友羅瑞卿，被中共中央下令撤除人民解放軍總參謀長的職務。莫非周恩來在上海堅持要唱那一段，就是要對他的老朋友蕭華表達個人的支持並保護他不受類似攻擊？如果是這樣，那是保護他不受誰的攻擊？這個人為什麼又要攻擊他？

報上一篇又一篇的評論，似乎是毛澤東又再度焦躁不安的表現。而我不斷聽來的暗示，更喚回我和他在一九六四年時的談話記憶。那時他說，革命永遠是必須的。毛澤東也使我相信，他仍關心這場革命的根基不穩固，他擔憂有些同志會破壞我們的進步，而且除非我們採取一些行動，否則這個國家會從內部開始爛起。

毛澤東似乎也和我一樣，對這場革命已經變成一個令人窒息的官僚體系感到極難適應。我不斷的重複聽到這樣的疾呼，「革命是一次大躍進，不是逐漸的改變」，「進步來自鬥爭」，「這場戰爭是介乎革命的工人階級及自私的資產階級世界之間」，「你是不是對革命感到厭倦？你是不是已習慣萎靡的生活？那你就不配做一個共產黨幹部！」

不曉得為什麼緣故，所一直強調這是為兩個不同世界之前途——一個是自私的自我主義，另一個是無私的奉獻給人民——的戰爭，讓我感覺一場革命的新風暴已經接近，這場風暴是迫切需要的，更是早就該來的。

我不禁想想自己，並懷疑自己屬於哪一邊。

然後在一九六六年二月的某天早上，黨部的一位助理小組長手裡拿著一份人民日報，跑到我在中央廣播事業局的辦公桌前，「這裡有一篇很棒的報導，你一定要看。」她說。那是一篇很長的報導，圖文合起來幾乎有兩頁。我立刻端著茶，坐下來開始閱讀。愈讀，我愈覺得遺憾及羞愧。

這篇報導敘述一位在河南省東南部，一個名為南郭縣的窮鄉僻壤擔任黨書記之黨員的生平。這個名叫焦裕祿的書記，簡直就是我想像——同時也是黨一直要求——的完美典範。他不是只坐在辦公室內，而是每天走過泥濘的鄉村小道，到田野去聽農民傾訴，詢問他們的問題，仔細的查驗田埂、氣候、穀物、土壤，並總是想著該怎樣領導管理他們，才能使他們脫離貧困及無助。即便他病得很嚴重，他也是每天戮力以赴的為鄉民們工作，即便他的癌症病痛纏身，他仍一直待在工作崗位上直到去世。

讀完這篇報導，我發覺自己淚流滿腮。這才是身為一個共產黨員該有的表現，我這樣告訴自己，這才是服務人民。他是個人，我是個人，他是個共產黨員，我也是個共產黨員，卻有天壤之別。

我不禁悲從中來。突然間，自己過去幾年的生活似乎是自私且腐敗的。我低頭看著自己凸出於腰帶外的便便大腹，那就是過去幾年養尊處優的產物。我一直將時間花在在高官面前表功，與其他外國人廝混作樂，並且吃得好、住得好。

整個中國的大系統開始腐化，而我竟也讓它將我腐化。黨讓原本在山中作戰時不得不有的特權毫無控制的擴大發展，變成今日難以收拾的特權系統。我們這羣人住有特別的居所，吃有特別的餐飲，行有專門的車。我們與羣眾保持距離。在其他人為大饑荒而苦難不休時，我甚至任由自己在別人的慫恿下大吃大喝。

結果呢？我有間大辦公室，再加上一個大肚子。看到自己變成這個樣子，不禁令我又羞又慚。我非常痛恨自私自利的官僚，但是自己卻也變成一個又肥又懶的官僚，我再一次感到深深的後悔及自責。

難道一切的結局就是這樣？從大學時代到現在，二十六年過去了，我一直自認是馬克思信徒，是一個願為人民服務的人。難道我願意最後讓自己成為天殺的資產階級特權分子？我並未信守自己為革命奮鬥的理想。我一向鄙視偽君子與騙子，如今自己卻可能淪落到那種地步。

第二天，我搬出了個人辦公室。我在新聞室找到一張空桌子，將自己的茶杯搬過去。遠處的大地似乎不斷有隆隆聲傳來，讓我思緒難安；我感到新的革命正在醞釀中。我不知道它是什麼，也不知道它會如何開始，但我要自己先準備好。我開始每天寫日記，記下每天的工作績效，分析自己如何運用時間，以及自己多有效率。我也開始寫自我批評，並將這些給朋友們傳閱，有時候也將這些自批貼在公告欄上，請別人給我意見。

我開始密集節食。每餐吃一點飯，一丁點肉，及大量蔬菜。每天慢跑一小時，並抽出五個時段做俯地挺身。我的體重急遽下降，不到兩個月，我從一八五磅掉到只剩下一三二磅，而只要我一到辦公室，碰到我的同事就會關心的責求我，「老李，你必須馬上停止減肥，你已經只剩皮包骨。」

新聞室的人對我的重新出現則齊聲歡呼。「老李，這下我們可方便了，」他們說，「每次只要我們有事想問你，你就在旁邊。」不過我有些轉變也令一些人極不高興。例如當我向上級要求減薪五〇%時，黨方面就堅決反對，最後我只得說我會在銀行開立個帳戶，並將一半薪水存入這個用假名開立的帳戶中。我也刻意避開搭乘交通專車，改騎脚踏車，在友誼飯店與辦公室之間往返。為了這件事，公安部派了一個組長說服我不要這樣做。

他是我以前在鄉下認識的老朋友，「你知道如果有個瘋子隨便丟塊磚頭砸到你的後腦勺，那我往後五年就必須不停的寫自我批評了，」他說，「如果你不搭專車，我就得在你經過的沿線部署公安人員，這要花掉我們不少的人力及時間。」

我不為所動。對我而言，這只是官僚系統阻止我去做對的事的又一個例子。「你做你該做的就好了。」我說。他只得悻悻然離開。

當我決定恢復定期體力勞動，到廣播事業局對面的地鐵工程工地去挖土時，黨部簡直快氣瘋了。「讓我們的外國專家到工地去做工，這對我們而言是個安全問題。」前來轉達黨部意見的同志馬瑞流向我抱怨，「那項工程有一些以前的大地主在人民的監督下做工，如果你硬是要去，那我們勢必也要派個人跟去看著你。」我根本不想聽他解釋。如果我想去工地做工，那也是我的事，如果他們要跟來做，那更好，做一些粗活兒對他們也有好處。從那時候開始，小馬就每天陪著我去挖土，而他則沿路不停的發牢騷。

我的下一步更是嚴重。我把我家的漂亮古董家具捐獻出去。以前一直協助我購買的那個古董家具行家，冀朝鼎，已經在兩年前去世。從那時候起，我就一直想著哪天要實踐我們共同的計畫，將這些古董捐給故宮博物館。而現在，我的想法更為強烈也更積極。這些美麗的古董家具屬於中國人民所有，對我而言，將這些古董留在自己身邊欣賞，其實是和那些富貴人家花下大筆銀子雕刻它們，並留在家裡展示，一樣的腐敗。

於是當玉琳在那個星期六從學校回到家裡時，所有的古董家具都已經送走了。一羣古董專家來到我家，兩眼發光的鑑賞我所捐出的這些明朝瑰寶的藝術成就及價值，而除了一件重新修過的古董家具外，他們將我其餘的蒐藏全部拿走。現在擺在那些原來家具位置上的，是上級發給所有高級幹部及外國專家的標準、實用的家具：一張軟呢沙發、幾張扶手椅，再加上一張樸素的黑木餐桌。

我和玉琳為此吵了最嚴重的一架。

「你將所有的家具都送走了？」玉琳彷彿無法置信般的說著，「全都不見了！」

「是的！」我堅定的說，「這也是我們先前同意的。」

「我並沒有答應全部都送出去啊！」她說。

「不，妳有承諾。而我們以前討論過。」事實上我們以前曾討論過要將家具送走，她原先不答應，但是最後還是同意將其中幾件捐贈給博物館。我知道她那時候是不得已才答應的，因此她覺得現在我自作主張，不管一切就將全部家具捐出去，是背叛了她。

她很生氣，非常的生氣。

第二天早上她不說一句話的就回到學校去。那個週末她也沒有回家，於是我只得跑到學校去找她。她從宿舍出來，同意跟我說話，但依舊憤恨難平。她說我沒徵求她的同意就將家具送走，是不公平，不民主的，她並且生氣的說，我一點也不尊重她的想法。

我向她抱歉。或許我是太衝動了。我原本認為她一定會同意，不過或許我根本就懶得去了解她真正的想法。再下個週末，她雖然回家，但有一段很長的時間，她一直還為這件事生氣。

在這同時，有關文化及藝術的大型辯論，則幾乎每天都在報紙上進行著。而爭論的中心，則是在討論是否知識分子、藝術家及學者們已經失去了革命的方向。我的老朋友鄧拓及他的兩個同事，由於寫了一篇看起來像是攻擊毛澤東的評論，幾乎每天被新聞界口誅筆伐。「走資派」知識分子，他們被如此的冷嘲著。

我逐漸從這些消息中，看出這場戰爭中畫分敵我的那條模糊界線。中央宣傳部長陸定一等老幹部主張發展新藝術形式，同時保留老創作。

江青——有毛澤東做後盾——則想全面將舊文化丟棄，因為其中有資本主義及封建的餘毒。

五月份，中央成立「文革小組」，以監督這些改變。不過，那時並沒有人認為這項衝突矛盾有什麼嚴重的，畢竟，這只是有關藝術與文學的議題而已。

每個人都去看新創作。那年的五月一日，玉琳和我帶著兩個較大的女兒，去看一齣名為「港口」，描述港口碼頭工人的舞台劇。地點在空軍總部表演廳，我們一家人坐在前面幾排的位置，我和玉琳坐中間，兩個女兒則一邊一個。開演後沒多久，周恩來和他的侍從突然進到戲院；他握握我和玉琳的手，再拍拍我兩個小女兒的頭，就坐在我前面那一排原本空無一人的位置上。

他剛坐下，我那個八歲大的女兒曉勤就開始抱怨，「我什麼都看不到，」她說，「那個坐在前排的叔叔把舞台都擋住了。」我和玉琳正慌亂的噓她不要講話時，周恩來卻已轉過身來，從我的右邊，雙手將曉勤抱起來，並讓她坐在他的膝蓋上。

曉勤很得意的坐著看戲，這使得她的妹妹很不甘心，於是七歲的曉東也開始喃喃抱怨：「我也要坐在總理叔叔的膝蓋上。」再一次的，我和玉琳趕緊噓她不要講話。但是周恩來在這個時候又再一次轉過身子來，將曉東抱過去，讓她坐在他左膝上。玉琳忍不住站起來，繞到前排的要將兩個女兒叫回來，但是周恩來卻舉起手來搖一搖的說，「沒有關係，沒有關係，就讓她們坐在這裡看戲吧。」所以我的兩個女兒就坐在他腿上直到中場換幕休息，而且一直乖得跟小老鼠一樣。

五月底的一個刮著風的日子，我和一個編輯一起騎著腳踏車從友誼飯店回辦公室。那時我們兩個正好負責一起寫一篇文章，因此我們並肩騎著，邊討論我們的工作。

在北京騎腳踏車挺辛苦。因為北京的風，過了正午就會換方向，所以不論是早上騎往友誼飯店或是下午從友誼飯店騎回來，都要逆風而行。在冬天時，我經常要戴薄面紗抵抗迎面而來，帶著粗砂的寒風，但是今天還算溫暖，所以我並沒有戴。

那時街上還不是很擁擠。因為工廠工人及辦公室員工都還在上班，故而只有幾輛車零星的來往於馬路上。我們四周唯一看得到的腳踏車騎士是一些剛下課的高中生。

我和同事一起騎到「木蘇地」的十字路口，那裡是南北向大道與長安大街之延伸街道的交會處。有一羣高中生騎著腳踏車越過我們，再跨越城壕的朝西走去。他們看起來就像一般學校小孩乾乾淨淨，但是他們的衣服卻與一般學生不太相同。他們穿著卡其長褲及上衣，臂上掛著繡著金字的紅臂章，看起來，就像是軍隊的制服。「那是什麼？」我問我的同事。

她猶豫了一下，似乎小心翼翼的想著該怎麼回答我。「有些高中學生認為他們被上級剝奪了對學校領導進行革命批評的權利。」她終於告訴我，因此這些學生就組成團隊，要捍衛、爭取他們的權利。她並解釋說，每間學校都是由最精英分子發動，而所謂最精英分子，就是那些擁有最好的無產階級背景的學生。她還說她的女兒在學校也想加入這樣的團體，但是由於她的祖父曾經是上海的銀行家，再加上她的父母都不是黨員，因而她未獲准加入。

我再次看了一眼那些學生的臂章，上面繡了三個金色的中國字：「紅衛兵」。

* * *

五月，隔了十七年之後，我再度造訪延安。

外國專家每年都可以旅遊一次。這一年，我們決定來個知性之旅。我們首先造訪了開封附近的南郭縣，去參觀那位模範書記焦裕祿的故居。從那裡再搭火車前往西安，參觀那裡兩座著名的古塔，以及郊外的一個考古據點——這裡曾發掘出一個新石器時代聚落。

那天晚上，我們住宿在市中心一間簡樸的招待所內。晚飯後無事可做，我們就各自到自己熟稔的朋友房間內，說南道北，討論當天的參觀行程，或是聽著我們帶來的收音機上的新聞。北京電台仍一如往常，不是報導各項會議，就是歌功頌德，沒有什麼大事發生。

突然間，智利籍專家帕拉西歐斯（Edmundo Palacios）衝進我們這間房間，大叫著：「你們不會相信發生了什麼事！」他接著說出他在隔壁房間聽美國之音所聽到的，「彭真、陸定一、楊尚昆及羅瑞卿四個人被捕了！」

除了我之外，每個人都叫起來，七嘴八舌的議論紛紛。我仍保持鎮靜，因為我不相信，「那是不可能的，」我說，「你們也都知道美國之音是怎麼樣的電台，他們幾乎每隔十分鐘就會報導一次毛澤東死了的消息。這次一定只是他們玩的另一個小把戲！」每個人聽到我說的，都靜了下來；畢竟我是裡面唯一的黨員，也是唯一能接觸到內部，並知道到底發生什麼事的人。

彭真在書記處排行第二，我解釋說，同時他又是北京市市長；楊尚昆及羅瑞卿一個是黨中央辦公室的主任，一個是軍隊的參謀總長，而陸定一則貴為中央宣傳部部長；我並且對他們說，我認識彭真及陸定一，他們兩個都是非常優秀的同志，即便他們倆犯了錯誤，他們也會糾正自己的錯誤。逮捕他們是不可能的。

所有人聽了我的話，都安心回去睡覺，隔天一大早我們就搭機前往延安。

自從我搭上廖承志的卡車，倉皇驚恐的在炸彈威脅下離開延安，我就再也未曾回到延安。而自那之後，延安也增加了許多新建築，有一家樸實無華的小旅舍，大部分的村落也都重新蓋起，我找到以前居住的舊窯洞，那裡已經有農民住在裡面，並且在洞門外種起玉米。

我很高興，也懷念起以前粗食布衣的生活，我告訴同行的人，那時要見到毛澤東及周恩來有多簡單，人與人之間是如何建立起親密的朋友關係，以及沒有任何人講究儀式或頭銜；「每個人在延安都是平等的。」我說。

那天晚上在延安那家小旅舍內，我們再度收聽北京電台的廣播；這一回，我是最受震驚的人。

北京大學有位黨幹部貼了一張大字報，指控北大的領導階層是修正主義。校園領導人設法壓制這些抗議，最高領導階層中也有人支持鎮壓。「這樣的鎮壓是錯誤的」，人民日報如此報導，人民日報並且用一種近乎「敲響醒鐘」的文字，宣言新革命運動在中國已經展開。廣播繼續報導，一個國家的腐敗是從內部開始，而黨的內部有修正主義分子潛藏著，這些人會鎮壓、控制，將我們領上錯誤的道路，甚至攻擊毛主席本人。

不要讓這種事在中國發生！高潮正升，黎明已啓，你自己想想。起來吧，革命同志！想想偉大毛主席的話！不要聽任何與毛主席的話相衝突的命令！造反有理！

這些廣播文字就像電擊！自從共產黨在中國誕生後，先被追困到延安，再對抗日本，再戰勝國民黨，所憑藉的，能夠讓黨員生死相從的，便是要求絕對的服從，也正是「對黨服從」這種理

●一九六六年，我帶著一份感懷的心情回到延安造訪我曾住過的窯洞。在這裡，毛澤東發動了瓦解舊中國的共黨革命；在這裡，我首度看到了毛澤東及其他現在統治中國的人物；而也是在這裡，我終於說服共產黨，我是真心的想奉獻自己給共產黨及中國人民。

念，讓我克服了對轟炸的畏懼，讓我在黑獄生涯中仍能維持活下去的希望，更因為是「絕對服從」領導我們度過思想改造及各項運動，讓我們在饑荒不斷的壞年歲無怨無悔，我們才能走到今天。

如今，一篇在人民日報上的報導——我確信必是毛澤東親自授意——竟告訴我們完全將這些推翻。「黨裡面有許多人一直找機會欺騙我們，唯有靠我們才能將他們揪出來。反抗你認為是錯的命令，」那份報導說，「造反！」

我滿懷激動的將這份報導逐行逐句的翻譯給其他外國人。而刹那之間，我覺得我終於再度是原來的我。黨以前緊緊拘束我，現在黨要讓我自由；我可以掙脫以往無限困擾我的束縛，用我自己的判斷，以及做我認為是對的事。

在我們搭機飛離延安的那天清晨，我察覺到自己的觀念已經有許多的改變。

前一天搭機進延安——這是第一次我從空中接近延安——我終於看明白延安的地勢。我們以前一直嚷著在延安山裡的艱困歲月——在新聞山，在解放嶺。但是事實上，延安根本不在山裡。延安周圍，其實是片廣闊平坦的高原。被我誤認為是山嶺的，是那些被雨水沖刷及河流切割所造成的深邃峽谷的縱切面。當我們說爬上山，其實是在順著峽谷的縱切面往上爬，一直到上面平平的高原為止。

黨其實從未在山裡面前進，我了解到，而是一直在峽溝裡走著。

第十六章 喚起羣衆

當我們所搭乘的火車，從延安風塵僕僕的駛入北京車站時，廣播事業局的一輛專車就已經等著送我們回到各自的住所。我的朋友們各自回家，我卻直奔辦公室。當我走過辦公室前的院子時，一個朋友看到我，「老李，」她叫著，「你不會相信自你走後所發生的事。到音樂廳去，那裡到處都貼滿大字報。」

她說的一點也不誇張，音樂廳裡觸目盡是大字報。

大字報不僅貼滿了牆上，甚至多到大廳內必須拉起許多曬衣繩來掛。有的大字報寫在尚未油印的新聞紙上，有的寫在報紙上；一張張的用漿糊互相黏起來，較長的大字報幾乎拖在地上。大部分大字報都是用黑毛筆寫的，每一張都是說廣播事業局的新時代已經來臨，每一張都抨擊了它的局長，梅益。

「梅益下台」，有的大字報如此寫著，有的則是「梅益反對毛主席」，「梅益是個修正主義分子」；有些大字報更附上一行行小寫的字，評述梅益曾經犯下的罪行，從違反黨的政策到攻擊他是個機會主義領導人。我沿著音樂廳走了一圈，大廳內除了梅益外空無一人。

他看起來蒼白、憔悴、滿臉驚懼，小心翼翼的邊走邊仔細看每張大字報，而大部分大字報上的簽名，都是我倆認識的。

我走上前和他握手，「我回來了。」我說。

「旅途還愉快嗎？」他問。不過他似乎心不在焉，只是虛應故事的隨口一問。他的手上拿著一本筆記本，即便是與我講著話，他仍是手不停筆的記錄下他看到的批評。我們沉默的一起走了幾步。

「好了，」我說，「我該走了。」

「好。」他回答我，而手仍未停筆。他自己應該很清楚什麼可怕的事正發生在他身上，他也知道他在廣播事業局的日子不會太多了。

對於其中的許多批評，我頗為贊同。我認為是梅益包庇廣播事業局內這個昏昧無用的官僚體系，我更深知他曾多次協助迫害一些人。但看他神色悽慘的站在那邊，我也覺得遺憾。我算是滿喜歡他的，因為他一直是個熱誠的革命分子，他對我及玉琳也一直很好。

但是一想到改革運動即將風起雲湧，我就忍不住興奮起來。那些負責領導的人終於開始了解，我們偉大的革命已經被一個不重視進步及效率，只一味強調命令及控制的官僚系統僵化了；這個官僚體系甚且壓抑個人的創意並鎮壓民主。我覺得自己隨時準備好要批判梅益，不過完全是基於黨及人民的立場，而不在我與他個人關係的好壞。

我離開音樂廳後，便直接到我所屬的部門主任孟傑復的辦公室。他不在，但是他的執行助理王正華在，「你回來了。」他說著，並站起來和我握手。

「是的，」我說，「發生了什麼事？我剛從音樂廳回來。」

「你離開後，發生了許多事，」他說，「先坐，我慢慢告訴你。」

我很高興能夠在這個時候找到他。王正華除了是老孟的執行助理外，也是我們這個單位的黨支部書記。他是個溫和、正直的人，他的父親是早期地下工作同志，而他到莫斯科上過大學，主修俄語及英語，是個肯犧牲、奉獻的好黨員。

「無產階級文化大革命已經全面展開，」王正華用這個我不久前從收音機聽來的正式名稱開頭，「這個大規模運動不像以前發生的任何一個運動，它將會觸動我們每個人心深處的靈魂，我們所有的同志都積極的站起來行動。」他說。王正華一向不是個大驚小怪的人，但是這一次我看得出來，他非常的興奮。

「那梅益呢？」我問。

「梅益被認為代表了從一九三〇年代就存在的『黑幫』。」他說。

過去幾個月，我不停的從報紙上讀到有關所謂「黑幫」成員的簡短報導。這羣人是在黨的早期，也就是在一九三〇年代，被毛澤東認為是無法堅守革命原則、軟弱，並且對國民黨妥協的分子。我只知道梅益在那段日子與黨一起在上海，但我卻從來不知道他涉嫌。

「你怎麼能夠確定呢？」我問。

「這是毫無疑問的，」王正華回答，「剛被任命為中央宣傳部執行副部長的張平化，已經親自經由廣播向我們說過這件事。」

張平化已經掌管統戰部？

那我們在西安時所聽到的電台廣播畢竟是真的了。原本的中央宣傳部部長陸定一的確已經下台，而其他幾個——北京市長彭真、人民解放軍總參謀長羅瑞卿、黨中央辦公室主任楊尚昆——一定也都下台了。

中國共產黨的領導集團一直相當穩定，不像蘇聯領導變動頻繁。我也從未聽說整個集團的中央領導在一夜之間就被趕下台，這一定是史無前例的。

王正華此時又繼續說道，「梅益目前還未正式被撤職，不過他已經遭到停職處分。上級不准他再來上班，同時也要求他做自我批評。」

「那現在是誰在掌管廣播事業局呢？」我問。

「是丁饒夫，」他說，「上級已經叫他來接管。」

丁饒夫是政委，也就是廣播事業局整個政治結構裡的總主管。我只在一年多前的一次餐會中和他說過一次話，我覺得他還可以，雖然有點會吹牛，但人還算真誠。不過我知道辦公室裡有相當多人不喜歡他，以及他所代表的勢力。在到廣播事業局之前幾年，他原本是戍守北京的一支部隊的將領，被調進廣播事業局後，他便帶進一票軍官，並將他們安插在廣播事業局中各個單位，這票人卻對工作一點也不了解，因此惹得一些同仁相當痛恨他們。

「還有，」王正華說，「黨高層有了很大的變動。新的『文化大革命小組』已經成立。」毛澤東再度回到幕前，而鄧小平的第二號手下彭真，不僅被撤除北京市長職務，同時所有他領銜的委員會及其他溫和派人士也都全部解散。「彭真和他的黨羽都是修正主義分子，」王正華解釋說，「他們一羣人想把文化大革命局限為只是學術上的辯論。」

新的文革小組，像毛澤東一樣，傾向於直接的革命行動，小組的組長是毛澤東的首席意識形態打手，陳伯達，江青是第一副組長，康生則擔任顧問。

陳伯達，我在延安的時候就認識他。在那時候，我曾試著翻譯他的一些著作，卻發現他的文章結構鬆散，而且毫無邏輯可言。但是在近年，他對「公社」的一些議論，卻令我印象深刻。他認為公社應當成為全國各地的基本組織單位，而不應只局限在農村中。我覺得陳伯達儘管缺點甚多，卻不失為積極進步、有遠見的人。

至於毛澤東的老婆江青，我跟她有過一舞之緣，印象中只覺得她是個雍容矜持的女主人。她會進入文革小組，一定是代表毛主席的。康生，在一九六四年毛澤東接見我們一羣外國人時，我見過他一次；他給我的感覺有點冷漠、有點邪惡，但從那時毛澤東介紹他是「我的空談部部長」看來，我想他必定是毛澤東相當親信的耳目。

在接下來的幾天裡，文化大革命的風潮，開始襲到我身上。我收到一本小紅皮書——林彪策畫編印的毛語錄精選。辦公室裡其他人也都收到一本，甚至新聞室裡到處都堆滿了這些被稱為「紅寶書」的小紅皮書，而且數量多得驚人。我不禁想著，那裡來這麼多紙去印這麼多小冊子？

而這些小紅書又是如何這麼快的送到我們手上？

辦公室裡有些人開始戴著印有毛澤東金色人像的小徽章來上班。這在我們辦公室裡造成一股不小的風潮，以前沒有人見過這種徽章，但是每個人都想要有一個。我到專為外國人所設的友誼商店買了一大堆，並將它們送出去。

我渴望參與文化大革命，卻發現自己被限制不准進入那些貼滿大字報的房間內，而上級所持的理由是，如果他們讓我進去，那他們就無法對其他不准進入的外國專家交代。我簡直氣瘋了，我將這件事鬧到領導的黨委會，黨最後要他們解除這項限制令。

在機密檔案室內，管理檔案的書記給了我厚厚一疊，從二月份至現今，我從未看過的文件。其中有份江青在一項軍事會議中，針對文學及藝術所做的報告，除了有毛澤東的認可簽名外，表皮上還附有林彪一份通告，這份報告中誓言黨將進行一項重大鬥爭，以保存革命的成果不被那些想推翻它的邪惡勢力影響。所謂的邪惡勢力就是從一九三〇年代起一直潛藏在我們之中的修正主義分子。換言之，文化大革命不僅是藝術問題，而是一項嚴重、全面性的權力鬥爭。

另外還有一份報告是一九六六年五月十八日中委會政治局與文革小組聯合會議的記錄。這樣的會議是有些奇怪，因為類似的聯合會議以往從未舉行。這一來，確實使文革小組的地位提升到相當高的階層。不過這份報告中所記載的會議結果，卻更加令人震驚，它透露國防部部長林彪已被毛澤東指定取代劉少奇，成為黨的第二號人物及毛的接班人。

沒有人想到會發生這樣的事，我自己則覺得這樣的轉變非常好。過去在延安時，我對林彪有些許保留，主要是感受到他個人的野心。但現在若不是林彪，一般大眾就無法經由一本小小的紅皮毛語錄，去閱讀、並思考毛澤東的思想；而若不是林彪，那眾人就會持續的只為讀理論去讀理論，而不會為了改進實際工作而去讀理論。

這份文件中也包含了林彪在該項會議中的演講原文。他的演講像一股電流般的擊中我，「這個革命，」他說，「是針對我們上次革命的再革命。在一九四九年時，我們的成就只是在軍事上接管，並未喚起千百萬人民站起來解放自己。我們從舊政權中接收了大部分的政府官員，並讓他們繼續在原來崗位上工作，我們還沒有機會徹底對付這些舊觀念及舊文化。」

「現在我們要破四舊——舊思想、舊文化、舊風俗、舊習慣——並且立四新」。這場戰爭，林彪說，是個人自私與為人民服務的戰爭，是私人物慾與大部分人利益的戰爭，是介於那些靠寄生而享受著奢靡生活的人，以及那些努力工作，簡樸維生，發揮同志愛互相協助及合作，想使整個社會成長、繁榮的人的戰爭。

這是一場資本主義路線及社會主義路線的戰爭。

* * *

批鬥梅益的第一次會議在電視大樓的劇場進行。梅益坐在舞台上的一張桌子後面，手裡拿著筆記本及麥克風，他背後的舞台布幕，則從左至右高高的貼著大紅布條，寫著這次會議的主要標題：「批鬥文藝界的黑幫陣營！批鬥黑幫在中央廣播事業局的代表分子——梅益！」

我的情緒很複雜，梅益是我的支持者、我的保護人、上司、顧問，更是我的朋友；在延安時我並不喜歡他，但在經過過去幾年的共事後，我逐漸喜歡他。我認為他真誠關心革命，同時也是搞革命的好手；但是我也認為他對於有威脅的人也毫不留情。

同時我也有個人的顧慮。不少人知道我和梅益頗為親近；我擔憂自己會被控訴成同謀，或是故意隱瞞情報，以便保護他。經過一番內心交戰，我終於決定要發言，不過只做一些無傷的批評。

批鬥會進行約三分之二時，我要求發言。我走到舞台右手邊的麥克風，「梅益，」我說，「否定了我們另行成立一個電台來處理國際廣播的需求，因為他認為使黨的成就讓國內及國外知道，是一體兩面的事情。」

「這是不對的，」我繼續說，「要讓中國的成就數據化，並以外國人容易了解及接受的格式出現，是相當困難的。這並不只是語言及編輯的問題。梅益的這種態度，證明他對將毛澤東思想傳送到其他國家的重要性了解不夠。」

在鬥爭會議結束後，英語單位的一位同事對我說，「老李，你對梅益的揭發還不錯，但是你看起來不夠堅定，而且聲音發抖。下次你應該表現得好一點，你說對不對？」

對於有如此新的權利去批鬥那些原先免於這種恐懼的人，許多人都非常興奮。「這個運動棒透了！」有個翻譯員高興的說，「它和以前的運動完全不同。人們對任何一個他們想批評的人，都可以盡情寫下批評，他們也可以爭辯政治體系及理論；每個人都參與，每個人都在學習。」

不是每個人。我已經接獲通知，沒有人可以批評我這個外國人，我把這件事告訴她。

「老李啊！」她說，「我看你自己該好好檢討一番。沒有人是完美的，你知道！」

她這番話，正是我所想的。如果沒有人批評我，那我就該自己批評自己。我跟她一起到我的舊辦公室，並邀了幾個人幫忙，一起將幾張新聞紙黏起來，然後我用自己那「雞飛狗爬」的書法寫下自我批評。

「李敦白必須革除他的資產階級特權氣息」，我寫下大標，並且列出我自己的缺點：例如我過著特權生活；我坐在私人辦公室內，將自己與大眾隔離；在半夜接到電話，我有時會發脾氣；對協助我的同志改進個人技巧方面，我做的還不夠……等。

我的部門主管孟傑復斷然反對我貼上自批的大字報，「如果沒有必要的話，你實在不應該捲入的，」他說：「你不會知道這樣做會有什麼結果。」王正華也堅決反對，「這沒有必要。」他有些憂慮的說著。

但我不管他們的勸阻，仍將大字報貼上。不過我仍是非常的害怕與驚懼。我心想，自我批評可能打開潘朵拉的盒子。一旦我批評過自己，就可能惹來一場風暴。我更知道外面那些人不乏尖嘴利舌，心懷嫉妒之輩，隨時準備利用這個機會開始鬥爭，但我仍覺得我必須如此做。如果我不先批評自己，那我怎麼能告訴大家我正在改變自己？我又有什麼資格批評別人？

那天晚上我忽睡忽醒，極不安穩。隔天我一直等到下午，才決定到大字報廳堂一探究竟，心裡七上八下的擔憂著自己會看到什麼。

我所看到的令我震驚——我竟成了英雄！「向李敦白同志學習！」某個大字報的頭條如此寫

著。「看，李敦白為其他老幹部建立了什麼好榜樣！」另一張大字報寫著。我是至今為止，第一個站出來批評自己的人，也是唯一別人貼大字報讚揚我的人。每個人看到我都會叫住我，「我喜歡你的革命態度。」他們會這樣說，緊握著我的手。

第二天我那個翻譯員朋友來我的辦公室，「你可以想想怎麼做，才能再把這個洞挖深一點。」她說，不過臉上卻帶著笑容。我通過了考驗，我做到了！

我加入了文化大革命！

* * *

在幕後，在深宮內院，那些權貴們依然在進行著一幕幕永不止息的鬥爭；而隨著文化大革命逐步展開，他們的權力傾軋，就擴大演變成人民間的鬥爭。

過去幾年，毛澤東變得反常的沉默，而他的各項探索性實驗也被比較保守務實的同志壓制。但他一直在運籌帷幄，回到權力頂端。在上海時，我們就眼見他隨時在動他聰明絕頂的腦筋。而現在，當文化大革命的各種鬥爭、運動逐步開展，便更確定了一件事——毛澤東再度奪取了至高無上的權力。

有一天早上我很早就進辦公室，在往茶水間倒茶時，我碰上了小李，「你有沒有聽說昨天晚上在廣播學院發生的事？」他透過厚厚的眼鏡後凝視著我，一臉企盼我沒有聽到的神情。他是個鄉下小孩，正在受訓準備當製作助理，那時候我們周遭沒有幾個人，時間還早，上早班的人都還沒進辦公室，但是他仍是一臉神祕，而且躍躍欲試的把我拉進我的辦公室，並關上門。

廣播學院是一所專為全國各電台訓練播音員及編輯的大學。事實上我沒有聽到那裡曾經發生什麼事，但是我知道校園裡正動盪不安，因為玉琳每個星期從學校回家來過週末，都會跟我提到學校發生的事件。

在毛澤東對想接管校園的激進派學生表態支持後，國內所有大學原來的領導階層幾乎都在一片批鬥聲中下台。而保守派則從中央委員會派遣了一批工作小組，接替原有的領導階層並維持秩序。

「廣播學院昨晚原本很平靜，」小李開口說，「學生不是三三兩兩的閒聊聚會，便是在休息。接著，校園大門口忽然傳來一陣驚人的騷亂聲。告訴我這件事的朋友聽到了，學校裡所有人都聽到了。校門口有人一邊大叫，一邊四處走動。」小李並解釋他的朋友隔天一大早就跑出來告訴他這檔子事。

校園的大鐵門在新接任的領導工作小組命令下，在夜間鎖上嚴禁進出；但是一隊篷布軍車在校園大門口停下來，並要求看門的校工將門打開，校工在上級禁令下嚴詞拒絕。這時候第一輛車內走出一個軍隊高幹，大聲的罵著說：「你知道誰在車子裡嗎？是江青同志！」

光是「江青」的名字，就足以造成一場騷動了。從延安時期開始，「毛澤東的太太」就很少在公開場合出現，現在她是文革小組的第二號人物，與她一同來的是組長陳伯達及顧問康生。

「她非常生氣，校園當局居然不讓她進去，」小李繼續說，「她派一個警衛告訴守門的校工，如果他不馬上開門，她就立刻命令車輛不顧一切的破門衝進去。」守門校工聽到後，很害怕的馬上開門，車隊就這樣進入校園內。

一進入校園內，小李說，江青立刻令人傳喚李哲復——工作小組領導，及丁饒夫——接替梅益的廣播事業局新局長，到她面前。接著江青又派人請來反對工作小組的激進派學生首領，其中較有名的一個是從東北來的女學生曹惠汝，另外一個是名叫楊毅朋的男學生。

在每個人到齊後，江青要學生首領先講述他們遭到的迫害。這幾個學生立刻憤怒的說出他們如何被支持工作小組的學生侵擾、包圍、叫罵，甚而到最後還在下課後被拘留下來，並在他們的監督下寫下自我批評。

「聽到學生們的遭遇後，江青淚如雨下的哭了起來，」小李說，「她走上前將手臂環繞在這些學生的肩上。」接著她轉向學校領導及廣播事業局局長說：「看看你們自己——兩位穿著解放軍制服的偉大將軍，這些孩子們難道是你們的敵人？你們難道就是這樣對待這些革命子女？你們的心腸難道硬到對這些革命子女連一點憐憫都沒有嗎？」

接下來陳伯達開始說話，「文化大革命的目的是要除掉目前在黨內當權的走資派，以及那些破壞毛主席無產階級陣線的人。」他說，「找出在上層的敵人然後將他們拉下來並不能解決這項問題，必須要羣眾有敏銳的耳朵及清楚的雙眼——尤其是你們這些小革命戰士。革命的改變，唯有從下而上——不是由上而下，才能夠完成。這就是為什麼走資派試著要壓制你們，因為這是要保護他們自己。」

「誰是文化大革命的主人？」陳伯達大聲問著。

●隨著文化大革命在一九六〇年代末期展開，我也成為倡言還權於民的活躍分子。照片中的情節發生在天安門廣場，我正在鼓動一羣造反派成員起來護衛毛澤東思想。那時我的心裡一絲一毫也沒有懷疑到，這場新革命其實是毛澤東和他老婆江青所運用的一種迂迴策略，用來挑起動亂及造反，並將他們個人的權力推到極點。

「是黨！」那些學生們異口同聲的回答著。

「不對！」陳伯達叫著，「不是，不是黨。是你們！你們，人民才是文化大革命的主人。你們必須去做，你們必須讓自己站起來，組織起來，採取革命行動，並在持續運動中教育自己。」

接著，陳伯達轉向聚在講台前的激進學生們說，「你們一直是被壓迫的少數。不過你們不久就會發現你們處在一個新環境中。很快的，你們會被認為是真實的左派，並且將獲得大多數人的支持。接下來就是你們會犯錯的時候，所以要小心！」

江青夜訪廣播學院一事，隔天就迅速傳遍廣播事業局。工作幾乎都停頓下來，因為同事們三五成羣的聚在桌前或走廊上議論紛紛，而且討論的愈來愈熱烈。一些反抗心理較強的人則為了這場鬥爭意外的升級擴大，而鼓掌叫好；有些人則為工作小組被攻擊而困惑，還有些人擔憂著這將使黨的威信受損。

在中央新聞室裡，我無意間聽到兩男一女對這件事情的激烈辯論。「這些學生們太好了！」那個女性大聲說，「看他們有多勇敢！即便有千百張大字報指責他們，即便他們被拘留在學校內，他們依舊堅守毛主席的路線。現在，江青同志已經說他們才是對的。」

「但是看看那些工作小組遭到什麼困境！」其中一個男性開口說，「這是新的嘗試，新的領域，而他們是老幹部。當他們看到這些學生攻擊黨時，他們很自然的就會認為這是件危險的事，應該加以規範。」

「如果就讓這些年輕人隨意的到處張口批評每件事，那黨又將如何運作？」另外一個男的開口附和，「如果每個人都可以到處攻擊黨，那你如何分辨好人及壞人呢？」

我有被解放的感覺。我喜歡聽這樣的辯論，我喜歡聽人們再度自由後說話的聲音，我更同意陳伯達所說的每一件事。黨應該是人民的僕人，而不是他們的主人。而現在，人民就是主人！

第二天一早醒來，我就看到毛澤東再回到權力鬥爭中的消息。人民日報上用其他報紙碰到戰爭或政變時才會用的特大號標題。大標是「乘風破浪」，下面的小標則是「我們偉大的領導毛主席再度泳渡揚子江」，旁邊一張照片，毛澤東的頭在江水中冒出；旁邊還有一張小照片，毛澤東肩上披著一件浴巾，外表健壯、飽滿、充滿活力，他看起來宛如可以長生不老似的。

這篇報導對我們傳達的訊息極為明顯。「我在這裡，」毛澤東說著，「我或許已經七十歲了，但我仍充滿活力及理想，隨時準備好在每一場戰役中領導你們。」

而廣播事業局，幾乎立刻就分裂成不同團體。雖然局裡尚未出現類似各大學的正式派系，但是同僚們對江青夜訪廣播學院一事的歧見愈裂愈大。漸漸的，大家開始在暗中找想法相同的人結盟。有些人贊同江青、她的同夥以及激進派學生追隨的較為煽動的、聽起來較為民主的方法；另一派則開始組成一派來保護原來的各種情況。

奇怪的是，我開始聽到有關王正華的謠言。身為黨支部書記，他應該是保守派陣營的最佳人選，但是我卻聽說他經常私下與廣播事業局裡，人民解放軍節目部門的造反派會面；有時候解放軍日報的聯絡員也會加入他們。解放軍日報是一份迅速竄起的軍方報紙，被認為是激進思想的中心，並且與林彪、江青、陳伯達，以及文革小組有直接關聯。

有天我去找王正華，「廣播事業局裡有沒有在籌組造反組織？」我問，「如果有，我想知道它的情況。」

「嗯，我們只是幾個人聚在一起討論一些事情而已，」他回答，有些保留、戒備，不想過度張揚。但是幾天後，一個西班牙語單位的年輕人趁著四下無人之際接近我，「自從你貼上你的自我批評後，我們就一直在觀察你，」他說，「我們認為你是個很好的向前看的同志。我們有幾個志同道合的同志想在廣播事業局搞一番改變，我們也從中央獲得了一些重要文件。你要不要看一看？」

他拿給我的那些藍條紋複寫紙上的文字極難閱讀，其中的訊息卻相當有爆炸性。他們這一批尚未現身的人——不管他們是誰——有很好的關係。我所看的文件是最高機密，連廣播事業局的機密檔案室內也沒有。這個半隱藏著的造反組織令人幾乎可以確定的是，他們可以從江青及文革小組直接獲得情報。

在這份文件的內容中，我再度讀到毛澤東那種我所熟悉的老成、辛辣、諷刺的口吻。他申言道，他並沒有派遣所謂的工作小組到學校裡去摧毀學生的創造精神，而是那些潛藏在黨領導中的保守、恐懼及不民主的分子所策動的。「你們何必如此草率行動呢？」他微帶不屑的責備劉少奇、鄧小平及其他人。「為什麼要禁止大學裡的言論自由及批鬥自由呢？為什麼不讓學生在北京飯店周圍張貼大字報呢？難道你們怕外國人看到這些海報後會認為中國有問題？」

「我一直在想著憲法，」毛澤東在文件中繼續說著，「從蘇聯、東歐，到中國，每個社會主義國家都有一部憲法，保障人民有言論、新聞、集會及其他等等的自由。但是沒有一個國家確實執行憲法，難道你們不覺得現在正是徹底執行的時候？我們該做的第一件事就是將所有工作小組撤出校園，並且向學生宣布他們可以遊行到任何他們想到的地方，可以任意張貼大字報，說任何想說的話！」

看完，我好高興，人民最後終於能夠完全自由解放。

接著我們就聽到劉少奇及鄧小平公開的道歉。每個人都會聽到，而且沒有人可以有不聽的選擇。

上級發出通知，命令所有人到中央新聞部門剪輯室去聽一卷剛剛在人民大會堂召開之會議的全程錄音，局裡數百名同仁就魚貫擠進剪輯室。

劉少奇在錄音帶中的聲音又高又尖。「今天我們面對的狀況是，老革命同志面臨新問題，還沒學會怎麼處理。」他說，「在剛結束的前一段過程中，我們用老方法來處理。我們認為派出工作小組是一件正確該做的事，但結果證明這樣做是錯的。」

原來如此！工作小組果真是劉少奇派出的。如果毛澤東及江青反對工作小組，而劉少奇支持，高層間顯然發生重大問題及對立。

「所以今天我們邀請各位來，是討論無產階級文化大革命應該如何進行，」劉少奇繼續說，「但是如果你們問我到底該如何做，老實說，我不知道。」這種說法也是前所未聞，黨領導人從不說他們不知道。

我從劉少奇的聲音中聽出一些新東西。在延安時，劉少奇給我的印象是個慣於發號施令，既狡滑又有威嚴的知識分子。但這卷錄音帶的聲音不屬於他，倒像是一個迷惘、茫然不知所措，在陌生海域中隨波漂流的人。

鄧小平的道歉內容也差不多，他的聲音比較清楚有力，但他也說他錯了。然後，很突然的，我們從錄音帶中聽到劉少奇聲嘶力竭的大喊，「毛主席萬歲！」其他聲音也開始加入喊叫，「毛主席萬歲！毛主席萬歲！」

第十七章 打砸抄燒全面破舊

北京的雨季來臨。

日子以一種令人不適的規律交替著：先是一兩天又濕又熱，悶得令人透不過氣，再接著是一兩天的傾盆大雨。而在暴雨來前，空中總閃著異樣的雷電。

過去幾年，當毛澤東退居幕後，劉少奇及鄧小平當權時，我們的生活安定且規律；因為劉、鄧兩人盡力使「革命」維持一般正常的面貌，並彌補大躍進運動所造成的損害。但是現在毛澤東又回到北京，而且一場真實、全面性的鬥爭也已經逐次展開。過去毛澤東一再退卻，但是現在他要開始反擊，劉、鄧已經被定位為修正主義分子，試圖阻撓將造就毛澤東不朽地位及中國偉大前程的文化大革命。毛澤東現在蓄勢反撲，準備一舉擊潰他們。

北京充滿一種圍城的氣氛。原先一直試著挽阻毛澤東狂亂熱情的人民日報，現在也落入文革小組手中，倒向毛澤東。陳伯達在軍隊的支持下，帶兵進駐人民日報辦公室，我們經過時，可以看到警衛守在門口。城內各處也都可以感受到毛澤東的積極、不停止、有計畫的侵襲，他煽動鼓舞紅衛兵，要他們造反。「紅衛兵最偉大！」他如此寫著，「你們對剝削階層所犯下的罪表達最深沉的憤恨！」

不久後，辦公室裡那個仍隱身於暗處的造反派再度有人來找我，有個德語部門的女性同志遞給我更多的機密文件。「拿去，」她說，「你會對這個有興趣的！」這份文件記載，毛澤東在高幹聚居的中南海宿舍牆上，親筆寫的大字報內容。「炮打司令部！」他寫道，「揭發黨內的惡毒陰謀，起來，起來反抗那些曾領導過你的人，因為他們都是表裡不一的偽善分子。」

接著我又收到一份文件，這是毛澤東對文化大革命的指導大綱，但對我而言，它就如同美國獨立革命的宣言：選自己的領導，組自己的組織，寫自己的大字報，印自己的報紙。這個運動，我想，是終結黨專政的一帖良方。

然而在表面下，我卻有著不同的感受。自從大躍進運動後，毛澤東無休止探尋的那一部分一直是膠著的，而現在這一部分已重新解放出來，而毛澤東——一個認為他自己看到讓落後中國躍居世界第一之可能的人——再度回到舞台前端。他正在大聲疾呼，讓所有事情爆發出來，讓我們將控制除去，讓矛盾出現。讓我們打開這個煮沸冒泡的大熱鍋，讓鍋中的不論什麼樣的蒸汽都冒出來，這樣我們就可以了解熱鍋內包含的力量，並學著驅使這股力道向前。

但是這樣的解放卻有著令人害怕的另一面。

在文化大革命之前，共產黨控制一切——每家工廠、每個政府單位、每座農村、每間醫院、幼稚園，以及每個軍隊營區。一個鐵器鑄造廠應當生產什麼產品？黨委會決定。農村公社應當生產高單價的蔬果來富庶自己，還是生產國家需要的米糧及棉花？黨委會決定。幼稚園應該教唱什麼歌曲？國內的黨部會決定政治歌曲及玩樂歌曲的正確比例。工作的指派、升遷、婚姻、住宿、就學——黨都有話要說，要管。

但是除此之外，黨還告訴我們該想些什麼。如果一個軍隊的指揮官發現他的手下對作戰訓練不感興趣，他會立刻發起一個教育專案，強調正義之戰與不正義之戰的差別。黨的刊物會告訴人們，什麼樣的藝術作品應該要珍惜，而什麼樣的作品該排拒；哪些人該被尊崇，哪個又該被批鬥。黨的報紙也隨時告知我們，應該支持或反對那些外國政府；工作單位裡的黨委會甚至會告訴我們該跟誰交朋友，排斥誰等，只要緊跟著黨的思考腳步，我們心裡就永遠不會有疑惑。

然而一夕之間，這些指引全都不見了。文化大革命將之棄如敝屣。林彪倡言要消滅所有的怪物猛獸，於是領導我們將近十年的高幹就被趕走下放；江青宣稱敵人多年來一直在破壞我們的革命，於是原本清晰的黨的聲音就變得陰鬱封閉。毛澤東本人疾呼炮打劉少奇的司令部——一個過去幾年來一直監督黨的每日工作的指揮所，於是黨的舊體制就土崩瓦解。

剎那之間，不再有人可以信任，不再有人告訴我們該做什麼，如何思考，該喜歡誰，該相信什麼。我們都得自己思考，決定這樣做好不好，對不對，是不是順著革命。而最重要，這樣是不是跟隨毛澤東的教導？這種變化令人迷惑、令人振奮、令人害怕。

年輕人掙扎著要找出他們自己的路。

有天早上，七點剛過，黎明前一場雨使得到處都霧氣濛濛，我剛走出家門，恰好看到一個我認識的年輕女孩，騎著腳踏車越過我住的公寓與廣播事業局大樓之間的庭園。她身上披著一件褐色雨衣，雨衣下則是典型紅衛兵穿著的卡其褲及上衣。當她看到我向她走過去，她立刻很有禮貌的跳下腳踏車，站在車旁等我。

「你好，李敦白叔叔。」

「妳好，晨鴿。」這是她的暱稱，打從在延安她還是小嬰兒時，親人及朋友就這樣的叫她，她的父親那時是個樂師，是延安舞會中小型管弦樂隊的一員，她的母親則是一位播報員。

「我確定妳會是毛主席的好女兒。」我說，因為我知道她正在中央音樂學院念書，但是聽到我的話，她並未如我預期般高興，反倒哭了起來。

「怎麼回事，小晨鴿？」我焦急的問著，同時伸手摟著她的肩膀，並低頭從她捂住臉的雙手中，窺探她的神情。「怎麼啦？妳知道妳可以告訴我任何事的。妳小時候尿在我的軍官大衣上，我也沒有說什麼，不是麼？」

在哭聲中，她發出漣漪般的咯咯笑聲。我說的是個流傳在她家裡的老笑話。她還不滿一歲時，有一回她的母親準備要播音，就把她交給我照顧；我將她放在我一件內裡加皮毛的黑色外套上，但我立刻就發現到她坐的地方竟是又濕又縐的擴染成一團亂。

「到底為了什麼事生氣？」我再度詢問。

她語帶委屈的告訴我，在學校裡，她必須從學校裡的三個團體裡做選擇：一派是由憤怒的學校服務工人組成，狂野、完全反知識的團體；另一派則是激進派，他們要完全的將學校翻倒過來，以及掌管所有事情的權利，而原有的校園當局只留著當傀儡；還有較為溫和的一派，要求重新檢查整個學校體制，但卻不想打倒原有的領導。

晨鴿被選為校內第一文革委員會的主席，並選擇了溫和派路線。「我跟任何人一樣，都迫切想要有個火紅的毛澤東思想下的世界，」她抽泣的說著，「只是我不認為老同志、幹部應該受到這樣的壓迫。」他們都是好人，是中西音樂的專家，她說，他們應該獲得改正、再繼續參與的機會。

但是當江青宣布造反的少數激進派是真正的革命分子後，她負責的委員會就整個瓦解了，她被趕出校內文化大革命的領導階層，成為批評及嘲笑的對象。現在她整個人都崩潰了，為自己在政治上的膽怯表現而感到羞恥。「我難過是因為在文化大革命中我讓毛主席失望了。」她說。

我讓她在我們公寓門口的警衛室裡坐下，「沒有關係，」我說，「在文化大革命中每個人都會犯錯，而這就是我們學習的方式。」

* * *

「毛主席今天要在天安門廣場接見紅衛兵，」英語部門新聞室副主任一臉興奮的向我們宣布這個消息，「今天晚上有大消息可廣播了。」那天是八月十八日，所有新聞室的人都議論紛紛，猜測不休。

我想要盡可能看到遊行活動的全貌，因此協助安排好那天的節目後，我就往廣場出發。當我從廣播事業局沿著長安大街往天安門走去時，我看到一列列數不盡的、代表各校的紅衛兵，手裡舉著紅布旗，隊伍前方則是毛澤東的巨大肖像，隊伍邊唱歌邊朝著廣場走去。

當我走到中央政府辦公處的南紀念大門，離天安門尚有半哩之遙，我就再也無法前進了，整個廣場都擠滿紅衛兵，有來自北京市內及近郊的，也有坐了好幾天火車，遠自四川及廣東來的，而大部分的人一定是從昨夜就在廣場前守候。

長安大街兩旁裝飾華麗的鐵製燈柱上，現在都掛著大型擴音器。我從擴音器聽到廣播事業局的明星級播報員夏清飽滿宏亮的嗓音，他不疾不徐的大聲宣布：「毛主席接見紅衛兵大會現在開始！」很明顯的，這場大會是現場轉播到中國的每個家庭及每個辦公室內。

就像播報一場重要比賽的評論員一樣，夏清經由擴音器告訴我們在下面的這些羣眾和他所看到的景象。「今天的天安門廣場是一片紅海，」他說，「到處都可以看到紅旗、紅臂章及領子上別著紅徽章的男女軍人，到處都看得到一張張雀躍興奮的臉孔，仰望他們心目中的紅太陽。」在我的周圍，我也看到這些同樣閃著光芒的臉孔。

夏清繼續說，「在正門我們可以看到我們偉大的領袖毛澤東主席，他的親密戰友副主席林彪、周恩來總理及其他負責的領導同志。」在提到毛主席名字時，羣眾們同時也開始呼喊：「毛主席萬歲！我們偉大的導師，我們偉大的領導，我們偉大的司令，我們偉大的舵手！」從擴音器，從我周圍，我同時聽到這樣的呼喊！

林彪首先說話，致詞中充滿對紅衛兵的尊崇。「世界是屬於你們的，」他說，「你們革命紅小兵，是我們偉大領導的追隨者之中，最敏銳，最忠誠，最服從的一羣。」從他接下來的講話中看來，這些讚美顯然只是為下達指示做序曲，「在這場無產階級文化大革命中，我們決定要破四舊，」他大聲的說著，「舊思想，舊文化，舊風俗，舊習慣。在四舊完全消除前，我們無法前進。就如我們偉大的毛主席所說的：沒有破壞，就沒有建設！沒有任何東西能夠建立，直到有些東西被推倒！」

「毛主席萬歲！」學生再度呼起口號：「毛主席是我們心中最最紅的紅太陽！」

在呼聲之後，夏清繼續經由擴音器向羣眾報告，「我們偉大的領導毛澤東主席，穿著人民解放軍的制服，現在正站起來向羣眾揮手！」穿軍服？光這點就極不尋常，在文化大革命之前，即便是在戰時的延安，我也從未見他穿過軍服。「他的並肩同志林彪也向紅衛兵致敬！」夏清繼續說，「毛主席最愛紅衛兵，更打從心裡關愛紅衛兵！」

接著人羣中忽然起了一陣騷動，而持續達數分鐘的歡呼及叫喊聲蓋過了廣播的聲音。當騷動稍息，夏清再度透過廣播的解釋著，「一個紅衛兵代表戴著紅衛兵臂章，走向毛主席，」不久再響起一陣震耳欲聾的歡呼：「毛主席接受了紅衛兵的臂章，並戴上了臂章。」

當我走回廣播事業局時，歡呼聲在我背後不斷的響起。「革命紅衛兵是毛主席的好戰士！」、「徹底執行文化大革命！」、「造反有理！」、「我們偉大的導師，偉大的領導，偉大的司令，偉大的舵手毛主席萬歲！萬歲！萬萬歲！」。

從那天開始，每個人嘴邊都掛著「造反」兩字，在毛澤東的用語中這是個比較奇怪的語彙。「造反」的意思是推翻所有的控制及權威，可以用來形容地主的僕人突然發飆，放火燒了馬厩，砸毀了主人家所有杯盤器皿，除了強調破壞外，我以前沒聽過這兩個字。

八月底的一個早上，辦公室裡的一個翻譯員突然大喊：「革命紅小兵現在正在王府井區！他們正在掃除代表封建主義及資本主義的一切東西！」

王府井區是北京最主要的購物消費區。我當下決定立刻到現場，同時我也決定帶著其他外國專家跟我一起去，我自己雖然打出一條路加入文化大革命，但是他們一直被摒於門外，再加上他們大部分不懂中文，無法閱讀大字報，因而除了上級經由造反組織祕密透露出來的消息之外，他們對於文化大革命完全無知。

我找了智利籍的馬克思信徒帕拉希歐斯（Edmundo Palacios），錫蘭來的老朋友坎達・莎瓦蜜，以及兩個巴西人蓋利艾紐（Meme Galliano）和馬登斯（Jaime Martens）。我們朝三英哩外的王府井區走去。

自從天安門廣場前的大會師後，北京市整個改觀，從廣播事業局到天安門的大道上，大字報幾乎一張接一張的貼著，它們貼滿了籬笆，大門、電線桿；它們蓋滿每一面長牆；有時候釘兩根木樁，拉條繩子，大字報就一張張的掛起來。我沿途向同行的外國朋友翻譯大字報的內容。

這些大字報中，有的是紅衛兵小隊向人民求援的文字，也有如四川成都某家工廠裡的造反小組，要求其他紅小兵協助他們推翻壓迫他們的領導，或是陝西的一羣革命礦工，抱怨他們的造反領導正被反動的工頭虐待著。

其他還有政治申述或評論，分析馬克思主義，或毛澤東思想，所有分析都歸結到一點：造反有理。

最令我印象深刻的是由擁護劉少奇及其餘受攻擊老同志的組織，貼出的那些措詞強硬的大字報：「你們這些狗娘養的，竟敢錯手攻擊我們的革命老幹部，」這些大字報寫著，「你們這些豬大便要小心點，因為報應來得又快又可怕！」

我們一羣人慢慢的沿路走，一方面是由於天氣悶熱，另一方面則是因為大部分的外國專家並不習慣長途走路。例如坎達．莎瓦蜜，挺著又圓又大的啤酒肚，走著走著，汗水就不停的流下頸子，流入他的白長袍內。

當我們終於到達天安門廣場時，就看到到處都有人在做政治演講。議題不盡相同，有些人談著自己在學校或工作上的個人問題；有人感嘆自從工作小組被迫撤離校園後，學校就整個失控，教育改革的事就再也無法進行；有的人則抱怨著自己冤枉。每個演講者身邊都圍著一羣人，有的是好奇的旁觀者，有的是他個人的跟隨者，不停的提出問題並互相爭論。

其中極少數的一部分，才是真正在做政治工作，要求羣眾採取革命行動。每個演講人開講前，就會有個人先拿著麥克風，用著威脅的口氣，警告所有的壞分子走開。「你們之中有沒有屬於黑五類的混蛋？有沒有地主、走資派、修正分子、反革命分子，或是罪犯？」那個人大聲叫罵，「如果在這裡，最好在我們找到你之前離開！」不過，即便是我和朋友看到周遭的這種冷酷及狹隘的階級歧視，我們仍非常興奮。這就是革命，可以自由的發表政治看法。我們從未見過這樣的事，我們繞著天安門廣場走著，在這裡或那裡停下來和演講者閒聊。

當我們到了王府井區，看到滿目瘡痍。在林彪的指示下，紅衛兵徹底的破除所謂的「四舊」。穿著仿製軍服的紅衛兵將每棟大樓多彩多姿的木製或霓虹燈招牌拆下來，砸成碎片。他們也將商店的大門拆掉，爬上牆壁將原來的新漆刮掉。不論是老舊或新潮，只要一丁點讓人覺得是資產階級消費主義，就會被打、被砸！

賣奢侈品的商店、北京板鴨餐廳、有古老迷信氣息的老市招，或是懷舊老貴族的商店——都被迫關門或是被砸得一團亂。

紅衛兵也貼出一張手寫的告示，宣布一套新規定——他們自己進行文化大革命的規則——不得有任何鼓勵消費主義的東西或行為，任何僅具裝飾作用的東西都不可以存在。告示上也解釋，社會寄生蟲只顧打扮自己，浪費廣大工人階層太多時間，而紅衛兵不能再容忍這些。只要街上有行人走過，這些紅衛兵——大部分的高中生——就會攔住他們，並根據這些條例來檢查；女人的頭髮只要長過肩膀，就會被啪嗒一聲剪掉，男人的褲子只要太緊，就會在膝蓋處被剪短。

看著這些景象，我們每個人都有相同的感覺。這些紅衛兵都還是孩子，頂多是高中生的年紀，甚或更小。他們沒有槍、沒有武器，沒有真正的力量；如果任何被他們騷擾的人決定反擊，這些小孩根本就沒有辦法保衛自己。但是我們卻沒有看到任何一個人反抗，甚至於試著去拒絕，每個人都謹遵紅衛兵的吩咐，這些成年的男女，當那些小孩砸著他們的招牌，剪著他們的褲子或頭髮時，都只是靜靜的站著。

當然了，這一切都因為毛澤東，他重新取得至高權力，並授權他們攻擊其他的政權。不知為什麼，這一切看起來並不完全真實，有一點像是一場鬧劇。

這是一場鬧劇，但是悲劇就隨之而來。

那天我正在新聞室內，有個翻譯員——也是位黨員——走向我，他用平靜的口氣，禮貌的告訴我，他今天必須早點走，而且明天也沒有辦法來上班。「因為小楊，」他告訴我，小楊正是他太太，「她的父母親昨天晚上被殺害了。」

「殺害？」我有點疑惑的問，我原本認為他們可能遭到什麼意外。

當他告訴我事情真相時，態度非常謹慎，避免表露出任何道德或情緒上的判斷，或是運用會被誤認為憤怒或悲傷的字眼。

他冷靜的說著，但我仍能看出他的緊張。「是的，被殺害了，」他說，「他們以前經營過雜貨店，但是最近幾年則在王府井區的一間國營商店裡工作。昨天晚上，一羣破四舊的紅衛兵半夜闖進他們的房間，並開始質問他們，我不曉得為什麼，但是這些紅衛兵將他們活活打死。」

我感到震驚、害怕，我不了解他為什麼沒有更加生氣。我猜想他可能害怕，如果他對此表示同情，就會為他及他太太帶來麻煩，甚至給自己安上想報仇的罪名。林彪的呼籲不僅帶出了革命小兵，更放出一羣小老虎。在這場造反革命的表面下，正進行著一場沒有人有準備的醜惡暴力。

接著，暴力就蔓延到廣播事業局。

自從梅益下台後，我們每天都會見到他憂傷的走進大樓內，坐在空無一人的會議室內，寫著「人民」要他寫的自批報告。但是在林彪的演說後，這種情況也改變了。

那次我正在英語單位內，有個同事探頭進來，大叫：「他們正在大門前批鬥那些牛鬼蛇神！」

房間內所有人立刻衝出，想去看看到底發生什麼事。我跑下通達前門的樓梯，到外面那片寬廣的水泥庭院。我看到怪異又不忍卒睹的景象——大約有十個老幹部，被一羣大部分是年輕人的團體圍起來。

自從老幹部被免職之後，這些老革命同志就一直安靜的寫自我批評，參加會議，有幾個也獲准繼續工作。現在林彪的言論卻激起年輕人以更殘酷的鬥爭對待他們，就在前一天，北京的紅衛兵就很無情的折磨一羣有名的藝術家及作家，結果導致中國最有名的小說家老舍喪生。

在庭院的那羣老同志中，有我熟悉的梅益及丁一嵐，他們的頭髮被剃過。梅益的白頭髮只剩一半，丁一嵐還剩一半的頭髮散亂的披在臉上，她的臉蒼白驚懼，每條皺紋都緊繃著。

這難道就是真正的革命行動？

那羣年輕人中，有一個是錄音工程師，我也知道她對梅益心有芥蒂，她正拿著從梅益腳上扯下來的布鞋，用力的敲打著他的頭，梅益的眼鏡被打落在地下，臉色蒼白且滿臉驚恐，從頭到腳抖個不停。

接著兩個年輕人開始譴責廣播事業局裡的黑幫分子。「這些人就是一直睡在我們身旁的小赫魯雪夫！」他們說，「他們會走上修正主義路線，但是文化大革命將這票人揪出來。」指著這羣年輕人在這些代罪羔羊的頸子上掛了大木板，我看到梅益的寫著「梅益是反革命黑幫分子」。

然後他們將老幹部們從庭院中央拖到東邊，強迫他們面對羣眾跪在大門前的石臺上。這羣年輕人命令老幹部將自己的鞋子高舉過頭，並要求他們一個接著一個的大聲唸出自己的罪名。我聽到梅益顫抖的說出：「我是反革命修正分子梅益。」

「大聲點！」一個年輕的造反派大叫，梅益被迫重複說了好幾次。

我想吐。

我不能指責這些造反派，沒有人能，羣眾人太多，現場則氣氛太醜惡。更何況，氣氛即使醜惡，我依然不由自主的察覺其中蘊涵的革命精神，這些年輕人的行為誠然過火，但這或許是使一個從未經歷自由滋味的民族解放所要付出的代價。我想只要給他們時間，他們就會學取這次的經驗。我也認為此時此刻不宜貿然採取任何行動，以免造成鎮壓這種新甦醒的人民精神的危機。

毛澤東說過，在文化大革命中每個人都要選擇：與革命同志一邊還是與壓迫者一邊。我雖早已做了自己的選擇，但我卻不贊成我們的造反方式與那些粗暴年輕人的方式相同，我們會避免使用暴力，甚至不僅只是避免，而該全力反對。

圍觀的人羣漸漸散去，我也回到自己的辦公室。但是從那次之後，我就經常看到梅益、丁一嵐及其他老幹部，悽慘的在事業局的庭院裡掃地、撿垃圾。

不過對我而言，真正的問題不是這羣年輕流氓的行為，真正的問題是民主。黨以前所採行的種種控制體制現在都被推翻了，那現在誰來接管呢？會不會出現一個新的專制體制？還是每個組織——如我真心期盼的——都能演化成真正民主的團體，可以自己選出自己的領導，設立自己的政策，解決自己的問題？

我問小石這個問題，「我們可以和任何志同道合的人設立屬於我們的組織。」她兩眼發光的說，小石是個年輕漂亮的少婦，有著一對明亮的棕色大眼睛以及長長的睫毛，舉止總是輕柔得宜。她對言論自由、批評自由的理想深信不疑。

「但是由誰來設立這個組織，而妳又如何加入呢？」我進一步問。

「那很簡單，」她回答，「你只要與任何一個與你意見相同的人結合起來就可以。這樣的組織就是由意見相同的人組合起來，它很有可能有上千個成員，也很可能只有五個。樓上的非洲傳播部門還有一個個人的組織叫做獨立思想戰鬥隊，因為他有自己獨特的思想觀念，因此他沒有加入任何其他組織。」

一九四九年之後，未獲得黨的准許及控制，沒有任何人可以組成任何形式的組織。兩三個人稱兄道弟，甚或兩對夫妻經常在一起，就會被批評為「搞小團體」，想自外於黨及人民。一九五七年時，我就親耳聽到當時的一位支黨委，批評她領導的海外華人廣播部門裡的兩個女性同志是小團體，「她們總是在一起，而且兩人之間無話不談。」

現在這一切限制突然全部撤除，對這些積極造反的人來說，這是他們此生第一次能夠如此自由的會面、籌設組織、談論、出版，而對中國而言，這更是一個天搖地動的大改變。

* * *

九月的第一個星期三下午，在下班走路回家的途中，我注意到電視大樓的舞台劇院裡似乎正有大事發生。「發生什麼事？」我問一個剛從裡面出來的人。

「造反組織正在召開大會，討論馬文友事件，」他說，「現在馬文友自己接管了會議，並在舞台上質問彭保同志。」

我不知道馬文友事件是什麼事，甚至連馬文友是誰我都不曉得；但我卻想看，彭保被質問時又是如何作答，他是廣播事業局公安部的主任，也就是我們局內政治警察的頭頭。

我走進劇場內，挑了一個位置坐下來，旁邊的人是葡語部門的朋友，他以前經常私下傳給我一些造反文件，「這是在幹什麼？」我悄聲的問他。

「馬文友原本是個技師，」他也悄聲的回答我，「來自佃農家庭，是個黨員。他是廣播事業局裡最早的造反成員之一，並且不停的號召發起他部門內的人加入。那時的領導認為他太危險，應該拘禁在局內拘留中心裡。但是由於他是個黨員，再加上出身純正，他的部門因而無法以罪犯名義送他進拘留中心，他們便和彭保商量讓他以擔任警衛的名義轉過去，但是背後的真正目的是要將他除去。現在馬文友就正在指控彭保這件事，但彭保矢口否認。」

彭保現在就坐在舞台正中央的椅子上，笑容酸澀，像是肝痛發作。他長得高大，像個舉止懶散的佃農，臉上則布滿與年齡不相稱的皺紋。他給我的感覺似乎是個典型的警察，非常賣力工作，忠心耿耿，但是腦袋卻不太靈光。他的控告者馬文友則似乎掌控了全局，正大步的在舞台上，對角來回的走著，他的身材中等，穿著幹部制服，一件捲到膝蓋的藍色長褲，露出穿在腳上的紅法蘭絨布襪子。他的頭很大，一頭亂髮，一張又寬又長的馬臉滿是雀斑。

馬文友正在質問彭保，而彭保顯然很不高興，因為他的頭與脖子得跟著走來走去的馬文友不停轉動。「你把我支到拘留中心，是不是因為如此一來你就可以將我逐出技術部門，並可就近監視我？」馬指控著，「你這樣做是不是想堵住我的嘴？」

「當然不是，」彭保說著，「我們怎麼可能做那樣的事呢？」彭保的口吻有些油嘴滑舌，「怎麼會呢？馬文友同志，你是我們自己的階級兄弟，你也是中國共產黨的黨員，更是來自一個勞苦家庭，」他喋喋的繼續說，「我們怎麼會對你做出這種事？這會違反黨的政策——」

「砰！」發自我前排中央的一聲巨響打斷了彭保的話。有個人用拳頭重擊椅背，隨即跳起來。「彭保！彭保！」那個人大叫著，「你說謊！你說謊！」他右手抓著一張紙，向似乎受到震驚的彭保揮舞。

這個人跳起來後沿著走道走向舞台，我認得他，他叫做袁志，是彭保的機要祕書，他上台後抓住中央的麥克風，「彭保，你在說謊，」他說，「你以為你說謊是為了保護黨，但是我告訴你，我不再為黨說謊，我已經為黨說完最後一個謊！」

整個房間內忽然升起一股令人窒息的焦盼氣氛。

「這些年來，我一直為了維護黨的聲譽而對人民撒謊，」袁志接著說，「但是現在我的心靈已經被毛主席發動的文化大革命完全解放，因而我能很明白的看清，我們其實一直利用保護黨的名義，壓迫人民，並奪走他們的權利，所以我再也不想繼續撒謊。」

袁志搖了搖他手中的那張紙，「你們看到這張紙沒有？」他問羣眾，「這是彭保寫給拘禁中心主管那封信的影本。讓我讀給大家聽，這樣你們就可以自己判定馬文友同志是不是被欺壓？」

彭保在他的祕書唸那封信時，臉色發青。他在信上寫著，馬文友是個危險的惹禍精，但是因為他的出身好，因此不便把他直接送到拘留中心收押，所以才以警衛的名義將他調過去。信中還指示中心主管派人監視他，對他適當限制，以免他惹出更多麻煩。

聽完信，人羣開始發出怒吼，他們叫著，「彭保，說實話！說實話！」但彭保仍是雙唇緊閉，陰森的坐在那裡，似乎沒有任何事能動搖他的信念。

接著，大約有十幾個人從後方跳了出來，「我們是公安部門的人，並且我們已經組成自己的造反組織，」其中一個人說，「整個部門已經決定加入我們，我們要求造反串連接納我們。」

羣眾響起如雷的掌聲來歡迎這項宣布。對我而言，這等於解除了我身上的枷鎖。就像袁志一樣，我以往跟非黨員說話時也都會為黨掩蓋，認為這樣做是對人民有益的。如今我看到袁志挺身反抗，我雖然為不必再做那遮掩而感到紓解，但也為自己盲目的忠誠羞恥。

我心想，如果這還不是真正的革命，那我不知道什麼才是。這就是我所追求的戰鬥——為人權而爭的戰鬥——使人人有權不受老闆上司專斷的迫害。這樣的戰爭，也是過去在美國南方從事人權運動及組織勞工運動時，曾讓我自己為身為其中一員而驕傲不已的戰爭。

我開始經常閱讀造反組織的文件，他們已經為廣播事業局擬出一套完整的方案。這些年輕人要建立起一個新的社會——我在加入黨之初就一直盼想的社會。他們要有類似議會式的民主，讓每個人在選擇領導時都有發言的權利。他們要有完整的言論、集會及結社的自由，他們也要求全部而完整的人權，不要再有個人資料檔案，也不要再有清查個人背景的事。「你的個人歷史只能解釋你的過去，」他們寫著，「你的行動卻解釋了你的現在。」

這些人就是我的同路人！

我開始固定的參加他們的會議，並且帶著其他外國專家和我一起參加。而我也更能清楚的了解到在整個廣播事業局發生的事：原本在黨內執行對內安檢工作的人，現在也都投入造反派，並將情報傳送出來。這也使得我發現到，竟然有人到公安部指控我，使我被列為廣播事業局三名最危險分子中的一員，而控告我的，竟是我的前妻——魏琳。

我被叫進我的上司——主管國外廣播的副局長——的辦公室。我進去時，他臉色沉重。「我不希望你誤解一些你所聽到或看到的消息，」他說，「在廣播事業局有一些壞分子在挑起內部派系傾軋，並激起仇視黨領導的態度，你不應該與這種人交往。」

一年以前，我會聽他的話。但是我現在已是個不同的人，我告訴他我高興和誰交往就和誰交往，然後就離開他的辦公室。

* * *

一九六六年十月一日，中華人民共和國建國十七週年大典，而我就在天安門門樓的頂端，等著毛澤東的出現，這將會是自文化大革命開始後，我第一次再見到他。他變成什麼樣呢？

我是前一天中午才接到外國專家事務局的電話，通知我參加這場大典。在以往，外國專家從未受邀與毛澤東一起觀看這每年一次的遊行大典。我們六位有幸受邀的外國人在前一夜就被專車接進友誼飯店過了一夜。隔天早上九點，遊行開始一個小時，我們就被接待從紫禁城前的斜坡，走到我們位在門樓東端數起來第四行的位置。

我們眼前的廣場則早已擠滿了紅衛兵，藍色的制服像大海一般，中間點綴著一些淡褐色及卡其制服，及密密麻麻的紅臂章。廣場四周飄著的大汽球上繫著一條條寫著標語的彩帶：「我們偉大的導師，偉大的領導，偉大的司令，偉大的舵手毛主席萬歲！」、「中華人民共和國萬歲！」、「偉大的無產階級文化大革命萬歲！」

深紅色大門的頂端是個搭好的貴賓席，棚頂上蓋著像是寺廟飛簷的篷頂。從皇城內牆裡有兩排梯子通到最頂端。貴賓席裡擺著一排排小桌子、小椅子，較大的椅子則靠著牆擺。但是想要看遊行，基本上是每個人都要站起來才行。

十點整，廣場上龐大的人民解放軍樂隊開始演奏「東方紅」，毛澤東也在此時出現在觀禮台的正中央。在他旁邊是瘦小、蒼白的林彪元帥，在他們後面則是總理周恩來，以及陶鑄——排名第四的統戰部部長、鄧小平、康生、劉少奇和外交部長陳毅元帥。

毛澤東與我上次見到他時相較，已是完全不同。以往我所看到的毛澤東，是個體貼別人、笑聲不斷、神色輕鬆的領導者；但是今天在那套漿過的人民解放軍制服下，他看來有些僵硬，有點怕生，右手則緩慢的左右揮動。接著他把帽子拿在手上，朝著下面的羣眾揮動，羣眾則報以如雷的歡呼聲，「毛主席萬歲！毛主席萬歲！毛主席萬歲！」

我四下張望，發覺到每個人都或多或少有些不同。周恩來也像其餘領導一樣，身穿人民解放軍軍服，但他再也不是一九四六年時，我在鮮花店碰到的那個滿身是勁的年輕將軍，他的綠色軍裝外套滿是縐紋，而歲月及壓力使他看起來乾瘦，甚至連嘴角都稍微的歪了一些。接著我看到一個穿著普通幹部制服，臉色灰敗的人向我走來，那是我的老朋友陳毅元帥，我差點認不出他，他變得很蒼老。

劉少奇，仍然是名義上的中華人民共和國主席，則站在毛澤東身旁，向著下面的羣眾揮手。突然間，原本面向羣眾的劉少奇突然回過身來，眼神宛似在找朋友似的。他現在的模樣令我震驚！在老一輩領導人裡，他的相貌最尊貴，眼神冷靜，下顎堅毅。我還記得一九四八年在太行山的一條山路上看到他，頭上包著一條棕色的圍巾，而他的太太，王光美則在左後方一、兩步的距離處跟著，那時我想著，姑且不論他是不是共產黨員，他們夫妻確是奉行孔夫子精神的一對，然而，現在他的眼神──渴望要有一個朋友的眼神，卻閃著恐懼，舌頭更不時的伸出來舔乾裂的雙唇，他從來就不是我最喜歡的人之一，但是他現在的情況令人生憐。

軍樂隊奏出了國歌，全場一陣安靜。接著遊行開始。成千上萬的紅衛兵，以及來自北京及全國各地的造反派成員一列一列的通過天安門廣場，「毛主席萬歲！」的呼聲響徹雲霄，人海中的每個年輕人都高舉著紅寶書。黨和國家的領導們站在高高的觀禮台上俯視下方，彼此之間甚少交談。

十一點左右，我走到貴賓觀禮席後方的接待區，在那裡你可以坐下來喝杯茶，或是來一瓶當地的桔子汽水。我看到鄧小平一個人獨據一張小桌子，他拿著一瓶桔子汽水，雖然插著吸管但看

●成為文化大革命中的著名活躍分子後，我受邀與毛澤東及其他中共高層領導於一九六六年十月一日，在天安門廣場參加國慶大典。照片中毛澤東正在我的毛語錄上簽名，這本小紅皮書是文化大革命的聖經。一年半後，我再度被捕，罪名是——特務。

得出來根本沒喝過，他的左手則枕著前額，他看起來孤單且不自在。

我也拿了一瓶桔子汽水走向他的桌子，「鄧同志，我是李敦白。」我邊說邊向他伸出手。我想他可能不認識我，我見過他，但從未真的長時間相處。

「噢，是，是，是。」他似乎回過神來，嘴角上並露出個歉意的微笑。「是的，我認識你。」他站起身和我握手，然後我們就沉默的坐著。我一直想著該跟他說些什麼，但他看起來極端落寞寡歡，以致一會兒後我就了解到我根本不可能與他說什麼，於是我向他打個招呼，然後就離開他的桌子。

每位領導似乎都有些緊張，對毛主席也比平常更加恭敬。十一點左右，毛澤東從觀禮台上轉過他臃腫的身軀，緩步走向設置在貴賓席後方的一排紅絲絨座墊沙發椅：他坐下來，並點燃一根公雞牌雪茄。過了一陣子，總理周恩來也加入，然後開始交談；我則站在遠處，靜靜的觀看這一幕。

突然間，我看到毛澤東不對周恩來，而是對著正前方，喃喃說出幾句話；六十五歲高齡的總理立刻站起來，從封閉的休息區衝到觀禮台，叫著北京軍區戍衛司令員的名字：「鄭維山！鄭維山！」

我看到鄭維山跑過去。周恩來在鄭維山的身邊耳語了幾句話，並不停的指向毛澤東，而毛澤東也在此時慢慢站起來，並朝著觀禮台走去。鄭維山立刻向左右發出命令，並立即上前攙扶毛澤東。被謠傳患有心臟衰弱毛病的周恩來如此惶急，像個年輕人一樣的跑來跑去，竟只是因為毛澤東向他說，他要離開休息區回到觀禮台。

我早就聽說過，周恩來在一九三〇年代曾支持一項毛澤東反對的政策，但最後被打敗；從此他就放棄研究他個人對中國革命的策略觀，向毛澤東的舵手及先知地位臣服。對於他認為的一些小執行策略，他會堅持，但是對於大策略則完全聽從毛澤東——並且長期努力擔任幕僚長，為毛澤東執行各項政策。我剛剛就親眼目睹周恩來對毛澤東的忠心，他甚至願意冒著損害個人健康的危險。這樣說似乎過於誇張，但我卻知道那是真的。

接近十二點，遊行快要結束時，外國貴賓們突然起了一陣騷動，每個人都跑去要毛澤東在他們的小紅寶書上簽名。安娜·路易絲·史莊是始作俑者。在我的老朋友廖承志的引薦下，她趨前晉見毛澤東，我也立刻跟上去，推擠的穿過人羣，要確定自己也能拿到毛澤東的親筆簽名。

當我擠到毛澤東身前時，他原本戴的軍帽已經不見，光著頭站在那裡。「主席。」我說，照一般人的習慣稱呼他主席。

「Rit－ten－berg」，他緩緩的一音節一音節的清楚唸出我的名字，唸完後，他不禁咧嘴笑出來，彷彿頗為自豪。「我學英文學了好長一段時間，但我似乎一直無法學得好。」

「不過，你唸我名字的音還滿準的，」我說，「你能不能在我的紅寶書上簽個名？」

他從我手裡拿走紅寶書，再用另一隻手拿著我手上的筆，並在首頁上寫下我的名字，李敦白，然後有點困惑的問著我，「你要我在你書裡寫些什麼呢？」這讓我覺得自己宛似個學校小男孩般。

我當時實在應該要他寫下對人民的新指示，或是他的名詩句，或是對我個人的建言，甚或是給美國人民的一番話等——但是我的腦袋一片空白。我唯一能想得到的就是說：「只要簽你的名字就好。」

而他也就簽下他的名字，「毛澤東」三個直寫字漂亮的落在首頁的邊緣，字體又粗又大，而且一筆寫成。

十二點整的時候，遊行結束，擴音器也傳來宏亮的聲音，宣布慶祝活動結束。毛澤東、林彪及周恩來率先離開，貴賓席裡的其他人陸續跟進。底下廣場中的人羣則安靜的一列列離開。

我離開廣場後就直接回到辦公室。由於是國慶日，只有少數人當班。而英語部門也只有五、六個人在。當我一走進辦公室，節目編輯抬起頭來看到我，「老李，」他叫著，「我們從電視上看到你在貴賓席，你有沒有與毛主席握手？」

「有啊！」我說，我擠過那重重的人堆到毛主席跟前，至少有部分原因也是為了他們這些人。

「你有沒有洗手？」有人問。

「沒有。」我笑著說，然後他們每個人就圍到我身邊來握我的手。對毛澤東的個人崇拜，那時正達巔峯。在文化大革命之前他是個英雄，現在他是個神。與一個曾經與毛澤東握過手的人握手——這簡直是可以告訴自己孫子的得意事！我的一個同事就趕緊跑到各處散布這個消息，而很快的，不同翻譯部門的人就三三兩兩的走進我們辦公室，有從德語部，有從俄語部、法語部、越南語部，林林總總大約四十個人。而我就站在那裡——一個曾與毛澤東握過手的人，與任何一個能夠擠近我的人握手。

第十八章
奪權

就這樣，毛澤東讓我變成一個身價不凡、雙方都想巴結攏絡的大人物。因為這個時候的中央廣播事業局，情勢已經壁壘分明，新世界和舊世界互相對立。如同林彪所說，文化大革命是一個對抗舊革命的革命。

這兩大派別很容易區分。全力維護現狀的保守派大部分是由一些老幹部、未受過教育的工人和退伍軍人組成。即使梅益已經遭到革職，但一切仍在保守派的掌控之中。目前在位的丁饒夫也是軍人出身，跟其他保守分子一樣，不遺餘力的維護既有的法律和秩序，以鞏固黨委會的勢力於不墜，並避免動搖大局。

保守派人士走過的路十分艱辛，而且往往很殘酷。他們經歷過一個接一個的羣眾運動，許多人患有失眠症，神經緊張，坐立不安。即使他們拖著飽經患難的身軀，長時間伏案工作，但是工作效率卻像他們的體力一樣低得可憐。只要是革新，不論由哪邊發起，他們一概拒絕合作。執行公務時，他們最擅長修改計畫內容以免觸怒任何敏感的政治議題。「不求有功，但求無過」是人們形容他們的老詞。他們是頑固難纏，反對革新的一輩。

造反派比較年輕，除了一個退伍老兵外，其餘的人都不到三十五歲。他們是解放後成長的一輩，有許多人具有黨員身分。他們效忠的是他們理想中的共產黨——一個使社會不斷革新與重生的真正革命政黨，而不是由一票保守派掌權的政黨。

保守派人士一律穿著標準的藍布幹部裝，造反派則仿效軍人，作戎裝打扮。老幹部都是一些家庭主夫和主婦，禮拜一早上聚在一起埋怨家事辛勞。而造反派卻對延安的神祕十分著迷，他們雖然從不曾住過延安，卻對延安時代標示的舊革命美德十分嚮往，熱切的奉行節儉、勤奮、過簡單生活及與羣眾密切結合等信條。

由於大部分保守派人士都跟我一樣已達四、五十歲，又都是延安時期的退伍軍人，一同參與過對抗國民黨的戰爭，因此他們自然而然的便認定我會支持他們。他們談到我對黨的奉獻，「你是活生生的貝森醫師，」他們捧我。貝森在為中國建立第一座野戰醫院時過世，是備受敬重的加拿大醫生。他們說，基於我的經歷，我應當了解舊領導人的現有處境。「你是我們的老戰友，是從延安時代以來的老朋友。」既然黨已經選定丁饒夫掌權，而我又是忠實黨員，我便應該協助他繼續掌權。

但是我興趣缺缺。真正吸引我的是造反派的路線。他們為保衛毛主席的革命路線而戰，對抗劉少奇和鄧小平所被指控的反動的資產階級陣線，他們想像中的未來中國，是一個在活力充沛的政黨下建立的繁榮、民主與生機勃勃的社會主義社會。

我知道自己站在哪一邊。有一回，造反派的會議結束後，我走上講台，向造反派的領導祝賀。我對他們說：「我將竭盡所能支持造反派的陣營。」

「竭誠歡迎。」一個造反派的領導說。

就這樣，幾天之後在造反派的會議上，我被接納成為這個組織的一分子。他們在我手臂上別上一條紅色臂章，上面寫著：保衛毛澤東思想陣線。造反派還挖出我在一九六三年與毛澤東和非洲游擊隊開會的祕密文件，用當時他們給我的封號稱呼我——李敦白，是共產主義國際鬥士。

我發現造反派是真正的民主鬥士。他們反抗黨一貫用來控制我們的體系。十一月初的一個晚上，我比較晚回家，發現中央廣播事業局的正門大開，看上去好像有一排士兵在站崗守衛，我大吃一驚。再看士兵的正前方，則有一大羣別著紅衛兵臂章的學生與他們對峙。我朝大門口走去，看見一個臉頰通紅的健壯女孩對著士兵大聲疾呼，她是曹惠汝，一度被拘留在廣播學院，後來在江青的要求下才獲釋。

「這是一場鬥爭，」她大聲喊著，「封建地主和資本家是在同一陣線上，而工人階級和貧農屬於另一個陣線。」她用食指戳著排長的胸膛。「你們是人民的軍隊，」她大叫，「你們應該支持我們。」

廣播事業局向來戒備森嚴，因為領導者深怕無產階級專政的傳聲筒會落入敵人手中。今晚的戒備更是超乎尋常的嚴密，「我們有命令，不准任何非這棟大樓的工作人員進入。」隊長說。

「廢話少說，」曹惠汝咆哮道。她轉身面對學生羣眾，手朝大門一揮。「我們進去！」她高聲叫著。士兵往前跨越一大步，舉起槍枝對著學生，但是她渾身是膽，在領頭士兵面前揮手頓足，「你以為你把槍指向誰？可恥啊！我們是你們理應對抗的敵人嗎？」

這一番話讓吃驚的士兵遲疑了一下。曹惠汝逮住機會，帶領學生衝進正門，我也緊隨其後，紅衛兵知道自己所為何來，他們毫不遲疑地朝六樓的檔案室蜂擁而去。檔案室裡的文件早就成為具有政治爭議性的資料，林彪曾下令要求將所有文革時期造反派的文件一律封閉或銷毀，保守派勢力卻百般拖延。

曹惠如像派屈克亨利（Patrick Henry）一樣，開始教訓擋住她進入檔案室的政工：「我們願意為我們的民主權利而死。」她高喊道：「你違反了中央委員會的決議，我們來這裡是為了保衛中央委員會，而不是要攻擊它。」

「可是我們沒有接獲任何指示，」李哲復開始發話了，他是軍中的老幹部，現為廣播事業局的副局長兼政治工作部的主任。她不等他講完，把身子挺直大叫道：「為人民犧牲的時間到了！」然後就往門上撲去。

一個身材壯碩、效忠法治及現行政權的軍方安全人員擋住她。學生中有人張口就咬，透過幾層厚衣服咬住他的手臂。就在他企圖甩開她之際，十來名學生已經衝進檔案室中，設法拉開那些裝有他們檔案的資料櫃。

副局長臉色蒼白。雙方人馬為了爭文件扭打，現場一片混亂。最後，學生們從六樓撤退到三樓的會議室裡，計畫他們的下一步行動。我跟他們一道。就在我們討論的同時，中央文革小組的兩位領導人物，副主席張春橋和團長姚文元也突然出現在大編輯室中，要求與丁饒夫面談。事後一位在現場的造反派人士告訴我當時發生的事。

仗著文革委員會令人敬畏的勢力，張和姚痛斥廣播事業局的領導人：你們的行為是可恥的，學生們是對的，所有人事檔案在摧毀以前，應密封保存。不但如此，兩位文革小組的大員還不肯就此甘休，他們要廣播事業局在第二天召開公開會議，領導必須在會中向學生正式道歉，學生也得以將這整件事的來龍去脈告知所有與會的人。

紛爭就此結束，但也不盡然。因為我聽到轉述這個事情經過的年輕造反分子，用一種充滿敬畏的語氣告訴我，說張春橋問到我：「我們的老朋友李敦白在哪裡？」我的的確確是愣住了。當我聽到張問到我的那一刹那，我才忽然意識到那個我在報紙上天天讀到有關他消息的人，那個位居中央文革小組第三把交椅的人，其實就是我在張家口時就已經認識的那個小個頭男人。那麼，如果加上江青和陳伯達，中央文革小組的十位成員中，我已經認識五位了。

第二天我起了個大早，準備去參加會議。我要了一個靠近中央的位子。會議安排在九點鐘，局裡領導人將在會中公開道歉的消息已經傳開，到了八點鐘，電視劇場的一千兩百個座位已座無虛席，連走道和舞台上也坐滿了兩百多人，會場外及裝有擴音器的其他大廳也擠滿了人。

副局長開口道歉：「我們是新革命時代中的舊革命分子，」李哲復說。這句話是學鄧小平講的，我曾在鄧小平的錄音帶中聽他這麼自我批判過。「我們不知道該如何面對，我們力有未逮，我很抱歉我沒有善待那些學生。」

致歉的內容實在並不怎麼樣，不過獲得勝利的學生卻很有雅量。曹惠汝拿起麥克風。接受道歉。「我們無意製造混亂，」她說：「我們是被逼的，因為你們抗拒中央領導的指示，不把那些專門蒐集來對付我們的資料交給我們。」

激烈的爭辯就此展開。保衛現行領導階層的保守派人士開始嘲罵她：「毛主席說你們必須文鬥，不能武鬥。」有人叫道。更多的叫罵聲從四周傳出：「你陷害解放軍！」、「你們擅闖大門！」、「如果每個人都這麼撒野，那會是什麼樣子！」

造反派的支持者也挺身還擊。「學生闖入是因為負責的守衛不遵守法律！江青同志說過要緊跟革命的勝利腳步！」情勢一下變得十分緊張，劇場裡有人開始摩拳擦掌，一場混亂看似一觸即發。擠滿人的空間裡，任何爭鬥勢必很難堪。

我的心怦怦跳，我在想，此時此地，我終於可以為這個革命做一件事，而不只是翻譯文章、傳遞文宣而已。因為我是個美國人，是個外國人，一個受人歡迎的人物，我可以讓爭執中的各派系都聽我說、我可以當個調解人、但是我得快點行動。因為我真的很擔心暴動馬上就要爆發。

我跳上舞台。會場上驀地安靜下來。我問曹惠汝說我是不是可以講幾句話，她連點三下頭，半恐懼半期待的看看我，將麥克風交給我。「各位同志，」我大叫，指著學生問：「這些人是誰？」我等了一下，讓大家咀嚼我的問話說：「這些人是我們的繼承者。」這句話是毛澤東說的，它像具有魔力般發揮了作用，現場立即爆起了如雷的掌聲，氣氛丕變。

「根據我親眼目睹的，」我繼續道：「學生們很平和、理性，而且小心翼翼避免傷害到任何人，他們小心保護公共財產。他們唯一做的事，只是想讓自己獲得一個可以講理的位置，好讓他們能和那些拒絕跟他們講理的領導者溝通而已。」

「文革之所以特殊，」我說，「在於領導者不會拒絕跟那些有意見的人講理，他們必須聽他們表達，為什麼有些人想要搞分裂？他們在害怕什麼？如果他們認為真理是站在他們這邊，那為什麼又不讓學生發表意見？毛主席不是說過，現在是中國歷史上第一次實施言論自由、集會自由和出版自由的時代嗎？」

在場的人全都跳起來鼓掌。這招有效，我想，我把他們結合起來了。

會後我回到辦公室，每個人都對我讚不絕口。你真是化解了一場危機，他們說，那需要勇氣。這天下午，我聽到書記們在聽我的談話錄音。第二天一早，大字報四處張貼，寫著：「同志李敦白句句一針見血」、「這位美國朋友勇氣可嘉，表態支持少數爭取真民主的學生，對抗那些企圖肇禍的當權壞分子。」

才幾天的功夫，我便聽說我的演說錄音帶在全國各地播放，我開始接獲來自各學校、工廠及機關團體的信件和電話。全中國人民都在談論廣播事業局上演的這幕戲碼，以及我扮演的角色。我做的是對的事，而且它也發揮成效。我想我可以被接納了，我可以讓一切成真，就像過去在美國南方把事情做成功那樣。

大半拜那次演說之賜，我擁護造反派的名聲傳遍全中國，走在街上到處有人認得我，如果我答應幫一個人的毛語錄簽名，就可能使整條街交通陷於癱瘓，因為只要我簽了一本，很快就會有成千上百的年輕人圍過來。當我搭乘國內航線的班機時，乘客全待我如上賓，有個英國旅人還因此把我拉到一旁，悄悄地問我：「先生，我可以知道您的大名嗎？」他說，「你顯然是個了不起的人，可是我卻不知道在中國有個這麼樣的外國人。」

當我去參加會議時，我一定被客客氣氣的帶到會場前面，與達官貴人一起坐在台上的貴賓席。不論是學校、機關團體、國際性的聯誼會或高層造反派人士的會議，只要我所到之處，人們都爭相與我交往，向我的影響力靠攏。

在這樣如醉如癡，好似被催眠的日子裡，我們都做了一些奇怪，有時甚至令人髮指的事。日後我常想，我們怎麼會那麼得意忘形？可是回到那個時代，一切都那樣真實，我們全都陷入改革和心神振奮的夢幻之境裡去了。

北京的工人體育館裡沒有暖氣，當我們聚在那裡開批鬥大會時，每個人都「全副武裝」，穿著外套，戴著帽子、手套和圍巾。巨型的體育場擠得水洩不通。羣眾中有些是學生紅衛兵，其餘的則出自各新聞媒體，像是新華社、人民日報，及廣播事業局，有記者、編輯、技師、印刷廠工人、負責服務及維修的人員等。

這的確是一場名副其實的批鬥大會。體育館內聚集了一萬五千多人，批鬥的目標則都位居要津：陸定一，遭到革職的中央宣傳部部長，我在延安就認識他；吳冷西，前人民日報社社長兼新華社社長；周揚，統戰部的文藝沙皇，以及梅益，廣播事業局的局長。體育場四周牆上貼滿大字報，其中一張寫著：「北京新聞及統戰部對抗反革命的修正主義分子周揚、陸定一、吳冷西批鬥大會」，另一張上面寫著：「把地獄翻過來，讓小鬼出頭。」

我步下走道，走向貴賓席，途中跟陸定一打了個照面。我一直很喜歡他，也很敬重他，覺得他機智聰慧。他眼睛張得大大的瞧著，但卻沒有半點認出我的樣子。一個紅衛兵抓住他兩條手臂，反手向上倒舉在背後，使他不得不以一般人所謂的坐飛機姿勢蜷縮在那裡。另一個紅衛兵把手放在他的頭上，壓著他的頭面向羣眾。他跟另外幾個被批鬥者一樣都穿著黑色的囚犯上衣，棉布料，頭上沒有戴帽子。

我被帶到貴賓席，跟那些達官顯要坐在一起。我隔壁坐的是穆新，他曾經在延安當過戰地記者。我覺得他裝腔作勢，一向不喜歡他，他目前是光明日報負責人，也是文革領導羣之一。

在批鬥目標一個個被拖進場後，一個雄壯的男子領著羣眾高呼口號：「反革命的修正主義者陸定一下台！」、「吳冷西把你的狗頭低下去！」接著那個男子大聲唸出每個人的罪狀，一個接著一個的罪狀中指控他們走魔鬼的路，走修正主義路線，陰謀破壞毛主席的工作。在指控的同時，觀眾則扯著喉嚨高呼喊著「低下你的狗頭」，台上台下相互呼應。台上的年輕紅衛兵用力壓低罪犯的頸子，把他們的手臂上上下下的拉扯，罪犯的身子被扭得幾乎不成人形。

羣眾的吶喊聲如雷般響徹整座體育館。觀眾席上的人似乎很快樂，臉上都掛著笑容。大家覺得很痛快，看到這一批前不久還在權力高峯呼風喚雨的老賊，如今落得顏面掃地，下場悽慘。挨鬥的人不能說話。不時會有人，像是周揚——因受不了紅衛兵的拳打腳踢或是肩臂被拉扯得太過，而痛苦得高聲尖叫。

坐在貴賓席上的我，跟其他人一樣高舉拳頭吶喊。羣眾的情緒已經被激化而覺醒，他們要起而對抗代表舊獨裁的一切事物。他們被教導要去恨，怨恨老舊的王朝和任何與它有關的事物，以便由此獲得全面的革新。

話雖如此，但我仍然覺得整個批鬥殘忍得令人厭惡，我轉身問穆新，「這樣做不是違背了毛主席的政策嗎？他不是說過文革要靠文字，不靠武力嗎？」

他笑了，非常狡猾的笑了。「這只是羣眾處理衝突時一種傳統作風而已。」他回答道：「這還算不上真正的暴力。」這樣說起來，只有人民的敵人做這種事才是暴力，羣眾做的就不算嗎？我想這是一種自由心證的問題吧。我沒問他，只沉默著，後來我又在體育場見到穆新，但那次卻輪到他自己被批鬥，跪在那裡像一架噴射客機。「反革命的修正主義者穆新下台」，大布條上這麼寫著。

* * *

全中國各地，幾乎每個大單位的領導者都被鬥垮了。在廣播事業局，我們開始盯上丁鐃夫。造反派不停的討論著要如何對付他，起初我們想拉攏他，只要他肯自我批鬥並同意修正路線，他就可以跟我們一同邁向革命民主的新世界。

我去見他，想說服他，但遭到拒絕。「如果我承認錯誤，那我就沒事；如果我不承認犯錯，那我就糟了，是不是這樣？」他苦笑道。

「我想是這樣。」我說。「你要對羣眾有信心。如果你的自我批判做得好，那你就贏得羣眾的諒解，一切就沒有問題了。」

「我看不見得，」他說。「你的問題是你並不了解這個運動，與我們過去曾經有過的任何一個運動都不一樣。看看你周遭吧，有哪一個領導是順從了羣眾的要求而還能全身而退的？」

他沒說錯。我想不出有任何人能，不過我仍然深信造反派的領袖是真誠的。我告訴丁饒夫，如果他依照造反派的要求，做自我批鬥，那麼我保證一定全力支持他。

批評丁饒夫的大字報開始出現，抨擊他的言行，說他是冷酷的官僚主義者。批鬥的聲浪愈益高張，壓力一波比一波強。想整垮丁饒夫的造反派步步逼進，在會議中和大字報上對他的弱點狠狠的抨擊。在此同時，丁饒夫又被指控支持一個假冒造反的保守團體，並成立一個自稱為敢死隊的組織，目的在反擊、瓦解造反派的勢力，整垮他們並進一步摧毀他們的組織。

誰對？誰錯？如今的情況跟以往絕對服從的時代已截然不同。黨已經不能給我們指引，黨自身已經分崩離析，我們必須靠自己思考，但那實在不是一件簡單的事。一天晚上，在一個美國朋友家的晚餐桌上，我眼裡噙淚的想到這個問題。「我真希望我能知道毛主席到底要我怎麼做，」我說。「如果我知道答案，那我會全力以赴，那麼生活就會變得簡單得多。」

十二月十二日那天，攤牌的時刻終於無可避免的來了。我們造反派決定召開會議，並在會中首次揭櫫我們的標語：「丁饒夫下台」。

我們邀請所有人參加。除了廣播事業局員工外，還有廣播學院的激進學生。這些激進派學生的造反組織發展得更加完善，將為我們的努力平添一支生力軍。不過就在準備的當兒，我們聽說丁饒夫有些位居要職的朋友將動員軍隊來支援他。根據小道消息，西城警備部的指揮官已經將指揮部移到附近，目標是確使學生無法進入廣播事業局的圍牆境內。

那天早上醒來，我們發現四處都是軍人。一個加強排已進駐局裡，每個門都有兵士守衛，通往電視劇場的後門更是戒備森嚴。預定的開會時間是三點鐘，我在兩點四十五分抵達後門，那裡已經聚集了三十來個我們造反派陣營的人，和門外二十名左右武裝的人民解放軍士兵對峙。同一個地方還有十幾個高頭大馬，來自敢死隊的保守派分子，他們都是來保護丁饒夫的。

我們站在那裡，兩幫人怒目相望，雙方人馬手中都拿著小小的紅寶書。突然間，戰端以爭相引用毛語錄的方式爆發。「要堅決、不怕犧牲、克服困難、贏取勝利。」我方高呼，那是毛語錄第一百八十二頁。

他們也不甘示弱，高舉著毛語錄，讀出第七頁的：「政策和策略是黨的生命。」

「造反有理！」我們高喊，「造反有理！」

那是毛澤東與毛澤東的對抗。沒有任何權威、任何雙方都承認的黨書記或任何一個人能告訴我們，這些引自毛語錄的話哪一條能適用於目前的情勢。

對峙持續著，毛語錄對抗著毛語錄，造反陣營對抗敢死隊。最後我們這邊讓步了。我們這一批在廣播事業局工作的人，最後不得不留下學生獨自走進攝影棚的電視劇院裡去。我們心情沉重，雖然劇院裡早已擠滿了造反派的支持者。

不過當我在台上坐定後，我發現劇院入口處響起一陣騷動。走廊上開始傳來一陣陣掌聲，愈來愈熱烈，最後爆出一陣歡呼。兩列廣播學院的學生紅衛兵手拿旗幟從走道上走來，為首的兩個學生是楊毅朋和曹惠汝，他們在江青夜訪廣播學院時曾經跟她說過話。他們走到講壇前，在通往舞台的走道兩邊列隊站立。

「他們怎麼進來的？」我小聲的向旁邊的人詢問。

「學生領袖在士兵到達這裡之前，就已經翻牆進來，藏在一些空房間裡了。」他低聲的咯咯笑道。

大會就從揭發丁饒夫的罪行展開，伴著羣眾高聲呼喊的口號：「丁饒夫下台！」、「建立火一般紅的廣播事業局，將毛澤東思想傳播到全中國和全世界！」、「偉大領袖毛澤東萬歲！」、「萬歲」、「萬歲」、「萬歲！」

幾場演講之後，大會宣布中場休息，讓領導有時間協商討論。但是就在我們步出劇院時，一羣士兵撲向紅衛兵學生，企圖拖離他們，現場立即爆發一陣推拉扭打的混戰。然後我看見圍牆四周的高牆上探出一個腦袋，他是面目兇惡的指揮官，爬上牆頭上觀看他的軍隊，他大吼大叫的對學生說：「你們錯了！」他使出吃奶力氣似的尖叫道：「昨天你們錯了。明天你們還是錯了！你們永遠都是錯的！」

士兵並沒有武裝，可是他們很強壯。在我身前就有一個士兵抓住一個年輕的紅衛兵，要把他拉向大門外去，學生則死命的往回衝。他們兩個就這樣互相拉拉扯扯，誰也無法佔得上風。

我看這個學生有點遲疑，趕忙拿出有毛澤東親筆簽名的毛語錄，一把抓住士兵的手臂，將毛澤東龍飛鳳舞的簽名字擺到他的鼻端前晃了晃。「看見沒?」我大叫。「毛主席支持我們，你這樣做是不對的!」士兵的眼裡籠上一層困惑，不自覺的便放了學生。等到他回過神來時，已經來不及了，因為學生已經跑上劇院階梯了。

我跑向另一個正和學生扭打在一起的士兵，並故意讓那個愚蠢的士兵結結實實的打了我一拳。我隨即倒下來躺在地上，六、七個人，有兵也有學生，飛奔過來把我扶起。我聽到有人出聲指責，「這下可好了，你看看這場混戰的結果是什麼?」我掙脫他們，方才那一場推擠拉扯的混亂也同時結束。

*　*　*

不管任何一場戰爭，即使是內鬥，媒體是最重要要攫取的戰利品之一。這是毛澤東多年前就告訴過我們的。而在這次的鬥爭中，陳伯達不是馬上就把人民日報看得牢牢的嗎?廣播事業局不就是一個重要的策略戰利品嗎?也許我們應該仔細想想那些支持我們的在上位者，他們的目的是什麼?也許我們應該質問自己，他們究竟是真的在追求火紅的激進民主體制，還是只是為了鞏固他們個人的權力?不過我們都太過沉醉於革命理想而忘了質疑。我們對高層領導的看法只有一個，就是他們是跟我們站在同一邊支持我們的。而對我個人來說，與權力核心交往完全是一種機會，讓我可以在我自以為義的追求運動中，發揮更大的影響力。

十二月十八日，在廣播事業局的混戰事件發生後沒幾天，我坐在工人體育館講台上參加為支援越戰而舉行的大會。在場的有越南駐華大使，還有南越解放陣線(越共)的代表。

會議開始之前，我們曾在入口處列隊歡迎他們。當時我站在越南大使旁邊，嘴裡唸唸有詞的說著一些沒有內容的客套話，歡迎那些魚貫進來的人。我看到周恩來、康生和江青，他們三個代表中央文革小組出席這次大會。當周恩來走過列隊歡迎的人羣走向我時，我在瞬間決定不顧外交禮儀，幫我們那羣遭到圍攻的造反派分子向周恩來求救，以對抗丁饒夫集結來對付我們的那股頑強軍力。「廣播事業局的人真的很需要幫助。」我告訴他，「丁饒夫正利用軍隊鎮壓民主的力量。」

周恩來的頭猛地動了一下，就像遇到電擊一般。他不說半句話就把我拉到旁邊，此舉讓那些遠從越南來的貴客驚詫不已，伸出來的手還無措的停在半空。在一邊的角落裡，周問我，「發生了什麼事？」我把經過都告訴了他：丁饒夫如何命令封鎖所有的門對付學生、學生如何衝破防線、駐防守軍又如何被利用來對付他們等等。

周恩來又再一次顯得十分震驚。他大叫「蕭華！蕭華！」叫聲直直傳了出去。蕭華是人民解放軍的總政治部首領，周恩來在上海唱過的那首歌，就是他寫的，顯然他還很安全。

「蕭華，」當蕭華像一顆球般風也似地趕到我們面前時，周恩來對他說：「你的部隊有人干涉造反派的行動，我要你跟他們聯繫並且馬上制止。造反派在中央廣播事業局進行文革行動絕對是正確的，學生們有權可以使用劇院。」

「這怎麼可能！」當蕭華聽完整件事後，他說：「一般來說我們的軍隊都紀律良好，如果真的有這種事情發生，那我立刻處理。」

我對自己的這番作為非常滿意；我已經把我的特權運用在正確的道路上，為廣播事業局的造反派消除一大障礙。當我走到我在台上的座位時，四下看了看，發現江青就在前面，跟我只隔兩個位子。我剛剛跟周恩來求救已經成功，現在江青也近在咫尺，我決定不可錯過機會，趁演講進行時，我寫了一張字條。

我寫道，廣播事業局是這個國家對外界的傳聲筒，而我擔心反動的資產階級路線分子正在那裡鎮壓文化大革命運動，目前唯一能使廣播事業局成為毛澤東思想傳播站的方法，就是挑選一個適當的領導，不知道妳是不是能幫助我們？

我把紙條傳給江青。過了一會兒，我注意到坐在她身旁的年輕女孩站起來離開講台。等她回來時，身後跟著一個著軍服的高大男子，他走到我旁邊彎下身子：「麻煩你會後留在這裡。江青同志想要邀您一起晚餐，談談中央廣播事業局的情況。她要你帶兩個廣播事業局中表現最傑出的造反派人士一同前來。」

這一來我不只是直通上層的媒介，還能影響廣播事業局局長的寶座誰屬。我仔細考慮該挑誰一同去見江青。親信的好朋友我不列入考慮，反而立刻便決定挑王志前和曹仁益。在造反派諸位具有影響力的領導人中，我認為他們兩位最正直、最可靠。當我告訴他們我要帶他們去哪裡時，他們驚喜得目瞪口呆，我已經為他們開創大好前程。

車子六點鐘來接我們，把我們載到人民大會堂的西廂。晚餐的菜餚和地點依文革作風，是很斯巴達式的。我們不是被帶去餐廳，而是被帶到一間大型的會議室，會議室中央的桌子上擺著晚餐，而所謂的晚餐其實只有幾塊夾肉饅頭跟橘子汽水而已。

毛澤東和江青的女兒李訥在門口接待我們。在延安時，我曾讓她騎在肩上玩，之後我沒再見過她。現在她已經是二十四、五歲的年輕女人，穿著挺拔的戎裝，只是略帶憂色。「你很了不起，李叔叔。」她說，「我要把我最好的這個徽章給你。」她把一個有毛澤東像的金黃色徽章別在我的領子上。

「你在忙著文化大革命運動嗎？」我問。

她露出一種厭惡的神情，「我想跟其他的紅衛兵到四處走走，可是她——」她把最後這個她字特別強調出來，同時把頭朝她母親的方向揚了揚，又繼續說：「她不答應，她逼我加入軍隊，這樣我就不能跟別人一起去了。」

會議室裡除了她，還有陳伯達，中央文革小組的主任；姚文元，中央文革的傑出成員；中央軍委總參謀部副參謀長楊成武；總政治部副部長劉志堅；北京軍區司令員鄭維山及其副司令員傅崇碧。

不過，真正吸引我目光的還是江青。對她改頭換面，展現強悍作風的事我早有耳聞，不過，她的改變卻讓我始料未及。我曾經與她共舞過，而且對她的纖弱和細心培養出來的女性特質印象深刻。在毛澤東舉行的非正式晚宴上，我見識到的江青是一個講話輕聲細語、隱身在幕後的女主人，表現出高雅的成熟風味而不是少女似的氣質。然而，此刻出現在我面前的女人，卻完全找不到當時的痕跡。她身著人民解放軍的草綠色制服，戴一頂別著紅星的帽子，以一個拳擊手般的姿態出現。她的面容僵肅，顯出一種激進而充滿敵視的輕蔑之意。這麼多年來，是什麼樣的狂暴使她將曾有的雍容舉止全數塵封呢？而只一眨眼工夫，這又是從哪兒來的呢？

江青看了一眼我身上的臂章。「你當紅衛兵不會太老了些嗎？」她問。我當時已經四十五歲了，跟我一起來的兩位同伴才二十五歲左右。「可是毛主席比我還老呢。」我回答。「而且他也戴著臂章的。何況，這個臂章代表的是在廣播事業局保衛毛澤東思想的造反派勢力，而不是真正的紅衛兵臂章。」

大家在小會議桌前坐定，每個人身前的桌面上都擺著一份裝有麵包的碟子。江青發言了，「李敦白同志自從延安以後，便一直是我們的老戰友。」她說，「他是我們大家的朋友，在文革活動中也相當活躍跟投入，他是我們黨的一分子。」

我覺得受寵若驚，因此她接下來所說的話就沒那麼刺耳。

「當然，」她繼續道：「中國人跟外國人是有所區別的。文化大革命是中國人的革命，雖然外國人也應該可以參與，不過……」她沒有把話講完，不過我了解她的意思。不論我多麼特別、多麼有能力，她還是不贊同將外國人一視同仁。

接著她開始說明廣播事業局目前的情勢，而且添加油醋，說得有模有樣。顯然她是這方面的箇中老手，以她過去在演藝生涯中二流演員經歷，在這個風雲際會的政治舞台上，她可以說是如魚得水，生氣勃勃。

「本來我們是想請丁餞夫跟中央文革成員舉行會談，讓他知道他採行的方式是錯誤的，並給他機會自我修正。」她加強語氣的說：「那也是我們對付胡耀邦及共青團的方式。不過現在我發現我們不能用這種方式對付他，因為他是我們的敵人，他是反對我們偉大主席毛澤東的修正主義資產階級路線的代表。丁饒夫是個走資派！他沒有資格領導我們國家的革命廣播電台！」

她抨擊丁饒夫的音調愈升愈高，終於變成一種咆哮：「你們這些造反派陣營的人呀，安排一個丁饒夫的批鬥大會吧！我一定親自參加，而且當面向丁饒夫提出批判。」

江青的憤怒繼續高張，她的聲音充滿威勢而且尖利刺耳。「我們早已立定決心，摧毀全中國的每一個有產階級體系。而丁饒夫在廣播事業局裡建立了一個巨大的堡壘，並將所有修正分子藏在裡面，所以如果真有必要，我們就必須將之摧毀殆盡。」

然後她又開始敘述她夜訪廣播學院的事，同樣的添油加醋一番。「你們知道當我去你們學校的時候，」她對著我帶來的那兩個學生代表說：「他們不讓我進去。他們當著我的面把大鐵門關起來，讓我碰一鼻子灰。那簡直是奇恥大辱！我跟他們說，『你們不讓我進去——好！我馬上就回中南海，把我的造反派軍隊調來，叫他們砸毀你們的鐵門，摧毀你們學校。』」

什麼事都是摧毀，摧毀，摧毀。我幾乎不敢相信我所聽到的，這些為首的大人物是真的有計畫的要摧毀他們過去這二十年來建設的每一個東西，先毀滅後建設，那的確是令人興奮，但是我卻感到一絲戰慄。江青要告訴我們的是，如果我們不跟隨她，如果我們不讓她得到她想從廣播事業局掠奪的東西，那她就要把一切摧毀，任何在中國的一切東西，盡皆如此。

她轉身面對在場的部隊指揮官，惡狠狠地問：「軍隊現在是怎樣迫害廣播事業局裡那些毛主席的追隨者的？」

楊成武開口回道：「我們軍隊已奉命不得干涉，而且大體上紀律良好，不過有時難免會有一些錯誤和誤會——」

江青喝住，「我希望你記住，人民解放軍是毛澤東主席的軍隊。毛主席個人的信譽完全依賴這支軍隊，即令林彪是……」

她又沒有把話說完，不過我還是聽出來她的弦外之音。雖然她跟林彪是非常親密的戰友，可是他們一定不同心，否則她不會說出這樣的話來。中國的政治語言是非常敏感的，她一定是真的心存芥蒂，否則絕對不會用那種負面的語調提起林彪。

她接著轉向劉志堅：「我們接獲報告，聽說文革在某些軍校和校園裡遭到鎮壓，可有這回事？」

「江青同志，」劉開口道：「在大部分的校園裡，文革活動不但生氣勃勃，而且真正的革命分子也都贏得人們的支持。不過可能有的學校會有一些問題——」

江青再一次插嘴，打斷他的話，「我要你立刻把各軍校和影劇學校的實際情況向我報告，我要看書面報告。我懷疑你利用反動的資產階級路線來打擊校園裡的革命活動，鎮壓支持毛主席的陣線。」

劉志堅的臉一下毫無血色。我生平只見過幾次這樣的畫面——一個大男人的臉完全變蒼白，這是其中的一次。劉志堅不但是個高階將領，還是長征的老幹部，而他十分清楚以江青的權勢絕對足以把他搞垮。

她把視線從劉的身上轉向在場的兩個學生。她叫他們詳細描述軍隊阻止他們進入廣播事業局參加大會那天的細節。曹惠汝告訴她在大門口所發生的爭端和拉扯，以及軍隊如何攻擊他們，把她推倒在地並拉她的頭髮。

江青臉色鐵青，「把那個在牆上叫喊的傢伙查出來！」她命令道，「他可能是個現行反革命。」

軍區戍衛的副司令員傅崇碧輕聲開口了，他臉色紅潤，頭髮花白，似乎一點也不害怕。「不會的，」他說，「那是我的幕僚長，他沒有問題，他不是壞分子，他只是有點性急罷了。」

可是江青不理會。「我要立刻逮捕他，」她大叫，「他是個反革命。我們怎麼可以讓這種兇暴的惡虎穿著我們人民解放軍的制服呢？」

在這一個小時裡，江青把這三個人視為敵人毫不留情地大肆抨擊，而這三個人沒有一個是她有證據可以反對的。

* * *

在江青精采的表演之後，我們這三個出自廣播事業局的人商量了一下，約定不對任何同志說起她提到要摧毀一切的事，也不提她要捉拿或逮捕任何人的事。不過，我們還是一起聚會慶祝勝利。江青跟其他中央文革的成員已經認定我們是真正的革命分子了，我說，那麼就讓造反派和保守派同心協力把丁饒夫趕下台吧。

這件事後不久，有一天我的前妻魏琳來看我，她看起來非常苦惱。「我想跟你談談我批判你的事。」她說。

我早就在廣播事業局出現的大字報上，看到她抨擊我的文字。「羣眾對我很不諒解。他們對我寫信給公安部指控你是間諜的事，非常憤怒。」她說：「現在他們要來對付我了。他們已經針對這件事情，準備舉行大會要攻擊我。你知道我有神經緊張的毛病，我覺得我會受不了。」她看起來既疲憊又蒼老。

「是什麼動機讓妳這麼做？」我問，「我實在不明白。」

魏琳低著頭沒說話。她又看了看我，說：「我希望你能幫我。你可以告訴他們我的身體不好，請他們不要對我舉行批評大會，好嗎？」

我對她並沒有恨。只是這麼些年來，我已經不再對她存有任何敬意了。我看著她跟許多其他由黨一手扶植的小官僚一樣，無情的攻擊無辜的人，鬥垮他們，然後踩著他們的鮮血爬上權力的頂峯，而他們對這一切所做所為，毫無省思。這就是魏琳，此刻出現在我面前，沒有一絲一毫悔意，只擔心自己被逮到，希望我顧念舊情救她一命。

我很冷酷，比我該有的冷漠還要更冷。「我只怕我沒有這個權力。」我說，「妳的所做所為是錯的，他們生氣是應該的。妳現在應該好好回想妳過去的作為，還有為什麼妳會有這些作為。這才是妳應該做的，而不是憂慮這些作為可能帶給妳的後果。」

我離開她後便直奔造反派總部。我去見兩位領導王志前和前黨分部祕書王正，我告訴他們批鬥魏琳並不是個高明的主意。「她太虛弱了，她受不住的。」我說。我提議倒不如找個適當的人去跟她好好談一談，讓她了解她過往所犯的一切錯誤。

我並沒有告訴他們魏琳要我幫她說項的事。

＊　＊　＊

批鬥丁饒夫的大會在電視劇場裡舉行。劇場不夠大，沒有那麼多空間容納不斷湧入的羣眾。主持批鬥大會的不是江青，而是位居中央委員會第四把交椅的陶鑄，他同時也是統戰部部長和丁饒夫的支持者。他對於江青的計畫已經事先得到風聲，因此搶在她之前攬下這件任務，態度上遠比江青可能採取的方式更溫和、更節制。

舞台上擠滿了人，走道上也是。還有更多人擠在大門入口。為了這些進不來的人，我們在其他各會議室裡事先安置了擴音器。我是首先發言的人，利用南卡羅萊納州政治人物在用的激憤言詞做中文演講。我們一直試著跟丁饒夫講理，我說，可是他卻不可理喻，他曾經用殘酷無情的手段鎮壓他的批評者，現在，他應該被解除領導職務。

陶鑄站起來發言，直直盯著丁饒夫說話。「顯然丁同志不能再繼續執掌無產階級廣播事業局的局長職務了。」他說，「他從今天起被停職，今後將徹底的自我批判。」

羣眾的歡呼聲幾乎把屋頂掀翻了。丁饒夫完了，他出局了。造反派贏得勝利。在羣眾的歡聲雷動中，陶鑄指定丁的兩個同事接替他留下的職務，鼓譟叫叫的聲音把陶鑄宣布的新人事任命全淹沒了。

這兩個人一個星期後就下台，而控制宣傳機器的爭奪戰則愈演愈烈。解放軍日報的所有權固然牢牢的掌握在中央文革小組的手中其他的新聞媒體和廣播事業局則不然。

陶鑄指定的這兩個人幾乎從上任第一天便顯露出他們的無能，他們拒絕傳播造反派認為應該報導的文革消息。廣播事業局變成一個只報導雞毛蒜皮小事，從報紙和新華社擷取一些不相關信息報導的機構。

我們也聽到陶鑄即將下台的消息。江青和中央文革的成員正把槍口對著他，用他們對付陸定一的方法來對付他。如果陶鑄暗中走修正主義路線的行為被人揭發，那麼他對廣播事業局領導人選的抉擇又怎麼可能正確？

之後王志前去中央宣傳部參加一個會議，結果遭到其他媒體代表一致指責。他回來之後臉色鐵青，十分憤怒。「我們沒有立場。」他說。「他們說，你們局裡沒有領導可言！領導廣播事業局的這兩個傢伙是誰？沒有人認識他們。」

要命的一擊在這年的最後一天來到。事發時我也在新聞室。這時被公認真正是革命刊物的只有軍方的解放軍報，負責人是林彪，並由毛澤東的女兒李訥監督。好一陣子以來，其他報紙都一直利用這份軍方資料來遮掩他們的小資產階級意識。他們會等取得解放軍報的午夜校樣後轉登其中的文章，以免因立場不合而遭到揭發。因此解放軍報只將這份午夜的校樣稿交給他們信任的革命陣營組織。到目前為止，我們一直都在名單之中。但是那天晚上，我們派去取稿件的專差卻雙手空空的回來。

我們慌成一團，我們該怎麼辦？那代表什麼意思？「這表示解放軍報已不再信任我們，他們不相信我們對文化大革命效忠。」簡報室主任說。這種說法令人震驚，我們是不可靠的革命分子？我們局裡的領導權已經落入資產階級的手中？

十幾個造反派的領袖緊急召開幹部會議。對我們而言，這是前所未有的最嚴重事件，我們究竟該如何因應？梅益是黑幫代表，丁饒夫則步上劉少奇的資產階級路線，而陶鑄任命的兩個人又如此無能，這一切都讓無產階級的聲音遭到扼殺。突然，一位為廣播事業局開車的司機代表站起來發言，他問，「我們何不把權力接掌過來，建立屬於我們的領導權？」

從來沒有人在中央政府掌控的組織中奪過權，這種想法令我們十分緊張，我們決定先尋求中央文革小組的支持。王志前隨即拿起了紅色的電話。

紅色電話系統是一個獨立的保密電話系統，可以直接與中央文革小組的層峯聯繫，擁有紅色電話的官員最起碼也是局級首腦。梅益的辦公室裡有一支這種電話，用來查詢重要政策。一九五九年我突然被鬥爭的那年，陸定一便利用紅色電話叫梅益停止一切行動。U—2高空偵察機被擊落事件發生後，赫魯雪夫及艾森豪的高峯會也告取消，當時梅益便是用紅色電話向統戰部長請示對策。

王志前顯然認識軍方的重要人物，他擁有能打通紅色電話的祕密電話號碼。我們一共三個人一起進去無人的辦公室中打這個電話。王說要找姚文元，接電話的是一個祕書。文革委員正在開會，她說。

王突然怯場，拿著聽筒只呆呆的站著。曹仁益抓過來，「麻煩你去會場問一個問題好嗎？」他說，「我們處境危急，亟需上級指導，我們是造反派，是誓死效忠毛主席的革命陣線的人，我們現在必須接掌廣播事業局，請你問問姚文元，中央文革小組能不能支持我們？」

我們三個人靜靜等著，不發一言。電話被無聲的握在曹的手裡。一分鐘過去，兩分鐘過去，五分鐘過去。我們愈來愈緊張。萬一他們拒絕我們怎麼辦？房間裡很冷，可是我卻感到我的脖子後面開始冒汗。終於我聽到回話的聲音由話筒那頭傳出來。「姚文元同志說你們必須自己做決定。」祕書說。

我們全跳起來，歡呼，互相拍著對方的背。我們沒事了。我們有了上級的默許。「咱們去奪權吧！」王志前說。

那是一九六六年最後一天的早上十點鐘。我們造反派陣營中一行六個人來到辦公室大廳，陶鑄指派的代表之一正在裡面看報喝茶。「請你走過大廳到中央編輯室」王志前冷冷的說，但仍相當有禮貌。

我們全部擠進梅益曾經待過的辦公室。王志前站在辦公室中央，「請大家停下手邊的工作，注意聽。」他說，「保衛毛澤東思想的造反派陣營已經決定接掌廣播事業局。我們打過電話給中央文革小組，也跟他們討論過，目前你們仍繼續工作，待在各人的職務上，不過以後你們將聽從我們的命令行事，並在我們的監督下工作。」

他說話的聲音低沉沙啞，帶有河南省的鄉下口音，不過他是個很和善的年輕人，不擅長擺出聲色俱厲的樣子，他讓人覺得很理性，隨和，而且負責。「你們的工作不可以有任何鬆懈，也不可以破壞毛主席的無產階級專政路線。」他說。「我們會在今天下午與各位開會，聽取你們目前的工作報告，並討論未來的工作計畫。各位有什麼問題嗎？」

沒有人出聲。

之後我們在中央編輯室的門口貼出一張大字報：「廣播事業局的所有權力現已轉移到造反派手上，造反派則直接向中央文革小組報告，我們要使廣播事業局成為毛澤東思想的傳播大學。」

大勢就此底定。這個無產階級的傳聲筒及黨對人民、對全世界的發言機構，就此落入我們的手中。

第十九章

掌權

奪權容易，要好好運用權力可不簡單。黨已經花了十七年學習這個教訓，而我們這個造反派的小組成員卻幾乎是在一夜之間，便已領教了箇中滋味。

我們對所有人提出一份很漂亮的全民自由綱領，賦予每個人組織的自由、言論的自由——一種真正的言論，而不是我們過去經歷過的大鳴大放之類的假言論自由——以及推選適合於他們自己的領導階層的自由。我們承諾要終結官僚制度、浪費和不當的領導，同時聽從人們的聲音，聽從我們聽眾的聲音。然而造反派第一次碰到其他人挑戰其權力，就祭出他們以前強力反對的手段。當他們尋求權力時，他們厭惡鎮壓，當他們取得權力後，他們卻身體力行。

我們十分努力的推動我們的承諾。首先我們封閉了黨部辦公室，同時暫停黨部一切運作活動。其次我們將那間保存個人資料的檔案室封鎖。在我們的管理制度下，特務密探和祕密紀錄之類的東西都將銷聲匿跡。我們組織了一個由十二個人組成的臨時編審委員會，我也在其中擔任顧問。至於舊有的成員則仍讓其各安原位，我們告訴他們，他們仍能在我們的領導下，繼續從事現有的工作。

一切都稱心如意。元旦新年那天，現任廣播事業局局長的王志前接獲中央文革小組成員王力的電話。「恭喜你們拿下權力了，」他說，「你們這次行動是明智之舉。」稍後有個自衛隊指揮官來探望我，向我道歉，因為他曾經把我列為廣播事業局三個最危險的人物之一。

我的名氣愈來愈響亮。有一回我到人民大會堂去參加一個專為科學家和工程師舉辦的大型會議。我本來應該坐在前排，但我遲到了，進場時周恩來已經開始演講，我就近坐在後排一個不顯眼的位子。但是有人看見我進來，便去跟周恩來咬耳朵，周恩來便停下演講，離開講台，過來牽著我的手，領我到前面去。然後他用李敦白這個早已家喻戶曉的名字來介紹我，稱呼我為堅強的國際自由鬥士，觀眾一時掌聲四起。

真正的革命這時在全中國如火如荼的展開，人民羣起向領導權挑戰。口號和標語變成「由底下奪權」。上海地區的人民公社也在我們之後進行奪權，這使得奪權的趨勢更加不可收拾了。那時，看來，整個中國權力似乎已經完全真正的屬於人民，然而在廣播事業局的真相背後，一切卻從一開始便已分崩離析。

我們對如何經營廣播和電視一竅不通，我們承諾的民主很快瓦解成迹近無政府狀態。資深的專業員工想埋頭把工作完成，但是那些支持舊勢力的人卻扯他們後腿，另外一些作風獨立的人則拒絕捲入糾紛。

人人都在享受他們所擁有的新自由和獨立自主，一切變得一團糟。技術人員要向編輯人員造反。有一天早晨有個技術部門的工程師宣稱他已經接管該部門的權力。這個人是中國最受人尊敬的左翼作家魯迅的兒子，一九四〇年在上海時，我曾經給他一本業餘廣播入門手冊，當時他還只是個小男孩。我後來被派去與他協商，以免在自家陣營中面對一個意見相左的權力中心的局面。

每次會議都演變成內訌。人人都有意見，人人都有理由。只要我們試圖加快進度，便被指責為自大，不仔細聆聽羣眾的聲音。這種情況對某些長期夢想著權力及影響力的人來說，實在是痛心的打擊。

那個率先建議我們奪權的司機是一個心地善良的年輕人，他原本擔任公務車的司機，現在則掌管包括公務車在內的整個後勤室。他短小精悍，圓圓的臉，身形粗壯，他喜歡講粗俗的笑話，熱愛革命。當我們的立場是少數派，並且預料開會會碰到棘手情況時，就找他當我們的保鑣。他喜歡這個工作，「我是把腦袋別在褲腰帶上來搞革命的，」他說，「我是拿生命來玩，可是有誰在意呢？」他講的是真心話。

但是在我們奪權後幾個星期，我遇見他，成串的汗珠從他圓圓的額頭上涔涔落下。「老李，」他說，「我一直夢想有一天能成為一個大官，在上面做決策，命令別人去完成工作，現在我經驗過了，我也受夠了。」

「怎麼啦？」我問

「太難了，」他說。「每個人都要自由獨立，每個人都會頂嘴。你沒有辦法叫司機去接人，叫不動，你得告訴他們為什麼這樣做符合革命的需要。每次你都必須苦口婆心，而每次情況都不一樣，這就是民主，很棒呀，可是我應付不了。」

這個矮小的強悍男子竟哭了起來。「我受夠了。爭執、衝突跟抱怨全都找上我，我整天都在聽電話。我變得焦慮不安，而最後他們全都來逼我。他們說，『你這是什麼態度？你是想當走資派嗎？』我要回去開我的車。」他啜泣道。

* * *

幾乎是一眨眼的工夫，人們便開始轉而反對他們的新領導。起初大部分不滿是來自幾個成羣結黨的年輕人，他們不滿編輯和新聞部的人霸佔最好的職務。後來牢騷愈演愈烈，開始指控我們佔用漂亮的辦公室，把別人當下屬看待。很快的，一小撮一小撮的不滿分子聯結成羣，然後演變成不同的派系。最後這些派系決定要自己入主權力核心，控制一切。

在我們造反派小組掌權後不到一個星期，就接獲消息，說廣播局對街的北京車站已經被一個新成立的造反小組接管，他們奪走鑰匙，湧進辦公室，將舊造反派驅逐出去。現在是由我們當家了，新造反派這樣說。這個消息使我們十分震驚，如果對街的新造反派可以推翻舊造反派，那麼我們的權力也可能會遭到威脅，只是時間早晚而已。北京車站有些顧問顯然是跟我們出自同一階級。而我們在走過大廳時，也會聽到類似的抱怨在我們大樓的甬道上吱吱喳喳的回響著。因此無庸置疑的，新造反派也在我們這裡漸漸成形了。

我們得有所行動才行。我認為新造反派自有其道理，我們的出發點是好的，而且有好的開始，但我們自從接管以來，的確沒有把自己管好。也許我們可以做得更好。我們這邊要我去跟新造反派協調，贏回我們的地位。以我的觀點，我認為新造反派健康熱心，力求完美而勤奮，對我們曾奮鬥的理想也是深信不疑。他們想要參與政權，而不是只聽命於一羣新的領導。

我很確定毛主席也希望團結。他在他的「最新最高指示」中說：「中央廣播事業局的造反派已經取得權力，很好。現在他們自己又起衝突，然後是北京市車站，我們應該勸他們團結。」我要把毛的意思帶給他們。這個時候，我又再一次感到自己地位特殊。我是外國人，不是中國人，也不屬於既得利益團體，而我卻得到人們的接納和信任，而且沒有任何一個外國人能像我一樣躋身為核心的一員。如果有誰能讓北京車站的新舊雙方團結在一起的話，那個人一定非我莫屬。因此當我回到廣播事業局的造反派總部時，我同時帶給他們一個信息。我向他們報告說我已經跟雙方面都協調了，也設法讓他們考慮共掌權力。我想如果雙方能團結一起工作，那麼我們通往民主領導的路一定會更平坦。

然而我的如意算盤並沒有成功。只一眨眼，我便發現自己跟我所屬的派系不和。我的組員給我的不是讚賞，而是憤怒。「你應該支持被那羣孩子奪走權力的舊造反派才對。」十二人委員會中的一個委員如此說道。「你這樣做會讓那些篡權的小子覺得自己是合法的，你的首要任務是恢復原造反派系在那裡的權力。」他說：「當然，我們也會給那些小孩子充分的權力空間，參與文化大革命，扮演舉足輕重的角色。」

「那樣是沒有用的。」我辯道。「他們都是聰明、伶俐而且熱情獻身的小孩子。可是舊造反派卻很陰狠，要求新造反派投降。我認為我們可以使雙方團結，但是如果有某一方必得投降的話，那就行不通了。」

王志前的想法則較深思熟慮得多。「造反派一旦接管了之後，其他的造反派是不是可以從他們手中奪權？如果可以，那麼有誰有辦法建立文革的領導權？而文革又怎麼有機會發揮它的作用呢？」

那的確是問題所在。

如果我們的造反有理，那為什麼其他勢力的造反就無理？如果派系與派系互相爭權的結果只是推翻它自己，那麼廣播電台、學校和工廠要怎麼經營？如果人們在新成立的組織中必須立即面對挑釁和隨時可能翻覆的命運，那麼在他們遭受攻擊時，又有什麼可以阻止他們不去攻擊其他意見相左的人呢？

整個討論過程給我的感覺是，對我那些廣播事業局的同伴們而言，民主遠不如維繫自身的權力重要。當批評我們的派系開始形成時，我方領導人擬出一系列對付他們的手段。舊造反派首先不准新造反派使用大會議廳，讓他們不能製造支持的氣勢。同時，他們制定一套監督系統，派人尾隨新造反派，調查與他們往來的人和他們的談話內容，並在新造反派間安插間諜。

在這同時我在舊造反派中的地位，則從受人尊崇的顧問變成問題人物。我一再指責他們，「你們不明白嗎？」我質問他們：「難道你們看不出他們跟我們一樣是造反派？你們不明白民主的真義並不只是我們可以說話，別人也可以表達？多數人執政，但是我們也要尊重少數人的權利呀？你們沒發現他們的某些批評很中肯嗎？丁饒夫就是因為拒絕自我批判才下台的，我們不要犯同樣的錯誤。」

我的話如對牛彈琴，沒有人理會。

在廣播事業局的這場權力爭奪戰中，各個不同派系紛紛向高層尋求助力，每個派系都機伶的尋找那些富有同情心、對他們深表贊同的高層領導。在這同時，那些位在上層的人也在我們之中尋找同路人。說得明白一點就是我們利用他們，他們也利用我們。

江青曾告訴過我，她想來廣播事業局一趟。我並不預期她會來訪，但她卻真的在一月中旬某一天早晨突然跟陳伯達一同前來。我被人在走廊上拉住，「他們在會客室。」他說，「你最好趕快過去。」

我立刻急急的朝廣播事業局東側一樓的貴賓接待室奔去。貴賓室是長方形的房間，地上鋪著厚地毯，擺著柔軟的沙發和深紅色休閒椅，一旁還有小茶几可以放茶具。這個貴賓室是留著招待國外來的貴客或是本國的名流士紳及部長級以上的官員。

我到的時候，王志前剛剛向江青報告完畢有關新造反派給舊造反派製造的各種事端。江青坐在貴賓室中央的大休閒椅上，陳伯達則坐在她右邊一張同型的椅子上。王志前周圍站的全是他在造反陣營中的親密夥伴，我走進來時看見他臉上閃過一絲緊張的神情。

我跟江青及陳伯達握手，有人把江青對面的休閒椅讓給我坐。「李敦白同志，對這裡發生的事你的看法怎樣？」她問。「我們一無所知。我只是正好路過附近，而且也一直想找機會過來走走，看看廣播事業局裡的文革同志們。你記得上回我們談話時，我跟你說過會再來這裡的？」

「是，我記得。」我說。既然江青要知道我對這裡所發生的事情的看法，我就一定要說，何況每當我想到我們奪權時許下的光明前景及這之後發生的點點滴滴，我便火冒三丈。「自從接管這裡之後，造反派已經變得既官僚又高高在上了。」我毫不客氣的說。「他們已經贏得批評的權力，現在他們卻拒絕給別人批評的權力。」

江青的眉毛立刻往上揚。在這一瞬間，我已經從她的同志變成她的反對者了。她似笑非笑，把前額皺起來，用一種好像聽到她管教的小孩講了一個誇張故事的表情對我說：「有這麼糟嗎？」她說。「他們也不過才接管幾個星期而已。你不是說過他們表現很好嗎？我想他們是效忠毛主席的革命陣線的，不是嗎？」

「是的，沒錯，」我說。「可是我覺得他們變自大了，一點也不謙虛、不民主。而且不管他們贊不贊同別人，他們都不肯聆聽別人的意見。」

「嗯，」她說。「你要記住，一旦革命分子取得權力後，他們接著的工作便是鞏固權力。如果他們無法鞏固權力，他們就不能保住江山。」這番話無異是在指責我，我一時不禁呆住了。

就在這時，門外響起一陣騷動。有人企圖闖過門口的警衛，但被擋住了。走道上走過來一名衛士，「李媛同志堅持要見江青同志。」他說。「我們要怎麼處理呢？」

「讓她進來！」江青說。「我們來聽聽她想說什麼。」

李媛是一個外貌出色的年輕女子，今年二十二歲，是很受人歡迎的中文播音員。「妳有什麼煩惱非得馬上跟我說？」江青問她，半是嘲弄，半是指責。

「我只是想告訴妳，」李媛說，「如果造反派的領導們繼續堅持他們這一貫的作風，那我們就不能再稱自己是毛澤東思想陣線的一分子了。」她一說完，便哭了，然後舉起手將從眼角流到臉頰上的大顆淚珠拭去。

「好了，好了，好了。」江青說。「沒有這麼糟吧。妳先冷靜下來，然後告訴我們是怎麼回事。」

李媛證實了我的說法。「舊造反派正運用權勢，無所不用其極的對付他們的反對者，想封住他們的嘴巴。」王志前則辯稱，有些人可能是因為對革命太投入，所以描述時不免誇大其詞，不過他希望江青同志能夠了解，他們的出發點是擔心廣播事業局的新紅色陣營受到威脅，也擔心敵人會趁火打劫。

「召集廣播事業局所有的工作人員，」江青在聽完各路人馬的意見後專橫的說：「我要轉達毛主席對他們的問候之意。」

所有工作人員全聚集在電視攝影棚劇場，所有的目光全集中在江青身上。她開始說了：「同志們！」她大叫，聲音微微顫抖，完全是對羣眾講話所用的戲劇化聲調。「各位同志，今天陳伯達同志和我來這裡，只是想告訴各位廣播事業局的革命同志們，毛主席熱烈的歡迎你們。我們沒有想到你們投入得如此轟轟烈烈，義無反顧！」

擁擠的攝影棚裡一下爆出一陣歡騰的歡呼聲。

「同志們，」江青繼續向大家尖聲疾呼：「在與敵人鬥爭時，團結是我們的武器。你們搞內鬥，丁饒夫最開心，把你們的問題講出來！好嗎？就在今天，你們大家開個會，透過民主協商的方式，把各自的不同點說出來好嗎？答應我你們願意這麼做，好嗎？」

「願意！」所有在劇場的人都異口同聲的高聲應和，就連那些在觀眾席上與雙方毫無瓜葛的人也喊了起來。

她所說的話與她方才對我所說的要鞏固權力的那一番話，截然不同，實在很令人費解。此刻她對當務之急的看法與我似乎並無二致，然而事實並非如此。

我早該看出我方造反派領導人既舉棋不定又缺乏經驗，面對周遭起起伏伏的洶湧政治潮流，只能無助的隨波擺盪。他們想追求民主，但是他們不知道該怎麼做。我早就應該明白，整個中國根本沒有幾個人真正了解民主的真義，他們不明白所謂民主的意義不只是多數人統治，還在於保護少數人的權益。

我應該早就明白，只要上級的指示有利於鞏固他們的權力，我們的造反派領導人就會遵循，但對足以威脅其權力的人則設法暗中打壓。我早該看出，高層領導把下層的我們當成棋子巧妙擺布，是他們權力鬥爭的武器而已。尤有甚者，我更應該明白，當我的建議與江青的計畫不謀而合時，她會聽取我的看法，把我捧上天，但是當我反對她的意見時，她便會怫然不理。

但是我沒有一件看出來的。我們幾乎沒有一個人看得出來。因為我們全在這場炫麗的權力競逐劇中迷失了。對我們期盼殷切民主與自由的未來，民主自由的光芒耀眼奪目，使我們盲目，看不見周遭的事實。對我們而言，這場政治鬥爭似乎並不殘暴、野蠻或駭人聽聞，反而像是新世界誕生以前必然的陣痛。人人都為某種光輝燦爛的遠景而付出心力。然而即使我們拚全力要達到我們的目標，來自層峯的合縱連橫和作戰策略卻如走馬燈似的變動，別說想要深入了解了，就連猜上一猜也沒有辦法，而這些變動又是如此深切的影響我們每一個人的生活。

* * *

江青對我膽敢批評她所支持的舊造反派的意見根本不予理會，不過卻有另一個文革小組的成員王力明白表示他個人對我的支持。王力之所以會這樣，可能是因為他個人曾在會議上遭到舊造反派的侮辱，因此使他轉而反對他們。

王力的祕書有一天找我私底下談話。「有人授權給我，叫我告訴你，黨中央了解你也信任你。」他說，「中央文革小組希望你能明白這一點。一旦時候到了，這批人勢必會被解除權力，而這個日子不遠了。他們沒有能力執行毛主席的革命路線。」

這個祕書還勸我要等待時機，冷眼旁觀，總有一天舊造反派要垮台。他的這番勸慰，我一點也不能接受。如果真要設計陷害我的造反派同志，讓他們垮台，我絕對不會保持緘默。我只是要他們修正一下方式，並不希望他們完全的喪失權力。

在層峯的領導羣中，即令是力主團結與自制的周恩來，以乎也受到文化大革命的左右而有所改變。我發現他的改變是在一九六七年，那時他正在北京的工人體育館準備舉行斡旋大會，以便調停全國各地蜂擁崛起的派系。當周走進會場看到我時，他向我揮揮手，我走上前去與他握手。「廣播事業局那兒的情形怎麼樣了？」他問。

「如今我們已經掌權，應該可以推出更好的廣播節目。」我說，「現在每個人都為他們眼前所見的新自由而振奮不已，但是我們的國外部卻對文革的事沒有任何特別節目，也不推出新的構想。如果我們的節目對國外的聽眾沒有吸引力，那我們如何能贏取世界各地的友誼呢？」

「嗯，是啊。」周說。突然神情變得十分激昂，並以兩手做著手勢。「看看這些大字報吧。人們可以把它們貼在任何他們想要的地方，寫任何他們想寫的東西。這種普遍化的自由景象是任何國家都不曾有的。美國的詹森總統會允許學生在白宮裡四處張貼有關他的尖銳攻訐與批判的文字嗎?沒有任何國家能這麼做的。但是我們這裡可以，不但可以，而且我們正在做。人們可以批評任何人，除了我們偉大的毛主席、副主席林彪及中央文革小組以外。有人曾說沒有人可以批判我，但是我告訴紅衛兵，這是不對的，他們當然可以批判我。」

周恩來說話向來很有節制，但這次卻熱情洋溢。「我們應該宣揚這種偉大的民主，讓全世界的人都知道。」他說。「我們正打算成立一個研究小組，負責研擬改善國外的統戰工作，我會把你安排進去，並充分授權給你。」

我從來沒有看過周恩來講話這麼興奮過。我覺得那是因為這個主題很合他的心意，而且他也有意把我提升到一個更高、更受信任，也更重要的地位，而他也的確是認真的。「王力！」他叫，那個負責中央文革統戰文宣的飽學之士便咚咚咚的從房間的另一邊踩大步過來。「告訴康生同志，」周說，「我要讓李敦白同志代表中央廣播事業局，參加為改革國外宣傳而新成立的委員會。」

我是愈走愈深入了。不只是廣播事業局的新舊兩派想利用我及我的聲望，層峯領導基於各不相同的原因顯然也想拉攏我。

* * *

此時整個中國已經完全落入中央文革小組和林彪的掌控。二月，毛澤東解散了政治局。江青、陳伯達、王力和他們的同夥人成為絕對的政權核心，不但不容違拗，連批評也不行。在毛澤東最高指示的掩護下，他們的話成為這塊土地至高無上的律法。

儘管如此，他們奪權後的統治工作仍然遭遇許多困難。中央廣播事業局的情況便是整個中國的縮影。派系四處林立，有些地方的情況比我們廣播局還要激烈，敵對雙方用瓶子、石塊及棍棒互相攻擊，甚至動用真刀真槍，而江青、王力這批人則手忙腳亂的試圖控制這場由他們引燃的燎原之火。人民日報天天呼籲造反派團結，警告可能形成無政府狀態，要求無產階級自制，並聲明資產階級已經被徹底摧毀云云。然而紀律好壞對造反派領導分子而言，已經不具意義，他們學到的只有一句話「造反有理」。他們已經嘗到造反的滋味，即令最高指導也嚇阻不了他們。

一天早上，我到中央廣播事業局的造反派總部後，發現舊造反派正得意洋洋的在讀一些日記。這些記在筆記本上的日記一共有好幾堆，全部是皮製或硬紙板封面，顏色分黑、灰、紅、藍不等。有一個造反派分子正跟王正華講得眉飛色舞。「這全部是他們自己寫的，」他說，「他們合謀進行另一次奪權！」

「你們在幹嘛？」我問，「這些是誰的日記？」

「這是那些想搞垮我們的小雜種的東西！」造反分子說，「這下我們可抓到他們的把柄了。」他說前天晚上，有幾個造反派打手闖進新造反派的陣營，搜他們的桌子和房間，找到這些筆記和日記。「你聽聽這一段，」他說著，拿起一張紙條來讀。「這羣人一無是處，他們保守又封建。如果我們想在廣播事業局徹底實行文化大革命，那我們就得自己接管才行。」

所有的也不過就這一段話而已。但是這個熱心過度的傢伙卻堅稱單憑這個便足以證明新造反派要陰謀奪權。不但如此，由於我們奪權的行動曾經得到中央文革小組的允許，因此新造反派想陰謀奪權的這項舉動，無異犯上作亂，簡直罪大惡極。舊造反派一定得採取行動才行。

第二天，我在回家路上被人攔住，他告訴我音樂廳正在舉行大會。「舊造反派與新造反派將面對面較勁。」我的朋友如此說。我急忙趕到音樂廳去，那兒早已擠滿了我們造反陣營的人。王正華正在主持會議。我看看四周，除了一小撮顯然正接受批鬥的新造反派外，全是舊造反派。

王正華手拿麥克風，坐在舞台中央的桌子前，威勢十足。「你們是怎麼討論要奪權的？」他對著一個新造反派大叫。

他沒有回答。

「你一定要回答這個問題！」王又叫了一遍。「你非答不可。你不可以保持沉默！」

我跳上舞台，走到王正華旁邊。「誰說他一定要回答，」我在他耳邊說。「一個革命分子難道可以因為別人不同意他的看法，就強迫他嗎？」

王臉色變紅。「好吧。」他對新造反派說，「你不一定要回答。但是我建議你最好回答，因為這樣對你會比較好一點。」

那天晚上我把白天的經過告訴玉琳。「他們是在自掘墳墓。」她說著皺起眉頭，顯得很憤怒，「他們無權這樣對人，他們會自食惡果的。」

第二天中午，大會仍在音樂廳繼續進行。舊造反派喋喋不休的力勸新造反派，逼迫他們自行撤手。就在此時，王力的祕書突然出現在會場中央，他告訴仍在主持會議的王正華，說他帶來一份中央文革小組交給他的諭示。舊造反派隨即把講壇讓出來，在全場的歡呼聲中，他開始唸起來，「一切的壓迫必須停止，」他唸道，穿一身人民解放軍的制服，神情顯得十分肅穆。「雙方要坐下來，除去彼此間的歧見，所有真正的革命分子一定要團結在一起。」

他讀完，準備離開舞台時，我發現一個令人驚駭的景象。舊造反派全部聚集起來，蜂擁在走道上，你推我擠的形成一道人牆。他們非常憤怒。他們已經奪得權力，而且絕不讓他們的權力受到半點破壞，即令這是中央文革小組的命令，如果有必要，他們將不惜撕破臉。

王正華抓住麥克風。「這只是王力的指示，」他說，「這不是中央文革小組的指示。我們很清楚這個指示不能代表我們敬愛的江青同志的看法，她最明白鞏固權力的重要性，上回她來這裡時便說過這句話。」

王力的祕書極力想擠過人潮，但那根本不可能。舊造反派佔據了整個走道，堵住他的去路，讓他無法脫身。「用紅色電話，打給江青同志，」王正華用麥克風大叫。「請她來這裡親自徹底解決這些問題。我們不相信王力的決定。」

王力的祕書既氣憤又無奈，最後只得轉身回到舞台上。他沉默的站在一邊角落，身旁則有一些不讓他離開的人守著。我無法容忍這一切繼續下去，我加入革命不是為了內鬥。我推開人羣走上舞台，從另一個正準備開口講話的舊造反派手中搶下麥克風。

「各位同志！」我高呼。「各位同志！我們為什麼要從走資派手中奪權呢？」四周漸漸安靜下來，我繼續說。「我們這麼做是因為我們認為走資派並沒有依照毛主席的革命路線經營廣播事業。現在，在我們接管後，如果我們也跟他們一樣不遵守毛主席的革命陣線，如果我們對待意見不合的人比走資派對待人的方式還惡劣的話，那麼我們當初又有什麼正當理由奪權呢？」

上次為了紅衛兵闖進廣播局大門搜尋機密文件的事，我曾跳上講台上說話，安撫大眾的情緒，那一次我獲得滿場如雷的掌聲，這一次卻大不相同。整個大廳一片死寂，抬頭看著我的羣眾臉色緊張而陰沉。然而，我還是繼續我的即席演說，嚴厲批評舊造反派。「我們一直害怕自己的權力遭到反抗，這使我們的行徑愈來愈不像話，現在我們又強力羈留中央文革的代表，一個來自毛主席的無產階級專政司令部的代表、人民解放軍的軍人。我們還能稱自己是毛主席革命陣線的擁護者嗎？我們以為人民服務的理由取得這個權力，但我們都在做些什麼呢？」

我身旁那些舊造反派緊繃起臉，我應該是他們之中的一員才是，現在我卻不斷得罪他們。我把自己視為一個調停者，他們卻視我為叛徒。

我一面繼續說，一面也注意到我已經沒有別的出路。這個舞台是在觀眾席的後面，我和出入口的走道之間已擠滿了人，而我所說的話，這些人一點也不愛聽。大廳裡充滿著冷漠的眼光和敵意，目標全都指向我一人。我豁出去了。我管他們怎麼想或自己是否能脫身，我知道我為何而奮鬥，這就夠了，一切都因此變得再簡單不過。

「人是從哪裡學到這種行為的呢？」我很感性的說。「把人擺布成噴射機的姿勢，毒打他們，弄死他們，這是剝削者所用的手段，是一羣人壓迫另一羣人的策略，這些是舊中國領導人的作風！這難道也就是我們壓迫他們的原因嗎？難道這就是我們破四舊、迎四新的原因？以過去暴君用來對付無辜人民的手段，對付跟我們一樣階級的老百姓？我覺得可恥，非常非常可恥！」

大廳鴉雀無聲。委員會的幾位領導同志全都退縮到舞台一邊的角落裡，此外沒有人有任何動靜。這時王正華從角落的人羣中走過來。「你可以走了。」他告訴王力的祕書說。「我們只是想要你留久一點，聽聽我們的情況而已。」

人羣讓出一條路讓我們離開。我獨自離開大廳，走到我們部門時，在門口見到歡迎我的玉琳。她吻我一下。我一面脫掉夾克和毛衣，一面把方才發生的故事告訴她。「我在廣播事業局完了。」我說。「在短短的幾十分鐘裡，我已經從一個多數團體中最受歡迎的人，變成只有自己的少數。」

「你吃了嗎？」她問。

「還沒。」我說。

「你想吃什麼？」

「炒飯怎麼樣？」

我們沉默的吃飯，彼此都清楚我失去了多少東西。我確信接下來的日子即使我奮力一搏，也難免遭到無情的攻擊。玉琳伸出手來，隔著桌子握住我的手。「沒關係，」她說。「你守住真理，我也會守住你，不論後果如何。」

那晚我們睡得十分香甜。

* * *

第二天一早八點以前便有訪客上門。他們有的是我工作的國外廣播室同仁，有的則是玉琳待過的技術部的同事。也有些人我並不認識。

他們每個人帶來的訊息都一樣，他們說我即將出任廣播事業局的新局長。

原來就在昨晚我睡覺的那段時間，王力的祕書以曾經對我暗示過的話已經付諸實行。在昨夜，中央文革發出一份傳單，傳單上有全體中央文革成員，包括江青在內所簽署的一份共同決議，嘉許我所堅持的立場。王力本人更要求廣播事業局安全部確保我的安全。那批仍執拗的固守他們權力的舊造反派已經遭到唾棄，新造反派贏得勝利，而我則被選為新的領導頭頭。大字報已經在廣播事業局的若干地點張貼出來。「李敦白同志是我們可以信任的人。」上面這麼寫著，「我們要求李敦白同志來領導廣播事業局。」

在我醒來以前，中央文革小組已經非正式的通過這項人事任命案。今後的廣播事業局將由一個包括我在內的三人小組組成委員會共同領導，另外兩個人一個是康舒吉，他是支持新造反派的記者，另一個是李媛，她就是上回闖進我們的會議室與江青談話的年輕播音員。

那天早上我們家的客廳擠滿了人。他們坐在椅子上、地板上、窗台上或站在任何站得下的地方。就像是一場宴會，我跟玉琳為他們倒茶跟咖啡，一碟碟的糖果傳來傳去，外加一些甜點和小零食。人人都想與我做朋友。有一個支持丁饒夫的死硬派，她是個端莊得體的年輕女人，一邊啜飲咖啡一面咀嚼餅乾。「老李呀，我們一直都與你意見不合，」她說。「可是我們始終認為你是個好心的人，而且一旦需要為真理正義出來講話時，你一定會在那裡。」

我接受這項任命，但有一個條件：表面上由我出任三人委員會的頭頭，但私底下我要讓康舒吉擔任三人委員會的主席，並掌握廣播事業局的實權。梅益十年前的警告仍縈繞耳邊：外國人不應該擔任行政首長。

第二天早上，三人小組首度聚會。我們設立一個首長辦公室，任命了六個新領導，同時著手籌畫該如何制定方向。我力主繼續舊造反派一直避談的斡旋調停工作，我要將兩大派系團結起來，找出權力共享的方式，實現我們一直追求的民主式領導。舊造反派背棄了他們自己的承諾，現在該由新造反派來完成。然而事與願違，短短不到一天，新造反派便也背棄自己的承諾。

我對康舒吉所知不多。他在鄉下長大，後來成為省級的電台記者。在我們第一次推翻廣播事業局的領導班子時，他曾是我們舊造反派的一分子，但是他很快便脫離舊造反派加入新造反派。由於他近來製作了許多深受人讚賞的大字報，用詞強烈，批評舊造反派扼殺新造反派的權力，因此他便接掌了這方面的工作。不過，他自認比王志前和其他的造反派領導聰明，而且更具領導能力，因此對他們心懷恨意，這件事情我卻並不知情。

當我開始提到斡旋會議、共同領導及聯合團結這一類問題時，唐舒吉便搖手制止我。「我跟我的夥伴在十一月便把這整個事情計畫妥當了。」他吹噓道。「我們認定王志前是個無能的庸才，我們要奪下他的權力。那個時候我便已下定決心要當廣播事業局的局長了。」

「那舊造反派要怎麼辦？」我問。

「我們目前真正要進行的工作是消滅舊造反派的組織。」他說。

他的話真致我難以置信。連續兩次，被壓迫者就在他們取得權力的瞬間搖身一變而為壓迫者。不，我告訴他，不可以，我們不能這樣做。我們的使命是斡旋，我們的任務是建立一種民主式的領導。我轉向李媛尋求支持。畢竟，她曾經冒著生命危險去求見江青，控訴她對舊造反派的不滿。她雖同意我的看法，但並不打算跟康起衝突。而對康而言，我顯然只是個於他有利的人，他可以利用我的知名度和個人聲望，但他絕不會認真考慮我的意見。我輸了這場爭論。

當天，康重新為新造反派核心取名叫紅色鐵騎兵，並擬了一份忠貞分子的名單，再解除各部門中所有舊造反派領導的權力。我毫無能力阻止他，因此我決定直接向王力求助。王力一直力主雙方和解，並試圖讓舊造反派與新造反派協商。當我批判舊造反派時，他大力支持過我。現在既然新造反派已取得權力，他當然會支持舊造反派也有參與的權力。

我利用紅色電話撥王力的祕書電話。「康舒吉的舉動與王力下達的協商命令完全背道而行。」我告訴接聽電話的祕書。「他褻瀆了舊造反派的權力，而且企圖摧毀他們的組織。」

王力的祕書放下電話，讓我等待良久，良久。等他回來時，他告訴我的信息是：「王力同志說你再也不要直接跟他聯繫了，他說，你有任何意見都可以透過康舒吉同志轉達。」

第二十章

權力至上

我應該那時就辭職才對，那樣做才合乎道德。我們被人民託負的使命是團結派系，不是奪權及摧毀舊造反派。既然王力已經默許壓迫反對派，那我們的三人委員會就只是個幌子。在王力的祕書切斷我電話的刹那，我忽然明白對他們而言我已經沒有利用價值了。我被騙了，我推舉康出任三人小組之首，現在他已經跟中央文革搭上線，而且一腳把我遠遠踢開。

然而我並沒有辭職，一半是因為我怕得罪王力，一半則是因為我已經深陷於文革迷人的魔掌之中了。我不想輕易地放棄好不容易才贏來的權勢、地位和影響力。我覺得只要假以時日我一定可以給李媛信心，讓她站在我這邊，如此一來我們就可以以兩票勝過康舒吉。

儘管我對高層的狡詐灰心，但我還是認為中央文革小組已經跨出一大步，樹立良好的開始。在中國過去的歷史上，從來沒有任何人可以自由的發表意見，但現在，任何人都可以。過去中國人民從來不准成立他們自己的政治組織，而現在雖然派系林立互相鬥爭，至少他們存在。過去，中國人民從來不曾真正推舉過他們自己的領袖，現在，則是由各部門自行挑選。這些自由確實有其限制，而且正遭到濫用，但與中國的歷史相較，這種舉動仍是劃時代的創舉，成就輝煌。只要我們奮鬥不懈，我相信我們仍然有機會完成真正的民主改革，我決定繼續把握我在廣播事業局的權力和影響力。

然而事實的演變並非如此，我的權力和影響力再也沒有了。我仍然去參加主管會議，也一樣和康舒吉爭執，並且努力維繫和新舊兩派之間的關係。舊造反派已經失勢，而我則在權力核心中，因此他們便把我視為是疏通管道，至少可以保住他們的飯碗。然而，不論我怎麼努力，和解絕對無望，最後我往往發現自己只是專門給舊造反派帶來壞消息的信差而已。我的權勢根本不夠分量，什麼也做不了。

然而我的影響力卻在廣播事業局以外的地方，開闢出另外一個天地。我又像過去年輕時在美國南方時那樣，成為一個公開的演說家，一個羣眾的引導者，一個靈魂的激勵者。我演說的主題是：抨擊對黨的盲目服從。而我借用的工具則是：譴責劉少奇的書——如何成為一個優秀的共產黨員。

自從來到中國之後，我便一直在與「服從」這個問題對抗較勁。當初在延安讀到劉少奇的這本書時，我便對這種像奉祀神明一般的，絕對不可質疑的服從觀念深惡痛絕。那時我也曾經在延安的一次舞會上告訴過劉少奇我的想法。在入獄的那段期間，我承認自己的錯誤，由於我自私，使我不能成為一個優秀的共產黨員，也由於我的無能，使我不能改變自我的意志以符合黨的訓練和服務羣眾的要求，更使我不能成為一個優秀的共產黨員。

在一九五〇年代，我強迫自己毫不思考的「服從」，把一切問題和懷疑全部推開。但到一九六〇年代，我逐漸擺脫了坐監的陰影，而有了一百八十度的大轉變。我認定毛澤東的理想是懷疑、再懷疑，是要激勵黨員不停的質問「為什麼？」。而在文化大革命當中，我正是要幫助所有的人，從這種對黨絕對服從的枷鎖中解放出來。

由於我的名聲響亮，再加上我以外國人的身分卻毫不保留的熱中態度，使我的演說炙手可熱。除了北京大學和清華大學之外，我還去地質學院、郵政及電信學院、航太及火箭研究學院、外貿、外交、公安、礦物及冶金等學院演講。我對著全國最高的國家科學委員會的委員演講，對著參加上海造反派大會的羣眾演講，有一次還對天津南開大學中十萬名以上的羣眾公開演說。

有兩次我甚至應邀到高等軍事科技學院去演講。這是中國將領受訓的地方，十分機密，一般外國人根本不該知道。它位在北京郊外西山，必須通過層層崗哨才能到達。學院裡有一座露天的圓形大劇場，劇場的舞台後面牆壁中央懸掛著巨幅的毛澤東肖像，一條紅色的大布幕掛在屋椽上，一排鮮明的標語字從舞台的這端橫到另一端，上頭寫著：「堅定的自我批判，揚棄邪惡的修正主義毒素、黑暗的自我。」這是取自批判劉少奇著作的造反派詞彙。

雖然會場的氣氛很熱烈，但是聽眾的眼神卻顯得十分懷疑。這些人大都三、四十歲左右，也可能大都歷經過韓戰，他們都正是身經千錘百鍊，意志堅定的人，對中國共產黨十分忠貞。然而今天，他們卻不知如何分辨究竟該忠於哪一個黨？是不是一直就有兩個黨存在？一個劉少奇的黨，一個毛澤東的黨？如果是，那他們的忠心是否被誤置了？要怎樣才能把上層領導核心這種突然爆發的大鴻溝說清楚呢？我的工作就是要盡我的能力幫助他們了解這些事。

我手拿紅色的毛語錄以低沉的聲調開講，好讓他們知道我應邀來此演講，是懷著戒慎恐懼的心情。接下來，我便套用文化大革命那一套公式，用愈來愈大的聲音請求我的聽眾允許我祝賀偉大領袖、偉大導師、偉大舵手的毛主席萬萬歲。我用最高的肺活量重複把這些話說了三遍，而羣眾則揮動他們手中的毛語錄，一面以如雷的音量跟著我同聲高喊。

這種由低而高的說話技巧是我在美國南方時，從一個激烈的黑人浸信會牧師那兒學來的。他曾經領著一羣罷工的佃農走上密西西比高速公路，我發現美國南方的演講技巧在中國也一樣管用，聽眾是跟我在一起的。

我首先釐清他們的困惑，並譴責劉少奇把黨和國家混為一談。「劉少奇已經建立了他反動的修正主義派系一黨專政。」我說，「這是馬克思主義嗎？不！馬克思和恩格思他們的看法是和這截然不同的。他們說過工人階級奪權後的首要工作是實行民主。」

因為劉少奇，工人們已經變成了奴隸，我告訴我的聽眾。「劉少奇的王國要求的就是奴性和不加思考的絕對服從，因此便產生奴性的、無批判、無思考的幹部。然而只要有奴役，便必然有奴役者。你只要看看黨目前由下到上的整個階級結構，便知道那完全是一種環環相扣的奴役和被奴役關係，他們以奴役那些階級比他們低的人來生存。」

我的聲音變得更加高亢響亮。「而當你看著這個金字塔的頂端時，你看到誰？你看見那個最大的奴役者，那個所有奴役他人的奴役者的主人，他正舞動權力的大旗，指揮他底下這一層又一層的奴隸們。這就是他們對我們這個勇敢的黨，這個活蹦亂跳的革命黨所做的事！」

聽眾的掌聲震耳欲聾。人們跳起來，熱烈的起立給我鼓掌。我步下講台，穿過走道，兩旁的掌聲像浪潮般洶湧，人們把手裡的紅寶書塞過來，要求我簽名。當車子送我回到家，我把背靠在沙發椅上，覺得自己所做的正是向來夢寐以求的事。我正運用個人所有的知識和能力，散播毛主席的無產階級革命的火種，這些火種將可能點燃新的革命火苗，從而掃除舊世界，迎接另一個光輝新世界的誕生。這些天我開口閉口都是毛澤東思想，對這種現象我不覺也有些吃驚。

但是那些不絕於耳的掌聲也同時蒙蔽了我，讓我聽不到一些我早該聽到的事。我所說的一切其實根本不是毛澤東思想。毛的確說過造反有理，但是那必須符合一個條件，即必須能符合他的目的，而今那些條件已經改變了。因此隨著日子過去，我變成一個愈來愈孤獨的造反派了。

* * *

我從來沒有想過我最大的問題在於我是個外國人。我不是黨的一分子嗎？毛主席不是曾經說我是國際共產黨鬥士嗎？何況文化大革命本身不就是借用世界主義之名起家的嗎？對帝國主義國家的仇恨固然是文化大革命的重點，但是外國人在中國的改革運動中受到熱烈歡迎，這也是第一次。

我認識一個尼日來的外國專家，在他待在中國的大部分時間裡，都對一些雞毛蒜皮的小事十分敏感。譬如他去一家商店買一包煙，人家告訴他沒有貨了，他便覺得這都是因為他是非洲人的緣故。有一天我在廣播事業局的餐廳遇見他，他因為紅衛兵攻擊他，把他褲子從膝蓋處剪破，而顯得得意洋洋。「他們把我當成他們的一分子了，」他說得很興奮。「就像同志那樣。」

有幾個美國人曾經合寫了一張大字報，要求在文革中給外國人相同的待遇。毛澤東看了後在空白處加注，寫道，「這張大字報是對的，這是偉大的無產階級革命，不論是中國人或國外的革命分子都應該一視同仁。」

這張大字報後來複印並轉送到全國各地張貼。不久，北京的外國人成立了一個屬於他們的造反團體。這個團體到今年夏天已經有七十名會員，他們每週聚會一次，成員傾向支持最激烈、最民主的派系。

這些外國人也不可避免的分裂成不同派系，喬治．哈頓屬於少數保守派，他們強烈主張外國人應該遠離中國的政治紛爭。我和喬治是多年好友，卻為這個問題成為死敵。他對我成為廣播事業局領導的事非常不諒解，「你沒有權利告訴中國人應該怎麼做，也沒有權利批評他們的領袖，涉入他們的政治。」他說，此後他幾乎沒再跟我說過話。

*　　*　　*

一九六七年五月一日勞動節那天，天安門前沒有見到劉少奇，因為他被監禁在黨總部。鄧小平也沒有出現，因為他也受到監禁。取而代之出現在天安門門樓的，是廣大的文化大革命的英雄。而我自己，在這個時期，也自認是英雄中的一員。至少在大眾面前，我還是公認的廣播事業局對文化大革命的發言人，而且我的演講和著作，在整個中國都非常有名。

這一年沒有遊行，沒有慶祝生產成果的花車，也沒有閱兵。廣場上擠得水洩不通，紅衛兵聚集的人數比十月時還多，他們整齊的羣集在天安門廣場和廣場四周的道路上，抬頭望著門樓，仔細聆聽。

這是紅衛兵第一次奉准站到門樓上。他們陣容龐大，長長的隊伍踏著雄赳赳的步伐從紫禁城東側的斜坡走到門樓後面，然後迅速的以一列縱隊踏步通過門樓前方兩側的欄杆，在毛主席面前通過。他們手中高舉著紅寶書，以雄壯威武、有節奏、近似宗教般狂熱的聲音高喊著：毛主席萬歲！萬歲！萬萬歲！

在喧鬧聲中，我們幾乎聽不到台上的人在說些什麼。最先說話的是林彪，然後是周恩來。一如往常，他們倆的致詞都很簡短，林彪仍然把重點放在文革上，而周恩來則提到政府的工作。接下來是大慶油田和大寨農社的人簡短而口號式的演說，然後才是紅衛兵的演講。

演說完畢後，毛澤東起身往門樓後面的休息區走去。我跟了過去，想看看會不會有什麼事。我看見他坐下來跟來自安哥拉的造反派領導荷斯．沙文拜（Savimbi）聊天，我無意中聽到沙文拜向毛恭維文革帶給中國的這許多改變。

「我什麼也沒做，不是我，而是他們。」毛說著，向廣場上的羣眾揮揮手。「這一切都是他們搞的，我做的不過是寫了幾首詩而已。」他看起來意氣風發，熱情洋溢，一副大權在握的模樣。

過了幾分鐘後，我發現毛還沒回到前面的主席台，便又踱到後面的休息區去，結果看到令我吃驚的一幅景象。毛澤東一個人孤獨的坐在面西的椅子上，神情悽慘。他臉上的仇怨和絕望，使我望之卻步。我站在離他八、九碼遠的地方，我們之間只有一個帶槍的警衛守著。他雖看著我卻像沒看到我。他的臉浮腫，眼睛、臉頰和皮膚都浮腫。他看起來很老邁，但那並不是令我吃驚的原因。真正教我驚異的，是他臉上那種不忍卒睹的絕望，那是我從來不曾在他臉上看到過的。

為什麼？究竟是為了什麼？什麼原因讓他如此絕望？他今年七十幾歲了，是不是因為他預卜到他的王國會被他自己釋放出來對付敵人的洪流吞沒，而可能分崩離析呢？不管原因是什麼，他的樣子實在太過嚇人，我根本不敢有靠近他或跟他說話的念頭。

我不想再站在那兒呆看，便回到護欄旁邊的門樓西側。過了好一會兒，我才看見毛澤東回到他正前方的位置，又開始對著下面的廣大羣眾揮手致意。

那天的周恩來看起來也不太對，甚至跟三個月前我看見他的樣子大不相同。顯然這一陣子的壓力，已經讓他吃足了苦頭。原有的聰明機智、輕鬆詼諧都已不見，取而代之的是嚴肅、迹近沉重的表情。至於林彪，他看起來既緊張又焦慮，不時目光狐疑的覬毛一眼，好像想從他眼裡讀出什麼一般。

這幾年也把我的朋友外交部長陳毅，折磨得不成人形，看起來簡直像個鬼。他的身體變得虛弱消瘦，腰身像一根細桿子，這個曾經熱情洋溢的人如今顯得既畏怯又灰頭灰臉。我聽說他在文革期間吃了不少苦。雖然周恩來一直在保護他，但是那樣還是不夠。中央文革小組現在正把槍口對著他，而他也漸漸失勢。我們兩人沿著東邊護欄走，我很關切的詢問他的健康。他叫我放心，他說他是故意讓體重直線下降的，他說他感覺一切都很好。這一番話實在很難教人相信。

＊　＊　＊

勞動節過後不久，一個天炎地熱的午後，我回到廣播事業局的辦公室，發現有十五個來自武漢的紅衛兵學生在等我。他們一看到我從雙重玻璃門走進來，便蜂擁而上，把我圍在中央，這是文革時期的紅衛兵慣用的伎倆。他們會圍成一個圈把人困住，不讓他走，直到他們達成目的為止。「我們來邀請你跟我們談談國際現勢。」一個圓臉的年輕人解釋道。

「我沒有辦法告訴你們國際現勢。」我說。「我沒有準備，對這個問題我一直沒有深入研究過，我不能……」

「沒問題！你一定可以！你太謙虛了！」他們一直叫。

這下我被困住了。

「你們聽我說，」我說，「我可以坐在這邊跟你們隨便聊聊國際大事，可是我有一個條件，你們要保證我今天跟你們講的每一句話，絕對不會有半個字傳出去或是被登出來。」

他們異口同聲說：「沒問題！今天的談話不是做報告用的，是我們自己想聽的。我們保證除了我們之外，沒有任何人會知道今天你所說的事。」

我們經由樓梯上到廣播事業局三樓的會議室，在長桌前坐定後，我便開始說了起來。坦白說，我很喜歡對年輕人高談闊論，我覺得我好像天生就是要做這個的。由於我信任學生給我的承諾，我便放言暢談目前全球各地革命情勢的現況，以及香港、法國及美國等世界各地的學生都被這股相同的革命浪潮感染的現象是如何產生的。

這使我聯想到越南。我最近在中國報紙上看到北越反抗軍最高領導人心臟病發過世的消息，我知道他是中國的友人，贊成與南越作戰到底。從我訪問北越的經驗，我還知道當地贊成赫魯雪夫調停計畫的聲勢十分強大，在我得知他的死訊時，我馬上聯想到前北越駐北京大使，也是在近日死於心臟病，他也堅決反對接受赫魯雪夫調停計畫。

這兩個人的死不是很奇怪嗎？我問這些紅衛兵學生。我告訴他們我在北越學到的經驗是，越南的領導都是一些騙子，他們一再地撒謊，對這個世界和他們的人民漠不關心。我認為他們極有可能是在剷除異己，將那些執拗不接受蘇聯調停計畫的將領消滅。

「一個對自己的人民說謊的黨是逃不了覆亡的命運的，縱使它能贏得暫時勝利，最終也還是要滅亡的。」我對這些武漢的紅衛兵提出警告，講著講著便愈來愈激憤。「真正的革命分子在越南共產黨中一定會繼續不斷成長，而且遲早會教人刮目相看。」

講完這些，我有一吐胸中塊壘的感覺，但是那種感覺並沒有持續很久。

第二天一早我一到辦公室，就發現武漢的紅衛兵已經把我這一篇小小的演說內容全文登在他們的報紙上，並以頭版標題的方式報導這則故事，發行好幾千份，四處流傳，聽說昨兒一整晚，王力已命人四出尋找這份刊物，並加以銷毀，以防落入越南人之手。

那天下午，王力的祕書前來探究事情的真相，我這才如夢初醒，了解我的錯誤有多嚴重。我曾經兩次以美國人的特使身分前往河內參加國際會議，越南人知道我是中國共產黨，他們可能會把我個人的看法誤以為是共產黨的看法。這件事後果很嚴重，很可能影響一場生死存亡的戰爭，也可能會左右中國與蘇聯對越南運動路線的影響力之爭的結果。

我告訴王力的祕書我十分抱歉，也表明我願意做任何事以求補救，他給我的回答十分不客氣，「這件事糟透了。」他說，不停的搖頭。

* * *

在北京中南海被成千上萬的紅衛兵和其他造反派團團圍住。而在中南海裡面，周恩來正努力要保護劉少奇和他家人的安全。羣眾在中南海門外搭起棚子，不停的要求將劉少奇交給他們。一天晚上，我跟索爾艾得勒（Sol Adler）到四處去看看有什麼狀況。艾得勒曾任職美國財政部，是一個退休的經濟學者。他頭上戴著他的愛爾蘭休閒帽，嘴裡叼著大雪茄。等我們到達目的地，身軀瘦長，腰部微彎的他開始緩緩四處走動，一面注視著周遭年輕人的眼睛。

和紫禁城西側銜接的街道上，黑鴉鴉的擠滿了來自北京各學校的紅衛兵團體，他們占據了幾個通往中央政府的辦公室和官署的出入口，每個團體都在路邊設有服務站做為聯絡和補給中心。城門的上空高懸著一塊大布條，長長的掛到中央政府辦公室那頭去，上面寫著：我們堅決主張將中國的赫魯雪夫——劉少奇——拖出來，批判鬥爭！旁邊署名：批判第一號走資派劉少奇，北京革命造反派大會。

在我看來，這整齣戲的幕後主使者似乎是江青。因為紅衛兵告訴我江青的一個書記戚本禹曾經在門口出現過好幾次，一直說：「人民的意志一定要去做。」

我跟艾得勒走到國家委員會辦公室西側大門外時，停下來跟路邊三、四個穿著民兵制軍的年輕人聊天。他們全是地質學院的學生，在街燈下他們好像沒人認出我。「你們覺得劉少奇真的會從那裡面出來嗎？」我問他們。

他們穿著隨便，褲管捲到膝蓋，襯衫和襪子也不整齊，神情疲憊，彷彿已到了強弩之末。「如果堅持得夠久的話。」其中一個學生看了其他人一眼，這麼回答。

「如果他真的出來，那你們會怎麼做？」我問。

「哦，我們會舉行大會批鬥他。」另一個學生說，「他憑什麼可以不出來像其他人一樣面對人民？他不過只是個反革命的修正主義者，我們為什麼不應該批鬥他？」

撇開這些無情的標語、群眾的怒吼和緊握的拳頭不談，我跟艾得勒都覺得，這並不是一群憤怒或失控的暴民，而是歡笑喧鬧、頗具幽默感的群眾，每一個人都很輕鬆而且友善，彷彿高喊要劉少奇的腦袋是一件最有趣、最自然不過的事一樣。

中國別的地方可不是這樣。這個國家正在內戰中漸漸瓦解，沒有政府、沒有政權。每一個團體都有它自己的後台，每一個有力人物都會扶植他個人的勢力。派系互相鬥爭，這回不只是文鬥，而是真槍實彈的作戰。我聽過一個目擊者講過一件非常恐怖的事件，他說清華大學高中部的學生抓住另一個派系的高中生，將他們嚴刑拷打後，錄下他們的尖叫聲給自己的成員聽，好磨練自己人作戰的意志。

我看過一些影片描述工廠裡的工人用他們自行生產的長矛互相攻擊。我也曾經跟一批武漢大學的學生聊過天，有一個學生給我看他腿上的傷口，很深很長，從膝蓋一直劃到大腿，是被一個手執長矛的工人砍傷的。我還有一個年輕的學生朋友在武漢大學裡看見兩大派系互鬥，雙方使用的武器竟然取自軍事單位的兵工廠。而我最近收到一封信，裡頭有一張朋友死時的照片，他被一顆子彈射穿脖子，倒地死亡。

王力去過武漢，想設法調停交戰的雙方派系。而其中的一個派系卻將他綁架，且對他施以嚴刑。當地的軍事指揮官是王力被羈押的幕後主使人，這使王力火冒三丈。他安全歸來的那天晚上怒氣沖沖的跑來廣播事業局對我們演講，他說：「去把人民解放軍裡那一小撮修正分子抓來！」那些拘留他的人都是軍中典型的死硬派反革命分子，現在一個接一個的露出狐狸尾巴了。

王力說他從頭到尾都不害怕。但是我卻在他臉上看到痛苦經驗的痕跡，他臉色蒼白憔悴，走路時一跛一跛的，胸前和手臂上則有一些被造反派用削尖鉛筆刺戳而留下的黑色小傷口。最後是周恩來出面干預，飛到武漢去，才救了他。

不過沒幾天之後，我便聽說王力已經被逐出中央文革委員會，這是毛澤東的斷然決策。軍隊是神聖的，它們是毛真正保有的最忠貞力量。「不要碰我的長城。」他怒吼道。沒有人敢碰軍隊一根寒毛。王力他敢，因此他走路。

這種戲碼對我而言已經不再可笑，反倒荒誕的令人難過。我仍然認為我們可以超越紛爭和混亂，從而創立民主，實現民主。然而我的期盼現在全冠上嚴重的懷疑，我們不但沒有征服混亂，反而被它一點一點的消蝕吞噬了。

到了八月，又來了一道新的最高指示。毛澤東在走訪南方和東方幾個省分後，一回來便下達四大頁指示，勒令所有派系必須立刻和解，實行大團結，所有革命幹部都必須回原單位。

八月底，廣播事業局裡所有成員奉命在晚間參加一個大會。之前我們已向中央文革小組提出一份新的管理階層名冊，因此我們都希望這份推舉名單能獲得通過。我的名字仍然被列在名單之中。雖然我早已被排除在我們三人小組的權力核心之外，但我一直繼續跟他們一同工作並參與各項會議。我跟別人一樣熱切的想知道最後的決策結果。

毛澤東的總部派他們的新聞主管李廣文前來傳遞這項結果。李廣文是個頭髮只剩邊緣一圈的禿子，樣子像個撞球場經理，他看起來很尖刻，講話聲音轟隆隆的。他在講台上宣讀告示，從頭唸到尾，沒有停頓也沒有半句注解。三人小組解散了，他說。以後將以另一個更龐大的領導羣取代，成員中包含許多舊的造反派在內。他把新領導人名單唸了一遍，裡頭沒有我的名字。

名單才剛唸完，李廣文便又接著宣布另一項消息：中央文革小組決定立即將李敦白同志調出廣播事業局，擔任特別任務。

我的眼淚奪眶而出。我在這裡的日子就此結束了，我想。這麼多年了，從張家口到延安再到北京，我終於得離開廣播事業局了。我覺得很難過，因為我即將離開我的朋友了，我很悲傷，因為他們甚至沒有諮詢過我的意見便做這項決定。

不過我同時也有些興奮，因為我也許會被調到另一個更好、更重要的地方去。我的一些朋友全圍到我身邊，向我道賀，恭喜我即將有新的任命。

第二天一大早我還在睡覺時，電話便響了。打電話來的是雪莉葛萊姆（Shirley

Graham），她是杜布瓦博士（Dr. W. E. B. Du Bois）的遺孀，專門研究美國黑人史的歷史學者，她經常到中國來旅行，只要到北京一定會來看我。我幾天前才剛跟她吃過午餐，前天還安排她跟周恩來會面。

「請你趕快來，」她說：「這件事很重要。」

雪莉告訴我說我是在中國的美國人中，唯一讓她最信任、最能了解她的人。我於是急急趕到她下榻的北京飯店，看她有什麼需要。當她前來應門，我知道她真的非常害怕而不安。她點了早餐送到房裡來，然後我們兩個才好好談一談。我們一面吃煎蛋，她一面說出她的故事。

周恩來在半夜裡接見她。她曾經告訴過他希望能在她離開中國回埃及的家之前見到他。顯然周恩來把他唯一有空的時間留給她了，而她也十分關心他。「我以前從來沒看過他那個樣子。」雪莉說，「他一直都很樂觀，很迷人。我見到的他一直都精力充沛，關心別人。但是這一次他看起來很沮喪，筋疲力盡，好像洩了氣似的。」

「他講話也不一樣了。」她繼續說，「他告訴我一個訊息。他說『整個中國革命的結果可能暫時失敗。我們可能會失去一切。可是沒關係，如果我們在這裡失敗了，你們非洲可以學習我們錯誤的經驗，好幫助你們培養你們自己的毛澤東，你們會做得更好。這麼一來，我們最終也還是成功的。』」

「我問他指的是什麼意思？」她說。但他不肯說。他只說現在的情勢很複雜，未來則在未定之天。「拜託請你多注意一下他的健康。」她懇求我，「他看起來實在不太好。」

那天下午我打電話給周的祕書。我問他，周總理是不是有什麼煩惱？不然他跟雪莉．葛萊姆講的話是什麼意思呢？「純粹是想像的，」祕書回答說，「周總理沒有說過這樣的事，是她自己搞糊塗了。」

無論如何，我倒是從來沒有想過周恩來本人也有遭到嚴厲打擊的可能。

＊　＊　＊

九月一整個月，我都在等待新的人事任命，但卻動靜全無。到了十月快到時，我開始等國慶日邀請函。雖然這次我不敢奢望能和毛澤東一起再站在門樓上觀看國慶大典，但是我想我一定可以受邀跟其他的外國專家和中國的領導幹部在一起的。

但是邀請函沒來。

十月一日這一天，我第一次待在家裡跟我的妻子玉琳和小孩在一起。我們的那些外國朋友一個接一個的來到我家門前。「你怎麼還沒準備要走？」他們問，「什麼？你不去？什麼？你沒接到邀請？太不可思議了！」

那正是我的想法，不可思議。

一個人待在家裡，我有一大堆時間推敲我剛從電視上聽到的一些消息。昨晚一家大報的社論提出呼籲，要求發起一個全國性的活動，將「叛徒、特務和死硬的走資派一網打盡、連根拔除」。叛徒是文革時的用語，指那些為黨從事地下工作，又被國民黨抓過放過的老幹部；走資派則是那些對革命想得不夠透徹的領導幹部。我的失望感開始上升。為什麼毛澤東呼籲冷靜和調停之後，還要再來一次分裂的摧殘呢？為什麼要走回這種邪惡的老路子來控制人民、壓迫人民呢？

什麼叫做揭發「特務」？特務一半指的是國民黨時代的祕密警察，但是更重要的是，什麼叫「外國的帝國主義特務」？我以前是在哪裡聽過這個名詞的？到了這個時候，我才第一次想到自己突然被解職的這件事，也對我一直等，卻始終見不到新任務的事感到懷疑。我想起一九四九年，我第一次因間諜罪被捕時，廖承志接到的書面指示是要派我到北京去接受一項「特殊任務」。而現在，我在等待的是一個「另有重用」的職務。想到這裡，十月初的涼風吹來，不覺令人起一身冷顫。

文化大革命最困難、也最危險的部分就此開始。文革是毛澤東一手發動的，現在他要踩煞車。看來他又要以他屢試不爽的方法來團結人民，丟給他們新的敵人去鬥爭。而我愈來愈明白，這些新敵人中有一個會是我。

在我的外國朋友們看見那張照片以前，他們大都跟我黏得很緊，他們會順道來我家坐坐，聊一些政壇閒話，或是一起吃飯。但有一天，我有個英國朋友很緊張的來看我，他把拿在手裡的中文雜誌打開，指出裡面的一張照片給我看。這張照片我記得很清楚，是去年夏天拍的，相片裡可以看到我跟毛澤東、周恩來、林彪以及江青四個人站在一起，這張照片第一次被登出來是在人民日報上，現在又在英文版北京論壇上刊登，但是，這一次照片卻大有蹊蹺。

照片裡的我不見了，我整個人被塗抹掉了，「做鬼的感覺怎樣？」我的英國朋友問我。

廣播事業局裡有些比較單純的年輕朋友說，「老李，這是技術上出了某些奇怪的狀況才這樣。」但我知道問題沒這麼單純，除非有明確指示，否則沒有人敢對有毛主席在內的照片亂動手腳。有朋友去向北京論壇查詢，那兒的編輯說被動過手腳的照片是上面直接交下來的，雜誌社裡沒有人跟這件事有關係，也沒有人明白那所代表的意義。

從此我那些外國朋友們便一個一個開溜，因為和我往來實在是太過危險了。我聽到謠傳說有一個由外國人組成的小集團正在蒐集一些有關我的罪證，至於為什麼呢？我不知道。

接著攻訐我的大字報開始出現。剛開始是外國人貼的，大部分貼在他們下榻的友誼飯店。有些大字報拿我當笑柄：「他是爬得高，跌得重」。有一張這麼寫道：「照片裡的他被一份官方刊物抹黑了」。另一張這麼寫：「這象徵了他狡猾行為的醜陋本性」。有些則攻擊我，身為外國人卻膽敢涉入中國的政治。有些則誣衊我的家世，「李敦白展現出我們常見的所有猶太人特質」。

另外還有一則有關廣播事業局的消息，也同樣令人不安。由於廣播事業局爆發另一次大動亂，因此軍隊已經奉命進駐接管。我的通行證被吊銷，以後我再也不能去那兒跟朋友聊天了。他們告訴我軍隊的任務是要消弭各派系的爭伐，奉派接管的軍人已經展開一連串的政治學習課程，意圖將每個人拉攏在一起。

各紛爭派系正在作大聯合，而且就像我所恐懼的那樣，他們的聯合終結了我的政治生命。他們的主要攻擊目標是王力。他的大罪狀是：扶植我這個外國人，在黨的廣播事業局裡位居要津，而且握有大權。分裂的兩派合起來批鬥我，質疑我的動機，甚至懷疑我的身分來歷。

現在我是徹徹底底的被三振出局了。

●當這張照片刊登於北京論壇報（Beijing Review）時，我就該知道自己已經陷入麻煩中，並隨時可能被抹黑（我的位置在從上數下第二排，右邊第二個）。毛澤東坐在前排的最中央，左邊是他的欽定接班人林彪，右邊第二個是周恩來。江青則坐在安娜·路易絲·史莊旁邊（第一排，左邊第二個及第三個）。我與江青及她的黨羽——後來被稱為四人幫，產生了衝突。在毛澤東死後，四人幫試圖奪取政權，但遭到失敗，而江青則被囚禁在我被關的監獄中。

我們一家人被孤立了。中國朋友沒有人敢來看我們，外國友人則大都早已不上門了。只有極少數幾個膽子大的才敢偶爾來稍作盤桓。每個星期日我會去安娜．路易絲家用午餐，這也是我唯一允許可以從事的戶外活動。

不論玉琳或我自己都不能出去工作。學校已經關閉，因此孩子們都在家。我們盡可能打發時間，玉琳不停的打毛衣，有紅色的，有綠色的，她跟媽媽去市場裡逛，買她們能找到的最好食物，烹調美味佳餚好讓全家人高興。

我們盡量不讓孩子知道我們的煩惱。三個女兒——曉勤、曉東、曉昇分別是十歲、九歲跟七歲，我們的小兒子曉明則還沒滿兩歲。他們終於有難得的自由可以玩耍作樂，而且爸爸跟媽媽都在家裡陪伴。

我們一起遊戲，一起唱文革歌曲。三個女兒都很喜歡這些歌，而且把毛主席講過的話唱進曲子裡。曉勤有時會按照她自己的意思刪改歌詞，其中有一首歌原來的歌詞她特別不喜歡，歌詞是說一個女國民兵寧愛制服也不愛華麗衣服的事，曉勤已經長到追求時尚的年紀，她無法相信那樣的事，因此她每次把歌詞反過來唱。

別人家有些小孩子會來欺負我們的孩子，有一個馬來西亞的小男孩每次出來玩便對著我們大叫，用他想得到的外國髒字眼來罵我們。我們告訴孩子，我遭人誣陷，那些事都不是真的，要他們不要在意這些嘲弄。

全家人以我為中心，緊緊團結，但是政治壓力卻以我們無法理解的方式愈堆愈高。有一天玉琳學校裡有一支紅衛兵小組來拜訪我們，要求我支持他們。即令我在廣播事業局已經毫無威信，但是他們仍然認為我可以幫助他們達到目標……接掌外交部。「陳毅太老了，他已經沒有用了。」他們說，「他已經變成文化大革命的絆腳石。」

我絕不做傷害陳毅的事。更何況，我對這個小組抱持著強烈的懷疑，我認為他們想搞倒陳毅的目的是為了整垮一個更大的目標。「那周恩來總理呢？」我試探性的問。

「任何人只要不再對文化大革命有所貢獻，便應該下台。」他們答得十分肯定。玉琳跟我便請他們離開了。

玉琳很焦慮，她睡不好，或許這是因為她對未來可能發生的事看得比我還清楚。不過每天至少三次她會用手搭著我的手，然後跟我說，「什麼都不要擔心。不管發生什麼，我都會跟你在一起。」

面對嘲諷和攻擊，她堅守立場。她知道他們會用哪些把戲對付我們。有一次一羣紅衛兵闖進我們家要拿我的日記和私人文件，她把他們擋在房門外。我雖然拒絕交出任何東西，但是卻有些猶豫。因為帶頭的紅衛兵說我只要給他們看一下文件就可以了。「他們答應我只要我把東西給他們看一下，他們絕不碰任何東西。他們只是想證明我們沒有銷毀筆記資料而已。」我用中文告訴玉琳。

但玉琳卻用英文回答我。這在當時已經變得極端排外的文革期間，是一件非常危險也非常具有挑釁意味的事。「他們撒謊。」她大聲的用英文說：「不要相信他們。他們認為基於政治因素

國人。」一個高大的年輕人嘲諷她說。

這批年輕的狂熱分子把臉轉向她，命令她閉嘴，臉上充滿惡恨：「請妳不要忘記妳曾經是中國人。」一個高大的年輕人嘲諷她說。

「我是什麼人那是我的事，你管不著，也跟你沒關係。」她說著，站在那裡，把頭抬得高高的，滿臉傲色。她兩手扠腰，怒目瞪著那個說話的男人。

一九六七年聖誕節那天，一羣來自廣播事業局的人找上門來告訴我說，我已經被軟禁了，我沒有獲准不准離開家門半步。他們一面說一面沒收玉琳的工作通行證，那表示她也從此不能再進出廣播事業局了。「我們還會再來問你們一些問題，並要你們寫一些報告。」一個年輕人這麼告訴我。我們始終沒有說話，也沒有抗議。

那一年我們沒有慶祝耶誕節。

調查員開始上門了，起初是每天來，慢慢變成每個星期來。他們的問題沒頭沒腦的，也沒把我的處境說明清楚。我是怎麼知道文化大革命即將展開的？否則當初我為何把我的古董家具全都捐掉？為什麼我跟每一個來北京的外國人有聯繫？為什麼我跟這麼多外國人說話、吃飯？為什麼我在文革中表現得如此活躍，把我的觸角向四面八方推進，而且不論遠近，絕不放過任何一個我可以插足的角落？我的目的到底是什麼？

有一個問題問得更教人迷惑，我猜這個問題的起因與我上回接待武漢的紅衛兵有關。那次我很笨，把我懷疑親中共的前越共領袖是死於謀殺的事講出來。你是如何知道的？調查員問我。這種只有中央政治局才知道的事，你是怎麼知道的？

玉琳要我想辦法救救自己。她叫我找安娜．路易絲幫忙，可是我不贊成。因為我不想讓這個老女士操心，而且我不認為這樣做有什麼用。不過禁不起玉琳的一再要求，我的確寫了一封信給江青，透過我仍保有的一條祕密管道，我拜託別人把我的求救信帶給她，我告訴她我是派系鬥爭下的犧牲品，即將遭到嚴苛的指控，如果沒有高層幫忙，我將很難脫困。

我等待回音，但卻沒有下文。

後來從幾個還跟我暗中往來的朋友那兒，我聽到一個最令人震驚的消息。江青跟安全頭子康生正在幾個主要的紅衛兵陣營處巡視，每到一地便指責當地的領導人無法無天，竟會相信我，而且把我捧上了天，他們詆毀我，說我是美國來的間諜。

我的朋友把江青及康生所說的重點告訴我：你們過於自負聰明而且自抬身價，所以你們自以為是，認為已經不需要我們的領導了。結果呢？你們把這個美國來的投機分子捧上主席團，然後自己陪坐在一旁。你們把他的建議奉為金科玉律，再把他塑造成英雄。而實際上你們知道他是誰嗎？不，你們一無所知。你們根本分不清美帝主義者和革命的馬克思主義者，你們這些人應該覺得很可恥！我們不怪你們對馬克思——列寧——毛澤東這一貫思想的無知，可是你們把自己國家至上的榮譽感都忘記了，這種行為卻一點也不可原諒！

我保持冷靜，但也做好最壞的打算。我大量的閱讀莎士比亞和毛澤東的作品，我想那會是日後入獄時在獄中保持心靈意志的最好方法。我讀一則又一則全心全意為民奉獻的故事，再把故事牢牢記住。曉勤幫了我很多忙，因為她在學校裡都讀過，遇到我弄錯時，她還會認真很嚴肅的糾正我。我記得司馬遷的一句名言：人人皆難免一死，他寫道，「但死有輕於鴻毛，有重於泰山。」我覺得我們每個人都可以奉獻全人類兩個東西：一個是生命，一個是死亡。

我也想起貝森博士和愚公移山的故事。日復一日，他執著的去做那件不可能達成的事。「如果我死了，我的兒子會繼續下去。如果他們死，他們的兒子們也還會繼續做下去。」他這麼說。

我跟玉琳誰也沒有提過死亡，或是我們該怎麼做或該怎麼過下去的問題。我們也沒有談過萬一我被抓了，會變成什麼樣子？我們保留精力提高警覺，設法做一些讓自己高興的事。

不過玉琳的確給了一些建議。「你只要說實話，而且堅持不改口。」她說：「不要讓他們嚇倒，他們的目的就是要那樣。也不要相信他們提出的交換條件，他們大半都是騙人的，你只要說實話，他們就拿你沒轍。」

一九六八年二月二十一日的夜晚，是我記憶中北京最寒冷的一夜。我沒有辦法知道那天究竟有多冷，只知道那一刻我聽到的收音機播報的最低氣溫，是攝氏零下十三度。那晚我們很早就上床睡覺。臨睡前，我為了要讓玉琳能睡得暖，便把自己那套暖和的新衛生衣給她，自己則拿她那套剛洗過、有點破舊的來用。孩子們都各自回房休息去了，曉明睡在我們房間的嬰兒床裡，曉東和曉昇睡在客廳，曉勤則和媽媽睡在另一間臥室裡。

大概十一點時，我們聽到後門有人在敲門，後門跟我們臥室離得很近，所以敲門聲很響。我們醒了，十分震驚。

「出事了。」玉琳說。

「不用擔心，」我說：「我去看看有什麼事。」

我披上外套，走到後門去開門。門外站著兩個廣播事業局安全部的人員，兩個我都認識。

「王守仁同志想跟你談談你的新工作。」其中一個說。王守仁是廣播事業局的副局長之一。

「好。」我說。「我馬上跟你們走。」我關上門走進臥室，開始穿衣服，我穿上一件普通的白襯衫、棕色的西裝外套。

「如果有麻煩，那我們要怎麼辦？」玉琳問。我知道她要問什麼，她的意思是說，如果我不回來怎麼辦？

「如果有什麼麻煩，總會解決的，」我說：「不必擔心這麼多。」她還躺在床上，我親了她一下。「不要起來，我要去跟孩子們道別。」

我一個一個的去親我的孩子。「爸爸要出去一下子。」我低聲跟他們說。他們只動了動身子，並沒有被吵醒。之後我走到外頭冷冽的夜空中，在回手關門的一剎那，我聽到別人家的收音機播報說：目前北京的溫度是零下十三度。

我在這兩個人的護衛下走到廣播事業局的大樓後面，我看見玉琳的一個朋友匆匆走過，然後我又遇見一個英語部門的同事，我們曾經是朋友的，但她只看我一眼便走開了。

後門門口停著一輛上海製的黑色轎車，旁邊站著兩個士兵和一個軍官。「上車。」我旁邊的兩個護衛說：「我們等一下再告訴你怎麼回事。」

我坐進後座。士兵一個坐進我左側，一個坐進我右側，兩個人用臀部把我擠到座位的正中間，然後那個軍官坐到前座去，揮手叫司機開車。我們的車一下便駛進北京的夜色中去。而那時，在我身後的陰暗處，還停放著另一輛黑色轎車，可是我並沒有注意到它。好多年之後，我才知道我當初沒有發現那部車子的存在，是一件多麼幸運的事——那部車子是用來帶走玉琳跟孩子們的。

第二十一章 冰屋

我們的車子駛出廣播事業局，在大門前轉彎，朝西單的十字路口駛去。我心中想如果我們直走西單，那他們可能是真的要帶我去人民大會堂討論我的工作；如果他們在西單左轉，那就是去監獄。

我們向左轉。

在長達兩個小時的車程裡，我們完全一片靜默。最後，車子停在幾棟一模一樣的三層樓紅磚樓房前面。樓房中的燈全部亮著，在黑夜中放出陰森的光芒。車一停好，我身旁的兩個士兵便下車，他們把我拉出車外，拖進大樓裡。方才坐前座的軍官在一張小桌子的後面坐下。「李敦白，」他用那種很官僚的語氣大聲叫著，「你已經被捕入獄了。」

「是。」我說著，點點頭。

他吃驚的往我瞧了一眼，似乎原本預期我有激烈的反應，「我說你已經被捕入獄了。」

「我知道。」我回答，又點了一次頭。

「搜他的身。」他命令那兩個士兵。他們把我的衣服剝到只剩一條內褲，搜我的身，之後交給我一套囚犯的衣服，我穿上黑色的棉衣棉褲，一雙布襪跟鞋子。

一個獄卒走過來，身上帶著一大串鑰匙，陪我走出大樓，穿過中庭，走進另一棟燈火通明的大樓。一直到這個時候，我才終於感到一股毛骨悚然的感覺。大樓裡面是一排長長的甬道，沿著甬道右邊有十一間牢房，牢門又高又大，是木製的，上面有紅色斑點，門一律用鐵釦嵌進牆壁裡，門上的鎖是雙重的大鎖，用粗厚的鐵鍊拴著。

「我的天啊。」我心想，「每一間冰冷冷的盒子裡住著一個人，孤獨的關在裡面，活埋！」

到這個時候，我才完全明白我即將面臨的遭遇。這種連想都想不到，絕不可能發生的事馬上就要發生了。我一直以為他們幾年前就已經不再使用這種慘無人道的做法，沒想到我現在卻在這裡，再次面臨孤獨監禁的境遇。

獄卒把我推進一間牢房，隨即砰一聲把門關上。我四處看了看，這間牢房很像我十九年前待過的那一間，大小約六步深，兩步半寬。在我身前高處有一扇窗，密閉而且結滿了霜。窗下是一張床，由一扇門板和兩個鋸木架做成。床鋪上捲著一條薄被，被子下則是一薄棉墊。看情形沒裝暖氣。靠牆左邊有一個小小的盥洗台，盥洗台和牆壁之間有一個凹洞可以當馬桶用。門上有一個窺洞是給警衛用的，另外在靠近廁所附近還有另一個與腰同高的窺洞。

我完全孤單。在這裡我又再一次的遠離人羣，被鎖在一個我以為早就不存在的監獄裡，為的是一個我根本沒有犯的罪。難道這之間的十九年只是一場夢？難道我在不知不覺之間又從一個不真實的非人世界轉到另一個非人世界裡？我忍受過六年的驚嚇、憂鬱和精神上的折磨，為的只是再次面對同樣的夢魘？我要怎麼活下去呢？

但當我聽到一陣鎖鍊咔嚓鎖上一聲的巨響時，我心中突然湧起一陣狂喜。「這會是一場戰鬥。」我告訴自己。「真理是站在我這邊的，而我一定會贏。」這不是以前的那個監獄，我也不再是以前的我。我變得更有歷練、更堅強、更執著。以前，我最大的痛苦是被我愛的人民懷疑、排除和誤解。而這一次，我要把入獄視為是整體作戰的一部分，我們一起作戰，透過文化大革命建立一個真正民主的、繁榮的社會主義國家。只要我們團結在一起，我們就一定能贏。

我把上回入獄時在獄中所用的踱步法回想一下，再用相同的步伐來來回回的測量，結果是每邊六小步。我把過去獄中所學、所知及一切能幫助我熬過未來各種可能狀況的生存法寶都蒐集起來。我要設法獲得我上回入獄一年後就享有的特殊待遇。如果我能獲得報紙、紙、筆、書籍及人道待遇，我確信我可以熬過去。

但我還必須克服發狂的恐懼。一九四九年入獄的第一年，最教人記憶深刻的便是那種退縮到黑暗中的極度痛苦，也是我最大的恐懼。這次我一定會注意我自己，分析我的情緒，找出挑起這種恐懼的原因，然後學會控制它們。「他們控制刺激，」我告訴自己，「但是我可以控制反應。只要我運用我的理智，他們就無法使我崩潰。」當我覺得自己又接近發狂的邊緣時，我一定要想辦法把自己拉回來。

我下了一個令我痛苦萬分的決定。「我一定不能去想玉琳跟孩子們。否則我會死掉。」我知道那些讓我下獄的人一定會利用我對家人的思念來粉碎我，但是最嚴重的是，我自己對家人的渴念和對他們的關切擔憂之情，就足以像強酸那般將我從裡到外整個腐蝕。孩子們在哪裡呢？他們安全嗎？玉琳會不會被鬥爭呢？她是不是也得接受審訊呢？我最擔心的是，個性固執又誠實的玉琳，很可能為了要替我辯護而丟掉自己的性命，我把心門砰地一聲關上。我不能想這些，要不，我只有死路一條。

而我一定、一定無論如何絕不放棄。我絕不放棄我的家人，絕不放棄自己所堅信的民主社會主義路線。我絕不放棄我自己。我絕不自殺，絕不在絕望中崩潰，也絕不會放棄任何一絲一毫可以爭取生存和勝利的機會。

但是有一件事我徹底明白我一定要放棄，那就是在上位朋友們會援助的希望。因為第二天，典獄官把我的入獄命令文件帶來給我看，文件上有無產階級司令部十六位成員的簽名，其中包括毛澤東、周恩來和江青的簽名。

我不知道我為什麼入獄，也不知道我將在獄中待多久。有一陣子，我猜想我的案子沒什麼大不了，頂多幾個星期、幾個月或至多一年就可以出獄，我可以好好再思考一下文革，然後有一天寫一本有關它的書。但是一個星期又一個星期過去，沒有隻字片語提到我的命運。有一隊調查人員曾經來過牢房好幾次，但他們卻不像我第一次入獄時那樣，告訴我我的罪狀。他們只是告誡我，要我好好想想我犯的罪，隨即就離開了。

然後我突然有一種想法。這一次除非爆發什麼大變動，否則我大概再也無法獲得自由了。以

「偉大、榮耀、正確」自詡的中國共產黨及其永不犯錯的領導人毛澤東，已經兩次寃枉的逮捕了他們的美國友人。第一次他們曾經公開道歉，但他們敢承認對同樣一個人犯同樣的錯誤嗎？在他們正汲汲於塑造毛澤東成為一個神一般人物的今天，要他們再次承認他們所犯的錯誤，簡直是異想天開吧。就算他們真的發現他們的確犯了錯誤，只怕也很難叫他們認錯。

大概兩個月後，我從這間我想大概是臨時拘留的牢房，移到另一間永久性牢房中。偵訊幾乎是立即展開。在我搬到新牢房的第二天，我聽到門鎖上鑰匙轉動的聲音，接著是一個女人尖聲尖氣的命令我往前走。我認得這個聲音，這是一個脾氣暴躁的獄卒的聲音，我聽過她對著樓下的犯人尖聲大罵。我走出牢房，看見一個穿著人民解放軍制服的女人站在甬道上。她很瘦，臉骨骨的，眼神閃閃發亮。「把頭低下，眼睛看著地板。」她命令我，「不准看牢門。」

我跟著獄卒沿著甬道走，穿過一道門，拐個彎走到另一平行的甬道上，偵訊室就在旁邊獨立的一間小囚房。我一走進偵訊室，便看見裡頭有五個人在等我，其中有兩個年紀比較大的男子，一看就知道是帶頭的。一個穿著平民服裝，瘦瘦的，長下巴，說起話來有濃濃的滿洲腔，另一個則穿軍裝，身強體壯，姿勢挺直，這兩個人顯然是奉命審問我案子的官員。

審訊的公式永遠都一成不變。獄卒會先示意我走進去，我便穿過門，小心的把門在身後關上。我第一次忘了關門時，他們對我大吼大叫，以後我便記得每次都要關門。然後我必須先向掛在牆上的毛主席像鞠躬，請求他的寬恕。這我也做了，為了某種自己也不知道的罪咎感。之後我會站在他們桌子前面一張圓形的小平台上，他們會叫我坐下，但在坐下之前，他們會先叫我把牆上貼著的毛主席名言誦讀一遍：「人民，只有人民才是創造世界歷史的動力。」、「羣眾才是真正的英雄，而我們自己往往是幼稚而可笑的。」

偵訊桌由兩張普通書桌併起來，審訊員坐在長桌的另一邊。桌上覆著一塊白布，擺著三、四杯熱水，審訊一開始進行得很溫和。

「已經給你很長的時間讓你想事情。」那個我私自稱呼他為上校的軍人這麼說：「你已經決定好要怎麼做了嗎？」

「我一直很努力的想過了，」我說：「我已經準備將我一直在做、在說的事，毫無隱瞞一五一十的向黨交代清楚，讓黨可以了解我。」另一個較年長的高幹頭上戴一頂褐色的高幹帽，我便稱他「褐帽人」。「我們一直沒有帶你來這裡，因為我們需要多了解你一些。」他說：「也許你需要先知道一些你目前的處境，可是這是兩碼子事。你應該明白你除了說實話之外，別無選擇。」

「沒錯，我正想這麼做。」我說：「我始終對黨說實話，我在私人場合說過的任何事沒有一件是不能對黨說的。我已經準備要解釋任何事，回答任何問題了。」

「你最好重新看看現在的政治局勢，做更深入的了解。」褐帽子說：「偉大的無產階級文化大革命就是要將所有帝國主義、封建制度和壟斷性資本主義遺留的牛鬼蛇神全部連根拔除。你難道真的以為你可以就這麼簡簡單單的過關嗎？」

「回去，」上校說：「把事情仔細再想一遍。我們有無限的耐心和時間，我們已經讓你保有毛語錄了，不要再利用它來欺騙人民，學習書中的教導，應用到你目前的處境上，書裡會告訴你該怎麼做的。」

那天晚上，我第一次聽到犯人被嚴刑拷打的聲音。

在肉體上，我從來沒有遭受過折磨。但是夜復一夜的躺在那裡，無助的聽著四周痛苦的呻吟聲和慘叫聲，有時候我真寧願受毒打逼刑的是自己，有一天晚上，我聽見一種不知是用拳頭還是用棍子打在赤膊肉體上的聲音。我聽不出打人的是什麼東西，但是擊打聲時而是噼啪啪的，時而是砰地一聲悶響。然後我聽到一個男子哀求的聲音。「不要打了……我求你，我求你。好了。我什麼也不知道。我說的都是實話。我沒有背叛黨……。」

「我們沒有打你。是你在處罰你自己，因為你不肯說實話。」一個年輕男子的聲音這麼說。我猜想說話的一定是個審訊員。「只要你說實話，我們馬上就走。是你自己不對，一切全看你自己。」啪！啪！砰！然後是囚犯更痛苦的尖叫。

另一個晚上，我聽到隔壁牢房前有警衛在大聲咆哮：「你這樣子多噁心啊！不要對我下跪。那是封建地主教人們做的事，給我磕頭對你沒什麼好處，你磕再多頭也是沒有用的。」

然後從走道另外一頭，我聽到有人對著警衛詛咒和尖叫。「你們這些流氓，你們這些小雜種。」他叫罵一頓，然後開始數說他對黨的貢獻。「我是毛主席忠實的追隨者。你們這些廢物！我為人民工作已經很久了。你們呢？你們是誰？不過是一堆垃圾，他們也都是垃圾。你們別想叫我閉嘴。」我聽到一陣亂拳打在人身上的聲音，還有他憤怒狂吼：「誰給你們打我的權力？我是中華人民共和國的公民，誰說你們有理由可以打我的？」

欲狂的感覺緊緊向我逼來。我伸手想摘下頭上的帽子，它太緊了，壓住我的額頭，令人難以忍受。但我一摸到頭，便知道自己其實並沒有戴帽子。我感受到的其實只是一股龐大的緊張。不過就這麼一下子，瘋狂的感覺過去了，那些痛苦的聲響也隨之消失。

當我第二次醒轉時，另一個完全不同的夢魘找上了我。我聽見了一個老女人在痛哭，淒切的聲音宛如送葬者的悲嚎。「我求你不要再折磨我了。」她叫道：「我是一個毫無抵抗力的可憐女人。我愛我們偉大的領袖毛主席，他是我的救星。我沒有犯什麼罪，求你讓我回家。我的小孩孤孤單單的，他們沒有人照顧。我求你，不要再打我了，讓我回家吧。我受不了，我再也忍受不了，忍受不了了……。」

接著是一個男人跟一個女人同時對著這個女的大聲尖叫，然後又是東西打在人身上的聲音，夾雜著犯人的呻吟和叫喊。

四周一片沉寂的時候更糟，我什麼也聽不到，沒有說話的聲音，沒有打人的聲音，只有一陣激烈嘶啞的慘叫聲之後，驟然的寂靜。我知道這兩個被毒打的犯人一定跟我離得很近，我才能聽得這麼清楚。掌握他們命運的人，也同樣掌握著我的命運。這一切毫無出路。

只是，像這樣的事怎麼可以發生在人的身上呢？敵人也好、犯人也好，都不應該發生。他們怎麼可以毒打別人呢？這種違反黨紀的行為令人震驚，而我又只能躺在那裡，對他們的暴行絲毫無能為力，令我痛苦得簡直要發狂。

我覺得自己在不停的往下掉，雖然我明明好端端地平躺在床上。小小的囚室裡，牢門和四周的牆緊緊的向我湧來，好像要把我壓碎。

不過我知道我不能屈服，上回入獄的那段黑暗記憶正隱伏著，俟機要把我吞噬。「我只不過是肌肉僵緊罷了，」我想，「我的腦袋沒什麼問題。」我鎮定下來，深呼吸，強迫腦袋裡的神經放鬆。「他們沒有辦法打倒我的。我絕不讓他們得逞，我已經嚴陣以待，準備在必要時對付上回碰見過的那些妖魔鬼怪。我仍然會跟上回一樣堅持到底。他們是打不倒我的。」

* * *

我不久便了解到，他們真正的意圖就是要迫使我屈服，雖然他們顯然已經奉命不得對我施加肉體上的折磨，但是，為達到他們的目的，審訊員會在絲毫沒有任何預警的情況下，突然就變得極端恐怖起來。有一天，我走進審訊室，裡頭除了那兩個一直在偵訊我的人之外，還有十幾個人在裡面。「你知道黨的政策，」那個東北頭兒說：「你已經把事情想清楚了嗎？你準備要做自白了嗎？」

「我不需要再多想。」我說：「從我到這裡來之後，我就一直想自白。」

他看著我，眼睛瞪到最大，目光充滿了恨意，我一時以為他就要有所行動。「你說你一直想自白，」他說：「那為什麼還在拖？」

「嗯，那是因為你們看起來好像已經認定我有罪，而且你們又不想聽我解釋……」

「閉嘴！」他大喊，舉起一根警棍用力敲桌子，弄出很大的聲響。我很訝異，居然——被小房間裡的這聲巨響唬得猛抖了一下。我的心撲撲跳，血液一下衝到腦門裡。「站起來！立正站好！」

我站起來，覺得很暈。

「看起來我們要對你做的第一件事，是糾正你的態度，你的態度太惡劣了。你把我們的耐心誤以為是軟弱。除非你改變自己的態度，否則你不可能說一句實話。」

「我的態度便是我願意說實話，不隱藏過去任何事。」我說著，聲音放小了些：「我說過的話有什麼是錯的嗎？」

「我們上回警告過你，」頭兒繼續說：「你不得攻擊人民的政府。現在你說我們已經認定你有罪。你真正的意思是說，你並沒有犯罪，而我們想要誣陷你。你在我們這個監獄裡，在這間等於法庭審訊室裡，你還在對社會主義制度進行邪惡的抨擊。」

「法庭？」我微弱的說。「你是說這真的是一個……」

「安靜！」桌子又砰地一聲敲響。

「你讓我很吃驚。」上校說：「我知道你很狡猾，但是我沒想到你這麼大膽，敢在這間囚室裡不停的向我們挑戰，你就要大禍臨頭了，不過我建議你還是放聰明一點，要不然你會發現你得付出很高的代價。」

「拜託你們讓我坐下好嗎？」我顫抖地說。我剛剛被他們出其不意的唬到，到現在還沒恢復，我覺得頭重腳輕，雙膝軟弱無力，我的胸口有一種奇怪的緊繃感覺，呼吸急促。

「站在那兒。」頭兒叫著：「你敢不聽命令就坐下。我要你為自己惡劣的態度向毛主席道歉。」

「可是我真的不明白我的態度究竟哪裡惡劣，你可以幫我嗎？」

「你不對的地方是，」頭頭兒說：「你不但仍然不願意自白，而且還有膽子攻訐人民的政府。這樣還不夠壞嗎？你還想更壞下去，是嗎？」另一聲砰地巨響打在桌上。「你最好對自己這種極端惡劣的態度道歉。」他喊得很大聲。「要不你就從現在開始一直站在那裡。反正我們有的是時間。」

「好吧。」我說。「如果是這樣，那我為我的惡劣態度向毛主席道歉。拜託，我可以坐下嗎？我覺得很暈。」我很怕我快心臟病發作。

「哦，你覺得很暈，」那個頭頭學我說話：「你還有得暈呢！如果你不向人民低頭，不完全承認自己的過錯的話。難道你以為這次那些已經被文化大革命喚醒的中國人民，會讓你從他們的手掌心再次溜掉嗎？」

* * *

每個清晨我醒得十分緩慢。重重疊疊的睡眠來來去去，直到我到清醒的邊緣，似乎看得清東西了，似乎明白我是誰，在那裡幹什麼了，我才會悠然醒轉。每天早晨，那樣的意識帶著一種壓迫力穿過我的睡眠，讓我聽到四周的各種聲音，獄卒搖鈴聲、警衛把痰吐在甬道上的清喉聲。我睜開雙眼，看見覆在身上的薄被、頭頂上亮著的燈、四壁一成不變的灰牆、令人窒息的紅色牢門和門上那個窺洞。

這些聲音和景象帶著令人無法負荷的重量，像一塊巨巖壓著我的胸口和頭頂。對我來說，那塊巨巖有個名字叫孤絕。「天啊，」我會想，「我還在這裡。我還是孤單一個人。我還是在這間冰屋裡，活埋著。」

每天清晨我必須學會把巨巖移開，跟痛苦、自憐和沮喪奮戰。我不能退縮，否則一失察，我就會發瘋，而且永遠也回不來。我鄰居中就有幾個這樣的人。在痛苦的黑夜裡，我聽見過一個男人嘶吼聲，然後是鞭笞聲，然後又是嘶吼聲。整整一個多星期，他一直喊他無罪，他是清白的，求他們不要再打他，求他們去向他家鄉的黨委求證，就會知道他對毛主席的忠誠。

然後突然的，嘶吼聲停了，我聽到警衛叫了一陣子。「你別以為這樣就可以騙我們。」他們的聲音穿過牆壁傳了過來。「我們知道你在裝瘋。我們有辦法可以讓你清醒的，你知道的，一些你不會喜歡的辦法。」接著是一陣拳打腳踢的聲音和更多的沉默。最後連一點聲音也沒了，只剩一片靜默。

我絕不會讓這種事在我身上發生。我得不斷把自己拉回這個世界，即令這個世界充滿無情的沉默和痛苦。我為我自己立了幾個信條，牢記心中，每天早上一醒來便在心中默誦。「我是李敦白。」我告訴自己。「我是個美國人，志願加入中國的革命運動，並被共產黨接納為黨員。我的目的是讓自己成為一個真正的共產黨員，一個高尚、單純、有道德的人，為人民的利益而生存、無私的為別人的權益而奉獻自我。我立誓做我該做的事，克服艱難險阻和對死亡的恐懼。樂意聆聽別人對我自身缺點的批評，永遠不斷的學習，戰勝我的缺點。」

這段誦詞跟我第一次入獄時對自己複誦的話很類似。我想藉泯滅自我來挽救自己，不再注意困擾我個人的罪業，轉而關心大眾疾苦。畢竟跟千萬人的命運比起來，我的痛苦、不幸，甚至死亡又算得了什麼？

然而，這一次不同了。在我的腦海裡有另一個新的、完全不同的信念嗡嗡作響著。那是一個完全代表我自己的聲音在大聲說話。「我的名字是李敦白。」那個聲音這麼說：「我要致力追求人類的自由和幸福，從而獲致個人的幸福。我有生存、自由和追求幸福的權利，而且沒有任何人可以剝奪這些權利，除非我自己放棄。不論處於什麼環境，我將運用我的人生觀使其盡可能的實現。我將永不放棄。他們愈是要使我軟弱，使我崩潰，我就愈堅強。」

第一次坐牢時被我殺死的那個自我，在我二度入獄時復活了。

我的信念發揮了作用。每天早晨我醒來，它讓我精神奕奕，讓我工作、戰鬥，抖落那些對我招手的幻影。我學會活著，但沒有同伴、沒有隱私、沒有愛。我所有可能的娛樂和慰藉都被剝奪了，我的生存處境比第一次坐牢還要更糟。然而，我學會了要生存，要活下去，甚至學會在我的苦難中找到快樂。

以前在家，我很怕冷。每到冬天衣服穿了一層又一層，衛生衣褲、棉布衣服，外加又厚又暖的毛衣。在獄中，我冷了一整個冬天。牆壁是石頭做的，地板也是石頭鋪的，在最嚴寒的日子裡，我穿的是棉布鞋，底很薄，連熱氣也少得可憐，而且太小。我的棉裡外套也很單薄。每當想家的念頭溜過我防堵的柵欄時，我便想到離家那晚我對玉琳的那麼一點點好。監獄當局答應讓我保有我進來時所穿的那套衛生衣褲，不過那是玉琳那套舊的，不是我自己那套新的。

每晚臨睡前，我的例行工作是把棉被末端塞進褲腳，權充睡袋。我不相信這麼冷我睡得著，可是我的確睡著了。以前在家，我很喜歡睡覺時把身子蜷起來，睡在一層又一層被單和毛毯下，靠著玉琳柔軟而溫暖的身體入睡。有時，我們會在清晨醒來時，發現一、兩個我們的小寶貝跑來睡在我們中間。而現在在監獄裡，我必須面對門口睡覺，雙手必須放在棉被外、頸子和腰際間看得見的地方。我沒有枕頭可以睡覺，甚至連把手彎在頭下當枕頭也不行。如果我在睡覺時不小心翻個身或把身子蜷起來——軋吱！警衛就會來撞我的門，喋喋不休的數落我。

穿制服的獄卒會在任何時間闖進我的牢房裡。他們把我圍起來，揮舞著拳頭。「你知道你是在哪裡嗎？」他們咆哮著：「你知道這裡是什麼地方嗎？」「知道。」我回答，點點頭。他們不管我回答什麼，仍然大喊大叫：「這裡是無產階級專政的地方，你在這裡沒有任何權利，你明白嗎？沒有任何權利！」

在嚴格偵訊的初期，警衛顯然奉命吵我睡覺。我才剛睡著便聽到打門的聲音，響得像鞭炮一般。這種情形頭一次發生時，我立刻從床上跳起來，高喊、「報告！」

「你這麼大聲幹什麼？」門外有一個憤怒的聲音。

「有人敲我的門。我不知道他們要幹嘛。」我說。

「狗屁！」那個憤怒的聲音說：「你編的什麼狗屎蛋？滾回床上去睡覺，不然你就得受罰。」

然後，等我又快睡著時，拍門聲又響起來。我這才明白他們是故意不讓我睡覺，大概是要使我在這種煎熬中加速崩潰。我決定不理會這些噪音，自顧自睡覺去。後來當拍門聲又響起時，我醒了一下，雖然受到一點騷擾，但仍很快便睡著。再次醒來已是第二天早晨，我心中有種贏得一場小戰爭的感覺。

* * *

第一年，我最大的敵人是飢餓。我活在殘酷難忍的飢餓中，時時處在嚴重營養不良的邊緣。一天三次，我聽到餐車隆隆的推過走道，管理員粗啞的聲音一邊分送食物一邊咒罵：「快一點，你個臭雜種！反革命的渣滓。動作快一點，要不然你一粒飯都拿不到！你這王八蛋，你到底要不要！」只有到我門口時，她才靜下來——一句也不罵。

一天三次，我推開門下方的活板，把陶碗遞出去。一天兩次，我可以喝到其實跟水一樣的青菜湯，只有幾根菜梗子浮在上面。一天兩次，我會有一碗糙米飯，但是裡頭好多砂石；有時則是一兩個玉米饅頭。早餐則是半碗稀粥跟少許的蕪菁菜。過了一段時間，管理員會額外給我一片玉米麵包，或是把分給其他犯人後剩下的一點點食物給我，那時感覺真像是上天額外的恩賜一般。

碰到星期天跟假日，我只能吃兩頓。一餐是上午，一餐是下午。碰到這種日子時，那真是難捱。我坐在床上，餓得發昏，夢想著食物。而最難捱的時間莫過於國慶日和農曆年。我會有一連三、四天只有兩頓飯吃。在那之後碰到偵訊時，我整個人都會退縮到自己的烏托邦裡，夢想著一個可以讓我盡情享用玉米麵包的完美世界。

除了對食物的渴求外，更糟糕的是身體和精神都日益衰弱。每次坐著一站起來，我便頭昏，整個人會在牢房裡搖搖晃晃的轉好幾個圈，只要抬頭往上看，我就覺得血液全往後腦袋衝，引起暈眩和頭痛。我把身體緊貼著牆，想把頭低下來，讓自己不暈倒。但眼前只見浮動的斑點，有紅有藍，就好像看電影裡面下雨的畫面那般。

我盡我的能力將獄中的各種境遇當成我求生存的武器。窺洞使我雖然活在孤獨中，卻毫無隱私可言。不過這未嘗不是一種希望，因為他們會監視我、窺探我的一舉一動和面部表情。我相信我的行為、情緒和反應遲早會使他們不得不認定，我的確就是我所說的那個樣子。

我把牢房保持得一塵不染。用一塊八吋見方的抹布跟自來水把牢房清理得乾乾淨淨。起初我只是清除一些大塊的髒點，但不到幾個星期後，我已經把每一個髒點都擦掉了。而這也是少數幾件我能身體力行、誠實面對上帝的事。

我試著保持健康。我設計出一套柔軟體操和自創的中國太極拳，每天早上早餐前、午餐前及晚餐前做這些運動。我從熱身運動開始做，伸展四肢、旋轉身體，然後做不同跳躍運動、彎腰、抬手，最後以蓮花坐姿勢做深呼吸運動。

接著我慢跑，我在我的牢房裡第一次慢跑時，警衛來拍門大叫，「你以為你這是在幹什麼？」

我立正站好，聲音嘹亮的複誦官方指示：「只要犯人嚴守監獄的管理規則，那就可以允許他們做運動，這樣他們才可以保持健康的身體向黨報告他們真實的故事。」

門外沒有再出聲。從此每當我在牢房裡做運動，再也沒有人來質問我了。

有時我太過虛弱，只能搖搖擺擺的走到洗臉台那兒去。這種時候，我就得大幅減少運動量，不過我從來沒有一天中斷過。運動是我生存計畫中最根本的一部分，並可避免我情緒低落。

我利用三餐的機會展示我對革命運動的熱忱。我知道這些軍人對都市人對待食物的方式很敏感。他們都是鄉下長大的孩子，知道汗滴禾下土，粒粒皆辛苦，他們不喜歡看到有人浪費食物。因此我便讓他們看見我對食物的珍惜態度。我拿碗小心翼翼，連菜湯都不讓灑出一滴。我把飯吃得一粒不剩，連掉在地上的飯粒也馬上拾起來吃。

我試著把用餐時間變成一種活動，一種刺激意識力的機會。每當警衛打開大門底下的小門時，便是我除了偵訊員外，唯一能見到至少部分人體的機會。雖然我只能見到他們的鞋子、襪子跟褲管，但總比什麼都沒有強。我利用這些線索勾勒出這個人的外貌。我從他們穿的鞋子和襪子，去想像他們是誰，在哪兒長大，還有個性是什麼樣子。

我試著把我非吃不可的少許粗食變成我期待的美食。每天早上吃早餐時，除了稀粥以外，我還有一片如拇指指甲大的鹹蔬菜可以吃，我也開始把每一天的那個時刻當成一種期待。每當飢餓使我極度虛弱時，我便安慰我自己，還有十個小時、十一個小時或八個小時就要用早餐了，到時我就可以享用那些鹹鹹的可口蔬菜了。這樣一想，整個人都會很愉快。這種自我安慰的方法是相當有效的。

審訊工作持續了三年，有時候是一天審問一次，有時是一天兩次。有時也會在一天安排三次審訊，分別是早上和下午各一次，由全體陪審員輪番轟炸我，另一次則在晚上，由那個長下巴東北人或是上校輪流審問，晚上的這次審問會進行得比較安靜、溫馨一些。

夜間，他們在黯淡的審訊室裡，對我輕言細語：「聽我說，你很清楚你逃不過這一次。你只要懺悔，認罪，把你的事說出來。」他們在夜間的虛偽關懷與他們白天的猙獰粗暴格格不入。

* * *

偵訊像波浪一般展開，有時會連續偵訊三個月，接著一整個月動靜全無。每當審訊一開始，我便祈禱它趕快結束，那些暴力、仇恨和憤怒，以及他們所怒發的恐怖等等一切趕快結束，還我一片清靜。但是當審訊暫告終止，我又祈禱它們趕快開始。因為那至少表示他們知道我人在那裡，他們還有想到我。在我的想像中，最恐怖的事莫過於被遺忘，被活活的埋葬在那裡。

早在我被軟禁在家的期間，我便從他們偵訊我的問題中，知道他們要的是什麼。他們想證明我是間諜，是一個與層峯領導人有密切關聯的間諜，我有強大的影響力，像一張四面八方的網，能煽動蠱惑外國社羣。

有一段時間，他們鬼鬼祟祟繞著這個問題打轉，老是在暗示，從不直接說破。「要指出你真正的罪名實在易如反掌，」他們說：「這就好像答案其實只在農夫家一扇紙糊窗子的另外一邊，我們只要手指頭輕輕一戳，紙窗就會破掉，答案便一目瞭然。我們一直沒有道破，是想在揭發你之前給你一個自白的機會，這樣做對你自己比較好，不過我們可不會永遠等下去。」

然後，他們突然破口大罵，「間諜！」他們對我吼著：「外國特務！」這一次跟我上次坐牢不一樣，我沒有一絲幻想。這不是在考驗我的忠誠，也不是把我改造成一個值得信賴的黨員的祕密訓練。這回我面臨的是刑事指控，而且他們有的是理由定我的罪。像我與王力的聯繫就是一個例子，而王力現在已遭人唾棄了；另外像廣播事業局的派系之爭，及幾個像我前妻魏琳一樣的人已經一再抨擊我是間諜；還有我對武漢紅衛兵提及越南共產黨的魯莽談話等等。

日復一日，審訊拖拖拉拉的進行。審訊小組常常在換人。有時八個人，有時十二個人。有時還會出現一些穿著平民制服的人靜靜的坐在一邊。有時也會有穿著軍裝的人出現。有一段時間，審訊室多了一個在旁認真作筆記的女人，後來我發現她已經懷孕，肚子在三個月之中迅速變大，然後就從此消失。

受審令人筋疲力竭，每次我一走進那間空盪盪的房間，面對長桌那邊一羣臉色陰鬱的審訊員，我就覺得很無助。他們可以抽煙，可以坐可以站，也可以自由自在的走動。他們渴了可以喝水，也可以互相聊天、開玩笑。他們可以把腳放在桌上，把外套跟毛衣穿上或脫下，或做任何他們高興做的事。

我則除非有直接命令，否則不能坐，不能站，也不能說話或走動，我沒有水喝，沒有權利隨便穿衣服或脫衣服。每道命令都以下達軍令的方式下達：「向右轉！」、「向後轉！」、「向前兩步，走！」我不是人，我沒有名字，沒有權利，沒有保護，沒有防衛能力。他們是原告也是法官。「說！」他們會喊：「說，要不你的死期就快到了。」

我告訴他們事實不是那樣。我不是帝國主義的特務。我始終都是我所說的那個我。我從來沒有對黨說過謊。

「你要怎麼證明你不是間諜呢？」上校問。

「我沒有辦法，」我回答。「沒有人能證明他不是一個怎麼樣的人。但是我想從我這一生的生命歷程可以證明我以前不是，以後也不會是。我不相信有人能長久的欺騙那些跟他很親密要好的人。」

「你不只是個雙面人而已！」上校嘲弄的說：「你還有一大堆歪理來掩護那些跟你一樣是雙面人的人。」

有一次我走進審訊室，東北人突然宣布，「我們已經決定不准你再拒絕承認自己是個特務了。這樣對你有好處，可以讓你可以少撒一點謊，免得罪上加罪，從現在開始，當我們說你是一個間諜時，你不可以否認，明白嗎？」

我點頭。「我明白，可是我一定要否認。因為你先前要求我說實話，並警告我如果不說實話會使罪刑加重，所以我必須誠實地回答任何問題或指控，不是嗎？」

「把這些詭辯放一邊去，照我的話去做！」滿州人命令我。

就這樣，我們之間一再重複同樣的對話。「你是個間諜，而且頑固的拒絕懺悔。你是個頑固的間諜。」

「不是，我不是間諜。」

「我說過你不准否認的。」

「可是你一開始就告訴我，我在這裡一定要說實話。那不是我的首要義務嗎？」

「閉嘴！」

這一次他們五個人全站起來，像一羣蜜蜂般撲過來把我圍住，拳頭在我臉上比畫來比畫去，作勢要揍我。我曾經好幾次聽到隔壁審訊室裡的人被臭罵、毒打，然後砰一聲倒地，繼之以拳打腳踢的聲音。但是我已經不怕了。我知道他們的伎倆之一是要引誘我表達對中國的怨恨和憤怒，這樣一來，他們就可以抓住這個小辮子做證據，證明我的帝國主義心態，這又正好可以符合他們認為我是特務的預期。

有好幾次他們威脅要殺我。「我們已經失去耐心了，」有一天那個東北人這麼說：「要不你現在就做自白，就是這個下午。否則明天早上就送你這個死頑固上西天！這很快的，你會連哀叫一聲的時間都沒有。如果你以為我們只是嚇唬你，你就試試看吧。」

一些埋藏在我心中已久的話，突然從我嘴裡說出來：「如果文化大革命的勝利將使我失去生命，」我說：「那我會覺得這只是一個小小的代價而已。」

我這些勇敢的大無畏字眼是從哪裡來的呢？我正一點一滴的漸漸恢復我的個人意志、個人勇氣及自己思考的能力。我仍然自認是忠貞的共產黨員，但是我的心也愈來愈屬於我自己了。

我用我的個人哲學來控制我的情緒。我的審訊員一而再、再而三的告訴我，說我絕對沒辦法走出這座監獄，說我只要懺悔，就可以換取一個比較好的環境，只要自白，那麼一切就會沒事。一天晚上，我躺在床上，看著牢房裡的燈想到我自己，「如果我的後半生就要這麼過下去，那麼有什麼意義呢？」沮喪的感覺一下令我如跌入無底深淵。但是內在的另一個聲音馬上回答：「你應該要致力於人類的自由跟幸福才對。現在你有了麻煩，你怎能忘記外頭那成千上萬的人們呢？那些人中有些人承受的痛苦何止千萬倍於你呢？」

剎那間，我的心境產生了一百八十度的大轉變，從陰鬱變成完全的寧靜。就憑藉著這，我從此不再懼怕他們的威脅了。我明白這種邪惡的審判制度絕不會長久，人們總有一天會摧毀它。當那一天到來時，我就可以獲釋，但是我必須活下去，而且絕不能讓他們粉碎我的意志。我一定辦得到，只要我把我的心念放在別人身上，而不要只是想到自己。

又一次我來到審訊室。我建議他們查閱一下我過去的記錄。「看看我所做的事吧，」我說：「去查一下看我真正做過些什麼。」

「哈！」他們笑：「揭發你的文件每天都像雪片一樣飛進我們的辦公室裡。連你的外國朋友都告發你，你以為我們還需要你來告訴我們你想要幹嘛嗎？」

這麼說來，有些外國人正在蒐集不利我的資料。會是哪些人呢？我不相信我真正的好朋友會指控我，可是誰又是我真正的朋友呢？

至於我，我從來沒有指控過任何人。他們有時候會要我告發別人。他們問我在成立貝森陣營的過程中我扮演什麼角色？他們問我跟以色列籍的艾普斯坦和英國的麥可·沙皮諾有什麼關聯。

他們也暗示過他們想跟我談安娜．路易絲．史莊的事。但我始終記得玉琳說過的，我只說實話，不多說也不少說。

有一次他們問的問題一直追溯到我去延安之前，「你當時從張家口坐上那個日本軍車時，你是跟周揚同車。你一路上都跟他說了些什麼？」

那時候的周揚雖然年輕，已經身兼作家、文學批評家及大學院長。他曾高升到擔任統戰部的副部長，此後一直到他在文革中被鬥垮之前，他一直負責控制所有的作家和藝術家。我沒有告訴審訊員我知道周揚也跟我同樣被關在這棟監獄裡，而且他的牢房離我不太遠。因為每到晚上，我都可以聽到他用濃厚的湖南腔咒罵那些逮捕他的人，跟他們說教，講述黨的歷史和過去光榮的革命奮鬥史。碰到警衛大聲叫他安靜時，他會叫得更大聲：「你這小鬼，你對中國共產黨了解多少？你為什麼不去讀書，學學有關這個世界的事？」

我告訴審訊員，我跟周揚兩人坐在貨車後面時，我們都在談文學跟藝術：「他告訴我他喜歡寫作，可是他太忙了，幾乎找不出時間來寫。」

「就這樣而已嗎？」上校不屑地問：「你們只談論文學跟藝術？」

然後有一天，我被拖進審訊室裡，發現裡頭全是一羣陌生的臉孔。他們一共十個人，個個看起來都像是軍人。

這幾個審訊員都很嚴肅，不過沒有那麼粗暴。他們只對一件事有興趣：王光美，也就是曾經擔任國家主席的劉少奇的老婆。他們對我的案子一點興趣也沒有，只提到如果我能幫忙揭發她，那我日後的待遇會比較輕鬆。

「你第一次跟王光美見面是什麼時候?」他們問:「你為什麼去北京見她?你為什麼要替她傳遞訊息?」

我和王光美一起做的事全都是公開新聞,就我所知,不可能傷害到她,所以我便實話實說。我說我是一九四六年在葉劍英總部第一次遇見她,那時我正一心一意想去延安。我告訴他們後來喬治·哈頓(即馬海德)曾經想介紹我們兩人相親,因此我們曾經兩次一起在延安吃過回鍋肉。

他們說我替王光美帶過一封信給她的資本家哥哥王光英,並把訊問重點擺在這件事,我只記得有一次我們一起躲避國民追擊,在半路上,她拜託我幫她帶一封信到河北省境,在那兒有人會處理這封信。

他們似乎企圖證明我在經營一個外國的間諜網,吸收了王光美,進而透過她也吸收了國家主席劉少奇,但是我總覺得這些審訊員不大對勁,因為他們似乎並不是真的有心要求證這件事。他們雖然很粗暴,對我又吼又叫,把我圍住,用拳頭在我臉上揮來揮去,但是我有一種詭異的感受,覺得他們自己都不相信他們對我的指控。

「小心,慢慢說。」上校有一回在偵訊與間諜案無關的審訊期間,這麼告訴我:「你可不想一不小心說溜嘴,暴露出你反革命的過去吧。」我聽得出他話裡的反諷和挖苦,可是他的臉色卻很和悅。

然後審訊的內容突然改變方向,間諜罪不提了,反倒開始逼問我文化大革命的事。我也開始漸漸明白我之所以下獄的原因。他們用間諜罪為名義，其實是想把其他跟我有關係的人揪出來。至於我，則是我自己害了自己。是我誤解了毛澤東發動文化大革命的真正意圖，我批評不容置疑的黨紀，我攻訐監視羣眾制度，我指責一黨專政、密告和人事祕密檔案。我樂此不疲的攻擊黨，並引來大批人的效尤。我熱心的推展民主運動，而且成為全國知名的人物。

我知道我在攻擊黨的舊制度，但是我不知道毛澤東和其他的層峯領導並不支持我這樣做。我以為我所說的就跟毛澤東、江青和中央文革小組所說的一模一樣。一直到入獄接受審訊後，我才知道，他們所思所想其實幾乎跟我完全相反。

毛澤東文化大革命的重點並不是像我所想的是要摧毀獨裁的一黨專政、摧毀對羣眾的思想控制、對黨教義的盲目服從和對人民權利的限制。相反的，他是要進一步強化這些東西。毛澤東的文化大革命有兩個主要口號：一個是：「民主至上」，這是他用來激勵羣眾以對抗其他領導人的手段；另一個口號則是「完全無產階級專政」。前者是手段，後者是目的。

我把江青和中央文革小組對民主的談話信以為真，然而他們卻不當它一回事，他們重視的是如何鞏固他們手中的權力。我一直自以為是毛澤東思想的代言人，但是從一連串接受審訊的過程中，我才明瞭我提出的其實是我自己的理想，而不是毛澤東的。

有一天在審訊中，上校把一份我曾經做過的演講稿複本交給我。裡頭有一段被框起來。「這一段，」他說：「你唸這裡。」

這次演講我記得很清楚，我做過很多類似的演講，這次是我在高等軍事科技學院裡所做的演講，主題是有關奴役與被奴役的關係。我有意在演講中譴責劉少奇，對他所提出的要絕對服從黨領導和黨教條的呼籲進行批判。可是當我把框起來的那一段唸出來時，我嚇壞了。

只要有奴役，我說，就有被奴役。奴隸之所以存在是因為有奴役者。同樣的，奴役者也只有當他下面有奴隸時才會存在。當你把黨的階級從上往下看去，你會發現一串又一串的被奴役關係，包括那些有奴隸在他們之下的被奴役者。從下往上看時，你亦會看到一串又一串的奴役被奴役關係，包括那些本身也是被奴役者的奴役者。而整個階級頂端的那個人，便是站在千萬人之上最大的一個奴役者，他是所有被奴役者至高無上的主人。

那麼誰是這個至高無上的奴役者呢？我把這一段唸了一遍又一遍。上校看著我，另外一個審訊員也看著我。誰是那個站在最頂端的奴役者呢？

我並沒有明說。雖然我在那份講稿的其他段落中，一再重複提到劉少奇，但是在這一段裡他卻明顯的缺席。為什麼我不指名誰是那個至高無上的奴役者呢？我的審訊員告訴我，結論不說自明，我並不是在詆毀劉少奇。

我是在詆毀毛主席本人。

第二十二章 王朝崩潰

我跟外界唯一的接觸是透過報紙。自從我第一個結結實實的嚴格審訊期結束之後，他們就允許我看報紙。我把這些報紙當寶貝一樣，仔細品嘗，慢慢的從頭讀到尾。它們是我唯一的視窗，讓我可以看見既非囚犯也非獄卒的正常人。照片中那些田野裡的農夫、戴安全帽的礦工、戴軍帽的軍人、江青革命樣板戲裡的戲曲演員，雖然都只是凍結的畫面，卻是活生生的人類影像，是我饑渴的想像力的食糧。

我解讀報上那些粉飾過的人物和時勢評析，推測外頭文化大革命的進展，好讓自己不致與外界脫節。我詳讀那些論說文來猜測政策上可能的變動。由於報紙常常會晚一天才到，所以我甚至把閱讀氣象報告當成消遣，看看前一天究竟是冷或熱到什麼程度。

報上的報導包括糧食收成、文化大革命的卓越成就，還有來自非洲和東南亞各地的共產黨員的友誼造訪等等。

然後有一天，報上登了一則不尋常的消息。周恩來已經邀請正在日本巡迴訪問的美國乒乓球隊前來中國訪問和比賽。不但如此，幾個月之後我還讀到美國國務卿季辛吉即將來訪，為美國總統尼克森的訪華行程預作安排。

接下來，我的生活立刻開始改觀。

這時，我在監獄的二樓囚室裡已待了四年。季辛吉訪華後的某一天，有個管理員來我的囚牢，用一種出奇溫和的聲音跟我說話，「我們要把你轉到另一棟樓去了，」他說，「你的境遇就要改善了。」

等我一轉進新囚牢，我就知道我以後的日子真的將有所不同。這邊的警衛會客客氣氣的跟我講話，走過他們旁邊，他們也不會用敵視的眼光瞪著我。囚房的床跟左側牆面平行，不像以前那間是在窗戶底下，靠著後牆，我問警衛可不可以把床移到靠後牆的位置，那樣比較不佔地方。「你愛怎麼移就怎麼移。」他說。

在新囚房睡覺的第一個晚上，我背對著門躺著。沒有人來砰砰撞門，讓我簡直不敢相信。四年來我終於第一次可以按自己的意思，想怎麼睡就怎麼睡。而這種難以置信的心情跟第二天中午的驚喜相比，卻又失色許多。餐車推過來時，我拿到一個上釉的多層金屬餐盒，跟工作人員吃飯的餐具相同。上層是湯，是道地的濃湯，不是加幾片甘藍葉的清湯。我把下層打開，裡頭有番茄、紅蘿蔔跟豆子。中間一層是煎餅跟肉——是真的肉，不是小片的肥肉。食物一大堆，絕對夠吃，獄卒說，如果不夠，我還可以再要。

我為食物而陶醉。有好幾天我幾乎什麼都做不下，只是在囚室裡走來走去，想著下一頓會是什麼食物。早餐有煎蛋、豬肉香腸，和厚厚一大片麥片麵包。除了蘿蔔乾外，還有真正的泡菜，外加一大碗稀飯，我可以吃到真的水果，而且每隔一天，他們會給我一瓶牛奶。我每次只吃半個蘋果，剩下的就藏起來，因為這種慷慨的賜予說不定說停就停。

幾天之後，我被帶出囚房。「又要審訊了」，我這麼想著，但是在審訊室裡等我的不是以前那幾個審訊人員，而是兩個我從來沒有見過的人。他們都穿著制服，其中一個比較年長的顯然是負責人，另一年輕的則在一旁做記錄。他們都很平和的招呼我，問問題的聲音也只是平常語調。

「對尼克森造訪，你有什麼看法？」較年長的那個問我。

「我想如果美國總統要來訪問，並由中央政府出面接待的話，」我說，「兩個國家之間的關係將大幅改善，我想這是一件好事。」

「你認識尼克森總統嗎？」他問。

此時，有一個念頭倏地飛掠過我的腦際。我可以假裝認識他嗎？能不能瞞過？這樣是不是有助於我自己早日獲得釋放？我再次想起玉琳的警告，並且決定說實話。「只是從報章雜誌知道他而已，」我說，「我一點也不喜歡他。」

年長者鬆了一口氣，話似乎也多了。「有一些盟邦對中國接受尼克森來訪有所抨擊，」——我猜他指的是越南，「有些人認為這是與帝國主義打交道的跡象，代表我們即將走上和蘇聯一樣的路線。」

我密切注意報紙上的消息，尼克森果然在一個星期左右之後便來訪問。我看見他在北京機場的照片，他張開雙臂迎向我的朋友周恩來。我早就夢想美國和中國能打開彼此凍結的關係，而今見到夢想終於實現，我心中著實雀躍萬分。我想說不定有一天我可以扮演橋樑的角色，幫助這兩個國家建立進一步的合作關係。

多麼美麗的白日夢啊！我把它甩出我的腦際。他們永遠不會讓我離開這個地方的。他們永遠不可能向世界承認，他們曾經犯了兩次相同的錯誤。我努力把這種憂鬱的念頭丟開。等用餐時間一到，所有悲觀的壞念頭就在一道道豬肉、青菜，和一口接一口的柔軟白米飯中，消遁得無影無蹤。

＊　＊　＊

報紙上天天都引用副主席林彪這個毛主席最親密的戰友兼接班人的談話，他說的話有時甚至不必用引號標示出來，因為全國每一個讀者都明白這些話的出處。林彪的照片幾乎每天上報，內容則全是他參與的活動、接待訪客或外國元首，或是接見礦工英雄之子等等。就連跟他同夥的高級將領黃永勝、吳法憲、邱會作及李作鵬等人，也常常在媒體上出現。甚至毛澤東本人的訓示也常常被包在林彪的話中：「林彪同志提醒過我們，我們偉大的毛主席曾經說……。」

而這一切在九月十四號那天，卻突然全都銷聲匿迹。

所有有關林彪及林彪集團的消息，以及所有有關他們的談話及口號完全從人民日報上消失。這種遺漏太過明顯，媒體好像完全遭到封鎖。沒有任何消息，也沒有人出來為這種沉默做任何解釋。我不知道林彪發生了什麼事，不過很顯然他有了大麻煩。

接下來是為十月一日國慶日造勢的例行宣傳，也沒有在報上出現。國慶當日，也沒有遊行、煙火，或檢閱。我猜想遊行取消可能是基於某種國家安全上的考慮。但是為什麼呢？我不知道。媒體則通篇是拐彎抹角的暗示，好久以後，才公開報導林彪、他的家，及他的幾個同夥早在國慶日之前幾個星期，就在蒙古上空墜機身亡了。

七月一個下雨的早晨，我坐在囚房裡聽到有幾個人正慢慢走過甬道。其中一個人拖著腳走，好像穿著一雙大拖鞋似的。他們打開我隔壁的空囚室，把那個拖著步走的人放進去。我聽見一個管理員說，「冷？你怎麼可能會冷？現在天氣這麼熱。如果你冷，你的軍大衣及毛皮帽在這裡，夠你保暖了。」說完，他們砰地一聲關門上鎖，走了。

那天中午，隔壁那個傢伙開始說話。

他有兩種說話方式，一是長篇大論教訓警衛，一是編故事。聽起來他坐牢有一陣子了，已瀕臨喪失心神的邊緣。他把嗓門拉到最大，破口大罵周恩來。一連幾個星期，他不斷重複同樣的數落。「周恩來是個叛徒，是個賣國賊，他應該槍斃！」他用一個代號代替周恩來的名字，不過很容易就聽得出來他究竟是在說誰。

他也談到毛澤東，用B—五二做代號。「周恩來老是蒙蔽B—五二，」他嚷道，「現在革命已經變得非常不單純，B—五二必須領導這個國家突破許多新的問題，這種壓力已經使他變得又病又衰弱。他讓周事事得逞，所以這個狗養的傢伙盡其可能的封殺我們偉大的領袖，林司令。」

林司令！必定是林彪。我想，我是不是可以聽到林彪失蹤的前因後果。

突然間，隔壁那人哇哇大叫：「他一定要被槍斃！周恩來應該被槍斃！他一定要槍斃！」他說，用了一句成語：「否則這個國家將永無寧日！」

警衛去拍他的門。「閉上你的嘴。」他生氣的說。「你說的都是一些反動的廢話。」

「你懂什麼？你這個小子，小王八蛋，你什麼也不懂。我在貧窮的農家長大，沒有田、沒有錢、沒有立錐之地。我跟我父親一起加入游擊隊，我們幾乎同時對抗日本人、對抗日本人的傀儡政府軍以及國民黨，我們把他們全部打敗。之後我去韓國打美國鬼子，照樣把他們打敗。我是空軍駕駛，在空中與國民黨的軍機作戰。林立果是我的戰友，他後來當上空軍副政委，我也跟著他成為空軍黨部委員。」

林立果，林彪的兒子。

「我們需要用武裝鬥爭來確保林首長能統帥這整個國家，」犯人怒吼道，「B—五二既老又病，我們不能一直等下去，周恩來這個叛徒一定要嚴懲。」

難道林彪涉嫌陰謀以武力推翻毛澤東和周恩來，將政權整個奪在自己手中？這就是他為什麼突然消失嗎？那件致他於死地的墜機事件可不可能根本不是意外？

我的鄰居這番尖銳的指責，充滿了自文化大革命進入第二年後日益增長的仇外心態。當我明白這種仇視心理的根源時，我非常震驚。要是這些陰謀者真的叛變成功，那麼他們會統治出什麼樣的王國來，實在令人難以想像。

「周恩來把我們需要的東西都給別人，全部都給外國人，」他咆哮道，「他把我們最好的武器交給其他國家，有的連我們人民解放軍都還沒有見識到。他把武器給新幾內亞、阿爾巴尼亞、越南、寮國，還有巴勒斯坦解放組織……任何一個外國人都可以從周恩來那兒得到東西，可是我們卻要不到我們需要的武器和裝備。如果這還不叫賣國，那要叫什麼？林立果說我們得把錢花在自己的人民身上，利用我們最好的武器跟設備滿足我們自己的需要。否則，我們幫了外國人，卻沒有幫自己。」

這個人的仇外心理還擴大到對中國的少數民族身上。「周恩來也把東西交給少數民族。如果你是西藏人，那你不但進大學容易，還可以獲得各種補助及優待，回人、哈薩克人、壯族、蒙古人，他們都是一些依附在漢民族族羣裡的少數民族，他們現在的待遇已經比以前要好得太多太多了。為什麼我們還要特別照顧他們呢？除了賣國賊外沒有人會採取這種政策的。」

「任何一個來北京的外國人都可以讓周恩來深信他的建議對中國人有好處。周恩來覺得外國人放的屁都是香的。他一定得槍斃，這個叛賊！他一定得槍斃！」他還提到這次陰謀叛變中的許多共謀，顯然他們的目標不只是周恩來，還針對毛澤東本人。

儘管這個人咆哮終日，但是獄卒對他相當和善。我猜這個人在別地方的牢房裡一定曾經被打得半死，好逼他招供，如今被送來這兒休養。他拒絕吃監獄伙食，吼著說那是給豬吃的。而獄卒不但沒有打他，還把比較特別的食物用瓷器盒裝好，送給他吃。他的瓷器盒跟我的一模一樣，我每次打開大門下方的小活門拿食物時，都會看到。

後來，大概是他來這兒的第三個禮拜後，他被帶走了，像他來時那般拖拖拉拉的走了。我一直都不知道他是誰，也不知道他後來什麼下場。而林彪死亡的真正原因於我則仍是一個謎。

＊　　＊　　＊

我的審訊在林彪死後就停了。照道理說沒有這種審訊壓力，我應該會覺得輕鬆，但其實不然。他們是我跟人接觸的唯一機會，是我確定關我的人並沒有忘記我的唯一途徑。現在我是完全孤單的一個。我怎能像這樣的過活呢？說不定就此終老一生？牆壁灰沉沉的，地板也是灰沉沉的。大門的紅顏色令人生厭。坐在低矮的木床上，看著牆壁，我感覺整個房間裡都是寂寞，不只是因為這囚房裡沒有活的生命力，而且寂寞的氣息塞滿了整個囚房的上下左右四方，在我和牆面之間不斷的壓縮擴大，直要使我窒息。

孤獨、孤獨、孤獨之外，還是孤獨。四面的牆壁盯得人眼睛作痛，日日夜夜，把我的狐獨敲進我的頭殼裡。大塊大塊的黑點和色塊在我眼前震動飄浮，無聲的安靜在我的耳朵裡轟隆隆鳴響。

如果我必須過這種日子直到我死，那我何不現在就讓它結束？但是自殺的想法令我深惡痛絕。我厭恨放棄，我不願讓他們得逞。

對家人的思念之情像急流要衝毀我築堤的防線。在孩子們才兩歲、七歲、九歲、十歲的稚齡，我就被帶走了，這真是最令人悲哀的事。現在我的兒子對我沒有什麼印象，三個女兒雖然還記得我，但也都已經是青少年，不再是小孩子了。他們長成小女人了，而我卻不在身邊。就算我有朝一日真的出獄，我也沒有機會再看到他們成長的經過。

萬一他們出了什麼事怎麼辦？我想的不是肉體上的傷害，而是萬一他們已經起而對抗我了，那怎麼辦？像我在文化大革命看到的許多小孩反抗他們的父母那樣？我知道玉琳會竭盡所能不讓這種事發生，可是我無法知道孩子們會遭受什麼樣的壓力。

在獄中我沒有一天不想到玉琳。那種痛就像牙痛般揮之不去。她還會等我嗎？如果她還活著，她一定會等我。這一點我從來沒有懷疑過。她年輕、強壯、能幹、迷人、脾氣也好。她的心無法收買，而且意志堅定，足以克服任何艱難險阻。我知道她永遠也不會改變。

但是我仍然記掛她的安危。如果有人要求她告發我，我擔心她可能會變得怒不可遏，以致於在無謂的抗爭中喪失生命。當我在囚房裡走來走去，急切的渴望獲得某種精神上的解脫、某種外來的力量和支持時，我想到玉琳。玉琳就像岩石，遇到逆境就愈加堅強，愈加屹立不搖。她千百次告訴過我，「不用擔心。如果我們有麻煩，我會支持你。我們兩個人一定會在一起。」

在黑暗中，我努力尋找光明。我有很多東西可以吃，我已學會克服我的恐慌和對密閉空間的恐懼，這是一大進步，而且我有書，那大概是在尼克森訪華後的第六個月，被我稱作「上校」的獄官，問我有什麼需要。

「告訴我，我太太跟小孩的情況。」我說。

「他們很好啊，很好。」他回答，「他們都很好。」

我懂了，也很悲傷。我知道這種保證根本毫無意義。他們以前不是也告訴我說魏琳人很好而且在等我嗎？可是事實上她根本早幾百年就跟我離婚而且又再婚了。

「有沒有什麼你想要的東西？」獄官又問。

「書。」我回答。

「你從你自己的藏書中列一張書單，我們會去幫你拿來。」

幾個星期之後，我喜出望外，他們真的把我的書拿來給我。黑格爾的《邏輯論》、康德的《純理性批判》和《實際理論評析》、莎士比亞，及洛克威爾肯特所注解的三冊英文版資本論，我把書的前後裡外都翻遍了，想找找有沒有我家或家人的痕跡？但是什麼也沒有。黑格爾第一冊的紅色封皮早就整個被老鼠啃光了，其它幾冊則在水中泡過，所以我猜我的公寓已經被查封，我私人的東西大概被堆在某地的倉庫裡。

我想用行為來證明我是誰的計畫，產生了意想不到的收穫。監牢裡總有一、兩個人對我很親切很友好。有一天早上，我聽見有人在拍囚房的門，這個時候還很早，有點不尋常。我走到門洞前往外看出去，看到一個年輕的守衛站在那裡。

「你是為什麼到這裡來的？」他問。

「我不應該告訴……」我說。

「我知道你，」他說。「你看起來不像是個壞蛋。我密切觀察你很久了。你看我們的報紙看得很認真，你遵守我們這裡的規則，不破壞規定。你把東西都吃光光，連掉在地上的米粒也撿起來吃。你把牢房打掃得很乾淨。」之後是一段長長的靜默。「我已經決定幫你。我想你最需要的莫過於有一個人可以說話。我會在這個點再待兩個星期，只要我值班，我們就可以說話。不過只要大廳那頭的門一打開，我就得馬上離開，這點很要緊。你不要告訴任何人我在跟你說話。」

這點我清楚。我簡直不敢相信他竟會願意為我冒這個險，如果他被人抓到跟一個被指控犯有通敵罪的特務交往，在文化大革命期間是有可能被槍斃的。

我一直沒法看見這個年輕人的長相，但是我們卻一起講話講了兩個星期。「不要太在意他們說的話，」他告訴我，「堅持說實話。如果他們威脅你，你也不用擔心。這些都會過去的。不要激怒他們，他們要你做什麼你就做什麼。」

他談到他自己，他服勤過的地方，他來到這個城市之前所過的農忙生活。他在電視上看過我會見毛主席，問我那是什麼感覺。他想知道我在美國的生活，我便告訴他我在南方為爭取工人及公民權利而組織各種活動的事情。

他告訴我一些我不知道的事。他說我所待的監獄是首屈一指，最惡名昭彰的秦城監獄。在我待在這裡期間，北京許多著名的地方都已經改成監獄，像前門飯店，還有著名的四川餐廳都是。我曾在四川餐廳招待過許多外國友人。警衛還告訴我，我的朋友中至少有一個已經入獄，他是艾普斯坦，那個波蘭出生的歷史學家。

在他值班日期接近尾聲時，他試著安慰我說，「你現在幾歲了？」

「四十七。」我說。

「哦！不要擔心，過了五十歲你一定可以重新為人民服務。」

他是出於好意。可是我卻感到一陣不寒而慄。還要再待三年嗎？他的意思是說我的案子還要三年才能結案嗎?事實證明,他的猜測其實還是太樂觀了。

* * *

尼克森來訪之後,我開始獲得醫療照顧,這也是五年來的第一次。醫生說我有高血壓,這可能是造成我嚴重頭痛、甚至視盲的原因,我還有心律不整的毛病,可能是營養不良所引起。醫生給我開一些紓緩壓力和高血壓的藥。

我甚至還去看牙醫。那是在一個冬日下午,一個臉圓圓、頭戴人民軍軍帽的女士來找我,她看起來很親切。「你牙齒有什麼問題嗎?」她問我。她的年齡大概在三十至三十五歲之間,眼神開朗、關心,不帶敵意。

「我左下方有一顆牙齒對冷跟熱很敏感。」我回答她。

「我會安排時間再幫你檢查。」她說。「你不用擔心。」

醫生關上門便走了。

我在囚室裡走來走去,盡可能把臉背對著門洞,因為我哭了。

大概一個星期之後有一天下午,有個管理員來帶我去牙醫診所,那是在監獄大樓旁邊不遠的一間小石磚建築裡。獄卒把診療室的門大開,坐在外頭等我。牙醫師檢查後發現我左邊下面的那顆牙,已經蛀得很厲害,必須馬上進行根管治療。即使如此,是不是就能保住這顆牙,她也沒把握。

「最簡單的方法是把那顆牙拔掉,跟它說再見。」她說。「不過我不想讓你失去你那顆天生的牙齒。牙一旦拔掉就是拔掉了，再找也沒有了。所以我們盡量設法挽救一下，好不好？治療過程會有點不舒服，不過如果有效的話，你就還可以保有你的牙齒。你覺得怎麼樣？」

我覺得怎樣？我心想有多久沒有人像她一樣用這種方式跟我講話了？用那樣的語氣關心的詢問我的健康？

我把眼淚收起來，我說，「如果醫生覺得有機會挽救的話，那我當然樂意試試看。」

那天下午她為我治療了大約兩個小時。

在牙醫師的椅子上坐了兩個小時的痛苦，遠甚於我以前的任何痛苦經驗。牙醫師用很輕柔、不讓門外獄卒聽到的聲音跟我說話。她問我從哪兒來的，她說她知道美國人是好人，她問起我的老婆跟小孩。我知道這些對話只要有任何一項，就足以讓她捲進涉嫌與敵人交往的大麻煩。但是我對她而言，只是一個需要幫助的病人而已，不是敵人。我因此不免要想，連某些最為文革信賴的人民解放軍軍官都對我深表同情，那麼文化大革命對一般市井小民又能有多少影響呢？

兩天後我去複診，看到牙醫師椅子旁邊的漱洗台上有一個電晶體收音機跟耳機。「你說你很懷念聽音樂，」她指著收音機說，「待會兒我工作時你可以把這個塞進你的耳朵裡。」

坐在外頭的管理員很吃驚的看了她一眼。

「這是進步的醫療程序，」她以專業的口氣向他解釋，「這樣可以使病人放鬆，讓牙醫師的工作更容易進行。」

獄卒點點頭，繼續在外頭的候客室坐著。

她一面工作，一面告訴我她丈夫和她四歲小女兒的事。她不但說，還給我看照片，她的丈夫也是穿著軍服。離開時我向她道謝，她緊緊的握一下我的手說：「牙齒如果再作怪就通知我。」她眼神直視著我說：「我想你一定會很好的。」

* * *

日子一天天過去，每天都差不多，總是完全的孤單。我一直聯絡不上其他的囚犯，雖然我可以聽到柯魯克（David Crook）的聲音。他是個英國籍老師，曾主辦外國人讀書會的活動。當他問獄卒可不可以麻煩他們多給他點食物時，我認出他用中文說「麻煩」的口音。

入獄第五年時，獄卒們開始逐一帶囚犯到中央院子的水泥亭子間，讓我們曬曬太陽、做做運動。在這二十分鐘裡面，我不斷仰望著銀白的天空，偶爾也會看見一隻喜鵲凌空飛翔。我把上衣脫掉，迎接我能照到的每一寸陽光，有時我也原地慢跑。我們必須保持沉默，因為別的亭子還有別的囚犯，我知道柯魯克就在附近，我用腳踏出英國歌曲的旋律，試圖傳訊號給他，但他始終沒有回應。

我閱讀，我研究，我回想我的一生。

我回想起我寂寞而不快樂的童年，父母親永無休止的爭吵，母親對物質和社會地位的需索無度，總令我心驚害怕。我總試著為一個被遺忘的短暫生命尋求意義，總是在沮喪的邊緣徘徊彷徨。我想到大學時在教堂山的生活，世界為我展開雙臂，我找到自己的人生觀，明白人類的心智力量可以了解環境、改變環境並改變自己。我想到當自己明白人類真正的幸福在於為其他人的自由和幸福奉獻時，我是多麼的快樂，而那種至高無上的快樂和生存的義務正是真理的追求。

那麼對這個理想而言，我到底做得怎樣呢？我留在中國想要幫助像李木仙那樣的小孩，讓他們免於死亡，想幫助像她父親一樣的人免於飢餓及壓迫，而為了達成這些目標，我更與其他人一起加入共產黨。我們成功了嗎？

我想起一九四六年夏天，我在武漢看到的那羣患有砂眼，卻仍渾無所覺在天真玩耍的可憐小孩；他們雙眼通紅，如果再不治療，失明是遲早的事，而今天在武漢的小孩不論是什麼身分，都可以得到醫療照顧。我想到我的小女兒曉東呼吸突然停止的那次，就是靠我們鄰近的醫療中心救活的，而今像那樣的醫療中心已經到處都有，人人都可以去。我記得媽媽曾經信心十足的喊說：「社會主義下的孩子是不會死的。」她的十二個小孩中有八個死於疾病、飢餓，或被日本兵強姦致死。另外四個能活著看到新中國誕生的現在都已經結婚，各自發展。而不論是他們自己、他們的小孩、孫子或曾孫子，都沒有人因為缺乏照顧而死亡。

即使以政治的角度來看，我想大部分的中國人也比我剛到這兒時要自由得多。剛來那時警察可以在街上殺人，不需要任何理由。我想到現在的中國農夫，他們可以抬頭挺胸走路，不需要向任何有權勢的人遮遮掩掩或低聲下氣。他們外表乾淨，眼神澄澈光明。我可以瞧見他們的便當盒裡頭，必定有青菜、米飯，菜色豐富，有些地方甚至還有肉。這跟我初到時看到農夫們以地上的粗糠、蘆粟、雜草等維生，真是不可同日而語。如果李木仙還活著，她一定不但可以吃得飽，而且還可以得到妥善的醫療照顧，她一定可以去上學，可以為她自己和家人掙得一份生活和未來。

不，我想，把我的命運投入這樣一個讓這一切成為事實的黨，並沒有錯。受苦也沒有錯，甚至因為黨的錯誤而坐牢，也沒有錯。我並不後悔。事實上，我還有一種勝利的感覺。生平第一次，我真正地面對我所處的情勢，不逃避、不退縮、不改變。不但如此，我還學會要走出自己的路。在這一路上，我克服了許多自己舊有的恐懼和驚慌。當我訓練自己把對死亡困苦的恐懼放在一旁時，我得到一種奇異的新自由，從而獲得心靈的平靜。

不但如此，我覺得自己更解答了年輕時，最常問自己的一個問題：我的生命或別人的生命能有什麼作用呢？在這裡這樣孤獨的處境中，我能做的微乎其微，而且永遠也不會有人知道。在追求生命意義的戰場上，我是不是已經敗下陣來了？我內心裡那種新生的自由回答我說：不！如果在人類進步的長河中，我只能貢獻一滴小水滴，那我的目標就算達成，即使我再也看不到，或聽不到我努力的成果，那才是奉獻的真義。即令是一次小小的勝利、一個人性的關懷，或是對人類幸福的一小步提升，都有實質的作用和影響。它會持續下去、傳承下去，它的影響力會一點一點的傳遞下去，一代接一代，生息不止。那麼縱使我看不到，那有什麼關係呢？縱使我無法享有它們的成果，又有什麼關係呢？如果我擔心的是享受不到，那麼我真正的目的豈不就不是奉獻，而是享受了、我在這種想法中找到了快樂。

這時我已經知道人們曾經在大躍進期間餓死，但是我卻不知道他們的死亡數目是以成千上萬計。我也知道在文化大革命之前，計畫經濟的控制和規畫一直過於中央集權，勞工絕非工廠、礦區和鐵路的真正所有人和管理人。「人民的」國家擁有財產，但是人民卻不擁有國家，剝削便在這種所謂的社會主義制度之下存在。

此時在監獄中，我才第一次明白原來許多黨內當權者的想法與我截然不同。當他們在思想改造運動中倡議所有黨員同志團結一起時，我熱烈的支持，但是他們所想的並不是實現共產主義的天堂，讓所有人都平等共處，和平共存，也不是尋求真理或為真理奮鬥，他們想的只是如何摧毀他們的政敵而已。

我應該早就看出這一點，但是我的心卻拒絕相信它。為什麼呢？回想我過去一生所犯下的嚴重的政治錯誤，我了解這些錯誤是由於領導錯誤、政策錯誤，或是路線的方向錯誤，而我也記得，每一次我的良知判斷告訴我這樣不對，這樣是錯誤時，一種天使似的聲音便會在心中出現，它告訴我說「不要懷疑」。這個小小的聲音會說：「那樣是不忠貞的。你的懷疑正顯示出你仍然是你自己階級背景的囚犯，你很脆弱，你對革命沒有完全投入。」

我想起過去自認為比較嚴重的幾件錯誤。年輕時我盲目的相信蘇聯是工人的天堂的說法，完全拒絕他人嚴厲的質疑，同樣的我對中華人民共和國是拘謹完美的說法也是盲目的接受，我曾經對土地改革的方法不以為然，也曾經質疑毛澤東的階級畫分和他對階級鬥爭的強調。但是每碰到這些時刻，我的擔憂總會被我對馬克思主義和一些更高權力中樞的信仰推翻：「我難道會比毛澤東和中央文革委員還聰明嗎？我會比他們更了解中國嗎？我是誰？憑什麼去判斷別人？」由於這些，我放棄自己對真理、對人類福祉的責任，完全壓抑自己的看法。直到這麼多年後，我自己的看法才得以再次出頭，而且展露鋒芒。

我的結論是再明白不過了。我幫助那些為新中國、為全人類福祉而努力的人是對的，我把中國的進展讓外界知道也是對的。然而，我把黨當作真理的具體象徵、對黨付出毫無批判、不可質疑的忠貞，卻是大錯特錯的。只有獨立思考並批評分析的人，才能為人類的自由與幸福做最大的奉獻。

＊　＊　＊

又兩年過去，我有充分時間思考。我懷著悔恨的心情省視自己在文化大革命中扮演的角色。我自己的暴力記錄是零。我反對暴力，為了反對暴力，我四處奔走，公開演說、勸戒，而在我們小組掌管中央廣播事業局的那段期間，也的確沒有暴力事件發生。但是我支持那些主張暴力的團體，這卻是一個很大的錯誤。而始作俑者，我現在明白了正是中央文革小組本身和江青。

我曾經讓自己完全捲入政府主義和動亂之中，不論那時的理由有多冠冕堂皇，我都充滿了痛苦的悔恨。我恨自己投身派系的爭鬥，自認為自己可以使各派系團結在一起。我讓自己成了犧牲品，因為我犯了一般美國人對中國最容易有的基本錯誤——我忘了自己是個外國人。

而對文化大革命，我卻仍然盲目的執著於我個人對它未來遠景的幻想。每當讀到宣揚文化大革命偉大成就的報導，我便充滿喜悅。我覺得很安慰，因為所有的變動和混亂到頭來有了好的結果。報上說派系鬥爭已經結束，內訌已經停止，權力已歸於革命委員會手中，委員會的成員則囊括老、中、青三代，結合舊造反派的領導和舊革命幹部。

我特別喜歡一則一個名叫黃曉的小學生的報導。她可以說是一個小紅衛兵政治覺醒的最佳典範。她因為批評她的老師及教育制度缺乏階級意識而上報。根據人民日報的報導，她先是批評她的老師，接著又幫老師修正她的錯誤。這則故事使我認為她是社會意識的最佳範例，「一個小孩子也可以領導他們。」我把我的感想告訴一個現在比較願意跟我說一、兩句話的守衛。

他的反應卻把我嚇一跳。「你不知道你自己在胡說什麼。」他很生氣的罵我。「回去坐好，別再說這些廢話。」

在當時，我怎麼會知道黃曉的故事是極左派用來攻擊教師的手段之一，目的是要讓教師們沒有辦法繼續上課？我那時只是納悶，為什麼這樣一個對文化革命運動如此缺乏熱忱的人，有辦法在這麼一座具有高度機密的監獄裡任職？

不過在內心裡最深處，我其實從一開始就察覺事情有點不對勁。那是一九六八年我被捕後不久，有一天我讀到一則有關奉行毛澤東思想的印度共產黨在印度南方的發展現況報導。看完後不禁被一股龐大的悲傷和反感情緒壓得久久不能自己。他們正在印度南方的一些村莊帶領農民建立人民政府，並組織游擊隊作戰。對這樣的消息我應該感到雀躍才對，但我沒有。相反的，我感到一陣寒慄。我內在有一個聲音清楚的在說：如果我們組織人民，教育人民、讓他們信仰、作戰、死亡以贏取權力，最後卻讓那些參與作戰以贏取革命勝利的人民失去自由、陷在永遠的混亂殘暴中，這些有什麼意義呢？

接踵而至的另一個想法是：美國的殖民先驅在贏得革命勝利時便明白，如果政府不能保障人人享有政治權利，那麼任何人的權利都沒有保障，即令是高高在上的在位者也一樣。他們都能明白這個道理，為什麼那些對整個人類族羣思考應該算得上是最具先知灼見的中國共產黨領導人，卻不能明白呢？這是多麼奇怪的一件事呀。所以那個一度高居國家主席之位的劉少奇，不是在一眨眼之間就被打倒了嗎？連保護他自己的最基本權利都被剝奪了嗎？

而最慘的一件事，我想莫過於在經歷這麼多的災難和痛苦之後，卻只發現——如果我還有機會被釋放出來的話——社會主義終歸仍是失敗的。

* * *

我很早就知道周恩來已經快死了。我從報紙上刊登的照片看到他的臉愈來愈瘦，而且充滿愈沉重的壓力跟痛苦。他的身體愈來愈衰弱。雖然報紙上隻字不提，但是不用看也知道。尤其從我看到的他最後出現的那張照片看來，那個置他於死地的癌症已經很明顯的寫在他臉上了。

他的死訊震撼了整座監獄。一天清晨，我聽到響亮的喪樂，聲音從監獄外頭傳來。我聽到走道上有哭聲，我走到牢門前探問。「什麼事？」我問一個正好走過的警衛。

「是周總理。」他說。就說了這麼一句，我便從門洞上看到他的眼睛紅起來。我自己一下也哭了。我斷斷續續哭了三天。我哭，是為周恩來，也為我自己，為我的家人、玉琳和孩子們，更為這個似乎刹那間失去所有朋友、被全世界遺棄的中國而哭。

整座監獄全陷入一種龐大的悲傷。我第一次覺得我在監獄裡不是那麼孤單。警衛跟囚犯結合在一起了。我可以聽得到鄰室囚房裡有人在啜泣，甬道上也是。每個人都在哭。我聽到一個犯人的聲音，從遙遠的另一端傳來，那是一個年長的男子悲淒的哭聲；中國失去它最後的希望了。我們該怎麼辦？我們會變成什麼樣子？

跟一般典獄人員不同的是特衛隊幹部，他們似乎為了某種理由，而沒有哭泣。他們直屬一個由江青、林彪和中央文革小組所掌控的特定團體，也因此他們是反周恩來的。

除他們以外，每個人都很傷心。第二天我看見一般的安全人員、獄卒和管理員都戴上哀悼的黑紗。我便也撕下黑色棉褲的褲腳褶邊，戴在手臂上表示哀悼。不久後，一個特衛隊中的高幹走到我的門前，從外頭打開門洞，對著我大叫：「你披著那個幹嘛？」

我吃了一驚，眼淚流了滿臉。

突然他的態度變了，尷尬地看著我。「綁好！」他粗聲粗氣的說，「快掉了。」

中國失去一個偉大的領導人，而我，儘管周恩來也在我的下獄命令狀中簽下他的名字，我仍然覺得自己失去一個偉大的朋友。

* * *

在春末的某一天，全中國的人民都在追悼死者。這一天叫清明節，是人們掃墓悼祭、追念先人的日子。這一年的清明節落在四月，舉國上下全在悲悼周恩來的死亡，同時憤怒的指責那些曾經反對他的人。人民日報上的大標題寫著：「反革命流氓在天安門製造暴動。」內容很簡單，但卻含混不清，只說壞分子以悼念周恩來為藉口，聚集在天安門前，毆打人民解放軍的警衛，而且還攻擊人民大會堂，共有約一萬人聚集在那裡。當晚，北京的工人自衛隊進入廣場並驅逐那些壞分子。這次事件，報紙上暗示說完全是鄧小平教唆。鄧小平本來已經重登副總理的職務，但周恩來一死，他又再次被鬥垮。

我是那天早上十點鐘左右讀到這則消息的。到了下午兩點鐘，我又被帶到審訊室，這是四年來的第一次。審訊室裡有三個年紀頗大的高幹，看樣子就知道是公安部的人。

「你讀過今天早上的報紙了嗎？」他們問我。

「有。」我說，「我讀過了。」

「你對他們說的有什麼反應沒有？」

「我讀到說有壞分子在天安門廣場製造事端，而且還攻擊革命軍人。不過這則報導有些事情我不了解。」我覺得我又要給自己惹出大麻煩來，可是我還是繼續說，「我不明白那個背後煽動的人怎麼可能會是鄧小平？我大概知道他這個人，我想我還滿了解他的。他也許犯過各種嚴重的錯誤，可是我個人絕不相信他會唆使流氓無賴去攻擊人民解放軍。他是從人民解放軍出來的，他不會。」

我等著遭受處罰，但是他們卻全都露齒而笑。這到底是怎麼搞的？我想，他們看起來滿高興的，不像是要引誘我亂發議論的樣子。「另外還有一件事，」我說，「報上提到周恩來總理的方式十分大不敬，它說『以悼念周恩來總理為藉口』。那是什麼意思？用這種方式提我們的總理，算什麼？」眼淚突的流下臉頰。

「你知道中國的政治很複雜。」有一個審訊員說。「有各種暗流、各種分子。我們並不指望你從報上的一則報導就明白所有的事。」

我滿頭霧水的走回牢房。

＊　＊　＊

中國有一句古語，意思是說，當統治者喪失天命時，連天地山川日月都會一起反對他，使他的王國滅亡。

那天半夜地板開始震動時，我睡得正熟，劇烈的地動令我憤怒。「你沒道理晃那麼久呀！」我心裡對地板抗議道，「這樣搖太久了。」然後我聽到其他的囚犯在遠處高叫！地震！地震！是地震！

地板還一直在搖晃，而我卻被困在這個石磚建築裡，正是地震時最危險的地方。有些囚室裡的犯人開始大叫，「放我們出去！讓我們離開這裡！」一下子整個甬道上爆出同樣的呼聲。我聽到腳步聲在走道外面砰砰響，我的心往下沉。「他們把我們留在這裡等死。」隔壁囚犯大叫道。不過我聽到守衛的腳步聲是朝監獄裡跑進來，而不是往外跑出去。

甬道上上下下的門全都打開了，我們一個一個被帶到一個安全的地區，關進一間間原本空著的囚室裡。匆忙之間，警衛把我跟一個胖胖的禿頭男子關在同一間囚牢裡。那是我第一次，也是最後一次看到另一個跟我一樣的囚犯。我們兩個人都愣住了，誰也沒有說話。警衛很快就發現他們弄錯，一把把我拉出去。

破曉之後，當天色夠亮時，警衛又叫我們排成一列走進院子裡。在那裡，警衛已經連夜建好一個粗略的地震避難所，每一個避難所將囚犯隔開四十碼的距離，入口則面對著不同的方向，因此我們都看不見對方。

每一個避難所都有一個警衛在看守，他們每兩個小時輪班一次。對我來說這簡直就像是節慶日一樣的令人興奮，是這麼多年來真的感到興奮的一次，而且還有警衛做伴可以聊天。他告訴我這次震央是在唐山，往北方約一百哩，這使我擔心玉琳和孩子們的安危，我不認為北京受到嚴重的破壞，不過我連他們是不是還在北京，都不能肯定。

無論如何我覺得很愉快。只要待在我的避難所裡，我就可以跟警衛聊天。我還可以曬太陽，看著天上藍藍的天空。

* * *

老天爺並沒有錯。

那年秋天，毛澤東過世。我又再一次聽見喪樂響起，工作人員把收音機的擴音器裝在門外的甬道上。接下來好幾個禮拜，我們聽到收音機裡不斷報導一代偉人毛主席逝世，有關毛主席生平的新聞和來自全世界各地的悼唁消息，然後是毛澤東的葬禮報導及無盡的口號和哀樂。

我的反應卻令自己無法理解。在我心中，毛澤東是世界上最重要的人，他聰明、天賦異稟，是個完美的哲學家和策略專家，他是中國革命的領導人，也是世界革命的先驅。他的死對中國和世界的影響何止千百倍於周恩來。但是當我聽到毛的死訊，我卻流不出一滴眼淚來，一滴也沒有。

「監獄裡的員工會怎麼想呢？」我想著。我的心到哪裡去了？為什麼我會沒有半點淚、沒有深沉而不可抑遏的悲哀，也沒有個人傷懷的悲愴？而事實上，我根本也不需要擔心什麼。因為我並沒有看到或聽到任何一個獄卒、安全人員或是其他人犯，有太多激動的情緒。

隨著毛澤東的死亡，報紙上開始充斥著一種奇怪的、隱晦的張力。即令我是被孤立在獄中，我仍然可以感覺出有重要的事即將發生。這種奇怪的氣氛從毛澤東葬禮前後的言論中便開始見到端倪。我從來沒有見過任何一家黨營報紙會對在位的兩個黨勢力，有如此尖銳對立的言論出現。江青一再重申她自己宣稱的毛澤東臨終遺言：堅持現行政策，即文化大革命和階級鬥爭；然而毛澤東欽定的接任人華國鋒則完全不提毛的遺言。

五、六天以後，報紙上所有有關江青和中央文革小組的消息乍然消失，這可說是十多年來僅見。不但他們的照片沒有了，連他們的報導和言行評析也沒有了，任何跟他們有關的重要字眼一律銷聲匿迹。

此舉後果令人十分吃驚。自從我入獄後，我幾乎從來沒有聽過監獄外附近的田野裡傳來過任何聲音。農夫總是噤聲做農忙工作，餵他們的豬、種他們的麥子。但是那天晚上，我第一次聽到嘈嘈切切的音樂聲透過鄰近公社的擴大器傳了出來，農夫們又唱又叫，敲鑼打鼓，鐃鈸齊響的四出遊行。笑聲和中國傳統樂器高亢的樂聲響自四面八方，連著兩三天的下午和晚上，爆竹噼里啪啦響徹沉寂了好幾年的大地。

而在監牢裡，歡樂的氣氛雖然有所節制，但卻的的確確存在。我有好幾年沒見到有人笑了，但有天早上，有個年輕的醫生來我的牢房裡替我做健康檢查，她一邊替我抽血，一邊笑得嘴咧到耳際。我問她怎麼回事。

「是好事呀。」她說。

「什麼事呢？」

「你馬上就知道了。」她說。

這之後又過了幾個星期，有一天我聽見有個女人在叫。聲音似乎是從中庭那邊，從我正對面的囚房裡傳出來的。她的聲音很高，很尖銳，她半喊半哭的叫道：「噢，毛主席！噢，毛主席！我會永遠對你忠心不二。」

那聲音就像是中國人葬禮上那些職業哭墓者的叫聲。「為了你，我不在乎我得承受什麼痛苦。噢，真正的革命者在世界上受的苦有多大呀！同志，別懷疑，最後的勝利一定是我們的！」

這個聲音我有九年沒聽到了，但是我很肯定，千真萬確就是她沒錯。

此人正是江青。

做為一代偉人毛澤東的妻子，江青雖然努力培養更具內涵的談吐，但她講話時忽高忽低的鼻音和她的上海腔，卻一聽就聽得出來。現在，為了呼叫她過世的丈夫來救她，她又把她做政治演說時慣用的那一套戲劇化音調使出來。

「我們共產黨人是不怕別人咒罵的，」她悲泣道，「我們是在詛咒和打擊下出生、成長、茁壯。」她引用毛澤東過去在延安時常用的口號。

管她的獄卒絲毫不為所動。隔著院子，我聽見另一個女子的聲音怒罵道：「妳給我乖一點。」顯然這是女獄卒的聲音，那種罵人的方式，我這幾年來可以說閉著耳朵也認得出來。她是那種堅強的鄉下婦人，沒有太多情緒，她有工作要做，不準備聽江青太多廢話。「妳閉嘴！」她吼，「妳造的孽還不夠嗎？妳看看我們待妳多好。妳欺騙太多人了，別以為妳用那一套就可以躲得掉。照我的話做，要不然我就給妳好看。」

有時我會聽到一種聲音，好像江青在撞門，然後是又推又擠的聲音。我猜中央文革小組的其他成員也被關在這裡。因為我曾經在做運動的時候聽到王洪文試著聯繫其他人的聲音。「小兄弟！小兄弟！」他叫，「老兄弟在想你。」

我不覺笑了笑。文化大革命初期我在上海就已經認識王洪文了。他喜歡吹噓他自己是個棉花廠的工人，可是其實他是工廠安全部門的特務。他曾經津津樂道的告訴我說，他如何裝病混進醫院裡，矇過那些計畫成立批鬥大會批判他的對手。在獄中，我從報紙上讀到這個投機分子的故事，看他爬到國家領導核心的最高層峯。手段之高明令人驚嘆，而今他也一樣倒了。

中庭那邊那個犯人所帶來的邊際效益，具體的說只有一個，就是「電」。短短幾天之內，牢房的情況改善了。他們在我們的囚室裡裝上收音機的擴大器，讓我們聽音樂和新聞。牛奶和蘋果過去一個禮拜才見到一次，現在每天都有。獄卒們會開始跟我說一兩句話，不但如此，監獄裡每個人突然都成了小奸小壞的同謀，彼此交換當年在那個女人手底下或多或少受過罪的感受。

一次獄卒來我的囚室帶我去做運動時，那個女人又開始尖聲怪叫。我看看獄卒，說，「又在發作了。」我把頭對著聲音傳來的方向點了點。

「她得跟在這裡每個人一樣守規矩才行。」他說著，自己笑了笑。

從他們的名字在報紙上消失的一刻起，我就明白江青跟她的同夥已經失勢，現在她跟我關在同一棟監獄裡，可以確定的是，改變絕對是必然的。而且我知道我的生命也將會有所改變。我早就懷疑我的被捕入獄，是江青和她的同夥公安頭子康生搞的鬼。我知道我很快就會獲釋，只是還要多久？可能一個星期、一個月，也可能是一年。我知道在官僚作風下，可能會遭到耽擱。我又開始變得很緊張很恐慌。釋放的腳步看似愈來愈近的同時，等待的日子也就愈來愈難以忍受。

一天又一天，院子那頭不斷傳來呻吟抱怨的聲音。「如果妳老是這樣大吵大鬧，對妳沒有半點好處。」她的守衛罵她。「妳這樣做是沒有用的。」顯然牢房中的伙食不合江青的口味，所以獄卒才不斷恐嚇她，要逼她吃東西。

像這種小鬧劇，我還有的是機會可以聽到它，我當初的恐懼大有道理——要等到一年多以後，我才終於獲釋。

在監獄這最後一年，我的日子變得更難以忍受。噩夢又開始作祟，夜裡難以入眠。深鎖在內心深處的對家人的思念，此刻如潰堤洪水般湧入心裡。萬一他們死了呢？萬一他們已經被分配到不同的集中營去，根本找不到了呢？萬一我先病死了呢？

一九七七年八月，兩個審訊我的人員突然把我找去。「你還有什麼新的想法嗎？」他們問。

「我很笨，不該捲入派系糾紛。」我說，「這件事我很後悔。」

「我們要再給你一次自我解釋的機會。」他們說。「你把你對自己這個案子的看法寫一份報告，我們要把它送出去。這樣你的案子大概就可以結案了。」

幾個月之後一個早晨，七點鐘用餐時間，我一如往常的吃著早餐，我聽到囚室外的開鎖聲。「這真是奇怪呢。」我心想。「我又沒要幹嘛。今天是星期六，星期六不會有事呀。」門開處，管理員走進來，手裡拿著一把刮鬍刀。「好好刮一刮吧。」他說。「再過兩個小時他們就要來帶你回家了。」

那天是一九七七年十一月九日。我已經被關了九年八個月又一天。

然後是更衣，過程真是奇怪。我身上穿的是標準的囚犯裝扮，黑色棉外套、黑長褲、布鞋和普通內衣褲。而他們帶進來的第一套衣服是全新的毛料西裝，然後是絲質領帶，一件白襯衫，一雙鮮亮的皮鞋和一雙襪子。

這一刻我已經期盼了將近十年，是我夢想已久卻又一直害怕永遠不會來臨的一刻。現在它來了，我卻反而出奇的平靜。我只是想著，我會在監獄這些門牆的另一邊發現什麼？我的妻、子會在那裡嗎？管理員說我就要回家了，但是家在哪裡呢？

走出囚牢後，我被帶到審訊室。我看到上校，這個十年來一直審訊我的人。「坐，同志。」他說。這是十年來我第一次聽到「坐」這個字眼，他宣讀我案子的結案報告，間諜罪並不成立，那是一項錯誤，我是一個好同志，國家對我所受的傷害會盡可能給予補償。

我被警衛帶到一間小會客室。在那裡，在一堆壅塞的椅子間，玉琳穿著一件厚外套站在那裡。我走向她，我們擁抱在一起。她哭了起來。「沒事了。」我說。我的冷靜態度顯然讓她吃了一驚，但是我已經很久不曾表達感情了，要再開始發抒情感，實在有點難。

我們坐進一輛黑色的上海轎車，車子便迅速的駛向友誼之家飯店。兩天前，玉琳說，才有人通知她我將被釋放的事。我們一家人和原屬的財物本來全都擠在一間小房間裡，現在已經移到友誼之家一棟有三個房間的房子裡了。

車子在公寓前停住。我那三個女兒跟小兒子一下衝過來，又叫又笑，擠成一堆。他們把我又推又擠地擁進公寓裡。突然，三個女兒手牽手圍成圈，把我像根柱子一樣的包在中間。「爸爸！爸爸！誰是老大？誰是老大？爸爸，爸爸，你猜猜誰是老大？」

第二十三章 歸鄉

我已經離開太久了。

面對眼前這三張成熟的臉孔，我一點也認不出他們兒時的輪廓。三個女孩現在分別已經是二十歲、十九歲、十七歲了。我最後一次見到她們，是大女兒只有十歲的時候。這三個我曾見過的女孩中，最漂亮的高大女孩，在我身邊高興得又叫又跳，但我卻分不出誰是誰。「誰是老大？」她們齊聲叫著。

我指著那個長得最高的。

每個人都笑了。不是，那是曉東，是老二。我又看了一回，並再度指著——指向那個看起來最像十年前的大女兒的女孩。他們笑得更開心了，不是，那是曉昇，她是最小的，而剩下的那一個，自然就是曉勤。

我的小兒子，曉明，就在一旁。當我被逮捕時，他只有兩歲，但是現在他已經十二歲了，「看看他。」玉琳邊笑著，邊指向我們唯一的兒子。我的兒子就在那裡！從他還是小嬰孩的時候我就離開，並自此未曾再見過的兒子，就坐在扶手椅上，一條腿還盤在另一條腿的大腿下——這也是我最喜歡的坐姿。

依據習俗，中國小孩會在不同的生命階段取不同的名字，從乳名、學名，到弱冠後，更會根據個人的職業或是心目中英雄來取名。例如在舊時代，一個經歷過某場戰役的將軍就可能以戰場為名，一個學者也可能用一本書為名，在文化大革命時，許多人取了與革命相關的名字。

我的兒子站起來走向我。

「爸爸，」他說，「英文中的『高興』該怎麼說？」

「Happy!」我說。

「那我就要用這個新名字。」他宣稱。

我們的小女兒也為她自己取了個新名字，「我要叫我自己『Fly』，因為我覺得自己高興得快要飛了起來。」她說。但她幾乎馬上就改變了心意，挑了另一個聽起來更為愉快的名字：Sunny。至於另外兩個女兒，我和玉琳很早以前就為她們取了英文名字：老大叫Jenny，老二叫Toni，而這兩個名字吻合她們甜甜的可愛氣質。

這一切真的太美好了，好得讓我不敢相信這會是真的。我回來了，而且不只是活著回來，更回到一個幸福、溫暖的家庭——一個未曾因我被關進監牢而拒絕我，反更加支持我，並依然愛我的家庭。我真不知道玉琳究竟花了多少心血，才維繫住這個家庭。

那天晚上，玉琳向我傾吐了這十年來的苦難辛酸。她說，早在我被關進監獄之前，她就已經

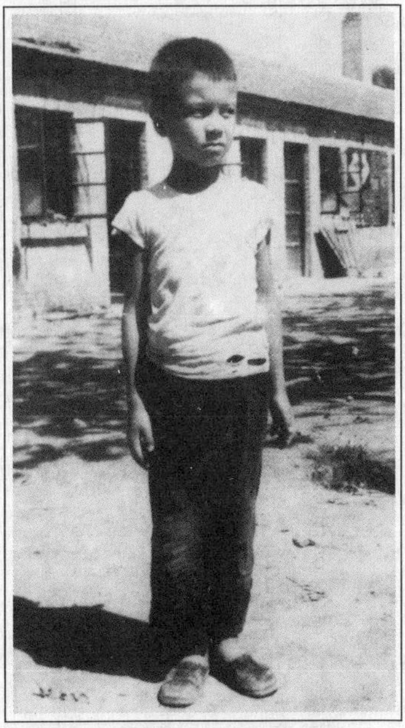

●（右）當我再度被監囚，我的家人也遭到隔離。隨後親戚們接走了我的三個女兒，而玉琳則遭到毒打，並被迫成為廁所清潔工，最後並被遣到河南的勞改營。我的兒子與她一起被送到勞改營，那時他只有五歲。

●（上）玉琳果然信守她的諾言，一直等到我出獄。而我的家人竟也在那時奇蹟似的團圓。不過那時我已看清，那個我一度堅信的理想世界中的殘酷事實，而我再也不能接受鄧小平領導下的腐敗世界。我的孩子們都取了個美國名字，搬到美國，成為美國公民，從左邊開始，玉琳、Toni（曉東）、Jenny（曉勤）、Sunny（曉昇）、Sidney Jr.（曉明）。

窖裡。

發現到我太過投入工作及政治鬥爭中，以致忽視了家庭的存在，她說得對，我無可置白。

「從現在開始，」我安慰著她說，「我的工作就是要使妳高興。」

然而，這個工作遠比我想像的還要難。我的情感仍緊鎖、深埋於我在監獄中所圍起的安全地窖裡。

在接下來的幾天裡，我倆常靜靜走在友誼飯店的庭園中，而玉琳也會試著告訴我，我被關進監獄後，他們經歷了哪些苦難——她在廣播事業局被控訴、毒打，她與孩子們一起坐牢，她的勞改歲月，每提及這些事，她總會淚流滿面。

「好了，不要哭了。」我試著安慰她，「不要讓妳自己再為這些事痛苦。我們應該忘掉這些事，繼續向前進。」

我的回答卻使她更傷心，「你好像一點也不想聽我的遭遇，」她說，「如果我不能向自己的丈夫說這些事，那我還能向誰說？」

我不是不關心，我太關心了。任何苦難我幾乎都可以忍受，但我卻一點也無法忍心聽她與孩子們受的苦。

我也同樣無法忍受他們對我剛回到的這個世界的描述。在監獄中，我最害怕的就是當我出獄後卻發現到社會主義已經失敗，那我所有的苦難孤寂全白受了，所以我全力抗拒玉琳及孩子們告訴我，我最害怕發生的事已經成為事實的證據。

當我還在牢房內時，我就一直情緒交雜的注意時事發展。江青及她在文化大革命中的同黨，現在被泛指為「四人幫」的人，都因陰謀顛覆毛澤東所選定的接班人——那個忠心耿耿但立場並不鮮明的華國鋒，而被捕入獄。當華國鋒釋放被軟禁的鄧小平，並恢復他的高層職位時，我沒有想到一場權力鬥爭正在醞釀，起因是雙方對如何解救中國及使中國進步有極端不同的意見。等我出獄返家，看到鄧小平正在謀取最高權力，而且獲得大部分人的支持，這使我更加困惑，他奪權的企圖已經極為明顯。但是當他掌權後，他會怎麼做呢？

我知道我們現在是活在一個新的紀元裡。以往佔據了北京各公共場所的大型毛澤東像開始陸續被拆除，整個社會也已進入了反神格化的過程。但是我依然無法將自己與過去的舊權力分開。有一次我和玉琳在友誼飯店的游泳池邊散步時，她告訴我，江青及她的特務頭子康生是全中國人民最痛恨的兩個人，而康生個人更是扮演一個邪惡、殘忍的角色，使得許多人遭到監禁、凌虐及殺害。

「妳怎麼可以如此批評一個政治局的常委呢？」我問，「一九七五年當他去世時，中央委員會不是發佈了一份對他推崇備至的祭文嗎？自那以後，難道妳聽過翻案的官方消息？」

「你不懂，」玉琳說，「早就再沒有人管報紙怎麼寫，或中央委員會的官方文件怎麼說。」

她怎麼可以這樣子說話呢？我心中納悶。坦白說，我認為玉琳及孩子們實在是滿腹牢騷及怨氣，他們告訴我許多腐化、士氣低落及道德淪喪的故事，都令我無法相信。「這些一定都只是個案，」我反駁，「不可能每個人都是這樣。你們過度誇大單一個案，你們只看到負面。」

「既然你出獄了，那就向我們證明一些正面的事吧！」他們說。

「看看現在比以前多民主。」我說，並指出民主牆的例子。民主牆位於西單十字路口，靠近領導們的官邸特區及主要購物區，是任何人都可以就任何議題張貼大字報的地方。我剛出獄時，民主牆正是百花齊放的時候，大字報貼滿了整片牆，而與牆平行的走道也拉起一條條繩子，掛滿了大字報。走道上日夜都擠滿了人，伸長脖子，張大眼睛，爭看大字報上歪歪曲曲的寫些什麼，並不時的與左近的人爭論大字報的內容。

玉琳在我剛出獄時曾用車載我去看過一次。之後，我幾天每天都會去民主牆。其中將目標指向最高領導的政治性評論及諷刺的大字報並不多，不過卻是當時最重要的，也吸引了最多人的注意，這些大字報透露出一個逐漸升高的呼聲，要求將那一羣「凡是派」——那些圍繞在華國鋒身邊，認為凡是毛主席的話都必須嚴格遵行的人——從高層核心揪下來。

每個人都可以自由表達他個人的意見，每個人也都可以自由張貼大字報，批評他想批評的人，讚賞他想讚賞的人。對民主牆，我有著熱血澎湃的激情，我認為它是一個自由開放的民主論壇，也是文化大革命的一個健康、永久、看得見的傳統。

至於目前身價明顯看漲的鄧小平，似乎也贊成這種能表達個人思想及意見的新自由。他在接受美國記者羅勃．諾瓦克（Robert Novak）訪問時，告訴全世界，中國人民有憲法賦予的權利，可以不論對錯的自由表達個人意見。

至於另一個我所看到的正面改變，則是引用自人民日報——一個我近十年來的資訊來源。我問他們，現在是不是革命委員會當權？現在的人民，難道不是如毛主席很早以前就指出的，經由民主協商來過日子、工作、及解決彼此的紛爭？在文化大革命中提升了階級意識的工人朋友，難道不是拒絕了物質的誘因，並對一定要有較高的工資才能建起自己的社會主義天堂感到屈辱？

連我十二歲的小兒子也發火了，「爸爸，你說話好像四人幫。」他竟將我比喻成那仍被關在監獄中候審的江青及文革小組的另外三個成員。

外國專家業務局的朋友來看我，他們是飽經世故的領導幹部，政治經驗豐富。他們看過太多，對我這番論調只是耐心的搖搖頭。「剛被放出來的人一開始總是會這樣，」他們說，「給他一些時間。他還不知道事情早已經完全不同了。」他們用熱切而堅定的口氣告訴我，「聽玉琳及孩子們的沒錯，他們知道到底發生了什麼事。」

三十七年來，不論在美國或是在中國，我都是一個忠貞的共產黨員。三十七年來，我也一直聽命於黨。文化大革命期間，我攻擊了黨，但我自認這樣做是為了要解救黨，使黨成為一個我希望它變成的民主團體。

而今我以前的老主管，我的老朋友，卻都要我不必再向黨看齊，並要我聽孩子們的。怎麼會這樣呢？

* * *

我很快就發現到我坐牢的這一段時間，世事究竟改變了多少。我回到的北京已不再是我離開時的北京，而其中的差異不僅只是文化大革命的動亂而已。這個中國首都以往乾淨整齊的街道，如今呈現出又髒又亂的陌生面貌，到處都是垃圾，而以往促使人們在外國賓客來到前就將垃圾清掉的自動自發精神，也已不再。在大部分是外國旅客住宿的友誼飯店對面的市場前面，香蕉皮、橘子皮及紙屑到處可見。

我的女兒全都告訴我，現在年輕女孩想要在北京平安過活有多困難。因為背負了「反革命分子子女」的罪名，我的大女兒能找到的最好工作是當個車床工，工廠離家足足有兩小時的車程。坐公車上下班時，她經常碰到想吃她豆腐的無賴。

人民解放軍的士兵以往是北京市內禮節及紀律的模範，更是人民最喜愛的子弟。但是現在穿著軍服的粗魯小伙子等公車一來，就推開排長龍的隊伍，自顧自的擠上公車，而被推開的老百姓除了白眼以對外也無法可施。

市內也有一些新建築在興建，但是工程偷工減料，新建的高樓就一副陰晦潮濕的樣子，蓋好那天就像舊的，大部分甚至就陰暗空洞的站在那裡，等著配上電線、水管及升降梯。

不過整個北京市最大的不同是人際關係的改變。「朋友」這兩個字有了新的定義，所謂「朋友」就是能為你帶來一些好處的人，例如他會把幾雙好鞋藏在櫃台下不賣給其他人，等你拿一塊上等豬肉來換。「後門」也有了新的定義，走後門——利用特殊的人際關係——是辦好事情的唯一方法。

現在提起以前「服務人民」的口號，別人不是聳肩以對，就是乾笑數聲。為了減輕文化大革命遺留的派系鬥爭激情，鄧小平喊出了「向前看」的口號，要大家一切向前看，不要回顧，但是這個口號立刻被改成諷刺的雙關語：「向錢看」。

發生在我服刑期間的一九七六年天安門大示威，據曉勤告訴我，背後真正的驅使力量是來自痛恨，不過不只是對四人幫的痛恨，也包括了對毛澤東及整個共產黨的恨。當我試著向她解釋，黨在以前是完全不同的，乾淨而沒有任何的腐化貪污時，她的回答是：「我們這一代從沒有見過，所以我們不知道有這麼一回事，現在我們知道，黨是所有貪污腐化的大本營。黨會盡可能的保護貪污者，除非這個人屬於敵對的政治派別，他們才會逮捕這個倒楣的敵對派裡的貪污者，然後刻意渲染，大肆發出一大堆統戰消息，以向人民證明他們對掃蕩貪污有多賣力，其實他們只是盡力掃蕩那些敵對派系內的貪污官員而已。」

玉琳和我到鄉下旅行，但我發覺到不論走到哪裡，情況都是相同。貪污腐化已經深入黨的骨髓，到處雖都能看到毛澤東的塑像，但毛澤東身後卻留下一個爛攤子，到處都充滿了痛苦、幻滅，及被背叛的感覺。在出獄後幾個星期的時間，我發現我以前認識的黨已經死了，已經消失了，而我知道這是如何發生的，它是被它的創造者毛澤東在文化大革命摧毀的。它所有的尊嚴光榮都已經消逝，再沒有人願意相信它，包括那些利用它攫取權力及物質享受的人。

回到北京後，我們一個在友誼飯店擔任客房服務員的朋友，問我是不是能幫他弄一本希特勒寫的《我的奮鬥》（Mein Kampf）。

「你為什麼要讀這本書呢？」我問這個隸屬於共青團的年輕人。

「我們只是要看看那些以前被貼上不良標籤的禁書是寫些什麼？」他說，「我們會自己決定什麼是不好的。」

對這種追求自立的精神，我猜想自己應該是很高興的，但我也不自禁的想起三十年前，我看到一個年輕的國民黨士兵坐在路邊猛讀毛澤東作品的那一幕。就像那時的國民黨一樣，現在共產黨的腐化也已經深入根部，即使是原本在金字塔最低層的廣大羣眾也正在摸索，想找出一個能夠取代他們失去的理想的替代品。

* * *

慢慢的，我的家庭逐漸走出傷痛的陰影。

我在獄中那幾年，健康因營養不良及壓力而受損，我有高血壓，而且經常頭暈腦脹，我的心臟會突然間不規律的狂跳。我開始努力恢復自己的健康。

我也看得出來，這場試煉對我家人有很大的影響。我的幾個女兒不時表露出她們這個年紀不應有的緊張。曉勤在我被拘走時，是個無憂無慮的快樂女孩，但是現在快樂已離她而去，她容易疲倦，容易有挫折感，曉昇對我回家的事自是興奮萬分，卻更害怕這種重聚會是短暫的。每次我們一起到市區買東西時，她總會緊緊抓住我的手，彷彿我會突然消逝並就此無影無蹤。即使我只出去一會兒，我一回家她就會怒氣沖沖的走到我跟前，兩手扠腰的問我，「爸爸，你又去哪裡了？你又跟哪些人說話？有沒有說你不該說的話？你不能再相信任何人！也不能相信他們說的任何話！說話要小心，而且不要再參加任何活動——尤其是政治活動，你聽到沒？我可不想再失去我的爸爸！」曉東則說她看到太多人受苦了，所以她將來要當醫生，幫助人們減輕痛苦。

媽媽那時也仍健在，不過她與她的三女兒一起住在石家莊。在我返家後約一個月，我們一家去探望她及其他家人。她生前得過中風，身體部分癱瘓，同時也很虛弱，不能講太多話。但是她還是非常高興看到我，她抱著我哭個不停，一再講，「我知道這一天一定會來，我知道的。那些龜兒子們不會永遠得勢，不可能！」

玉琳的三姊則滿懷感傷——她很高興看到我們，但也哭個沒完沒了。她和她的弟弟因為拒絕說我的壞話，被關了好幾年。當她被關的時候，我的岳父成為鄰居的政治鬥爭對象，遭到壓迫及毆打，並被迫跪在碎玻璃上，終因受不了壓力而去世。他也一樣拒絕指控我，當那些迫害他的人逼著他交代我的間諜活動時，「我女婿是個好人。」是他唯一說的話。

不過，說到底，還是玉琳吃的苦最多，也是最需要復原的，她就跟她姊姊一樣，有時會突然哭起來，啜泣得無法自已。過去那些歲月裡，她一直忍耐著，而現在，她終於能讓這些壓抑的情緒發洩出來，在嗣後的那幾個月，我逐漸有耐性去聽她的話；她也會躊躇的一段一段的告訴我，當我被關進監獄後發生在她及孩子們身上的事。

就在我被帶走後半小時，敲門聲在我家響起，六個身著軍服的男人隨後擠進房間，「王玉琳，」那個領導叫著，「你們不准再待在這裡！你們必須馬上搬走……」接著她就被趕鴨子般的架到前門飯店，而那時的前門飯店就如同北京的許多其他飯店一般，已經被改成監獄。在接下來的八個月時間，玉琳及四個孩子就被關在一間單人房間，窗戶被釘上木板並糊上紙，門口二十四小時有警衛守著。

在嗣後的十年歲月，玉琳像皮球般的被踢來踢去。當她被召回廣播事業局時，她就成為每天鬥爭大會上的犧牲祭品，並被迫坐到廁所門口，頭上插著標語：「這是帝國主義特務走狗的不知悔改的老婆」。有時候她會被毒打，有一次甚至嚴重到必須送醫急救。她不是被罵就是被排擠。她是江青點名批判之人的老婆，沒有人敢跟她說話。除了極小數外，我的外國朋友在街上碰到她時全都形同陌路，避之唯恐不及。

她被迫下鄉勞改三年，在嚴寒氣候下長時間工作，疊磚頭、煮飯、種玉米，但每天也只能吃一磅的米糧。所有在那裡的政治犯都過著苦日子，因為被派來監督玉琳所屬勞改營的共產黨幹部，正是我的前妻魏琳。

有時候玉琳必須用盡她自己所有全部的力氣，才能勉強活下來。「我有時候想，要結束這些痛苦其實很簡單。」她這樣告訴我，眼淚則不停的留下臉頰，「我恨死了共產黨，他們可以隨便挑個人就對他發動鬥爭，我們卻毫無自衛能力。我這輩子從沒有做過這樣的苦活兒，從早到晚辛勤勞動。他們甚至不讓我能填飽肚子。我每天晚上都是拖著又酸又疼的腿和背爬上床，累得幾乎動不了，也同時餓得受不了。我一再想到死。」

即便如此，玉琳仍決心做好他們交付給她的每件工作，她要讓他們看看她是什麼出身。玉琳也從未放棄。「我知道你不是特務，」她說，「我堅信你的罪名最後一定會被洗清，我同時也要看那些攻訐你的人會有什麼下場，這是促使我活下去的一個原因。」

另一個原因則是孩子們。「如果我自殺，」她告訴我，「那孩子們就永遠會背著一個母親畏罪自殺的包袱，我也永遠沒有機會洗清自己及孩子們的名譽。」而使玉琳活下去更重要的原因是，她怕孩子就此會沒有人保護。玉琳親眼見到一個朋友的十二歲女兒，在雙親都下獄後，就完全沒有人關照她，遑論是不是有東西吃了。最後是靠一位勇敢老師的救濟，那個女孩才免於餓死。

不過，即使有玉琳保護我們的孩子，他們還是有一段艱困的歲月。他們經常被年紀較大的小孩丟石頭，或毆打——即便年紀最小的曉明也難倖免。這些年紀較大的孩子嘲笑我的孩子，叫他們「特務孽種」。

只要情況許可，孩子們就與玉琳住在一起，但是當玉琳被遣送下鄉勞改時，她只能把小兒子帶在身邊，將三個女兒留給媽媽照顧。唐山大地震後，玉琳決定將當時才十歲的兒子送到姊姊那裡以保安全，但是玉琳自己不准離開勞改營，因此她只得在小兒子的衣服上別張紙條，請過往的人幫這個小孩到達目的地，然後就讓他自己去搭火車。

經歷了這麼多苦難，玉琳從未猶豫，從未認罪，也從未說出對我不利的話。從頭到尾，她始終使孩子們對我有清楚明確的認識。「你們的父親是個好人，」她對孩子們說，「有壞人在攻擊他。」最重要的是，她必須管著這些孩子們，免得他們為了保護我，而在公開場合說錯話。「不要管他們說什麼，」她告訴他們，「我們在家裡面說我們自己認為對的，外面人說什麼，你們不要管，就讓他們去說好了。」

從我們周遭的許多家庭，我看到了文化大革命造成的傷害。有兒女批鬥父母的、有妻子離異丈夫的、有丈夫檢舉妻子的，而現在在造反熱情消退後，他們感到迷惘無依，因為他們的親情倫

是玉琳的幫助，讓我免於這樣的悲劇，她將我們一家維持完整，等我出獄回家。

理都已遭到破壞。

* * *

過些日子，我得知了大部分老朋友的不同命運。老孟，那個優秀、博學的毛澤東著作翻譯小組的組長，已經死了——在獄中被凌虐致死。我在延安的老朋友彭迪則遭到嚴酷的公開鬥爭，他也是極端造反派想鬥垮的主要老幹部。梅益最後進入社會科學院，但他陰鬱蒼老，看起來老了三十歲。

我未再回到廣播事業局工作。那裡有太多故事，太多痛苦，太多過往的派系仇恨。但是我在那裡的許多老朋友都重拾以前的老習慣，偶爾路過我家來吃頓飯或是聊個天。李媛告訴我，其實她早在我被捕之前就懷疑有事情要發生。當初，她、康舒吉和我三個人正是掌管廣播事業局的三人小組成員，但是有人給她通風報信，要她不要在任何辯論中與我站在同一邊，因為上級正在調查我是不是間諜。邱曉艮，我以前的助手、朋友，兼保鏢，則認為廣播事業局中的兩派都有人要將我趕出權力核心，因此設計促成我被捕。她並且認為我和那個被免職的王力之間的牽連，也促成了我的下獄。王力至今仍在獄中。

我的幾個外國朋友也坐過一陣子牢。當我再度碰到那位英國朋友大衛·庫拉克（David Crook）時，我就戲弄他，故意向空中大喊：「可不可以麻煩你多給我一些吃的？我可不可以有一桶水洗澡？」而且還故意模仿他在獄中所說的話及語氣。他吃驚的表情讓我開懷大笑。再也沒想到我們竟有一年的時間是如此的接近。

對我們所有人來說，對整個國家來說，這是和解及寬恕的時候。固然有許多人是我不願再去打聽，不過我也不覺得有懷恨在心的理由。在我被釋放出來後的某一天，我遇上了一位在我被帶走前，曾協同迫害我及我的家人的幹部。那次我們兩個人剛好都騎著腳踏車在紅綠燈前停下，他看到我的時候臉色頓時發白，我則跳下腳踏車伸出手，「一切可好？」

「老李，」他支支吾吾的說，「我們聽說你回來了。」

但是，寬恕並不是永遠像這樣簡單。尤其是玉琳，她無法輕易原諒那些在她及孩子們最需要幫助時卻拂袖而去的外國朋友。「我能理解他們害怕的心情，」她說，「但是他們怎麼能夠就這樣視而不見，連孩子們也都不問一下？」

後來我才知道，我一些外國朋友無法原諒我的原因，是他們認為我參加了一項顛覆周恩來的陰謀。我在一九六六年曾短暫支持過某個工人團體，而當時謠傳這個團體祕謀綁架周恩來；還有一項謠言說我曾到天津，參加一個反周恩來的全國性作家及藝術家聯席大會。雖然北京各大新聞報導最後都證實這些其實是無稽之談，但是我的一些外國朋友卻仍深信我一定是反周恩來的，因為周恩來本身就曾公開指責我是其中的一分子。「李敦白是個壞分子，他在文化大革命中犯下了嚴重的政治錯誤。」據說他曾經如此說過我。周恩來為什麼要這樣說我呢？除非他也認為我是企圖顛覆他的一分子？這是批評我的外國朋友的推論。

其實我很感激我的老朋友周恩來說那些話。他並不是在指責我，反是在保護我，因為他說那些話的時候，我正被指控一個更為嚴重的罪名——特務，所以他事實上是想要將別人對我的攻擊轉移到一個較輕的罪名上。在文化大革命中所犯下的政治錯誤僅會被認為是「人民之間的矛盾」，而不是犯罪。我的中國朋友們知道這種微妙的差異。那些曾參與周恩來指責我的那項會議的朋友，更回憶起江青在聽到周恩來想為我減罪的指責後，頓時火冒三丈。同時我也確知周恩來的老婆鄧穎超，根本就不相信我的特務罪名。在我出獄後沒多久，她在一羣人之前接見了我和玉琳，「李敦白是個好人，」她向那羣人指著我說，「他是個親密的老朋友。周總理在世的時候也極為推崇他。」

*　　*　　*

恢復自由身後，我仍持續自己在獄中開始的痛苦過程：深刻檢驗自己對共產主義的信仰。我重讀自己以前常看的舊書，發現最大的問題並不在如何實現共產主義世界的方法，而是在共產主義的本身教義。錯誤並不是從史達林開始，而是從列寧開始就錯了。而即便以馬克思的絕頂聰明，他的社會及經濟理論其實也如同其他理論般的有其限制，並包含了重大謬誤，我了解自己過分高估了一種預設立場的社會意識形態所能有的真實性，也高估了人類想要決定社會、經濟、政治或知識發展的計畫能力。

而完全接受那一小羣操縱真理的領導之政策決定，更是我犯下的大錯。不過我所有政治觀點錯誤的核心，卻是在無條件的接受了列寧所闡述的馬克思政治思想的中心，必須要有嚴密的「人民專政」才能為達成未來的完美民主打下根基。我了解到，即便是像我這般虔誠、奉獻的想要讓世界更好的一個人，也要花下很長的一段時間，經由認清自己在中國過的原來竟是一種跋扈、特權、同流合污的生活，經由認清自己也早就從這個官僚系統中佔到莫大便宜，才能看出共產主義教條中的謬誤。

對我這個謬誤幻想最後且最重的一擊終於來臨——鄧小平封閉民主牆，並且逮捕幾個主要的大字報作者。我對黨的忠誠，被我在監獄中開始產生的疑慮，以及現今我在周遭所看到、所聽到、所感覺到的事實徹底的從根瓦解。我再也不願意盲目根據黨本身的定義來解釋黨的行動，也不願意去美化任何事，或是接受「壓迫是達到自由之路的必要之惡」的說法。現在我有意願也有能力看清事情的本質。就如同世界其餘各地的政客一樣，中國領導人玩的也是一種令人齒冷的遊戲——利用民主牌來鼓勵人民攻擊他們的政敵，而當他們的敵人被覆滅了，他們就再也不需要民主公意，並且毫不留情的鎮壓他們原先鼓勵及保護的人民運動。

在保護知名的民主牆鬥士魏京生的行動中，我盡所有可能的不讓他受到不公平的迫害，雖然我並不認為他會是散播中國民主的重要發言人，也不認為他對民主原則有清楚認知。我詢問在北京的西方人對這件事的意見，將這些意見寫下來，然後將它偷偷傳給在人民日報工作的朋友，讓這些意見刊登在一份廣為流傳的機密刊物上。我探聽到魏京生何時及何地受審的消息，並將這消息告知紐約時報（The New York Times）的記者包德甫（Fox Butterfield），稍後，我又得到一份由中國人權活躍分子蒐集到的魏京生審判紀錄，我也將之傳給美國的人權組織。

我盡可能的向高階官員提出質疑。例如有天晚上我在戲院的一角碰到某個公安部門頭目，我就告訴他這樣的鎮壓將會使中國失去朋友及國外的支援。他對我搖搖手指，「任何人否認魏京生判決的公正性，都將成為中國人民的敵人。」他說。

我也曾寫了一封長信，詳述中國對「黑盒子」式保密的熱愛，以及將外國人摒棄於每天生活及友誼之外的做法，將會使自己最後遭到孤立的命運。我將這封信送給鄧小平，但是沒有回音。

我一直抱著些許希望注意民主牆的發展，奢望有些東西終能挽回，奢望民主及政治言論自由會在中國生根；但是現在看來，一切似乎都太遲了。這一代的政治領導人就像上一代的一樣，對運用欺騙及鎮壓來達到目的是一點也不會猶豫的。而廣大的民眾，不但沒有成為黨的主人，甚至還被黨當成奴隸。

鄧小平在一九八〇年一月十六日所發表的演說，可說是對這個民主夢最後致命的一擊。他乾脆揭開言論自由的假象，直接宣布任何報紙都不准報導任何不符黨政策的言論，他威脅那些仍然持續支持自由政治言論及張貼大字報的人，他並警告人民要注意那些假借黨內腐化以攻擊領導階層的反社會主義分子。

我肯定鄧小平在歷史上的偉大成就。為了維持共產黨的領導統治，他決定改革中國的經濟，並使其免受官僚體系及過度中央化之害，也避免遭到國際孤立。同時我也了解，不論「一夜達成無限制的民主自由」的口號有多吸引人，它的躁進帶來的沒有領導、法律及團結力的混亂及無政府狀態，將再度顛覆整個中國，並為人民帶來莫大的苦難。但是反過來說，我認為中國要真正的革新，就需要一個願意聽從公眾意見，願意秉著良知處理貪污腐化，並因而贏得人民信任的領

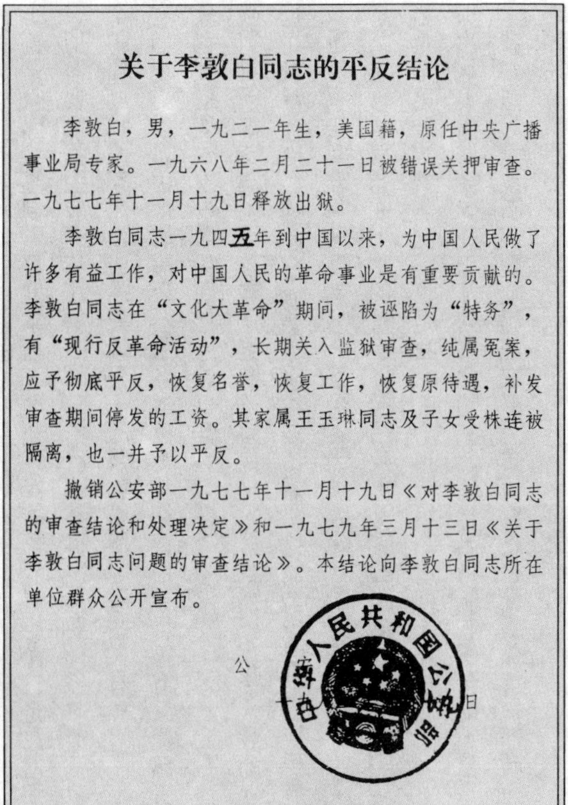

关于李敦白同志的平反结论

李敦白，男，一九二一年生，美国籍，原任中央广播事业局专家。一九六八年二月二十一日被错误关押审查。一九七七年十一月十九日释放出狱。

李敦白同志一九四五年到中国以来，为中国人民做了许多有益工作，对中国人民的革命事业是有重要贡献的。李敦白同志在“文化大革命”期间，被诬陷为“特务”，有“现行反革命活动”，长期关入监狱审查，纯属冤案，应予彻底平反，恢复名誉，恢复工作，恢复原待遇，补发审查期间停发的工资。其家属王玉琳同志及子女受株连被隔离，也一并予以平反。

撤销公安部一九七七年十一月十九日《对李敦白同志的审查结论和处理决定》和一九七九年三月十三日《关于李敦白同志问题的审查结论》。本结论向李敦白同志所在单位群众公开宣布。

公[illegible]

一[illegible]日

●在我被釋放後的幾年中，玉琳一直多方嘗試的要將我的罪名完全洗清，在一九八二年她終於成功。這份文件中指出我的「對中國人民的革命事業是有重要貢獻」，並將我於一九六八年被關入監獄為「純屬冤案」。

導。

我眼見的卻恰好相反。那些原本合法當選為人大的代表，卻在批評黨之後被人從人民大會的座位上拉下來。「專制」再度掌權，即便這次的專制可能僅只是之前那次的一個微弱陰影。迫切需要像我這般的英語顧問的日子已經不再，只要付錢，他們可以得到任何一個他們需要的專業顧問。我的家開始成為異議分子的聚會場所，這些人有年輕學生、幹部，及工人——他們想要有個地方能自由地討論政治議題。但是我卻害怕如果再有一次鎮壓，那玉琳及我過去的紀錄將會危害到這些人——而我們自己恐也難逃其咎。

我對自己那時的生活待遇並沒有任何抱怨。自我被釋放後，我的女兒獲得上大學的機會，我自己也在新華社擔任輔助領導的重要工作。而當我發現這份工作由於新聞管制而令人難以忍受時，我也能很快且輕易的轉到另一個更為吸引人，更為尊貴的工作——中國社會科學院的顧問。廣播事業局也將我過去十年的薪水發還給我——大約一萬五千美金，我用這筆錢帶玉琳回美國探訪，這是她第一次到美國，也是我在三十年後第一次回國。

那次返美探訪後，我仍是回到中國，希望自己仍能有所幫助，但是當我讀到鄧小平的那次演講後，我知道另一波新的壓迫已經成形，貪污腐化也受到保護，而我，無能為力。

離開的時候已經到了。

當我決定離開的消息傳出後，各式的巴結逢迎幾乎是從天而降：保證終生俸及住宿、免費的醫療保健、每年可以依我個人意願的旅遊各地，或是回到美國及其他我想去的地方。而最動人的誘惑是他們提供我，在中國人民政治協商代表大會中佔有一席之地。我知道這些「賄賂」代表什麼：名氣、諂媚、尊崇，以及在各處都可以受到特別待遇。但是我也知道接受這些「賄賂」的代價——我將永遠失去我的獨立，我會一輩子被一個我不再尊重的系統奴役。

我來到中國是要為人性服務，為人民服務，要改變中國，要改變世界。我不想將我的餘生花在服侍那些權力已經腐化的人身上，我不想被那些津貼收買，以至無法自由地去說或去做自己所信仰的事。

當我相信他們是對的時候，當我相信他們教條的時候，我一直追隨、支持他們，不需要他們一丁點的催促。事實上，我反倒經常採取主動並要求盡可能深入參與。但現在已經完全不同了：我認為他們是錯的。我不能留下來服務他們，再也不能接受他們的好處。我必須再找別的地方，別的方法——一個為自己所信而戰的新方法。就在一九八〇年三月十七日，玉琳和我搭上一班飛往美國的飛機。

收場白

回美至今已十三年多，玉琳和我都覺得這段日子是我們這輩子最快樂也最豐收的時日。在過去這十幾年中，我們學得的遠比我們在過去各自學得的總和還要多。我們學會如何重新生活，學會如何經營家庭、整理家園，我們也重新體會到朋友的價值，特別是那些我們初回到美國，從意想不到的地方出現，幫助我們的朋友。

我也再度學會如何思考，知道該如何觀察及評估事情，而不再盲信單一的意識形態，並讓它控制我所有的行動。所有朋友及親人都無法相信，我對於在中國的苦難歲月竟然無怨無悔，「你為什麼不覺得痛苦？」他們訝異的問著。但我一點也不恨，反而對那些年中的冒險、感情、朋友、學習、興奮，及單純的愉悅充滿感激。如果我有機會重享我的人生，我連獄中那段歲月也不會刪去。說起來有點令人啼笑皆非，我發覺到自己這種改進世界的癡心妄想，竟是讓自己在最糟的處境下仍能獲益的動力。即便是到今日，在過去那些悲慘歲月中建立起來的內心精神力量，仍讓我受益匪淺。

許多人可能無法相信，我的信仰竟會如此的堅定及長久，堅定到可以在監獄中耐心等待，長久到在第二次出獄後仍期待一個比原先更好的世界。不過對我而言，自己這種想法一點也不奇怪或令人無法接受。我是如此迫切的要去相信，以致於我只看到自己想要看到的世界，把現實扭曲成符合我理想的面貌。

因此，當我發現到——即便為時已晚——自己一生的理想是不對時，我既不感到極大打擊，也不覺得是個大悲劇。相反的，當我認清事實後，卻是個極大解脫，並使我能重新出發。我的心靈再也不受嚴格教條的桎梏，以往我只准許自己思考吻合自己腦中用單一意識形態所構築的理想世界，一旦拋開這些，我感受到一種前所未有的自由。

當然，再度回首，還是有許多事讓我痛苦、遺憾。例如，直到過去的十年中，我——以及我大部分的中國朋友們——才了解大躍進運動對中國造成的災難，及它造成千萬人的死亡；再如文化大革命導致的傾訴不盡的苦難——這深沉的苦難我直到被釋放後八年中才逐漸體會。對在一九五〇年代末期所進行的各項政治運動，我也真盼望自己當初能夠更客觀、更深思些。我也深深感到歉意——至少有一部分是由於自己矯枉過正的熱情——許多無辜的人被下放到農村中度過痛苦的歲月。

擺脫了年輕時的英雄崇拜情結，我才能對一些我奉為偶像的朋友重新評價。對周恩來，我現在就能了解到他其實和我陷入一樣的理想——熱情的深信馬克思主義是最正確的社會科學，而為了達成共產主義下人人平等的夢想世界，運用任何手段都是可以接受的。他是個偉大的折衷協調者，這種能力使得他成為毛澤東自一九二六年進入權力中心後，至他死前，唯一最親密的戰友。據我的觀察，他私底下有時對毛澤東表現得太過恭順，未免有失身分；同時也極會順風轉舵——但總是為了能待在某個位置上繼續追尋他的理想。

不過他的權力及地位也有幫不上忙的時候。孫維世是他深愛的養女，為人熱心、才華洋溢，我在延安時對她極為傾心，她卻於文化大革命期間在獄中被凌辱致死。她對江青的底細知道太多，因此江青只得下毒手將她逮捕並加害，事後周恩來要求驗屍時，他們只給他一罈骨灰。

而毛澤東呢？現在的我看來，他是個絕頂聰明、才華過人的暴君，是造成上百萬，甚至上千萬人受苦受難及死亡的罪魁禍首。他從來不是我真正的朋友，為了一些政治目的，他兩次甘冒寃獄之名將我隔離在可怕的監獄內。毛澤東是個思想家、哲學家、分析家、將軍、政治領袖、詩人，更是鑑賞名家。他組織革命，並且帶領革命走過令人無法想像的艱困，克服了難以置信的阻礙，並打敗了全世界其餘政權幾乎一致支持的舊中國政府。如果他在大權獨攬之前就去世，那他或許還會被認為是個先知，甚至會被當成聖人來緬懷。儘管許多罪行是在他早年的指示下造成的，整體來說，將來被當成中國華盛頓的人很可能是他，而非孫逸仙。

不過今日我也認為，毛澤東就某部分而言，像極了希臘的悲劇英雄，他一直在規勸、警告黨員要對抗隨著權力而來的腐化，也一直痛責對單一角色、勇氣及智慧的過分誇張渲染；但是他自己最後則變成這些腐敗想法的犧牲者，從而犧牲了中國人民。他認為中國——甚至就某個程度而言，整個世界——都是他手中的實驗。常人間的家庭、宗族、友誼等關係，沒有一樣對他是重要的；唯有驅使人民不停的行動以達成他偉大的設計，才是他唯一關心的。

然而毛澤東的致命錯誤是，他做了幾個大錯特錯的關鍵性理論假設。例如，他錯誤的相信，教育及管理中國人民的唯一方法是運用恐怖統治來對付反對他的人。他也有錯誤的經濟觀念——迫使所有人意見一致，以達成一個嚴格控制、中央計畫的國家經濟。

雖然如此，過去三十年在中國，我仍看到不少成就。我看到中國百年來首次團結，不再有內戰為禍；我看到短得可悲的生命延長了兩倍以上；我看到生病的小孩治癒，空飯碗再盈滿；我也看到了一些原始形式的司法公義——不論它在今日是如何被指摘為形同具文，總好過以往殘害中國人民的殘忍武力統治。

有時候，我認為我們完成的遠超過我們的期盼。一九八九年，我前往華盛頓拜訪老朋友李先念。李老將軍那時擔任國家主席，正在美國拜會雷根總統。我們依舊熱切的握手，並回想起我們在武漢北邊山中的革命歲月。「我的老友，」我說，「你有沒有想過我們竟會如此的在華盛頓碰面？」

他笑了起來，「在那時候，」他說，「能當上武漢市市長我就心滿意足了。」

雖然我自一開始就對鄧小平時代下的許多腐化貪污相當不滿——一種對於持續的壓制及貪污的厭惡——我仍必須承認，他確實將中國人民的生活帶到了歷史上的最高水準，即便中共仍是殘酷的對待異己。但是與以前相比，今日的中國人可能也享受到歷史上最大的個人自由，這不是天上掉下來的禮物，是人民辛苦贏來的。

然而，我也不忽視中國缺乏真正民主自由的事實。一九八九年六月在天安門廣場發生的悲劇屠殺，就有點波及我的家人；那時我的兩個女兒住在我們北京所保留的公寓內，她們必須整個貼在地板上才得以避開一陣掠頭而過的機關槍子彈——人民解放軍發射出來的子彈。子彈狂掃過客廳及飯廳間的隔牆，擊毀了窗戶上的窗簾，並在牆上留下滿目瘡痍的彈孔。我的女兒沒有受傷，但是我們永遠不會忘記那些在天安門廣場中及四周受傷、死亡的人。我後來又回到北京，把公寓中的爛攤子收拾乾淨，但卻拒絕補好牆上的洞。

一九八九年六月四日，天安門鎮壓屠殺的那一天，代表中國歷史的一個新轉捩點，自從共產黨執政以來，這是軍隊首度奉令對未武裝的人民開槍，也打破了毛澤東在一九四九年與人民公開訂立的盟約。而這項悲劇性的軍事鎮壓，更使得共產黨將它在北京市民心中僅存的一些尊嚴，完全丟入塵埃。我不認為任何一個政權或領導，能夠不譴責六月四日屠殺鎮壓的再度獲得這些尊敬。

這些學生並不是——如同我們在美國所經常形容的——中國最後、最好的民主希望，他們太過英雄主義，也太過天真幻想，因此根本不可能贏得這場戰爭。他們迫切渴望民主，但並不十分了解民主；他們有理想，立場鮮明，有紀律，反暴力；但是他們也受到兩個不同權力派別的煽動及擺布。不過，他們的行動還是告訴了廣大的中國的新企業家、工程師、經理人，以及各行專業人士，沒有一個政府能真正穩定，除非它是真正具有代表性的政府。

我依然深信中國總有一天會有真正的政治民主自由，中國人民遲早會為他們自己爭取到這些權利。他們自會在最佳時機，根據自己的意向，用自己的方法來進行。大部分中國人不認為達成這個目標僅能靠有自由思想的知識分子，或是依賴再一次的大變動，再一次進入無政府狀態。我相信中國將會逐漸演進出一種政治民主形式，而這種形式除了學習西方外，也會參酌中國文化精華，並會避開一些阻礙我們的民主體系的錯誤。

* * *

至於我的生活，我現在住的是一棟周遭繞著參天松樹的屋子，屋前及屋後的青山都連到天邊。這個地方讓我有家的感覺。當我離開它時，我想念它；而也是在這裡，我終於實現了我一個承諾：玉琳過得快樂，比我所曾知道的還要快樂。她喜歡我們一起做的顧問工作，也愛我們的家。當我在房內工作時，我可以看到她彎著身軀在庭園裡忙碌。她對種花種草很有一套，而她心甘情願的照顧，也使得各式各樣的花草果樹欣欣向榮。我們的花園裡繁茂的長著玫瑰、杜鵑、蜀葵、風信子、耬斗菜、羽扇豆，以及形形色色的野花，招來成羣蝴蝶，我們的果樹上則結滿蘋果、桃子、杏子，及櫻桃，我們的葡萄藤也結實纍纍；窗台上則是一罐罐的果醬。

當我們剛回來美國時，並未將孩子們帶著，後來才將他們一個個接來，如今我們全家都在美國。他們也都像他們的父母一樣，在美國發現許多機會，並且現在每個人都過得很好。曉勤——Jenny，與她的先生一起住在阿拉斯加，為愛斯基摩兒童做些社會工作；曉東——Toni，是個博士，現在在波士頓做研究；曉昇——Sunny，是個電腦程式設計師，她和她當工程師的先生就住在我們附近；曉明——在十五歲到達美國時就立刻將名字改成Sidney——是個廣告攝影師，他和他當代理商的太太住在洛杉磯。而我們則一直期待孫子的降臨。

玉琳和我的四個小孩現在都已是美國公民。我從未放棄我的公民身分，也從未讓它受到任何質疑。一九七九年我第一次回美國的前夕，我在美國大使館領到新護照。我還記得那時大使館的人員問我何時丟掉了原來的那一本護照，我想了一下，心緒一下子飛到很久以前在往延安的路上，我的護照及我所有的東西掉下馬背的那一刹，「一九四六年。」我那時回答。「而從那時起，你有沒有一直努力的找尋它呢？」他面無表情的問我，然後又拍著我的肩膀大笑起來。

當我回到美國後，我發覺我的親友並未忘記我，我見到了在小時候曾唸許多詩給我聽的姊姊艾莉若（Elinor），她唸的那些詩是我被監禁時的精神支柱；她的丈夫是海軍陸戰隊中校，我幾乎不認識他，他卻也冒了極大的危險想幫助我。在一九五〇年代，他寫了不少信給參議員及國會議員，想查出政府是不是知道我的下落。在那個時代這種行為——對一個住在中國具共產黨員身分的人表示關切——對任何人，尤其是一個軍人，是特別危險的。

我的母親也告訴我，她花了不少錢——大部分都花在騙子身上——想找我，但總石沉大海。我回家恰好趕在她死前再與她相見，也向她介紹了她從未謀面的媳婦。經過了四十年的疏遠及不愉快後，我們再向彼此伸出親情的手，重歸於好。

在美國闖天下剛開始並不容易。玉琳必須織毛衣去賣，教中文及中國烹飪，曉明在麥當勞打工，三個女兒當人家的保母，我則在紐校（New School）教書。後來我和玉琳也帶團到中國旅遊，有一陣子我們甚至不知道下星期的飯錢從哪裡來。

嗣後，有一天家裡來了一通電話，我們的生活也在一瞬間轉變。那是米勒德（Bill Millard「電腦園」（Computerland）的創始人及董事長打來的。我們兩個人在我的一次演講中認識，演講後我們也稍微談了一下中國的事。在電話裡他告訴我，他有個高階的洽商代表團將在最近從中國來，但是他的職員中沒有一個會說中文，他問我可不可以幫忙？

最後，主要還是玉琳幫了他，也幫了我們。靠著我的名聲、我的關係、我的演講，及我在中國的名望，使我們跨入這行的大門，更因為我能建立關係的能力，使我站上了成功的位置；但是卻是我那有鋼鐵般意志、實際的玉琳，在短短的幾個月內賣掉了兩千萬美元的電腦產品給中國，才安定了我們全家的生活及家計。我虧欠她太多，不只是這件事，還有其他每一件事。

今天，我們有一間自己的顧問公司，幫助其他人在中國做生意，我們老老實實的做生意，我們只跟誠實的人打交道，碰到壞蛋立即逃開。我想我們幫助了那些與我們一起工作的人，我更認為我們也幫助了中國的人民。我已經遠離了我的黨員歲月，不再以為世界上不是天使就是魔鬼，也不再把資本帝國主義者當成殘害老百姓的壞人。

在現今的時代，我看到了商業所扮演的決定性及建設性的角色，不管我們想用什麼方法來限制它過度膨脹。我也可以親眼看到，當我們的企業獲得進展時，就代表了中國廣大老百姓的生活，及他們想使自己國家現代繁榮的努力都獲得長足進展。

那麼做生意——不論其中的努力有多誠實，有多善意——和搞革命到底有什麼關係？沒有！

●現在，玉琳和我在美國已待了十年。我們專為在中國做生意的美國公司擔任顧問工作。回首從前，我對在中國的日子並無悔恨，即使有大部分時間我都在獄中度過。因為在那時——就像在今日一樣——我一直被一種無法熄滅的欲望驅使著，要去支持中國人民爭取自由，以及自由所帶來的回饋與責任。

在過去的十年中，我體認到不管這個世界有什麼問題——問題確實嚴重——沒有一個「大」計畫可以解決，我也體會到，真正的改變不會在製造動亂及衝突的光榮革命中產生，而是要靠比較理性、比較溫和的行動。想要終結世界上的貧窮，昭昭在目的不公正及不平等，這條路遠比我曾想像的更長久、更艱辛，也更複雜。

我並不知道這條路會是什麼。在我二十幾歲的時候，我很確定只有一個答案，同時我知道那個答案是什麼：社會主義革命。半個世紀後，我卻發現自己在愈來愈多的問題中掙扎，而答案愈來愈少。我想，這個解決的方法可能還是要靠社會運動，而且毫無疑問的應該是諸如馬丁·路德·金恩博士所領導的，爭自由的大型運動；再加上一些重要的小型運動，就像一般善良百姓受到侵擾時，他們不會想要推翻整個現有秩序，而是沉默的改變他們所能影響到的小世界。

如果我過去的人生曾教過我什麼，那就是人可以改變，可以學習，可以成長；而為自己找到幸福的最保險方式，就是為別人的幸福奮鬥。我現在發現到，自己比以前更願意追求這個當初令我留在中國的任務；因為即使在今天，在經過萬里滄桑路，經過五十年，經歷了半個世界及經歷一生的光陰，「木仙」及她在各處境遇相同的兄弟姊妹，仍長留在我心中。

致意

我們要感謝所有在中國及美國的一些朋友。他們曾經慷慨撥出他們個人時間，協助我們確使這本書內的故事能夠盡可能的公平及正確。其中一些人的名字甚至不能公開，我們仍要在此致上由衷謝忱。

對西門及休斯特公司（Simon & Schuster），我們要感謝其中的編輯同仁希爾斯（Fred Hills）以及拜恩（Daphne Bien），康諾利（Laureen Connelly）以及畢爾斯（Burton Beals）。我們也要感謝柯恩（Michael Cohn），以及威廉．莫理斯代理公司（William Morris）的卡利塞爾（Michael Carlisle）、高特萊布（Bob Gottlieb）。

許多中國專家也閱讀了草稿，對內容以及事件的日期提出建議；其中我們要特別感謝拉第教授（Nicholas Lardy）、波拉克教授（Jonathan Pollack）、奧科森堡教授（Michel Oksenberg）、西門教授（Denis F. Simon）、尼克森教授（Richard Nickson）及羅傑森教授（Brewster Rogerson）等人不吝的提出批評。

有些人協助我們蒐集各類事件的資料。這些人包括洪恩比（William Hornby）、希爾（Phillip G. Seal）、史莊（Tracy B. Strong）、艾普斯坦（Israel Epstein）。幾位記者小姐及先生則慷慨的給予我們他們所觀察到的當時的一些事件，包括馬休斯（Linda Mathews）、佛瑞哲（John Fraser）、舒哲南（Daniel Southerland）。

還有一些朋友看過草稿後也提供了一些非常有價值的建議：巴奇森（Stephan Batchison）、珍娜·貝耐特（Janet Bennett）、諾曼·貝耐特（Norman Bennett）、柏曼（Mark Berman）、卡斯坦撒（Gordon Castanza）、克拉克（Kenneth Cloke）、德恩（Adrian W. DeWind）、托梅梭（Andrea di Tommaso）、費克特夫婦（Monte and Betty Factor）、福徹斯堡（Gil Fuchsberg）、格林（Joe Greene）、高柏（Deborah Gobble）、高斯密斯（Joan S. Goldsmith）、海悅特（Jim Hyatt）、捷克非地斯（Linos Jacovides）、凱姆斯基（Virginia Kamsky）、金斯利（Susan Kinsley）、馬爾欽（Moses M. Malkin）、漢那·馬爾欽（Hannah Malkin）、馬克南密（Katy McNamee）、雷登堡（Michelle De Fino Rittenberg）、溫蒂·森堡（Wendy Samberg）、潔西·森堡（Jessie Samberg）、雪莉·森堡（Shirley Samberg），史凱爾斯（Junius Irving Scales）、韋恩柏格（Elinor Rittenberg Weinberger）及韋納夫婦（Florence and Richard Weiner）。在曼哈頓地區的奧·貝帝·布瑞（Au Petit Beurre）工作的沙依（Jesse Salhe）先生，也撥冗與我們做了好幾個小時的愉快訪談。

對安·歐頓小姐（Ann Overton），我們更要感謝，因為她在好幾年前就一直對這本書興致勃勃，也更感謝李察·韋納（Richard Weiner）的明智建議及濃厚的興趣。

我們還要感謝每日新聞（Newsday），在我們的同意下，以我們的名義，根據資訊自由法案（Freedom of Information Act），查閱了聯邦調查局（FBI）及中情局（CIA）的檔案，這感謝也包括了每日新聞的記者察朗（Charles Zehren）。哈佛大學的費爾班克中央圖書館（Fairbank Center Library）則幫助我們找出了近半世紀的中國報紙。而華爾街日報的執編史丁格（Paul Steiger）及辦公室主任李克萊斯（Roger Ricklefs）更是大力的支援、協助我們。

對那些催促、激勵我們盡快完成這本書的人，我們更是萬分感激，這些人包括：華理斯（Mike Wallace）、亨利·雷登堡博士及其夫人莎拉·雷登堡博士、史特爾（Sydney Stahl）。

最後，我們更要感謝我們的親人及子女：玉琳、曉勤·雷登堡（Jenny Rittenberg）、曉東·雷登堡（Toni Rittenberg）、曉昇·雷登堡（Sunny Rittenberg）、曉明·雷登堡二世（Sidney Rittenberg Jr.）；泰瑞斯·佛利以及泰瑞斯·貝奈特·佛利（Terence Foley and Terence Bennett Foley）。我們要感謝泰瑞斯·佛利協助我們做研究，以及為這本書定名。

企管系列叢書

書籍編號	書　　名	作者/譯者	定價
CE20001	縱橫美國——山姆・威頓傳	山姆・威頓　約翰・惠伊/李振昌　吳鄭重	280
CE20002	奇異傳奇	諾爾・提區　史崔佛・薛曼/吳鄭重	280
CE20003	21 世紀汽車大對決	瑪麗安・凱勒/吳鄭重	280
CE20004	西點軍校領導魂	賴瑞・杜尼嵩/陳山	200
CE20005	憂鬱巨人——IBM	保羅・卡洛/傅梅	360
CE20006	葉爾欽革命手記	鮑里斯・葉爾欽/汪仲　張定綺	280
CE20007	CNN——泰德・透納傳奇	波特・畢博/鄭懷超	300
CE20008	肥皂劇——寶鹼的魅力與魅影	艾麗西亞・史華希/傅梅　詹溢龍	280
CE20009	夥計，接棒——最新、最跳的同心圓企業	李卡多・塞姆勒/顧淑馨	280
CE20010	談判上道——老子精神・西方衝突	約珥・愛德蒙　瑪莉・貝絲・克倫/蔡桂華	280
CE20011	讚！——漫談活力管理	威廉・伯罕/黎素美	220
CE20012	賣場如秀場——行銷服務致勝奇招	史考特・葛羅斯/黎素美	240
CE20013	競爭大未來	蓋瑞・哈默爾　C.K. 普哈拉/顧淑馨	300
CE20014	Just Do It ——透視耐吉如何締造運動王國	唐諾・凱斯/麥慧芬	320
CE20015	妙語 12 訣 ——CNN 脫口秀名人賴利・金傳授竅門	賴利・金/徐仲秋	220

智庫叢書

書籍編號	書　　名	作者/譯者	定價
CT20001	聖戰黑鷹——沙漠風暴名將鮑威爾傳奇	大衛・羅斯/吳玲美	260
CT20002	白宮浮沉錄——柯林頓的一千天	鮑伯・伍華德/汪仲	350

智庫股份有限公司

台北市 110 基隆路一段 333 號 12 樓 1201 室

電話：(02)345-5607　傳真：(02)757-6865

劃撥帳號：17391043

人文系列叢書

書籍編號	書　　名	作者/譯者	定價
CW20001	山徑之旅	比爾·艾文　大衛·麥卡斯藍/李成嶽	200
CW20002	西方不敗——一個打不倒的人	W·米契爾　萊德·藍利/林爲正　黃明仁	160
CW20003	天無絕人之路	凱文·桑德斯　鮑伯·達頓/劉泗翰	200
CW20004	不老青春	鮑伯·達頓　W.R.史班斯/林宴夙	220
CW20005	莎拉塔的圍城日記——塞拉耶佛烽火錄	莎拉塔·菲力波維克/麥慧芬	240
CW20006	我在毛澤東身邊的一萬個日子	李敦白　雅瑪達·伯納/林瑞唐	350
CW20007	飛越雲端——衝破親情的迷霧	岳納珊·巴哈/劉泗翰	220
CW20008	邁可·喬丹——飛人祕笈	邁可·喬丹/林爲正	149
CW20009	超級跑者——最後的也能跑第一	狄克·朝姆　麥可·賽立茲克/蕭恬	220
CW20010	癌症邊緣	羅伯·布洛迪/杜默	220
CW20011	單飛——失去另一半的悲傷調適	鮑伯·狄基里歐/吳白玲	200
CW20012	關不住的父愛	亞瑟·漢彌敦　威廉·汴柯/黃玉眞	180
CW20013	我是你的延伸	愛倫·烏茲來克/徐荷	160
CW20014	榮耀與傳奇——艾許：球王·父親·愛滋鬥士	亞瑟·艾許　亞諾·潘伯沙德/何亞威	240
CW20015	曠野的聲音	瑪洛·摩根/李永平	200
CW20016	棒球小英雄	保羅·哈拉森/麥慧芬	200
CW20017	攻頂——攀登生命的大山	馬克·魏爾曼　約翰·富林/歐陽平	200
CW20018	迷網——蘿莉的隱祕世界	蘿莉·席勒　雅瑪達·伯納/李成嶽	240
CW20019	心牆裡的女人——心靈尋根五千哩	瑪莉·莫里斯/林爲正	200
CW20020	希望的季節——從依附走向自立	米樂生·柯林渥斯　珍·韋布恩兒/劉惠瑛	240
CW20021	經營生命的奇蹟	威廉·巴契南/吳玫瑛　葉宏明	200
CW20022	新納粹風暴——猶太記者深入德國追蹤報導	雅隆·史沃雷　尼克·泰勒/杜默	260
CW20023	烙印——特派員的生與死	泰瑞·安德森/張抒	260
CW20024	贏的策略—明星球員兩次抗癌成功的故事	卡爾·尼爾森　巴瑞·史塔登/任慶華	220
CW20025	天使不會死 ——前美國總統雷根與女兒的親密對話	佩蒂·戴維斯/杜默	180
CW20026	父愛不缺席 ——心理醫生剖析父親的十二種模式	大衛·史都/柯里斯　林爲正	200
CW20027	石頭外公	麥克斯·艾柏/李永平	240

智庫股份有限公司

台北市 110 基隆路一段 333 號 12 樓 1201 室

電話：(02)345-5607　傳眞：(02)757-6865

劃撥帳號：17391043

國立中央圖書館出版品預行編目資料

我在毛澤東身邊的一萬個日子 / 李敦白（Sidney Rittenberg）,雅瑪達・伯納（Amanda Bennett）作；林瑞唐譯,--第一版，--臺北市：智庫出版；［臺北縣］新店市：貞德總經銷, 1994〔民83〕
面； 公分. --（人文；6）
譯自：The man who stayed behind
ISBN 957-8829-11-6（平裝）

1.李敦白（Rittenberg, Sidney）-傳記 2.中共政權-歷史-1949-1965 3.中共政權-歷史-文化大革命時期（1966-1977）

785.28 83006524

人文 6

我在毛澤東身邊的一萬個日子

原　　著／李敦白、雅瑪達・伯納
譯　　者／林瑞唐
發 行 人／林秀貞
總 編 輯／何亞威
編　　審／尹德瀚
編　　輯／曾敏英
美　　編／林苓
地　　址／台北市基隆路一段333號國際貿易大樓1201室
電　　話／(02)345-5607（代表號）
傳　　真／(02)757-6865
郵政帳號／17391043
郵政帳戶／智庫股份有限公司
印 刷 廠／崇寶彩藝印刷股份有限公司
地　　址／三重市三和路四段89巷4號
出 版 者／智庫股份有限公司
登 記 證／局版北市業字第68號
總 經 銷／貞德圖書事業有限公司
電　　話／(02)218-6714
地　　址／新店市民權路130巷4號3樓
本書獲作著作獨家授權全球中文版

1994年8月第一版第一刷印行（1～3,000本）
1995年7月第一版第四刷印行（6,001～7,500本）
原名／The Man Who Stayed Behind
by Sidney Rittenberg and Amanda Bennett

定價：350元

※本書如有缺頁、破損、裝訂錯誤，請寄回本公司調換。
ISBN:957-8829-11-6（英文版ISBN:0-671-73595-0）